U0215896

中国中药资源大典

资源大典

海南卷

3

黄璐琦 / 总主编

魏建和　郑希龙 / 主　编

北京科学技术出版社

图书在版编目（CIP）数据

中国中药资源大典 . 海南卷 . 3 / 魏建和，郑希龙主编 . —北京：北京科学技术出版社，2019.1

ISBN 978-7-5714-0069-9

Ⅰ . ①中… Ⅱ . ①魏… ②郑… Ⅲ . ①中药资源—中药志—海南 Ⅳ . ① R281.4

中国版本图书馆 CIP 数据核字（2019）第 011678 号

中国中药资源大典·海南卷3

主　　编：魏建和　郑希龙
策划编辑：李兆弟　侍　伟
责任编辑：严　丹　董桂红　周　珊
责任校对：贾　荣
责任印制：李　茗
封面设计：蒋宏工作室
图文制作：樊润琴
出 版 人：曾庆宇
出版发行：北京科学技术出版社
社　　址：北京西直门南大街16号
邮政编码：100035
电话传真：0086-10-66135495（总编室）
　　　　　0086-10-66113227（发行部）　0086-10-66161952（发行部传真）
电子信箱：bjkj@bjkjpress.com
网　　址：www.bkydw.cn
经　　销：新华书店
印　　刷：北京捷迅佳彩印刷有限公司
开　　本：889mm×1194mm　1/16
字　　数：1002千字
印　　张：59
版　　次：2019年1月第1版
印　　次：2019年1月第1次印刷
ISBN 978-7-5714-0069-9/R·2578

定　　价：980.00元

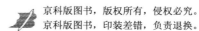
京科版图书，版权所有，侵权必究。
京科版图书，印装差错，负责退换。

《中国中药资源大典·海南卷》
编写委员会

顾　问　韩英伟　吴　明　周国明

主　编　魏建和　郑希龙

副主编　李榕涛　杨新全

编　委　（以姓氏笔画为序）

丁宗妙　王　军　王士泉　王发国　王庆煌　王祝年　王清隆　王德立
邓双文　甘炳春　叶　文　田怀珍　田建平　冯锦东　邢福武　朱　平
朱　麟　全　峰　刘寿柏　刘洋洋　严岳鸿　杜小浪　李大周　李东海
李冬琳　李伟杰　李向民　李建保　李海涛　李榕涛　杨　云　杨小波
杨东梅　杨新全　杨福孙　肖　艳　肖邦森　何明军　何春梅　宋希强
张　力　张连帅　张荣京　张俊清　陈　林　陈伟平　陈红锋　陈沂章
林余霖　周亚东　周亚奎　周国明　庞玉新　郑才成　郑希龙　孟　慧
赵祥升　郝朝运　胡爱群　胡碧煌　钟捷东　钟琼芯　秦新生　徐清宁
唐　菲　黄　勃　康　勇　董安强　韩长日　曾　琳　曾　渝　曾念开
谭业华　翟俊文　戴好富　魏建和

资料收集　（以姓氏笔画为序）

丁宗涨　于淑楠　马子龙　王　勇　王　捷　王　辉　王　聪　王开才
王文峰　王亚雄　王茂媛　王建荣　王雪慧　王康剑　王焕龙　王雅丽
王辉山　邓　民　邓　勤　邓开丽　龙文兴　叶才华　叶其华　叶绵元
代正福　冯里喜　吉训忠　吕晓波　农翼荣　刘凤娟　刘世植　关义芳
孙有彬　孙军微　孙蕊芬　麦贻钦　李　冰　李　阳　李　俊　李　聪

李万蕊　李立坤　李和三　李洪福　李舒畅　杨　峰　杨　浪　杨　锋
杨安安　杨海建　吴　妹　吴小萌　吴少雄　吴成春　吴坤帮　吴国明
利冬妹　邱　勇　邱燕连　何发霖　何春生　邸　明　沈日华　张　雯
张　歆　张　磊　张亚洲　张建新　张新蕊　张影波　陈　能　陈玉凯
陈业强　陈荣耀　陈昭宁　陈信吕　陈俊秀　陈道云　陈赞妃　林　君
林　密　林秀闲　林福良　罗　宇　周　干　周　晓　周世妹　郑　莎
单家林　赵玉立　赵学来　胡吟胜　钟　莹　钟星云　钟雯雯　钟燕琼
段泽林　袁　晴　莫志敏　莫茂娟　晏小霞　徐世松　郭育慧　唐小儒
黄　谨　黄卫东　黄立标　黄明忠　黄宗秀　梅文莉　戚春林　崔　杰
符传庆　符焕清　彭　超　彭小平　窦　宁　蔡于竞　鲜孟筑　廖兴德
黎　鹏　戴　波　戴水平

摄　　影（以姓氏笔画为序）

王发国　王清隆　王德立　邓双文　叶　文　邢福武　朱　平　朱鑫鑫
刘寿柏　严岳鸿　杜小浪　李冬琳　李海涛　李榕涛　杨　云　杨东梅
肖　艳　何春梅　张　力　张代贵　陈　林　林余霖　周亚奎　周喜乐
郑希龙　孟　慧　郝朝运　秦新生　袁浪兴　董安强　童　毅　曾念开

《中国中药资源大典·海南卷 3》

编写人员

主　　编　魏建和　郑希龙

副 主 编　李榕涛　杨新全　李伟杰　康　勇

编　　委　（以姓氏笔画为序）

王　军　邓双文　甘炳春　冯锦东　邢福武　朱　平　刘寿柏　杜小浪

李冬琳　李伟杰　李海涛　李榕涛　杨新全　肖　艳　何春梅　陈　林

陈红锋　陈沂章　林余霖　郑希龙　秦新生　康　勇　董安强　魏建和

资料收集　（以姓氏笔画为序）

杨海建　张　雯　陈俊秀　林　君　崔馨云　戴　波

摄　　影　（以姓氏笔画为序）

邓双文　刘寿柏　杜小浪　李冬琳　李海涛　李榕涛　肖　艳　何春梅

陈　林　林余霖　郑希龙　秦新生　董安强

《中国中药资源大典·海南卷 3》

编辑委员会

主任委员　章　健

委　　员　（以姓氏笔画为序）

王晶晶　尤竞爽　严　丹　李兆弟　侍　伟

周　珊　赵　晶　贾　荣　黄立辉　董桂红

主编简介

魏建和

博士，福建南平人。现任中国医学科学院药用植物研究所博士生导师、研究员、副所长，兼海南分所所长，国家药用植物种质资源库（北京、海南）、全国中药材生产技术服务平台负责人，濒危药材繁育国家工程实验室执行人，国家中医药管理局沉香可持续利用重点研究室主任，海南省南药资源保护与开发重点实验室主任，海南省中药资源普查技术负责人。第十一届国家药典委员会委员，中国野生植物保护协会药用植物保育委员会主任委员，中华中医药学会中药资源学分会秘书长，第十一届中华全国青年联合会委员。

国家"万人计划"第一批科技创新领军人才，国家创新人才推进计划首批重点领域创新团队"沉香等珍稀南药诱导形成机制及产业化技术创新团队"负责人，全国优秀科技工作者，"百千万人才工程"国家级人选及国家有突出贡献中青年专家，国务院特殊津贴专家，海南省杰出人才，海南省省委省政府直接联系专家；入选协和学者特聘教授、教育部新世纪优秀人才、北京市科技新星等人才培养计划。

多年来聚焦珍稀濒危药材再生技术和优质药材新品种选育重大创新研究，原创性解析了"伤害诱导白木香防御反应形成沉香"机制，发明了世界领先的"通体结香技术"，在全球沉香资源的利用、中国沉香产业复兴发展技术"瓶颈"的解决上，迈出了重要的一步，诱导理论与方法对"诱导型"珍稀南药降香、龙血竭等及世界性濒危植物资源的持续供应有重大理论和现实意义，为海南省"香岛"建设提供了核心技术支持；创新了根类药材及药用次生代谢产物选育理论，突破了中药材杂种优势育种技术难题，选育出柴胡、桔梗、荆芥、人参等大宗药材优良新品种 16 个；创建了药用植物种质资源低温干燥保存技术体系，建成了收集、保存世界药用植物种质资源最多的我国第一座药用植物专业种质库，建成了全球第一个采用超低温方式保存顽拗性药用植物种子的国家南药基因资源库。创新成果已在我国 17 个省市、7 个东南亚国家应用，具有重大的应用价值和较广泛的学术影响，先后获国家科学技术进步奖二等奖 2 项、海南省科学技术奖特等奖等省部级奖 7 项，在国内外发表学术论文 170 余篇，主编专著《中国南药引种栽培学》。

通讯地址：北京市海淀区马连洼北路 151 号中国医学科学院药用植物研究所 //海南省海口市秀英区药谷四路四号中国医学科学院药用植物研究所海南分所

邮政编码：100193（北京），570311（海南）

联系电话：010-57833358/0898-31589009

电子信箱：wjianh@263.net

主编简介

郑希龙

　　博士，广东韶关人。现任中国医学科学院药用植物研究所硕士生导师、副研究员、海南分所南药资源研究中心主任、海南省中药标本馆馆长。中华中医药学会中药资源学分会委员，中国植物学会民族植物学分会理事，第四次全国中药资源普查工作（海南省）物种鉴定专家组专家，海南省植物学会理事，海南省中医药学会中药专业委员会常务委员。

　　2005 年毕业于广州中医药大学中药学专业，本科期间在潘超美教授的指导下开展了广东省境内的药用植物资源调查。2005—2010 年于中国科学院华南植物园攻读博士学位。期间，在导师邢福武研究员的指导下，围绕"海南黎族民族植物学研究"，多次赴海南省鹦哥岭、五指山、霸王岭、黎母山、吊罗山、七仙岭等主要山区开展野外调查和标本采集工作。近年来，聚焦南药、黎药资源分类与鉴定研究，开展了中国进口药材及海外药物资源调查、海南省中药资源普查、热带珍稀濒危药用植物资源调查与保护技术研究、七洲列岛植物与植被研究、大洲岛植物物种多样性研究等多项与药用植物资源分类及鉴定密切相关的课题研究工作。曾赴柬埔寨国公省达岱河流域的原始热带雨林开展为期 1 个月的野外考察和标本采集工作；赴老挝、越南、缅甸、泰国等国开展珍稀药材沉香、龙血竭等资源的专项野外考察及合作研究。先后获得海南省科学技术奖一等奖、广东省科学技术奖一等奖各 1 项，发表论文 47 篇（其中 6 篇被 SCI 收录）。主编《海南民族植物学研究》《黎族药志（三）》等专著 2 部，副主编《中国热带雨林地区植物图鉴——海南植物》《海南植物物种多样性编目》《海南省七洲列岛的植物与植被》《中华食疗本草》等专著 4 部，参编《中国药典中药材 DNA 条形码标准序列》等专著多部。迄今已采集植物标本 1 万多个，拍摄照片 10 万多张，鉴定植物 5000 多种，发表新种 3 种，中国新记录植物 1 种，省级新记录植物 22 种。在野外调查和观测的基础上，引种驯化柬埔寨、泰国、老挝、缅甸及我国海南、云南、广西、广东等热带和亚热带地区的药用植物资源 800 多种，进一步丰富了兴隆南药植物园的物种，建成了南药荫生园及种苗繁育资源圃等专类园平台。

通讯地址：海南省海口市秀英区药谷四路四号中国医学科学院药用植物研究所海南分所

邮政编码：570311

联系电话：0898-32162051

电子信箱：zhengxl2012@sina.com

肖 序

　　中华人民共和国成立后，我国先后组织开展了三次规模比较大的中药资源普查，当时普查获得的数据资料为我国中医药事业和中药产业的发展提供了重要依据。但是从第三次全国中药资源普查至今已经 30 余年，在此期间我国的中医药事业和中药产业快速发展，对中药资源的需求量不断加大，中药资源种类、分布、数量、品质和应用也都发生了巨大的变化。因此，自 2011 年开展的第四次全国中药资源普查试点工作意义重大，此次详细的摸底调查，能为制定中药资源保护措施以及环境保护措施、促进中药产业发展的政策提供可靠、翔实的依据。

　　海南省是我国的热带省份，素有"天然药库"之称，蕴藏着丰富的中药资源。据我了解，省内药用植物非常丰富，海南省的槟榔、益智产量占全国 90% 以上。然而，此前三次普查，海南省均作为广东省的一部分参与普查，从未有过真正意义上的全省普查。此次海南省普查，内容涉及南药、黎药、动物药、海洋药等全部资源类型，可以说是海南省真正意义上的第一次全省中药资源普查，意义重大。

　　魏建和研究员是中国医学科学院药用植物研究所副所长、海南分所所长，作为海南省中药资源普查的负责人之一，其带领一支专业的资源普查队伍，经过 3 年多的实地调查，获得了丰富的第一手资料。在此次普查获得的资料基础上，魏建和研究员主编的《中国中药资源大典·海南卷》以全高清彩图的形式全面展示海南省的中药资源情况，是收载海南省中草药品种数量最多的中药著作。同时，该丛书的出版也将为海南省中药资源的保护、利用和产业发展政策的制定提供数据支撑，为中药资源的有效利用、成果转化提供科学依据，更好地促进海南省中医药事业和中药产业的发展。

肖培根

2018 年 8 月 2 日

黄 序

　　2009 年，《国务院关于扶持和促进中医药事业发展的若干意见》提出开展全国中药资源普查、加强中药资源监测和信息网络化建设的要求。同年，国家中医药管理局开始筹备第四次全国中药资源普查试点工作，并于 2011 年正式启动。自本次全国中药资源普查试点工作开展以来，在中药资源调查、动态监测体系建设、种子种苗繁育基地建设、传统知识调查等方面取得了阶段性的成果，为全面开展第四次全国中药资源普查打下了坚实的基础。海南省作为试点省份之一，其中药资源普查所取得的成果也较为丰硕。经过 3 年多的全省普查，基本摸清了海南省南药、黎药和海洋药资源现状。此次中药资源普查共调查野生药用植物 2402 种，动物药 94 种，民间传统知识 222 份，海洋药 252 种；建立了我国目前唯一以超低温方式保存顽拗性药用植物种子的国家基本药物所需中药材种质资源库（国家南药基因资源库）、第一个海南省中药标本馆、具有中国计量认证（CMA）资质的海南省中药材种子检测实验室以及海南省中药资源信息系统，为海南省丰富中药资源的开发利用奠定了基础。

　　基于海南省本次普查成果，魏建和研究员主编了《中国中药资源大典·海南卷》，该丛书收录了海南省 2000 余种中药资源，是我国首部采用彩色图片、全面反映海南省中药资源种类和特点的大型专著，具有非常重要的学术价值，也将会是认识海南省中药资源的重要工具书，具有极为广泛的社会效益。另外，该书的出版也将在中医药、民族医药的教学、科研、临床医疗、资源开发、新药研制等方面有一定的指导作用和实用价值，并将促进海南省中医药事业的发展。

2018 年 8 月 1 日

前　言

　　海南省是我国的热带岛屿省份，包括海南岛和西沙群岛、中沙群岛、南沙群岛及其邻近岛屿。海南岛地形地势复杂多样，中部高、四周低，以五指山、鹦哥岭为中心，向外围逐级下降，由山地、丘陵、台地、平原构成环形层状地貌，面积 3.39 万 km²。海南岛属于海洋性热带季风气候，年平均温度为 22~26℃，年平均降雨量在 1600mm 以上。长夏无冬，光照充足，雨量充沛，为动植物的生长提供了良好的条件，是我国岛屿型热带雨林分布面积最大、物种多样性最为丰富的热带区域，蕴藏着极为丰富的植物、动物和矿物等中药资源，素有"天然药库"之称，是我国南药的主产区之一，有维管束植物4000 多种、药用植物 2500 多种。所辖近海海域蕴藏近万种海洋生物，其中含有生物活性物质的占 3000 多种。岛内民间使用地产药材的历史悠久，是中华民族医药宝库中的重要组成部分。

　　中药资源是中药产业和中医药事业发展的重要物质基础，是国家的战略性资源，中医药的传承与发展有赖于丰富的中药资源的支撑。中药资源普查是中药资源保护和合理开发利用的前提，也是了解中药资源现状（包括受威胁现状及特有程度等）的最有效途径。我国经历了 3 次全国性的中药资源普查：1960—1962 年第一次全国中药资源普查，普查以常用中药为主；1969—1973年第二次全国中药资源普查，调查收集各地的中草药资料；1983—1987年第三次全国中药资源普查，由中国药材公司牵头完成，调查结果表明我国中药资源种类达12807种。历次中药资源普查所获得的基础数据资料，均为我国中医药事业和中药产业的发展提供了重要的依据。但自1987年以后未再开展过全国性的中药资源普查，30多年间中药产业快速发展，民众对中药的需求不断加大，中药资源种类、分布、数量、质量和应用等与30多年前相比发生了巨大变化。许多30多年前的资料已成为历史资料，难以发挥其指导生产的作用，中药资源家底不清已成为当前中药资源可持续发展面临的重大问题。在这种情况下，组织开展第四次全国中药资源普查势在必行。

2012年6月，在海南省政府的领导下，在全省主要相关厅局的配合下，以海南省卫生和计划生育委员会为组织单位，依托中国医学科学院药用植物研究所海南分所为技术牵头单位，正式启动了第四次全国中药资源普查工作（海南省）。此次中药资源普查工作范围覆盖海南省18个市县（三沙市2018年启动，单独成卷出版）所有乡镇，普查内容涉及南药、黎药、动物药、海洋药等全部资源类型，共实地调查652块样地、3260套样方套、19560个样方。调查野生药用植物2402种、动物药94种、民间传统知识222份、海洋药252种、民间调查数据274份，收集腊叶标本22774份、药材标本2097份、照片107120张，完成大宗芳香南药沉香、降香18个市县的调查工作，发现新种1个、中国新记录种1个、海南省新记录种11个。普查工作开展以来，已出版5部专著，发表31篇论文，并形成海南省中药资源普查报告1份；获得海南省科学技术进步奖一等奖及农业部、科学技术部神农中华农业科技奖一等奖各1项；建成了一系列国家级南药种质资源平台；共培养了40名专业人员及80名骨干普查人员，培养了一支海南省中药资源研究和工作的人才队伍，培养了专业从事南药资源研究的副教授和博士30多人，包括科学技术部重点领域首批创新团队1个，全国中药特色技术传承人才2人，国家"万人计划"科技领军人才及全国先进科技工作者1人，海南省先进科技工作者2人。

在普查工作开展之初，普查团队便提出要编纂一部图文并茂，全面、系统地反映海南省中药资源现状的地方性大型学术专著。2013—2014年，数次召开工作会议，探讨专著编纂的具体事项，包括编写体例、名录整理等一系列前期准备工作，听取参会专家学者的中肯意见，逐步形成和完善专著编纂方案。2015年，获得了海南省科学技术厅的专项支持。在2年时间内，补充完成了15个市县25个调查点的野外考察工作，获得大批高质量的彩色照片。同时，完成了全省中药资源普查数据资料的整理以及相关文献资料的收集、分类工作。

扎实的野外实地调查工作，使我们获得了大量第一手珍贵资料。结合充分的文献查阅，编写人员对本书所收载的中药资源物种进行了认真细致的整理和校对。每个物种的编写内容包括：中药名、植物形态、分布区域、资源、采收加工、药材性状、功能主治、附注等。同时附上植物形态、药材性状等彩色图片。本丛书分为六册出版，其中第一册分为上、中、下篇：上篇综述海南省中药资源概况，中篇分述白木香、降香、槟榔、益智等4种海南省道地中药资源，下篇分述苔藓植物（5科6种）、真菌（18科34种）、蕨类植物（42科144种）、裸子植物（7科14种）和被子植物的双子叶植物（从木兰科到紫茉莉科，45科273种）等中药资源共117科471种。第二册收录被子植物的双子叶植物（从山龙眼科到含羞草科）中药资源39科408种。第三册收录被子植物的双子叶植物（从苏木科到杜鹃花科）中药资源39科447种。第四册收录被子植物的双子叶植物（从鹿蹄草科到唇形科）中药资源32科426种。第五册收录被子植物的单子叶植物中药资源约400种。第六册以三沙市中药资源普查工作为基础，专门记述西沙群岛、中沙群岛及南沙群岛等岛礁的中药资源物种及其现状。（第五册、第六册待出版。）

本书出版时，肖培根院士和黄璐琦院士亲自为其撰写了序言，这是对我们一线工作者的鼓励，谨致诚挚的谢意。本书的工作得到了国家中医药管理局中药资源普查办公室的指导，得到国家出版基金及海南省科学技术厅的资助，在此表示衷心的感谢。

"路漫漫其修远兮，吾将上下而求索。"本丛书仅是对海南省中药资源调查的阶段性总结，海南省独特而丰富的中药资源仍有待我们进一步去发现和了解。由于我们水平有限，工作仓促，难免存在差错与疏漏之处，敬请不吝指正，以便在今后的工作中不断改进和完善。

编　者

2018 年 12 月 6 日

凡 例

（1）本丛书共分六册，第一册分为上、中、下篇：上篇综述海南省中药资源概况，中篇分述4种海南省道地中药资源，下篇分述苔藓植物、真菌、蕨类植物、裸子植物和被子植物的双子叶植物（从木兰科到紫茉莉科）等中药资源。第二册收录被子植物的双子叶植物（从山龙眼科到含羞草科）中药资源。第三册收录被子植物的双子叶植物（从苏木科到杜鹃花科）中药资源。第四册收录被子植物的双子叶植物（从鹿蹄草科到唇形科）中药资源。第五册收录被子植物的单子叶植物中药资源。第六册以三沙市中药资源普查工作为基础，专门记述西沙群岛、中沙群岛及南沙群岛等岛礁的中药资源物种及其现状。（第五册、第六册待出版。）

（2）本丛书内容包括序言、前言、凡例、目录、正文、索引。正文介绍中药资源时，以药用植物名为条目名，包括植物科属、基原植物名。每一条目下设项目包括中药名、植物形态、分布区域、资源、采收加工、药材性状、功能主治、附注等。同时附上植物形态、药材性状等彩色图片。资料不全者项目从略。为检索方便，本丛书出版时在第四册最后附有1～4册内容的中文笔画索引、拉丁学名索引，第五册、第六册出版时也将附有索引。

（3）条目名。为药用植物的基原植物名及其所属科属名称，同时附上拉丁学名，均以《中国植物志》《中国孢子植物志》用名为准。其中，蕨类植物按秦仁昌1978年系统，裸子植物按郑万钧1975年系统，被子植物按哈钦松1934年系统。属种按照拉丁学名排列。

（4）中药名。记述该药用植物的中药名称及其药用部位。以2015年版《中国药典》用名为准，《中国药典》未收载者，以上海科学技术出版社出版的《中华本草》正名为准。部分海南省特色药材采用当地名称，若无特别名称的，则采用"基原植物＋药用部位"命名。

（5）植物形态。简要描述该药用植物的形态，突出其鉴别特征。描述顺序：习性—营养器官（根—茎—叶）—繁殖器官（花序—花的各部—果实—种子—花果期），并附以反映其形态特征的原色照片。本部分主要根据《中国植物志》所描述特征，并结合其在海南省生长环境中的实际形态特征进行描述。

（6）分布区域。记述该药用植物在海南省的分布区域，及其在我国其他省份、世界各国的分布状况。若在海南全省均有分布，则记述为"产于海南各地"或"海南各地均有分布"。我国县级以上地名以2018年版《中华人民共和国行政区划简册》为准，其他地名根据中国地图出版社出版的最新《中华人民共和国（或分省）地图集》或《中国地名录》的地名为准。

（7）资源。简要记述野生资源的生态环境、群落特征，野生资源蕴藏量情况采用"十分常见、常见、少见、偶见、罕见"等描述。简要记述栽培资源的情况。

如果只是野生资源，则栽培情况可忽略。同样，如果只有栽培资源，则野生资源情况可忽略。如果既有野生资源，也有栽培资源，则先描述野生资源，再描述栽培资源。

（8）采收加工。为保障该药用植物的安全有效应用，根据植物生长特性，记述其不同药用部位的采收季节与加工方法。

（9）药材性状。依次记述药材各部位的性状特征、药材质量状况等，附以反映药材性状特征的原色照片。重要药材还记述其品质评价或种质的优劣评价。

（10）功能主治。记述药物功能和主治病证。2015年版《中国药典》收载者，优先参考该书描述；其次以《中华本草》为主要参考资料；前两部著作未收载者，以临床实践为准，参考诸家本草。

（11）附注。记述该药用植物拉丁学名在《中国植物志》英文版（Flora of China, FOC）中的修订状况。描述该品种濒危等级、其他用途、地方用药特点；并结合本产区相关的本草、地方志书、历代贡品相关记载情况等资料撰写其传统医药知识。

（12）拉丁学名表示方法。生物学中拉丁学名的属名和种名排斜体，包括亚属、亚种、变种等，但附在属种名称中的各种标记及命名人排正体，如 *Populus tomentosa* Carr.，*Linnania lofoensis* sp. Nov.，*Saukia acamuo* var. *punctata* Sun.。

（13）数字、单位及标点符号。

1）数字用法按国家标准《出版物上数字用法的规定》（GB/T 15835—2011）执行。本书的用量、统计数字、时间、百分比、温度等数据均用阿拉伯数字表示。

2）计量单位一律按国家发布的《中华人民共和国法定计量单位》及《量和单位》（GB 3100~3102—93）执行。

3）标点符号按国家标准《标点符号用法》（GB/T 15834—2011）使用。

苏木科 Caesalpiniaceae 羊蹄甲属 *Bauhinia*

龙须藤
Bauhinia championii (Benth.) Benth.

| 中 药 名 | 九龙藤（药用部位：根、藤茎、叶），过龙江子（药用部位：种子）

| 植物形态 | 藤本，有卷须；嫩枝和花序薄被紧贴的小柔毛。叶纸质，心形，长 3~10cm，宽 2.5~6.5cm，干时粉白褐色；基出脉 5~7；叶柄长 1~2.5cm，略被毛。总状花序腋生，被灰褐色小柔毛；花蕾椭圆形，长 2.5~3mm，具凸头，与萼及花梗同被灰褐色短柔毛；花梗长 10~15mm；花托漏斗形，长约 2mm；萼片披针形，长约 3mm；花瓣白色，具瓣柄，瓣片匙形，长约 4mm，外面中部疏被丝毛；能育雄蕊 3，花丝长约 6mm，无毛；退化雄蕊 2；子房具短柄，仅沿两缝线被毛，花柱短，柱头小。荚果倒卵状长圆形，扁平，长 7~12cm，宽 2.5~3cm，无毛，果瓣革质；种子 2~5，圆形，扁平，直径约 12mm。花期 6~10 月，果期 7~12 月。

龙须藤

| 分布区域 |

产于海南三亚、乐东、东方、昌江、万宁、琼中、儋州。亦分布于中国长江以南各地。越南、印度尼西亚及印度也有分布。

| 资　源 |

生于山谷疏林、灌丛中，常见。

| 采收加工 |

根、藤茎、叶：全年均可采，砍取茎干或挖出根部，除去杂质、泥土，切片，鲜用或晒干。种子：秋季果实成熟时采收，晒干，打出种子。

| 药材性状 |

本品呈圆柱形，稍扭曲。表面粗糙，灰棕色或灰褐色，具不规则皱沟纹。质坚实，难折断，切断面皮部棕红色、木质部浅棕色。有 2~4 圈深红棕色环纹，习称"鸡眼圈纹"。针孔状导管细而密。气无，味微涩。

| 功能主治 |

根：祛风湿，行气血。用于跌打损伤、风湿骨痛、心胃气痛。藤：用于风湿骨痛、跌打骨伤、胃痛。种子：理气止痛，活血散瘀。用于跌打损伤、肝痛、胃痛。叶：退翳。

■ 苏木科 ■ Caesalpiniaceae ■ 羊蹄甲属 *Bauhinia*

首冠藤
Bauhinia corymbosa Roxb. ex DC.

| 中 药 名 | 首冠藤（药用部位：根、叶、皮、花）

| 植物形态 | 木质藤本；嫩枝、花序和卷须的一面被红棕色小粗毛；枝无毛；卷须单生。叶纸质，近圆形，先端深裂达叶长的 3/4，裂片先端圆，基部近平截，两面无毛；基出脉 7；叶柄长 1~2cm。伞房花序式的总状花序顶生于侧枝上，长约 5cm，多花，具短的总花梗；花芳香；花蕾卵形，与纤细的花梗同被红棕色小粗毛；花托长 18~25mm；萼片长约 6mm，外面被毛，开花时反折；花瓣白色，有粉红色脉纹，阔匙形或近圆形，长 8~11mm，宽 6~8mm，外面中部被丝质长柔毛，边缘皱曲，具短瓣柄；能育雄蕊 3，花丝淡红色，长约 1cm；退化雄蕊 2~5；子房无毛，柱头阔截形。荚果带状长圆形，扁平，长 10~16cm，宽 1.5~2.5cm，具果颈，果瓣厚革质；种子 10 余颗，长圆形，长 8mm，褐色。花期 4~6 月，果期 9~12 月。

首冠藤

| 分布区域 |

产于海南保亭、陵水、万宁、定安、琼海。亦分布于中国广东。越南也有分布。

| 资　　源 |

生于低海拔至中海拔林中，常见。

| 采收加工 |

全年均可采，洗净，鲜用或晒干。

| 功能主治 |

根：清热利湿，消肿止痛。用于痢疾、子痈、阴囊湿疹。叶、根、皮、花：去毒，洗疮。用于疮疡肿毒。

苏木科 Caesalpiniaceae 羊蹄甲属 *Bauhinia*

锈荚藤
Bauhinia erythropoda Hayata

| 中 药 名 | 锈荚藤（药用部位：根）

| 植物形态 | 木质藤本，嫩枝密被褐色茸毛。叶纸质，心形，长 5~10cm，宽 4~9cm，叶下面沿脉上被锈色柔毛；叶柄长 3~8cm，密被赤褐色茸毛。总状花序顶生，全部密被锈红色茸毛；苞片线形；小苞片丝状；花芳香，长 4~5cm，与萼外面同密被锈红色茸毛；花托圆柱形；萼片长圆状披针形，花瓣白色，阔倒卵形，连瓣柄长 2~2.5cm，边缘皱缩啮蚀状，外面中部至瓣柄均被锈色长柔毛；能育雄蕊 3，子房密被锈色长柔毛，柱头盾状。荚果倒披针状带形，扁平，长可达 30cm，密被锈色短茸毛。花期 3~4 月，果期 6~7 月。

锈荚藤

| 分布区域 |

产于海南三亚、琼海、东方、陵水、万宁。亦分布于中国华南其他区域,以及云南。菲律宾也有分布。

| 资　源 |

生于低海拔林中,常见。

| 采收加工 |

全年皆可采收,挖出根部,除去杂质、泥土,切片,鲜用或晒干。

| 功能主治 |

同属植物根部多有清热利湿之效,本种或有类似作用,其具体功能有待进一步发掘。

苏木科 Caesalpiniaceae **羊蹄甲属** *Bauhinia*

牛蹄麻
Bauhinia khasiana Baker

| 中 药 名 | 牛蹄麻（药用部位：树皮）

| 植物形态 | 木质藤本，除花序外全株无毛。叶纸质，长 7~12cm，宽 6~9.5cm，先端短 2 裂，分裂达叶长的 1/5~1/4，两面无毛，叶柄长 2.5~5cm。伞房花序顶生，长、宽均为 10~15cm，全部密被红棕色、伏贴、有光泽的短绢毛；苞片早落；小苞片锥尖，花托圆柱形，萼裂片 4~5，花瓣红色，阔匙形，与萼外面同被红棕色绢毛，瓣柄长 2~4mm；能育雄蕊 3，退化雄蕊 3。荚果长圆状披针形，扁平，长 15~19cm，果瓣厚革质，种子 4~5，长圆形，长约 2cm。花期 7~8 月，果期 9~12 月。

牛蹄麻

| 分布区域 | 产于海南三亚、乐东、东方、保亭、万宁,昌江有分布记录。越南以及印度也有分布。 |

| 资　　源 | 生于混交林中,常见。 |

| 采收加工 | 全年皆可采收,鲜用或晒干。 |

| 功能主治 | 清热收敛。外用于痈疮溃烂、湿疹。 |

苏木科 Caesalpiniaceae　云实属 *Caesalpinia*

刺果苏木 *Caesalpinia bonduc* (L.) Roxb.

| 中 药 名 |　刺果苏木叶（药用部位：叶），大托叶云实（药用部位：种子）

| 植物形态 |　有刺藤本，各部均被黄色柔毛。叶长 30~45cm；叶轴有钩刺；羽片
6~9 对，对生，柄极短，基部有刺 1；托叶叶状，常分裂，脱落；在
小叶着生处常有托叶状小钩刺 1 对；小叶 6~12 对，长 1.5~4cm，宽
1.2~2cm，基部斜，两面均被黄色柔毛。总状花序腋生，具长梗；花
梗长 3~5mm；苞片锥状，长 6~8mm，被毛，外折，花时渐脱落；
花托凹陷；萼片 5，内外均被锈色毛；花瓣黄色，最上面一片有红
色斑点，倒披针形，有柄；花丝基部被绵毛；子房被毛。荚果革质，
长圆形，长 5~7cm，宽 4~5cm，先端有喙，膨胀，外面具细长针刺；
种子 2~3 颗，近球形，铅灰色，有光泽。花期 8~10 月，果期 10 月
至翌年 3 月。

刺果苏木

| 分布区域 |

产于海南三亚、乐东、东方、昌江、万宁、文昌、西沙群岛、南沙群岛，琼海有分布记录。亦分布于中国华南其他区域，以及台湾。

| 资　　源 |

生于林中或海边，常见。

| 采收加工 |

叶：夏、秋季采收，鲜用或晒干。种子：秋、冬季及翌年春季果实成熟时采收，剥取种子，晒干。

| 药材性状 |

种子呈不规则状，稍扁，有的一侧平截或有浅凹陷。表面灰绿色，光滑，微具光泽，有同心环纹延及先端，一端有点状种脐，浅黄白色或浅黄棕色。其周围的环纹宽 2~3mm，暗褐色。种皮极坚硬，摇之常发响声，破开后，种皮厚约 1mm，内表面淡黄白色，有稍突起的线纹；子叶扁圆形，黄白色，质坚，表面有不规则沟槽，断面略平坦。气微腥，味苦。

| 功能主治 |

叶：祛风健胃。种子：暖胃补肾。用于肾虚、胃寒。叶、种子：用于多种疾病。全草：用于腹泻、小儿惊风、丝虫病。海南民间广泛用作通经药，促进孕妇分娩。

苏木科 Caesalpiniaceae 云实属 *Caesalpinia*

喙荚云实 *Caesalpinia minax* Hance

| 中 药 名 | 苦石莲（药用部位：种子），南蛇簕（药用部位：嫩茎叶、根）

| 植物形态 | 有刺藤本，各部被短柔毛。二回羽状复叶长可达 45cm；托叶锥状而硬；羽片 5~8 对；小叶 6~12 对，椭圆形或长圆形，长 2~4cm，宽 1.1~1.7cm，先端圆钝或急尖，基部圆形，微偏斜，两面沿中脉被短柔毛。总状花序顶生；苞片卵状披针形，先端短渐尖；萼片 5，长约 13mm，密生黄色绒毛；白色花瓣 5，有紫色斑点，倒卵形，长约 18mm，宽约 12mm，先端圆钝，基部靠合，外面和边缘有毛；雄蕊 10，较花瓣稍短，花丝下部密被长柔毛；子房密生细刺，花柱稍超出于雄蕊，无毛。荚果长圆形，长 7.5~13cm，宽 4~4.5cm，先端圆钝而有喙，喙长 5~25mm，果瓣表面密生针状刺，有种子 4~8；种子椭圆形，与莲子相仿，一侧稍凹，有环状纹，长约 18mm，宽约 10mm，种子在狭的一端。花期 4~5 月，果期 7 月。

喙荚云实

分布区域	海南西沙群岛有分布记录。亦分布于中国广东、广西、台湾，以及西南地区。越南、老挝、泰国、缅甸、印度也有分布。
资　　源	生于丘陵山坡或海边灌丛，偶见。
采收加工	种子：8~10月采收成熟果实，敲破，除去果壳，取出种子，晒干。嫩茎叶：春、夏、秋季均可采收嫩茎叶。根：全年均可采收，挖出根部，洗净，切片，鲜用或晒干。
药材性状	种子呈椭圆形，两端钝圆，长约1.8cm，直径约1cm。表面乌黑色，有光泽，有时可见横环纹或横裂纹。基部有珠柄残基，其旁为小圆形的合点。质坚硬，极难破开。种皮厚约1mm，内表面灰黄色，平滑而有光泽，除去种皮后，内为2棕色肥厚的子叶，富油质，中央有空隙。气微弱，味极苦。
功能主治	种子：散瘀止痛，清热祛湿。用于哕逆、痢疾、淋浊、尿血、跌打损伤。嫩茎叶：清热解毒，活血。用于风热感冒、跌打损伤、湿疹。　根：清热，解毒，散瘀。用于外感发热、痧证、风湿关节痛、疮肿、跌打损伤。　苗：泻热，祛瘀解毒。用于风热感冒、湿热痧气、跌打损伤、瘰疬、疮疡肿毒。全草：清热解毒，祛瘀消肿，杀虫止痒。用于痧证、感冒发热、风湿关节痛。

苏木科 Caesalpiniaceae　云实属 *Caesalpinia*

金凤花
Caesalpinia pulcherrima (L.) Sw.

| 中 药 名 | 金凤花（药用部位：花、根）

| 植物形态 | 大灌木，枝光滑，散生疏刺。二回羽状复叶长 12~26cm；羽片 4~8 对，对生，长 6~12cm；小叶 7~11 对，长圆形，长 1~2cm，先端凹缺，基部偏斜；小叶柄短。总状花序近伞房状，顶生或腋生，疏松，长达 25cm；花梗长 4.5~7cm；花托凹陷成陀螺形，无毛；萼片 5，无毛，最下一片长约 14mm，其余的长约 10mm；花瓣橙红色或黄色，圆形，长 1~2.5cm，边缘皱波状，柄与瓣片几乎等长；花丝红色，远伸出于花瓣外，长 5~6cm，基部粗，被毛；子房无毛，花柱长，橙黄色。荚果狭而薄，倒披针状长圆形，长 6~10cm，宽 1.5~2cm，无翅，先端有长喙，无毛，不开裂，成熟时黑褐色；种子 6~9。花果期几全年。

金凤花

| 分布区域 | 产于海南三亚、乐东、五指山、临高、文昌、海口、东方、万宁。中国华南其他区域，以及台湾、云南亦有引种。原产于南美洲，热带地区有栽培。 |

| 资　　源 | 栽培或逸为野生，十分常见。 |

| 采收加工 | 开花时采收花，根全年均可采，鲜用或晒干。 |

| 功能主治 | 花：解热，止咳，驱虫。用于支气管炎、哮喘、疟疾、发热。 根：镇惊。用于小儿惊风。 |

苏木科 Caesalpiniaceae　云实属 Caesalpinia

苏 木
Caesalpinia sappan L.

| 中 药 名 | 苏木（药用部位：心材）

| 植物形态 | 小乔木，高达 6m，具疏刺，除老枝、叶下面和荚果外，多少被细柔毛；枝上的皮孔密而显著。二回羽状复叶长 30~45cm；羽片 7~13 对，对生，长 8~12cm，小叶 10~17 对，无柄，纸质，长圆形至长圆状菱形，长 1~2cm，宽 5~7mm，先端微缺，基部歪斜。圆锥花序顶生或腋生，长约与叶相等；苞片披针形，早落；花梗被细柔毛；花托浅钟形；萼片 5，下面一片比其他的大，呈兜状；花瓣黄色，长约 9mm，最上面一片基部带粉红色，具柄；雄蕊稍伸出，花丝下部密被柔毛；子房被灰色绒毛，花柱细长，被毛，柱头平截。荚果木质，稍压扁，近长圆形，长约 7cm，宽 3.5~4cm，基部稍狭，先端斜向平截，上角有外弯或上翘的硬喙，不开裂，红棕色，有光泽；种子 3~4，长圆形，稍扁，浅褐色。花期 5~10 月，果期 7 月至翌年 3 月。

苏木

| 分布区域 |

产于海南三亚、东方、白沙、五指山、万宁、儋州、屯昌、陵水。亦分布于中国云南及华南其他区域、西南，福建、台湾有栽培。越南、老挝、柬埔寨、缅甸、马来西亚、印度、斯里兰卡，以及非洲、美洲也有分布。

| 资　　源 |

生于林中或较肥沃的山麓，偶见。

| 采收加工 |

苏木种植后 8 年可采入药。把树干砍下，削去外围的白色边材，截成每段长 60cm，粗者对半剖开，阴干后，扎捆置阴凉干燥处贮藏。

| 药材性状 |

本品呈长圆柱形或对剖半圆柱形，长 10~100cm，直径 3~12cm。表面黄红色至棕红色，具刀削痕和枝痕，常见纵向裂缝。横断面略具光泽，年轮明显，有的可见暗棕色、质松、带亮点的髓部。质坚硬。无臭，味微涩。

| 功能主治 |

行血祛瘀，消肿止痛。用于胸腹疼痛、闭经、产后瘀血胀痛、外伤肿痛、痢疾。

苏木科 Caesalpiniaceae 决明属 *Cassia*

翅荚决明
Cassia alata L.

| 中 药 名 | 对叶豆（药用部位：叶、种子、叶汁、花、根皮及树皮）

| 植物形态 | 直立灌木，高 1.5~3m；枝粗壮，绿色。叶长 30~60cm；在靠腹面的叶柄和叶轴上有 2 纵棱条，有狭翅，托叶三角形；小叶 6~12 对，薄革质，倒卵状长圆形或长圆形，长 8~15cm，宽 3.5~7.5cm，先端圆钝而有小短尖头，基部斜截形，下面叶脉明显突起；小叶柄极短或近无柄。花序顶生和腋生，具长梗，单生或分枝，长 10~50cm；花直径约 2.5cm，芽时为长椭圆形、膜质的苞片所覆盖；花瓣黄色，有明显的紫色脉纹；位于上部的 3 雄蕊退化，7 雄蕊发育，下面 2 雄蕊的花药较大。荚果长带状，长 10~20cm，宽 1.2~1.5cm，每个果瓣的中央顶部有直贯至基部的纸质翅，具圆钝的齿；种子 50~60，扁平三角形。花期 11 月至翌年 1 月，果期 12 月至翌年 2 月。

翅荚决明

| **分布区域** | 产于海南保亭、陵水、万宁等地。中国南方广为栽培。原产于美洲热带地区。

| **资　　源** | 生于疏林中或干旱坡地。

| **采收加工** | 夏、秋季选晴天采摘，除去茎枝，洗净，鲜用或晒干。

| **药材性状** | 叶片多完整或有破碎。小叶矩圆形，先端钝，长 8~15cm，宽 3.5~7.5cm，有细尖，基部阔圆形，并在一边偏大，下表面主脉突出。叶黄绿色，硬革质，叶轴两边有狭翅。气微，味苦。

| **功能主治** | 叶：杀虫止痒。用于皮肤病、神经性皮炎、牛皮癣、湿疹、疮疡肿毒、便秘。种子：用于蛔虫病，还可用作咖啡代用品。 叶汁：用于癣菌。 花：用于气管炎、哮喘、带状疱疹。 根皮、树皮：缓泻。用于便秘。

| **附　　注** | 在 FOC 中，其学名被修订为 *Senna alata* (L.) Roxb.。

苏木科 Caesalpiniaceae 决明属 Cassia

双荚决明
Cassia bicapsularis L.

| 中 药 名 | 双荚决明（药用部位：叶、种子）

| 植物形态 | 直立灌木，多分枝，无毛。叶长 7~12cm，有小叶 3~4 对；叶柄长 2.5~4cm；小叶倒卵形，膜质，长 2.5~3.5cm，宽约 1.5cm，基部渐狭，偏斜，下面粉绿色；在最下方的一对小叶间有一黑褐色线形而钝头的腺体。总状花序生于枝条先端的叶腋间，常集成伞房花序状，长度约与叶相等，花鲜黄色，直径约 2cm；雄蕊 10，7 枚能育，3 枚退化而无花药，能育雄蕊中有 3 枚特大，高于花瓣，4 枚较小，短于花瓣。荚果圆柱状，膜质，直或微曲，长 13~17cm，直径 1.6cm，缝线狭窄；种子 2 列。花期 10~11 月，果期 11 月至翌年 3 月。

双荚决明

分布区域	产于海南万宁、海口等地。中国华南其他区域亦有栽培。原产于美洲热带地区。
资　　源	栽培，常见。
采收加工	夏、秋季采摘叶，待果实成熟后采收种子，鲜用或晒干。
功能主治	泻下导滞。用于便秘。

苏木科　Caesalpiniaceae　决明属　*Cassia*

含羞草决明
Cassia mimosoides L.

| 中 药 名 |

山扁豆（药用部位：全草或根、种子）

| 植物形态 |

亚灌木状草本，高 30~60cm；枝条被微柔毛。叶长 4~8cm，在叶柄的上端、最下一对小叶的下方有一圆盘状腺体；小叶 20~50 对，线状镰形，长 3~4mm，两侧不对称；托叶线状锥形，长 4~7mm，有明显肋条，宿存。花序腋生，总花梗先端有 2 小苞片；萼长 6~8mm，外被疏柔毛；花瓣黄色，不等大，具短柄，略长于萼片；雄蕊 10，5 长 5 短相间而生。荚果镰形，扁平，长 2.5~5cm，宽约 4mm，果柄长 1.5~2cm；种子 10~16。花果期通常 8~10 月。

| 分布区域 |

产于海南三亚、东方、昌江、万宁、儋州、澄迈、海口。中国西南至东南各地亦有栽培。原产于美洲热带地区，现广布于全世界热带、亚热带地区。

| 资　　源 |

生于旷野、林缘，常见。

含羞草决明

| 采收加工 | 夏、秋季采收全草，扎成把，晒干。

| 药材性状 | 全草长 30~45cm。根细长，须根发达，外表棕褐色，质硬，不易折断。茎多分枝，呈黄褐色或棕褐色，被短柔毛。叶卷曲，下部的叶多脱落，黄棕色至灰绿色，质脆易碎；托叶锥尖。气微，味淡。

| 功能主治 | 全草：清热解毒，散瘀化积，利尿通便。用于水肿、口渴、咳嗽痰多、习惯性便秘、劳伤积瘀、小儿疳积、疔疮痈肿、毒蛇咬伤。根：用于痢疾。种子：利尿，健胃。

| 附　注 | 在 FOC 中，其学名被修订为 *Chamaecrista mimosoides* (L.) Greene.。

望江南
Cassia occidentalis L.

| 中 药 名 |

望江南（药用部位：茎叶、种子）

| 植物形态 |

亚灌木或灌木，无毛；枝有棱；根黑色。叶长约 20cm；叶柄近基部有一大而带褐色、圆锥形的腺体；小叶 4~5 对，膜质，卵形，长 4~9cm，宽 2~3.5cm，有小缘毛；小叶柄长 1~1.5mm，揉之有腐败气味；托叶膜质，早落。花数朵组成伞房状总状花序，腋生和顶生，长约 5cm；苞片线状披针形，早脱；花长约 2cm；萼片不等大，外生的近圆形，内生的卵形，较长；花瓣黄色，外生的卵形，较短，均有短狭的瓣柄；雄蕊 7 发育，3 不育，无花药。荚果带状镰形，褐色，压扁，长 10~13cm，宽 8~9mm，稍弯曲，有尖头；果柄长 1~1.5cm；种子 30~40，种子间有薄隔膜。花期 4~8 月，果期 6~10 月。

| 分布区域 |

产于海南三亚、乐东、东方、昌江、五指山、万宁、澄迈、西沙群岛。亦分布于中国东南及西南部各地。原产于美洲热带地区，现广布于世界热带、亚热带地区。

望江南

| 资　　源 |

生于旷野或疏林中。

| 采收加工 |

茎叶：夏季植株生长旺盛时采收，阴干，或随采随用。种子：果实成熟变黄时，割取全株，晒干后脱粒，取种子再晒干。

| 药材性状 |

本品呈卵形而扁，一端稍尖，长径 3~4mm，短径 2~3mm，暗绿色，中央有淡褐色椭圆形斑点，微凹，有的四周呈白色细网状，但贮藏后渐脱落而平滑，先端具斜生黑色条状的种脐。质地坚硬。气香，有豆腥味，富黏液。

| 功能主治 |

茎、叶：解毒，止痛。外用于蛇虫咬伤。种子：清肝明目，健胃润肠，通便解毒。用于毒蛇咬伤、高血压、头痛、目赤肿痛、口烂、慢性肠炎、痢疾腹痛、便秘、疟疾。根：利尿。全草：解毒。用于疔疮、咳嗽。

| 附　　注 |

在 FOC 中，其学名被修订为 *Senna occidentalis* (L.) Link.。

苏木科 Caesalpiniaceae 凤凰木属 Delonix

凤凰木 *Delonix regia* (Hook.) Raf.

| **中药名** | 凤凰木（药用部位：树皮、根）

| **植物形态** | 落叶乔木，无刺；小枝常有明显的皮孔。叶为二回偶数羽状，长 20~60cm，具托叶；下部的托叶明显地羽状分裂，上部的呈刚毛状；羽片对生，15~20 对，长达 5~10cm；对生小叶 25 对，两面被绢毛；小叶柄短。伞房状总状花序顶生或腋生；花鲜红至橙红色，具 4~10cm 长的花梗；花托盘状或短陀螺状；萼片 5，里面红色，边缘绿黄色；花瓣 5，匙形，红色，具黄及白色花斑，长 5~7cm，开花后向花萼反卷，瓣柄细长，长约 2cm；雄蕊 10，红色，长短不等，长 3~6cm，向上弯，花丝下半部被绵毛，花药红色，长约 5mm；子房黄色，被柔毛，无柄或具短柄，花柱长 3~4cm，柱头小，截形。

凤凰木

荚果带形，扁平，长 30~60cm，宽 3.5~5cm，稍弯曲，暗红褐色，成熟时黑褐色，先端有宿存花柱；种子 20~40，横长圆形，黄色染有褐斑，长约 15mm。花期 6~7 月，果期 8~10 月。

| **分布区域** | 产于海南儋州、海口。亦分布于中国福建、台湾、云南，华南其他区域也有引种。原产于马达加斯加。

| **资　　源** | 海南各地绿化植物，栽培常见。

| **采收加工** | 夏、秋季采收，剥取树皮，切段晒干。

| **功能主治** | 树皮：降血压，解热。用于发热、高血压、头晕、目眩、烦躁。 根：含有水溶性生物碱，有降血压作用。

苏木科 Caesalpiniaceae ┃ 皂荚属 *Gleditsia*

小果皂荚 *Gleditsia australis* Hemsl.

| 中 药 名 | 小果皂角（药用部位：嫩茎枝、果实、刺）

| 植物形态 | 乔木，具圆锥状粗刺，刺常分枝，褐紫色。叶长 10~18cm；小叶 5~9 对，长 2.5~4cm，宽 1~2cm，先端常微缺，上面有光泽，下面无毛；小叶柄长约 1mm。花杂性，浅绿色或绿白色；雄花直径 4~5mm，数朵簇生或复合组成圆锥花序式，长可达 28cm，被微柔毛；萼片 5，披针形，外面密被微柔毛；花瓣 5，椭圆形，长约 2mm，外面密被短柔毛，里面被长柔毛。两性花的花序与雄花序相似，长 6~7mm，具较疏离的花。荚果带状长圆形，压扁，长 6~12cm，宽 1~2.5cm，果瓣革质，干时棕黑色，种子着生处明显鼓起，先端具小突起，几无果颈；种子 5~12，椭圆形，稍扁，长 7~11mm，宽 4~5mm，深棕色，光滑。花期 6~10 月，果期 11 月至翌年 4 月。

小果皂荚

| 分布区域 |

产于海南三亚、东方、昌江、保亭、陵水、万宁、海口。亦分布于中国华南其他区域。越南也有分布。

| 资　源 |

生于沿溪边疏林中，常见。

| 采收加工 |

果实成熟后采摘，晒干或鲜用。

| 功能主治 |

嫩茎枝：搜风拔毒，消肿排脓。用于痈肿、疮毒、疬风、癣疮、胎衣不下。 果实：开窍，通便，润肠，镇咳，驱蛔虫。刺：去毒透脓。用于痈疽。

苏木科 Caesalpiniaceae 皂荚属 *Gleditsia*

华南皂荚 *Gleditsia fera* (Lour.) Merr.

| 中 药 名 |

华南皂荚（药用部位：果实或全株）

| 植物形态 |

乔木，具刺；刺粗壮，分枝长可达 13cm。叶为一回羽状复叶，长 11~18cm；叶轴具槽；小叶 5~9 对，长 2~7cm，宽 1~3cm，先端微凹，基部斜楔形，边缘具圆齿，上面深棕褐色，有光泽，无毛，下面无毛；网脉细密，清晰，突起。花杂性，绿白色，多个聚伞花序组成腋生或顶生、长 7~16cm 的总状花序；雄花直径 6~7mm；花托长约 2.5mm；萼片 5，三角状披针形，长 2.5~3mm，外面密被短柔毛；花瓣 5，长圆形，两面均被短柔毛；雄蕊 10；退化雌蕊线状柱形，被长柔毛；两性花直径 8~10mm，花萼、花瓣与雄花的相似，唯花萼里面基部被一圈长柔毛；雄蕊 5~6，花药顶尖，不呈椭圆形；子房密被棕黄色绢毛；胚珠多数。荚果扁平，长 13.5~26cm，宽 2.5~3cm，果瓣革质，先端具 2~5mm 长的喙，果颈长 5~10mm；种子多数，卵形，长 8~11mm，宽 5~6mm，光滑，棕色至黑棕色。花期 4~5 月，果期 6~12 月。

华南皂荚

| 分布区域 | 产于海南三亚、东方、万宁、文昌等地。亦分布于中国华南其他区域，以及江西、湖南、福建、台湾。 |

| 资　　源 | 生于混交林，少见。 |

| 采收加工 | 夏、秋季采摘，晒干。 |

| 功能主治 | 杀虫，开窍，祛痰。用于中风昏迷、口噤不语、痰涎壅塞。外洗用于疥疮、杀虫。 |

苏木科　Caesalpiniaceae　盾柱木属　*Peltophorum*

银　珠

Peltophorum tonkinense (Pierre) Gagnep.

| **中 药 名** | 银珠（药用部位：树皮、茎及果实）

| **植物形态** | 乔木，幼嫩部分和花序密被锈色毛，后渐无毛；老枝有细密锈色皮孔。二回偶数羽状复叶长达 15~35cm；叶轴长 8~25cm；羽片 6~13 对，与小叶均为对生；羽轴长 4~9cm，小叶 5~14 对，长 1.5~2cm，基部两侧不对称。总状花序近顶生，长 8~10cm；花黄色，大而芳香；花蕾圆球形，直径 8mm，密被锈色毛；花托盘状；萼片 5，近相等，长圆形，长 8~9mm，最下面一片较狭；花瓣 5；雄蕊 10，花丝密被锈色毛，花药长圆形，长约 3.5mm；子房扁平，被锈色毛，花柱丝状，柱头头状；胚珠 3~4。荚果薄革质，纺锤形，长 8~13cm，中部宽 2.5~3cm，两端不对称，渐尖，老时红褐色，光滑无毛，两边具翅，翅宽 5~7mm；种子 3~4，倒卵形而歪斜，长 14mm，扁平，成熟时黄色。花期 3~6 月，果期 4~10 月。

银珠

| 分布区域 | 产于海南乐东、东方、昌江、白沙、保亭、万宁、琼中、屯昌。亦分布于中国福建。越南、老挝、柬埔寨也有分布。

| 资　　源 | 生于海拔 300~400m 的山地林中，常见。

| 附　　注 | FOC 将其学名修订为 *Peltophorum dasyrrhachis* (Miq.) Kurz var. *tonkinensis* (Pierre) K. Larsen et S. S. Larsen。本种收载于《广西医药研究所药用植物园药用植物名录》（1974），但药用功能尚不明确。同属植物 *Peltophorum pterocarpum* (DC.) K. Heyne 盾柱木树皮可用于痢疾；外用于挫伤、筋痛、溃疡；茎材和果实含白矢车菊素，该成分能抑制肾上腺素甲基化反应，有保护血管、抗凝血和维生素 P 样的生理活性。作为近缘种，银珠可能具有与盾柱木相似的功能，但有待进一步的发掘和研究。

苏木科 Caesalpiniaceae 无忧花属 *Saraca*

中国无忧花 *Saraca dives* Pierre

| 中 药 名 | 四方木（药用部位：树皮、叶）

| 植物形态 | 乔木，叶有小叶 5~6 对，小叶近革质，长 15~35cm，宽 5~12cm，基部 1 对常较小；小叶柄长 7~12mm。花序腋生，较大，总轴被毛；总苞大，阔卵形，被毛，早落；苞片卵形，长 1.5~5cm，宽 6~20mm。下部的 1 片最大，往上逐渐变小，被毛或无毛，早落或迟落；小苞片与苞片同形，但远较苞片为小；花黄色，后部分萼裂片基部及花盘、雄蕊、花柱变红色，两性或单性；花梗短于萼管，无关节；萼管长 1.5~3cm，裂片 4，有时 5~6，长圆形，具缘毛；雄蕊 8~10，其中 1~2 常退化成钻状，花丝突出，花药长圆形，长 3~4mm。荚果棕褐色，扁平，长 22~30cm，宽 5~7cm，果瓣卷曲；种子 5~9，形状不一，扁平，两面中央有一浅凹槽。花期 4~5 月，果期 7~10 月。

中国无忧花

分布区域	海南有栽培。亦分布于中国广东、广西、云南。
资　　源	栽培，少见。
采收加工	夏、秋季剥取树皮，秋季采收叶，鲜用或晒干。
药材性状	树皮槽状或卷曲筒状，长 40~60cm，厚 4~7mm，外表面粗糙，红棕色或棕褐色，老皮常有不规则黄褐色斑块，疏生类圆形或椭圆形皮孔，内表面红棕色，有细纵纹。质稍韧，可折断，断面内层纤维性较强。气微，味微苦、涩。叶为羽状复叶，小叶 10~12，多脱落成小叶片，长椭圆形或卵形，长 20~30cm，宽可达 10cm，先端渐尖，基部楔形或圆形，全缘，两面光滑。叶革质。气微，味微苦、涩。
功能主治	树皮和叶：祛风除湿，消肿止痛。 树皮：用于风湿骨痛、跌打肿痛。 叶：外用于跌打肿痛。

■苏木科■ Caesalpiniaceae ■油楠属■ *Sindora*

东京油楠
Sindora tonkinensis A. Chev.

| 中 药 名 | 东京油楠（药用部位：种子）

| 植物形态 | 乔木，枝条无毛。叶长 10~20cm，无毛，有小叶 4~5 对；小叶革质，无毛，长 6~12cm，宽 3.5~6cm，两侧不对称，托叶早落。圆锥花序生于小枝先端的叶腋，长 15~20cm，密被黄色柔毛；苞片三角形，长 5~10mm；中部以上有小苞片 1~2，小苞片长约 5mm，两面均被黄色柔毛；萼片 4，外面密被黄色柔毛，无刺，内面密被黄色硬毛；花瓣肥厚，长约 8mm，密被黄色柔毛；花丝丝状，长 10~15mm，基部密被黄色柔毛，子房密被黄色柔毛，无刺，花柱丝状，旋卷。荚果近圆形，长 7~10cm，宽 4~6cm，先端鸟喙状，外面光滑无刺；种子 2~5，黑色，扁圆形。花期 5~6 月，果期 8~9 月。

东京油楠

| **分布区域** | 海南有栽培记录。中国广东也有栽培。原产于柬埔寨、越南。 |

| **资　　源** | 栽培，较少。 |

| **采收加工** | 秋季果实成熟时采摘，剥取种子，洗净，鲜用或晒干。 |

| **功能主治** | 同属植物油楠的种子可用于缓泻、治疗皮肤病，本种或有类似作用，且本种亦可产生大量油脂，其药用功能有待进一步研究。 |

苏木科 Caesalpiniaceae　油楠属 *Sindora*

油 楠 *Sindora glabra* Merr. ex de Wit

| 中 药 名 | 油楠（药用部位：树脂、种子）

| 植物形态 | 乔木，有对生小叶 2~4 对；革质，椭圆状长圆形。圆锥花序生于小枝先端之叶腋，长 15~20cm，密被黄色柔毛；叶状苞片卵形，花梗中部以上有线状披针形小苞片 1~2，苞片、花梗及小苞片均密被黄色柔毛；萼片 4，两面均被黄色柔毛，二型，有软刺；花瓣 1，外面密被柔毛，边缘具睫毛；能育雄蕊 9，雄蕊管两面紧贴粗伏毛，子房密被锈色粗伏毛，花柱丝状，旋卷。荚果圆形，长 5~8cm，宽约5cm，外面有散生硬直的刺，受伤时伤口常有胶汁流出；种子 1，扁圆形，黑色，直径约 1.8cm。花期 4~5 月，果期 6~8 月。

油楠

| 分布区域 | 产于海南乐东、东方、昌江、万宁、陵水、西沙群岛。亦分布于中国广东、福建、云南。 |

| 资　　源 | 生于中海拔混交林中，少见。 |

| 采收加工 | 树脂：全年皆可采收。种子：秋季果实成熟时采摘，剥取种子，洗净，鲜用或晒干。 |

| 药材性状 | 树脂油状，淡黄色或淡棕黄色，味芳香。 |

| 功能主治 | 树脂：常用作香料。种子：缓泻，可用于皮肤病。 |

苏木科 Caesalpiniaceae 酸豆属 *Tamarindus*

酸 豆
Tamarindus indica L.

| 中 药 名 |

酸豆（药用部位：果实、叶、叶汁、花、树皮）

| 植物形态 |

乔木，树皮暗灰色，不规则纵裂。小叶小，长 1.3~2.8cm，无毛。花黄色或杂以紫红色条纹，少数；花梗被黄绿色短柔毛；小苞片2，长约 1cm；萼管长约 7mm，檐部裂片披针状长圆形；花瓣倒卵形，与萼裂片近等长，边缘波状，有皱褶；雄蕊长 1.2~1.5cm，近基部被柔毛，花丝分离部分长约 7mm，花药椭圆形；子房圆柱形，微弯，被毛。荚果长圆形，肿胀，棕褐色，长 5~14cm，直或弯拱，常不规则地缢缩；种子 3~14，褐色，有光泽。花期 5~8 月，果期 12 月至翌年 5 月。

| 分布区域 |

产于海南三亚、乐东、东方、昌江、五指山、儋州、澄迈、文昌、海口、西沙群岛。亦分布于中国华南其他区域，台湾、福建、云南等地有栽培。原产于非洲，世界热带地区广泛栽培。

| 资　　源 |

海南各地有栽培，十分常见。

酸豆

采收加工

果实：果实成熟时采收。叶：夏、秋季采收叶，鲜用或晒干。

功能主治

果实：清热解暑，消食化积。用于暑热食欲不振、发热、气喘、妊娠呕吐、小儿疳积、便秘、中暑、蛔虫病。 叶：消肿止痛，退热。用于胆汁性发热。外用于洗创伤。 叶汁：用于眼结膜炎。 花：用于眼结膜炎、痔出血。 树皮：收敛，强壮。用于洗溃疡、疮疖、毛虫皮疹。

蝶形花科 Fabaceae 相思子属 *Abrus*

广州相思子
Abrus cantoniensis Hance

| 中 药 名 |

鸡骨草（药用部位：全株）

| 植物形态 |

攀缘灌木，枝细直，平滑，被白色柔毛，老时脱落。羽状复叶互生；小叶 6~11 对，膜质，长圆形，长 0.5~1.5cm，宽 0.3~0.5cm，先端截形或稍凹缺，具细尖，上面被疏毛，下面被糙伏毛，叶腋两面均隆起；小叶柄短。总状花序腋生；花长约 6mm，聚生于花序总轴的短枝上；花梗短；花冠紫红色或淡紫色。荚果长圆形，扁平，长约 3cm，宽约 1.3cm，先端具喙，被稀疏白色糙伏毛，成熟时浅褐色，有种子 4~5。种子黑褐色，种阜蜡黄色，明显，中间有孔，边具长圆状环。花期 8 月。

| 分布区域 |

海南有栽培。亦分布于中国湖南、广东、广西。泰国也有分布。

| 资　　源 |

生于海拔约 200m 的疏林、灌丛或山坡。

广州相思子

| 采收加工 |

全年均可采收，一般于11~12月或清明后连根挖出，除去荚果，去净根部泥土，将茎藤扎成束，晒至八成干，发汗再晒足干即成。

| 药材性状 |

本品为带根的全株，多缠绕成束。根圆柱形或圆锥形，有分枝，长短粗细不等，直径3~15mm；表面灰棕色；质硬。根茎短，结节状。茎丛生，长藤状，长可达1m，直径1.5~2.5mm；表面灰褐色，小枝棕红色，疏被毛茸；偶数羽状复叶，小叶长圆形，长8~12mm，下表面被伏毛。气微，味微苦。

| 功能主治 |

清热解毒，利湿，活血祛瘀，舒肝止痛。用于胁肋不舒、胃脘胀痛、黄疸、慢性肝炎、传染性肝炎、肝硬化腹水、风湿痛、疮疖、乳腺炎。

| 附　注 |

本品种子有毒，使用时要确保其种子已被清除干净。

■蝶形花科■ Fabaceae ■相思子属■ *Abrus*

毛相思子
Abrus mollis Hance

| 中 药 名 | 毛鸡骨草（药用部位：全株）

| 植物形态 | 藤本，茎疏被黄色长柔毛。羽状复叶；叶柄和叶轴被黄色长柔毛；托叶钻形；小叶 10~16 对，膜质，长 1~2.5cm，宽 0.5~1cm，先端截形，具细尖，上面被疏柔毛，下面密被白色长柔毛。总状花序腋生；总花梗长 2~4cm，被黄色长柔毛，花长 3~9mm，4~6 朵聚生于花序轴的节上；花萼钟状，密被灰色长柔毛；花冠粉红色或淡紫色。荚果长圆形，扁平，长 3~5cm，宽 0.8~1cm，密被白色长柔毛，先端具喙，有种子 4~9；种子黑色或暗褐色，卵形，扁平，稍有光泽，种阜小，环状，种脐有孔。花期 8 月，果期 9 月。

毛相思子

分布区域

产于海南三亚、乐东、东方、昌江、五指山、保亭、万宁、琼中、儋州、定安、澄迈。亦分布于中国华南其他区域，以及福建。越南、老挝、柬埔寨、泰国、马来西亚、印度尼西亚也有分布。

资　　源

生于山谷疏林或灌丛中，常见。

采收加工

全年均可采挖，除去泥沙及荚果，干燥。

药材性状

本品为带根全株。根细长圆柱形，须根多，直径1~5mm，表面灰黄色至灰棕色；质地坚脆，折断时有粉尘飞扬。根茎膨大呈瘤状，上面丛生众多的茎枝；茎较粗壮，长1~2mm，直径1.5~3mm，紫褐色至灰棕色；小枝黄绿色，密被毛茸。叶长10~25mm，宽5~10mm，两面密被长柔毛。气微，味微苦。

功能主治

清热解毒，利湿，消积解暑。用于传染性肝炎、小儿疳积。外用于烧伤、烫伤、疮疥。

附　　注

本品种子有毒，使用时一定要确保其种子已被清除干净。

蝶形花科　Fabaceae　相思子属　*Abrus*

相思子

Abrus precatorius L.

| 中 药 名 | 相思子（药用部位：种子、茎叶、根）

| 植物形态 | 藤本，茎细弱，多分枝，被锈疏白色糙伏毛。羽状复叶；对生小叶 8~13 对，膜质，长 1~2cm，宽 0.4~0.8cm，先端截形，具小尖头，基部近圆形，上面无毛，下面被稀疏白色糙伏毛；小叶柄短。总状花序腋生，长 3~8cm；花序轴粗短；花小，密集成头状；花萼钟状，萼齿 4 浅裂，被白色糙毛；花冠紫色，旗瓣柄三角形，翼瓣与龙骨瓣较狭窄；雄蕊 9；子房被毛。荚果长圆形，果瓣革质，长 2~3.5cm，宽 0.5~1.5cm，成熟时开裂，有种子 2~6；种子椭圆形，平滑具光泽，上部约 2/3 为鲜红色，下部 1/3 为黑色。花期 3~6 月，果期 9~10 月。

相思子

| 分布区域 | 产于海南三亚、东方、昌江、万宁、琼海、文昌、海口、乐东、西沙群岛。亦分布于中国华南其他区域，以及台湾、云南。广布于世界热带地区。

| 资　　源 | 生于近海边疏林或灌丛中，常见。

| 采收加工 | 种子：夏、秋季分批采收成熟果实，晒干，打出种子，除去杂质。茎叶：5~10月茎叶生长旺盛时，割取带叶幼藤（除净荚果），切成小段，鲜用或晒干。根：全年均可采挖，除去杂质，切断，晒干。

| 药材性状 | 种子：干燥成熟种子呈椭圆形，少数近于球形，长 5~7mm，直径 3~5mm。表面红色，种脐凹陷，白色，椭圆形，位于腹面的一端，周围呈乌黑色，占种皮表面的 1/4~1/3，种脊位于种脐一端，呈微凸的直线状。质坚硬，不易破碎，破开后内有淡黄色的胚根，及半圆形的子叶 2。具青草气，味微苦涩。茎叶：茎纤细，直径约 1mm，青绿色，表面被有稀疏刚毛，质坚脆，易折断，断面中空。气微，味甘回凉。以叶多、色绿者为佳。 根：根略呈圆柱形，直径 2~5cm，表面深棕色至灰褐色，粗糙，密被横向皮孔及突起的瘤状疤痕。质坚硬，不易折断，断面不整齐，破裂状。气微，味微苦、涩。

| 功能主治 | 种子：拔毒消肿，催吐，杀虫。用于疥癣、痈疮、湿疹。根、茎叶：生津润肺，清热解毒，利尿。用于咽喉痛、肝炎、咳嗽痰喘。

| 附　注 | 本种与同属植物 *A. cantoniensis*、*A. mollis* 形态较为相似，应在专业人士指导下使用，以免误食而中毒。

蝶形花科 Fabaceae 合萌属 Aeschynomene

合 萌
Aeschynomene indica L.

合萌

中 药 名

合萌（药用部位：全草或茎、叶）

植物形态

一年生草本，茎直立。分枝无毛，具小凸点而稍粗糙。小叶 20~30 对；托叶基部下延成耳状；小叶近无柄，薄纸质，线状长圆形，上面密布腺点，下面稍带白粉，先端具细刺尖头；小托叶极小。总状花序比叶短，腋生，长 1.5~2cm；小苞片宿存；花萼无毛；花冠淡黄色，具紫色的纵脉纹，易脱落，旗瓣大，近圆形，基部具极短的瓣柄，翼瓣篦状，龙骨瓣比旗瓣稍短，比翼瓣稍长或近相等；雄蕊二体。荚果线状长圆形，直或弯曲，长 3~4cm，宽约 3mm，腹缝直，背缝多少呈波状；荚节 4~8mm，平滑，不开裂，成熟时逐节脱落；种子黑棕色，肾形，长 3~3.5mm，宽 2.5~3mm。花期 7~8 月，果期 8~10 月。

分布区域

产于海南三亚、东方、昌江、五指山、陵水、琼海、海口。中国大部分地区亦有分布。亚洲东部和东南部、澳大利亚、太平洋群岛、南美洲也有分布。

| 资　　源 | 除草原、荒漠外，中国林区及其边缘均有分布，常见。 |

| 采收加工 | 茎、全草：9~10 月齐地割取地上部分，鲜用或晒干。9~10 月拔起全株，除去根、枝叶及茎先端部分，剥去茎皮，取木质部，晒干。根秋季采挖，鲜用或晒干。叶：夏、秋季采收叶，鲜用或晒干。 |

| 药材性状 | 茎中的木质部：本品呈圆柱状，上端较细，长达 40cm，直径 1~3cm，表面乳白色，平滑，具细密的纵纹，并有皮孔样凹点及枝痕，质轻脆，易折断，断面类白色，不平坦，隐约可见同心性环纹，中央有小孔。气微，味淡。根圆柱形，上端渐细，直径 1~2cm；表面乳白色，平滑，具细密的纵纹及残留的分枝痕，基部有时连有多数须状根。质轻而松软，易折断，折断面白色，不平坦，中央有小孔洞。气微，味淡。 |

| 功能主治 | 茎：去皮后可清湿热、利尿、下乳。用于水肿、小便淋痛、乳汁不下。 全草：清热解毒，平肝明目，利尿。叶：解毒，消肿，止血。用于创伤出血、毒蛇咬伤。 |

蝶形花科 Fabaceae 链荚豆属 Alysicarpus

链荚豆 *Alysicarpus vaginalis* (L.) DC.

| 中 药 名 | 狗蚁草（药用部位：全草）

| 植物形态 | 多年生草本，簇生或基部多分枝。叶仅有单小叶；托叶线状披针形；叶柄长 5~14mm，无毛；小叶形状及大小变化很大。总状花序腋生或顶生，长 1.5~7cm，有花 6~12，成对排列于节上，节间长 2~5mm；苞片膜质，卵状披针形，长 5~6mm；花梗长 3~4mm；花萼膜质，长 5~6mm，5 裂，裂片较萼筒长；花冠紫蓝色，略伸出于萼外，旗瓣宽，倒卵形；子房被短柔毛，有胚珠 4~7。荚果扁圆柱形，长 1.5~2.5cm，宽 2~2.5mm，被短柔毛，荚节 4~7，荚节间不收缩，但分界处有略隆起的线环。花期 9 月，果期 9~11 月。

链荚豆

| 分布区域 |

产于海南三亚、东方、昌江、五指山、保亭、陵水、万宁、澄迈、定安、海口、西沙群岛、南沙群岛。亦分布于中国华南其他区域，以及福建、台湾。东半球热带地区也有分布。

| 资　　源 |

生于空旷草坡、旱田边、路旁或海边沙地，常见。

| 采收加工 |

夏、秋季采收，洗净，鲜用或晒干。

| 功能主治 |

活血通络，清热化湿，驳骨消肿。用于跌打损伤、半身不遂、股骨酸痛、肝炎、蛇咬伤、骨折、外伤出血、疮疖、刀伤、疮疡溃烂久不收口。

蝶形花科 Fabaceae 落花生属 Arachis

落花生 *Arachis hypogaea* L.

| 中 药 名 | 落花生（药用部位：种子、茎叶、根、果荚壳），花生油（药用部位：种子榨取脂肪油），花生衣（药用部位：种皮），花生壳（药用部位：果荚壳）

| 植物形态 | 一年生草本，根部有丰富的根瘤。叶通常具小叶 2 对；托叶长 2~4cm，具纵脉纹，被毛；叶柄基部抱茎，长 5~10cm，被毛；小叶纸质，卵状长圆形，长 2~4cm，宽 0.5~2cm，先端钝圆形，有时微凹，具小刺尖头，基部近圆形，全缘，两面被毛，边缘具睫毛；小叶柄长 2~5mm，被黄棕色长毛；花长约 8mm；苞片 2，披针形；小苞片披针形，长约 5mm，具纵脉纹，被柔毛；萼管细，长 4~6cm；花冠黄色或金黄色，旗瓣直径 1.7cm，开展，先端凹入；翼瓣与龙骨瓣分离，

落花生

翼瓣长圆形或斜卵形，细长；龙骨瓣长卵圆形，内弯，先端喙状，较翼瓣短；花柱延伸于萼管咽部之外，柱头顶生，疏被柔毛。荚果长2~5cm，宽 1~1.3cm，膨胀，荚厚，种子横径0.5~1cm。花果期 6~8 月。

| 分布区域 |

产于海南乐东、五指山、琼中、儋州、西沙群岛。中国各地亦有栽培。原产于南美洲，现世界各地广泛栽培。

| 资　　源 |

栽培，常见。

| 采收加工 |

种子：秋末挖取果实，剥去果壳，取种子，晒干。种皮：在加工油料或制作食品时收集红色种皮，晒干。果荚壳：剥取花生时收集荚壳，晒干。茎叶、根：夏、秋季采收茎叶，秋季挖取根部，洗净，鲜用或切碎晒干。

| 药材性状 |

种子短圆柱形或一端较平截，长 0.5~1.5cm，直径 0.5~0.8cm。种皮棕色或淡棕红色，不易剥离，子叶 2，类白色，油润，中间有胚芽。气微，味淡，嚼之有豆腥味。种子榨取脂肪油：本品为淡黄色的澄明液体；有类似落花生种子的香气，味淡。

| 功能主治 |

种子：补脾润肺，止血。用于燥咳、反胃、脚气、乳妇奶少。 种皮：止血，散瘀，消肿。用于血小板缺乏症、肝病出血、术后出血、癌肿出血、胃出血、肠出血、肺出血、子宫出血。果荚壳：敛肺止咳。用于久咳气喘、咳痰带血。叶：安神。

蝶形花科 Fabaceae 藤槐属 Bowringia

藤 槐 *Bowringia callicarpa* Champ. ex Benth.

| 中 药 名 | 藤槐（药用部位：根、叶）

| 植物形态 | 攀缘灌木。单叶，近革质，长圆形，两面几无毛，叶脉两面明显隆起；托叶卵状三角形，具脉纹。总状花序或排列成伞房状，长 2~5cm，花疏生；苞片小，早落；花梗纤细，长 10~13mm；花萼杯状，萼齿极小，锐尖，先端近平截；花冠白色；旗瓣近圆形或长圆形，长 6~8mm，先端微凹，柄长 1~2mm，翼瓣较旗瓣稍长，镰状长圆形，龙骨瓣最短，长 5~7mm，宽 3~3.5mm，长圆形，柄长 2~3mm；雄蕊 10，不等长，分离，花药长卵形，基部着生；子房被短柔毛。荚果卵形，长 2.5~3cm，先端具喙，沿缝线开裂，表面具明显突起的网纹，具种子 1~2；种子椭圆形，长约 12mm，深褐色至黑色。花期 4~6 月，果期 7~9 月。

藤槐

| 分布区域 |

产于海南三亚、乐东、东方、昌江、白沙、五指山、陵水、万宁、琼中、儋州、澄迈。亦分布于中国华南其他区域，以及福建、四川、云南。越南也有分布。

| 资　　源 |

生于低海拔的山谷林中，常见。

| 采收加工 |

根：全年均可采挖，洗净，切片，晒干。叶：夏、秋季采收，鲜用或晒干。

| 功能主治 |

清热解毒。用于跌打损伤。

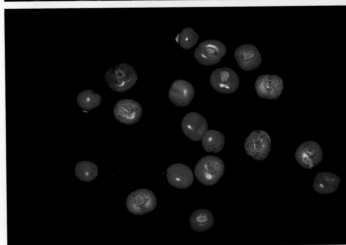

蝶形花科 Fabaceae **木豆属** *Cajanus*

木 豆 *Cajanus cajan* (L.) Millsp.

| **中 药 名** | 木豆（药用部位：种子、根、叶）

| **植物形态** | 直立灌木，小枝被灰色短柔毛。叶具羽状 3 小叶；托叶小，长 2~3mm；叶柄长 1.5~5cm，略被短柔毛；小叶纸质，披针形，长 5~10cm，宽 1.5~3cm，上面被极短的灰白色短柔毛；下面较密，有不明显的黄色腺点。小托叶极小；小叶柄被毛。总状花序长 3~7cm；花数朵生于花序顶部；苞片卵状椭圆形；花萼钟状，裂片三角形，花序、总花梗、苞片、花萼均被灰黄色短柔毛；花冠黄色，长约为花萼的 3 倍；雄蕊二体；子房被毛，花柱线状，无毛，柱头头状。荚果线状长圆形，长 4~7cm，于种子间具明显凹入的斜横槽，被灰褐色短柔毛，先端具长的尖头；种子 3~6，近圆形，种皮暗红色。花果期 2~11 月。

木豆

| 分布区域 |

产于海南三亚、乐东、昌江、白沙、五指山、保亭、万宁、澄迈。亦分布于中国华南其他区域、华东，以及湖南、江西、云南、四川。原产于印度，现广布于世界热带和亚热带地区。

| 资　　源 |

生于山地林缘，常见。

| 采收加工 |

种子：春、夏季果实成熟时采收，剥取种子，晒干。根：全年均可采挖，洗净，切片，晒干。叶：生长期均可采收茎叶，鲜用。

| 药材性状 |

种子为扁球形，直径 4~6mm，表面暗红色，种脐长圆形，白色，显著突起；质坚硬，内有 2 肥厚子叶。气微，味淡，嚼之有豆腥气。

| 功能主治 |

种子：清热解毒，补中益气，利水消食，排痈肿，止血止痢。用于心虚、水肿、血淋、痔血、痈疽肿毒、痢疾、脚气。根：清热解毒，止痛杀虫。叶：解痘毒，消肿。用于小儿水痘、痈肿。

蝶形花科 Fabaceae 木豆属 Cajanus

蔓草虫豆

Cajanus scarabaeoides (L.) Thouars

| 中 药 名 | 蔓草虫豆（药用部位：全株或叶）

| 植物形态 | 蔓生或缠绕状草质藤本。叶具羽状 3 小叶；托叶小，卵形，被毛，常早落；小叶纸质或近革质，下面有腺状斑点，基出脉 3，小托叶缺。总状花序腋生，通常长不及 2cm；花萼钟状，4 齿裂，裂片线状披针形，总轴、花梗、花萼均被黄褐色至灰褐色绒毛；花冠黄色，长约 1cm，旗瓣倒卵形，有暗紫色条纹，基部有呈齿状的短耳和瓣柄；翼瓣狭椭圆状，微弯，基部具瓣柄和耳；龙骨瓣上部弯，具瓣柄；雄蕊二体，花药一室，圆形；子房密被丝质长柔毛。荚果长圆形，长 1.5~2.5cm，密被长毛，果瓣革质，于种子间有横缢线；种子 3~7，椭圆状，长约 4mm，种皮黑褐色，有突起的种阜。花期 9~10 月，果期 11~12 月。

蔓草虫豆

| 分布区域 |

产于海南三亚、东方、昌江、白沙、万宁、琼中、澄迈、西沙群岛。亦分布于中国华南其他区域，以及福建、台湾、贵州、云南、四川。东南亚、南亚、大洋洲至非洲均有分布。

| 资　　源 |

常生于旷野、路旁或山坡草丛中，常见。

| 采收加工 |

全株：夏、秋季采收。叶：生长期均可采收叶，鲜用。

| 功能主治 |

全株：解暑利尿，止血生肌。用于伤风感冒、风湿水肿、小儿疳积。外用于创伤出血、毒蛇咬伤。叶：健胃，利尿。

蝶形花科 Fabaceae 毛蔓豆属 Calopogonium

毛蔓豆
Calopogonium mucunoides Desv.

| 中 药 名 | 毛蔓豆（药用部位：全草）

| 植物形态 | 缠绕或平卧草本，全株被黄褐色长硬毛。羽状复叶具 3 小叶；托叶三角状披针形，长 4~5mm；侧生小叶卵形，中央小叶卵状菱形，长 4~10cm，宽 2~5cm；小托叶锥状。花序长短不一，先端有花 5~6；苞片和小苞片线状披针形，长 5mm；花簇生于花序轴的节上；萼管近无毛，裂片长于管，线状披针形，密被长硬毛；花冠淡紫色，翼瓣倒卵状长椭圆形，龙骨瓣劲直，耳较短；花药圆形；子房密被长硬毛。荚果线状长椭圆形，长 2~4cm，被褐色长刚毛；种子 5~6，长 2.5mm，宽 2mm。花期 10 月。

毛蔓豆

| **分布区域** | 产于海南三亚、乐东、万宁、文昌、海口。亦分布于中国广东、广西、台湾、云南。原产于美洲热带地区。 |

| **资　　源** | 常生于旷野、路旁或山坡草丛中，常见。 |

| **采收加工** | 全年皆可采收，洗净，晒干或鲜用。 |

| **功能主治** | 本种为《南药园植物名录》所收载，目前一般作为绿肥使用，具体药用功能有待进一步研究。 |

███ 蝶形花科 ███ Fabaceae ███ 刀豆属 ███ *Canavalia*

小刀豆 *Canavalia cathartica* Thou.

│ 中 药 名 │ 小刀豆（药用部位：全株或根）

│ 植物形态 │ 二年生草质藤本。茎、枝被稀疏的短柔毛。羽状复叶具 3 小叶；托叶小，胼胝体状；小托叶微小，极早落。小叶纸质，卵形，长6~10cm，宽 4~9cm，两面脉上被极疏的白色短柔毛；叶柄长3~8cm；小叶柄被绒毛。花生于花序轴的每一节上，萼近钟状，被短柔毛，上唇 2 裂齿阔而圆，下唇 3 裂齿较小；花冠粉红色，长2~2.5cm，旗瓣圆形，长约 2cm，先端凹入，近基部有 2 痂状附属体，无耳，具瓣柄，翼瓣与龙骨瓣弯曲，长约 2cm；子房被绒毛，花柱无毛。荚果长圆形，长 7~9cm，宽 3.5~4.5cm，膨胀，具喙尖；种子椭圆形，长约 18mm，种皮褐黑色，硬而光滑，种脐长 13~14mm。花果期 3~10 月。

小刀豆

| 分布区域 |

产于海南三亚、东方、陵水、万宁、临高、琼海、文昌、海口，南沙群岛有分布记录。亦分布于中国华南其他区域，以及台湾。广泛分布于亚洲热带地区、澳大利亚及非洲。

| 资　　源 |

生于海拔800m的疏林、河边或海滨，常见。

| 采收加工 |

全株：夏、秋季采收，扎成把。根：全年均可采，鲜用或晒干。

| 功能主治 |

全株：清热消肿，杀虫止痒。根：用于牙痛。

蝶形花科 Fabaceae　刀豆属 Canavalia

刀 豆 *Canavalia gladiata* (Jacq.) DC.

| 中 药 名 | 刀豆（药用部位：种子、豆荚、果壳、根）

| 植物形态 | 缠绕草本，羽状复叶具 3 小叶，小叶卵形，长 8~15cm，宽 8~12cm，两面薄被微柔毛或近无毛；叶柄常较小叶片为短；小叶柄被毛。总状花序具长总花梗，有花数朵生于总轴中部以上；小苞片长约 1mm，早落；花萼长 15~16mm，稍被毛，上唇约为萼管长的 1/3，具 2 阔而圆的裂齿，下唇 3 裂，齿小，长 2~3mm，急尖；花冠白色或粉红，长 3~3.5cm，旗瓣宽椭圆形，先端凹入，基部具不明显的耳及阔瓣柄，翼瓣和龙骨瓣均弯曲，具向下的耳；子房线形，被毛。荚果带状，略弯曲，长 20~35cm，宽 4~6cm，离缝线约 5mm 处有棱；种子椭圆形或长椭圆形，长约 3.5cm，宽约 2cm，种皮红色或褐色，种脐约为种子的 3/4。花期 7~9 月，果期 10 月。

刀豆

| 分布区域 |

产于海南三亚、东方、昌江、五指山、万宁。中国各地亦有栽培。东亚及世界热带地区也有栽培。

| 资　源 |

栽培，少见。

| 采收加工 |

在播种当年 8~11 月分批采摘成熟果荚，剥出种子，晒干或烘干。

| 药材性状 |

种子扁卵形或扁肾形，长 2~3.5cm，宽 1~2cm，厚 0.5~1.5cm。表面淡红色、红紫色或黄褐色，少数类白色或紫黑色，略有光泽，微皱缩，边缘具灰褐色种脐，长约为种子的 3/4，宽约 2mm，其上有类白色膜片状珠柄残余，近种脐的一端有凹点状珠孔，另一端有深色的合点，合点与种脐间有隆起的种脊。质硬，难破碎。种皮革质，内表面棕绿色，平滑，子叶黄白色，胚根位于珠孔一端，歪向一侧。气微，味淡，嚼之具豆腥气。

用于腰痛、呃逆、久痢、痹痛。果壳：和中下气，散瘀活血。用于反胃、闭经、久痢。 根：散瘀止痛，行血通经。用于疝气。

| 功能主治 |

种子：温中，下气，止呃，补肾。用于虚寒、呃逆、呕吐、腹胀、痰喘。豆荚：益肾，温中，除湿。

| 附　注 |

在 FOC 中，本种被修订为直生刀豆 *Canavalia ensiformis* (L.) DC.。

■■蝶形花科■■ Fabaceae ■刀豆属■ *Canavalia*

海刀豆 *Canavalia maritima* (Aubl.) Thou.

| **中 药 名** | 海刀豆（药用部位：根）

| **植物形态** | 草质藤本，茎被稀疏的微柔毛。羽状复叶具 3 小叶；托叶、小托叶小。小叶倒卵形，长 5~8cm，宽 4.5~6.5cm，先端通常圆、平截，两面均被长柔毛，侧脉每边 4~5；叶柄长 2.5~7cm；小叶柄长 5~8mm。总状花序腋生，长达 30cm；花 1~3 聚生于花序轴近顶部的每一节上；小苞片 2，长 1.5mm，着生在花梗的先端；花萼钟状，长 1~1.2cm，被短柔毛，上唇裂齿半圆形，下唇 3 裂片小；花冠紫红色，旗瓣圆形，长约 2.5cm，先端凹入，翼瓣镰状，具耳，龙骨瓣长圆形，弯曲，具线形的耳；子房被绒毛。荚果线状长圆形，长 8~12cm，厚约 1cm，先端具喙尖，离背缝线均 3mm 处的两侧有纵棱；种子椭圆形，长 13~15mm，宽 10mm，种皮褐色，种脐长约 1cm。花期 6~7 月。

海刀豆

｜分布区域｜

产于海南三亚、东方、昌江、陵水、万宁、乐东、西沙群岛。亦分布于中国华南其他区域，以及台湾。广布于世界热带海岸。

｜资　　源｜

生于平地、海边或疏林，少见。

｜采收加工｜

根：全年均可采，洗净，鲜用或晒干。

｜功能主治｜

行气止呃，清热利湿，利肠胃。用于呃逆、肝炎。有报道澳大利亚用于止痛镇咳、性病、糖尿病、耳聋，亦用作骨折支持剂。

｜附　　注｜

在 FOC 中，其学名被修订为 *Canavalia rosea* (Sw.) DC.。

蝶形花科 Fabaceae 决明属 Cassia

柄腺山扁豆 *Cassia pumila* Lam.

| 中 药 名 | 柄腺山扁豆（药用部位：根、种子）

| 植物形态 | 多年生亚灌木状披散草本，高 25~75cm，多分枝；枝条、叶柄、叶轴被疏柔毛。叶长 3~6cm，叶柄上端和最下 1 对小叶下方有具柄的腺体 1；小叶 12~20 对，线状镰形，长 8~12mm，宽约 2mm，无柄；托叶线状锥形，长 6~8mm，有肋条。花腋生，1 或数朵组成总状花序；总花梗先端有小苞片 2；萼片长 4~6mm，外面被微柔毛；花瓣黄色，有柄；雄蕊 5，花药长圆形；子房被毛。荚果扁平而直，长 3~4cm，宽约 4mm，被疏柔毛。种子 10~20。花期 8~9 月，果期 10~12 月。

柄腺山扁豆

| **分布区域** | 产于海南万宁、儋州。中国华南其他区域亦有栽培，云南有野生。泰国、缅甸、印度也有分布。 |

| **资　　源** | 栽培，少见。 |

| **采收加工** | 叶：夏、秋季选晴天采摘，除去茎枝，洗净，鲜用或晒干。 |

| **功能主治** | 叶及果实：用于痞满腹胀、头晕、脚转筋。心材：缓泻，泰国用于利尿和治疗性病。根：驱除肠寄生虫。用于小儿惊厥。 |

| **附　　注** | 在 FOC 中，其学名被修订为 *Senna siamea* (Lam.) H. S. Irwin et Barneby。 |

蝶形花科 Fabaceae 决明属 Cassia

决 明 *Cassia tora* L.

| 中 药 名 | 决明子（药用部位：种子、叶、根或全草）

| 植物形态 | 一年生亚灌木状草本。叶长 4~8cm；叶柄上无腺体；叶轴上每对小叶间有一棒状的腺体；小叶 3 对，长 2~6cm，宽 1.5~2.5cm；托叶线状，被柔毛，早落。花腋生，通常 2 朵聚生；总花梗长 6~10mm；花梗长 1~1.5cm，丝状；萼片外面被柔毛，长约 8mm；花瓣黄色，下面 2 片略长，长 12~15mm；能育雄蕊 7，花药四方形，长约 4mm，花丝短于花药；子房被白色柔毛。荚果纤细，近四棱形，长达 15cm，宽 3~4mm，膜质；种子约 25，菱形，光亮。花果期 8~11 月。

决明

| 分布区域 |

产于海南三亚、乐东、昌江、白沙、万宁、琼中、儋州、澄迈、文昌、琼海、海口、西沙群岛、南沙群岛。亦分布于中国长江以南各地。原产于美洲热带地区，现广布于世界热带、亚热带地区。

| 资　　源 |

生于旷野中，常见。

| 采收加工 |

秋末果实成熟，荚果变黄褐色时采收，将全株割下晒干，打下种子，去净杂质即可。

| 药材性状 |

呈四棱状短圆柱形，一端钝圆，另一端倾斜并有尖头，长 4~6mm，宽 2~3mm。表面棕绿色或暗棕色，平滑，有光泽，背腹面各有一突起的棱线，棱线两侧各有一从脐点向合点斜向的浅棕色线形凹纹。质坚硬。横切面种皮薄；胚乳灰白色，半透明；胚黄色，2 子叶重叠呈 "S" 状折曲。完整种子气微，破碎后有微弱豆腥味；味微苦，稍带黏性。

| 功能主治 |

种子：清热解毒，清肝明目，利水通便，降血压。用于头痛眩晕、目赤肿痛、青光眼、夜盲症（雀目）、高血压、肝炎、肝硬化腹水、鼻衄、小儿疳积、便秘、癣癞、脚气、毒蛇咬伤。叶或全草：通小便，止呕吐。用于流行性感冒、视力减退、小儿疳积。根：用于消瘦、蛔虫病、创伤。

| 附　　注 |

在 FOC 中，其学名被修订为 *Senna tora* (L.) Roxb.。

| 蝶形花科 | Fabaceae | 距瓣豆属 | Centrosema

距瓣豆 *Centrosema pubescens* Benth.

| **中 药 名** | 距瓣豆（药用部位：全株）

| **植物形态** | 多年生草质藤本，各部分略被柔毛。叶具羽状 3 小叶；托叶卵形，长 2~3mm，具纵纹，宿存；小叶薄纸质，顶生小叶椭圆形，两面薄被柔毛；侧生小叶略小；小托叶小，刚毛状。总状花序腋生；总花梗长 2.5~7cm；苞片与托叶相仿；小苞片宽卵形，具明显线纹，比苞片大；花 2~4，常密集于花序顶部；花萼 5 齿裂，下部 1 枚最长，线形；花冠淡紫红色，长 2~3cm，旗瓣宽圆形，背面密被柔毛，近基部具一短距，翼瓣镰状倒卵形，一侧具下弯的耳，龙骨瓣宽而内弯，近半圆形，各瓣具短瓣柄；雄蕊二体。荚果线形，长 7~13cm，宽约 5mm，扁平，先端渐尖，具 10~15mm、直而细长的喙，果瓣近背腹两缝线均突起呈脊状；种子 7~15，长椭圆形，无种阜，种脐小。花期 11~12 月。

距瓣豆

| 分布区域 |

产于海南三亚、乐东、万宁、澄迈、屯昌。中
国广东、台湾、江苏、云南亦有栽培。原产于
美洲热带地区。

| 资　　源 |

生于旷野、路旁或山坡草丛中，常见。

| 采收加工 |

全年皆可采收，洗净，晒干或鲜用。

| 功能主治 |

药用价值尚不明确，但本种在海南逸为野生，
分布较广，资源量大，值得关注并进一步发掘
其药用功能。

蝶形花科 Fabaceae 蝙蝠草属 Christia

铺地蝙蝠草

Christia obcordata (Poir.) Bahn. f.

铺地蝙蝠草

中药名

铺地蝙蝠草（药用部位：全草）

植物形态

多年生平卧草本，叶通常为三出复叶，稀为单小叶；托叶刺毛状，长约 1mm；叶柄疏被灰色柔毛；顶生小叶多为肾形、圆三角形，长 5~15mm，宽 10~20mm，先端平截而略凹，基部宽楔形，侧生小叶较小，倒卵形，长 6~7mm，宽约 5mm。总状花序多为顶生，长 3~18cm；每节生 1 花；花小，花梗被灰色柔毛；花萼半透明，被灰色柔毛，5 裂，裂片三角形，与萼筒等长；花冠蓝紫色或玫瑰红色，略长于花萼。荚果有荚节 4~5，完全藏于萼内，荚节圆形，直径约 2.5mm，无毛。花期 5~8 月，果期 9~10 月。

分布区域

产于海南三亚、乐东、昌江、白沙、儋州。亦分布于中国华南其他区域，以及福建、台湾。越南、老挝、泰国、缅甸、马来西亚、菲律宾、印度、日本、巴布亚新几内亚、澳大利亚也有分布。

| 资　　源 |

生于海拔 50~450m 的疏林、旷野草地上，常见。

| 采收加工 |

夏、秋季采收。

| 功能主治 |

利水通淋，散瘀，清热解毒，利尿，止带。用于膀胱炎、尿道炎、小便不利、小便淋痛、慢性肾炎、淋证、尿结石、白带、水肿、吐血、咯血、跌打损伤、疮疡、疥癣、蛇虫咬伤。

蝶形花科 Fabaceae 蝙蝠草属 Christia

蝙蝠草
Christia vespertilionis (L. f.) Bahn. f.

| 中 药 名 | 双飞蝴蝶（药用部位：全草）

| 植物形态 | 多年生直立草本。叶通常为单小叶；托叶刺毛状，长 5~6mm，脱落；叶柄被稀疏短柔毛；小叶近革质，灰绿色，顶生小叶菱形，长 0.8~1.5cm，宽 5~9cm，先端宽而平截，近中央处稍凹，基部略呈心形，侧生小叶倒心形，两侧常不对称，长 8~15mm，宽 15~20mm。总状花序顶生或腋生，长 5~15cm，被短柔毛；花梗长 2~4mm，被灰色短柔毛，较萼短；花萼半透明，被柔毛，5 裂，裂片三角形，约与萼筒等长；花冠黄白色，不伸出萼外。荚果有荚节 4~5，椭圆形，荚节长 3mm，宽 2mm，成熟后黑褐色，有网纹，无毛，完全藏于萼内。花期 3~5 月，果期 10~12 月。

蝙蝠草

| 分布区域 | 产于海南三亚、乐东、东方、昌江、五指山、陵水、万宁、琼中、保亭和琼海有分布记录。亦分布于中国华南其他区域。世界热带地区均有分布。 |

| 资　　源 | 生于海拔 50~450m 的路旁、海边、山坡或草地上，常见。 |

| 采收加工 | 夏、秋季采收全草，洗净，鲜用，或扎成把晒干。 |

| 功能主治 | 舒筋活血，调经祛瘀，清热凉血，接骨。用于肺结核、支气管炎、扁桃体炎、痛经、跌打损伤、骨折、风湿骨痛、毒蛇咬伤、痈疮。 |

蝶形花科 Fabaceae 舞草属 Codariocalyx

圆叶舞草

Codariocalyx gyroides (Roxb. ex Link.) Hassk.

| 中 药 名 | 圆叶舞草（药用部位：根、叶、花或全株）

| 植物形态 | 直立灌木；叶为三出复叶；托叶狭三角形，长 12~15mm，边缘有丝状毛；叶柄疏被柔毛；小叶纸质，顶生小叶倒卵形，长 3.5~5cm，宽 2.5~3cm，侧生小叶较小，下面柔毛较密；小托叶钻形，长 4~6mm。总状花序顶生或腋生，长 6~9cm，中部以上有密集的花；苞片宽卵形，外面有白色疏柔毛，具条纹，边缘有缘毛；花梗长 4~9mm，密被黄色柔毛；花萼宽钟形，上部裂片 2 裂；花冠紫色，旗瓣长 9~11mm，翼瓣长 7~9mm，基部具耳，龙骨瓣长 9~12mm；子房线形，被毛。荚果呈镰刀状弯曲，长 2.5~5cm，宽 4~6mm，成熟时沿背缝线开裂，密被黄色短钩状毛和长柔毛，有荚节 5~9；种子长 4mm，宽约 2.5mm。花期 9~10 月，果期 10~11 月。

圆叶舞草

| 分布区域 |

产于海南五指山、保亭、琼中、澄迈、琼海。
亦分布于中国华南其他区域，以及云南、贵州。
越南、老挝、柬埔寨、泰国、缅甸、马来西亚、
印度尼西亚、尼泊尔、印度、斯里兰卡、巴布
亚新几内亚也有分布。

| 资　　源 |

生于海拔 120~450m 的溪旁、疏林、草地、山谷、
山坡、路旁，常见。

| 采收加工 |

全株 9~10 月采收，晒干或鲜用。

| 功能主治 |

根、叶、花：祛邪风，舒筋活血。全株：清热利水，
祛瘀。用于口腔炎、肾炎、肾结石、尿路感染。

蝶形花科 Fabaceae **舞草属** *Codariocalyx*

舞 草

Codariocalyx motorius (Houtt.) Ohashi

舞草

中 药 名

无风独摇草（药用部位：全株）

植物形态

直立小灌木，茎无毛。叶为三出复叶，侧生小叶很小或缺；托叶窄三角形，边缘疏生小柔毛；叶柄疏生开展柔毛；顶生小叶长椭圆形，长 5.5~10cm，宽 1~2.5cm，下面被贴伏短柔毛；小托叶钻形，两面无毛。花序轴具弯曲钩状毛；苞片宽卵形，长约 6mm，密生，花时脱落；花梗被开展毛；花萼膜质，外面被毛，萼筒长 1~1.5mm，上部裂片先端 2 裂；花冠紫红色，旗瓣长、宽各 7.5~10mm，翼瓣长 6.5~9.5mm，龙骨瓣长约 10mm，宽约 3mm，具长瓣柄，子房被微毛。荚果镰刀形，长 2.5~4cm，宽约 5mm，成熟时沿背缝线开裂，疏被钩状短毛，有荚节 5~9；种子长 4~4.5mm。花期 7~9 月，果期 10~11 月。

分布区域

产于海南白沙。亦分布于中国华南其他区域、西南，以及江西、福建、台湾。老挝、泰国、缅甸、印度尼西亚、马来西亚、不丹、尼泊尔、印度、斯里兰卡等也有分布。

资　　源	生于丘陵山坡或山沟灌丛中，少见。

采收加工	9~10 月采收，晒干或鲜用。

药材性状	小枝圆柱形，有纵沟，表面光滑。质脆，折断面木质部占大部分。叶具 3 小叶，先端小叶大，两侧小叶很小，披针形，易脱落，纸质。有时可见荚果，长 2.5~4cm，宽约 5mm，有荚节 5~9。气微，味淡。

功能主治	安神镇静，补肾安胎，祛瘀生新，舒筋活络，活血消肿。用于肾虚、胎动不安、跌打肿痛、骨折、小儿疳积、风湿腰痛、神经衰弱、神经痛、口腔炎、狂犬咬伤。

蝶形花科 Fabaceae 猪屎豆属 Crotalaria

响铃豆

Crotalaria albida Heyne ex Roth

| 中 药 名 | 响铃豆（药用部位：根或全草）

| 植物形态 | 多年生直立草本，基部常木质；托叶细小，刚毛状，早落；单叶，叶片倒卵形，长1~2.5cm，宽0.5~1.2cm，上面绿色，下面暗灰色，略被短柔毛。总状花序顶生或腋生，有花20~30，花序长达20cm，苞片丝状，小苞片与苞片同形，生于萼筒基部；花梗长3~5mm；花萼二唇形，长6~8mm，深裂，上唇2萼齿宽大，下唇3萼齿披针形；花冠淡黄色，旗瓣椭圆形，长6~8mm，先端具束状柔毛，基部胼胝体可见，冀瓣长圆形，约与旗瓣等长，龙骨瓣弯曲，几达90°，中部以上变狭形成长喙；子房无柄。荚果短圆柱形，长约10mm，无毛，稍伸出花萼之外；种子6~12。花果期5~12月。

响铃豆

分布区域

产于海南三亚、乐东、东方、昌江、五指山、陵水、万宁、琼中。亦分布于中国西南至东南各地。中南半岛，以及马来西亚、菲律宾、印度也有分布。

资　　源

生于平地河边，常见。

采收加工

夏、秋季采收，鲜用，或扎成把晒干。

功能主治

清热解毒，利尿，通淋利湿，止咳平喘，截疟。用于黄疸型肝炎、乳痈、小儿疳积、小儿惊风、心烦不眠、久咳痰喘、支气管炎、肺炎、疟疾、小便涩痛、尿道炎、膀胱炎、胃肠炎、痈疽疔疮。

大猪屎豆

蝶形花科 Fabaceae 猪屎豆属 Crotalaria

大猪屎豆
Crotalaria assamica Benth.

| 中 药 名 |

自消容（药用部位：茎叶、根、种子）

| 植物形态 |

直立高大草本；茎枝被锈色柔毛。托叶细小，线形，贴伏于叶柄；单叶，披针形，长 5~15cm，宽 2~4cm，上面无毛，下面被锈色短柔毛。总状花序顶生或腋生，有花 20~30；苞片线形，长 2~3mm，小苞片与苞片形状相似，通常稍短；花萼二唇形，长 10~15mm，萼齿披针状三角形，约与萼筒等长，被短柔毛；花冠黄色，旗瓣圆形或椭圆形，长 15~20mm，基部具胼胝体 2，先端微凹或圆，翼瓣长圆形，长 15~18mm，龙骨瓣弯曲，几达 90°，中部以上变狭形成长喙，伸出萼外；子房无毛。荚果长圆形，长 4~6cm，直径约 1.5cm，果颈长约 5mm；种子 20~30。花果期 5~12 月。

| 分布区域 |

产于海南乐东、东方、白沙、保亭、陵水、万宁、儋州、昌江、文昌、海口。亦分布于中国华南其他区域，以及台湾、湖北、贵州、云南。中南半岛以及菲律宾、印度也有分布。

| 资　　源 |

生于山坡路边及山谷草丛中，常见。

| 采收加工 |

夏、秋季采收茎叶、采挖根，去净杂质，洗净鲜用或晒干。8~9 月果实成熟时采摘，晒干，留取种子，晒干。

| 药材性状 |

茎枝直径 4~8mm，有稍突起之纵棱，叶多破碎，上面灰褐色或灰绿色，背面灰色。枝上尚可见宿存的小托叶，色黄，贴伏于叶柄下两旁。气微，味淡。种子呈肾形，两侧面有的饱满，有的呈凹窝状，长 3~5mm，宽约 3mm，表面黄绿色、黑绿色或黑色，光滑，有光泽；腹面深凹陷，为种脊着生处。质坚硬，不易破碎。气微弱，味微苦。

| 功能主治 |

清热解毒，止血消肿，凉血降压，利水。用于黄疸型肝炎、咳嗽吐血、肿胀、牙痛、小儿头疮、疳积、高血压、白血病、恶性肿瘤、跌打损伤、风湿骨痛、外伤出血、刀伤、小便不利、肾结石、肾炎、肾虚耳鸣。

蝶形花科 Fabaceae 猪屎豆属 Crotalaria

假地蓝 *Crotalaria ferruginea* Benth.

| 中 药 名 | 假地蓝（药用部位：全草）

| 植物形态 | 草本，基部常木质，茎被棕黄色伸展的长柔毛。托叶披针形，长5~8mm；单叶，叶片椭圆形，长2~6cm，宽1~3cm，两面被毛，下面叶脉上的毛更密。总状花序顶生或腋生，有花2~6；苞片披针形，长2~4mm，小苞片与苞片同形，生于萼筒基部；花萼二唇形，长10~12mm，密被粗糙的长柔毛，深裂几达基部，萼齿披针形；花冠黄色，旗瓣长椭圆形，长8~10mm，翼瓣长圆形，长约8mm，龙骨瓣与翼瓣等长，中部以上变狭形成长喙，包被萼内；子房无柄。荚果长圆形，无毛，长2~3cm；种子20~30。花果期6~12月。

假地蓝

分布区域	产于海南白沙、五指山、琼中、定安。亦分布于中国长江以南各地。越南、老挝、柬埔寨、泰国、缅甸、马来西亚、印度尼西亚、孟加拉国、尼泊尔、不丹、印度、斯里兰卡、巴布亚新几内亚也有分布。
资　　源	生于旷野及疏林下，少见。
采收加工	夏、秋季采收，鲜用或扎成把。
功能主治	清热解毒，止咳平喘，益气补肾，消肿抗癌，利小便。用于久咳痰血、发热感冒、慢性支气管炎、扁桃体炎、肺炎、肝炎、肾炎、膀胱炎、小儿疳积、耳鸣、耳聋、梦遗、水肿、小便涩痛、石淋、乳蛾、瘰疬、疔毒、疮疖、刀伤、骨折、风湿骨痛。

蝶形花科 Fabaceae 猪屎豆属 Crotalaria

线叶猪屎豆
Crotalaria linifolia L. f.

| 中 药 名 | 条叶猪屎豆（药用部位：全草）

| 植物形态 | 多年生草本，基部常呈木质，茎密被丝质短柔毛。托叶小，通常早落；单叶，倒披针形，长 2~5cm，宽 0.5~1.5cm，基部渐狭，两面被丝质柔毛。总状花序有花数朵，花序长 10~20cm；苞片披针形，小苞片与苞片相似，生于萼筒基部；花萼二唇形，长 6~7mm，深裂，上唇 2 萼齿阔披针形或阔楔形，合生，下唇 3 萼齿披针形，密被锈色柔毛；花冠黄色，旗瓣圆形或长圆形，先端圆或凹，长 5~7mm，基部边缘被毛，胼胝体垫状，翼瓣长圆形，长 6~7mm，龙骨瓣长约 8mm，近直生，中部以上变狭，具长喙；子房无柄。荚果四角菱形，长 5~6mm，无毛，成熟后果皮黑色；种子 8~10。花期 5~10月，果期 8~12 月。

线叶猪屎豆

| 分布区域 | 产于海南三亚、乐东、昌江、五指山、陵水、万宁、海口、白沙。亦分布于中国南部和西南部各地。缅甸、印度、斯里兰卡、日本也有分布。 |
| 资　源 | 生于旷野或林中及溪边，常见。 |

| 采收加工 |

夏、秋季采收，鲜用或扎成把。

| 药材性状 |

干燥全草、茎呈圆柱形，多弯曲，全体有黄棕色茸毛；带根者，根较长，圆条形，少分枝，须根细长，表面土黄色。叶片多卷曲，或已脱落，展开后呈椭圆形或卵形，黄绿色，有黄棕色茸毛。枝端常带有膨胀呈矩圆形的果实，长 5~6mm，内有 8~10 种子，摇之有声，如响铃，或种子已散落。种子肾形。气微，味微苦。种子具豆腥气。

| 功能主治 |

清热解毒，理气消积。用于腹痛、毒疮、耳鸣、肾虚、遗精、妇女干血痨。外用于疮疖、毒蛇咬伤、狂犬咬伤、跌打损伤、小儿白口疮。

蝶形花科 Fabaceae **猪屎豆属** *Crotalaria*

三尖叶猪屎豆 *Crotalaria micans* Link

| 中 药 名 |

三尖叶猪屎豆（药用部位：全草）

| 植物形态 |

草本或亚灌木，茎枝各部密被锈色贴伏毛。托叶线形，极细小；叶三出，小叶质薄，椭圆形，长 4~7cm，宽 2~3cm，顶生小叶较大。总状花序顶生，长 10~30cm，有花 20~30；苞片线形，早落，小苞片的形状与苞片相似，生于花梗中部以上；花梗长 5~7mm；花萼近钟形，长 7~10mm，5 裂，萼齿阔披针形，密被锈色丝质柔毛；花冠黄色，伸出萼外，旗瓣圆形，直径约 14mm，先端圆或微凹，基部具胼胝体 2，垫状，翼瓣长圆形，长 13mm，龙骨瓣中部以上弯曲，几达 90°，长约 10mm。荚果长圆形，长 2.5~4cm，直径 1~1.5cm，幼时密被锈色柔毛，成熟后部分脱落，花柱宿存；果颈长 2~4mm；种子 20~30，马蹄形，成熟时黑色，光滑。花果期 5~12 月。

| 分布区域 |

产于海南儋州、澄迈。中国华南其他区域，以及福建、台湾、云南有栽培。原产于中美洲。

三尖叶猪屎豆

| 资　　源 | 生于平原、平地、丘陵、田野，常见。

| 采收加工 | 夏、秋季采收，扎成把，洗净，晒干。

| 功能主治 | 祛风除湿，消肿止痛。尚有抗肿瘤作用。

■■■蝶形花科■ Fabaceae ■猪屎豆属■ *Crotalaria*

座地猪屎豆 *Crotalaria nana* Burm. f. var. *patula* Baker

| **中 药 名** | 座地猪屎豆（药用部位：种子）

| **植物形态** | 草本，茎枝密被黄色丝质柔毛，基部多分枝，主根发达，呈木质状，长达14cm。无托叶；单叶，狭线形，长15~30mm，宽2~4mm，两面均被丝质毛，尤以下面毛更密。总状花序顶生，头状，有花2~6；苞片线形，长2~3mm，小苞片锥状，长约3mm，密被丝质柔毛；花萼二唇形，上唇2萼齿合生，近长圆形，先端钝圆，下唇3萼齿披针状三角形，长4~5mm；花冠黄色，比萼片稍短，通常包被萼内；子房无柄。荚果卵圆形或近球形，长4~5mm；花柱宿存；种子6~12。

座地猪屎豆

分布区域	产于海南三亚、乐东、东方、昌江、琼中、文昌，临高有分布记录。缅甸、印度、尼泊尔也有分布。
资　　源	生于海边或干旱草地上，常见。
采收加工	种子：果实成熟后采收。
功能主治	种子中所含的单猪屎豆碱有解痉、降血压作用。临床用于白血病、皮肤癌、阴茎癌、直肠癌。

蝶形花科 Fabaceae 猪屎豆属 Crotalaria

猪屎豆
Crotalaria pallida Ait.

| 中 药 名 | 猪屎豆（药用部位：全草或根）

| 植物形态 | 多年生草本，茎枝具小沟纹，密被紧贴的短柔毛。托叶极细小，刚毛状，通常早落；叶三出，小叶长圆形，长 3~6cm，宽 1.5~3cm，下面略被丝光质短柔毛。总状花序顶生，长达 25cm，有花 10~40；苞片线形，早落，小苞片的形状与苞片相似，花时极细小，长不及 1mm；花萼近钟形，长 4~6mm，5 裂，萼齿三角形，约与萼筒等长，密被短柔毛；花冠黄色，伸出萼外，旗瓣圆形，直径约 10mm，基部具胼胝体 2，翼瓣长圆形，长约 8mm，下部边缘具柔毛，龙骨瓣最长，约 12mm，弯曲几达 90°，具长喙，基部边缘具柔毛；子房无柄。荚果长圆形，长 3~4cm，直径 5~8mm，幼时被毛，成熟后脱落，果瓣开裂后扭转；种子 20~30。花果期 9~12 月。

猪屎豆

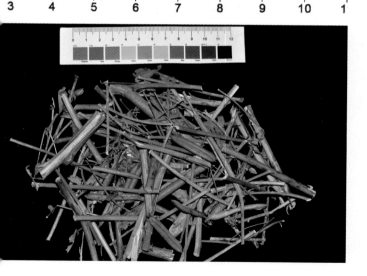

3　　4　　5　　6　　7　　8　　9　　10　　1

| 分布区域 |

产于海南三亚、乐东、东方、昌江、保亭、万宁、儋州、澄迈、屯昌、定安、琼海、海口、西沙群岛。亦分布于中国华南其他区域，以及湖南、福建、云南、四川、山东等地。亚洲、非洲及美洲的热带地区也有分布。

| 资　　源 |

生于低海拔的旷野，十分常见。

| 采收加工 |

茎叶：秋季采收茎叶，打去荚果及种子，晒干或鲜用。根：夏、秋季间采挖根，洗净，切片，晒干。

| 功能主治 |

根、全草：清热解毒，散结，除湿，消积。用于痢疾、湿热、腹泻、疥癣、脓疱疮、湿疹、淋巴结结核、乳腺炎。种子：明目，固精，补肝肾，抗肿瘤。用于肾虚、头晕眼花、神经衰弱、遗精早泄、小便频数、遗尿、白带、肿瘤。

蝶形花科　Fabaceae　猪屎豆属　*Crotalaria*

吊裙草
Crotalaria retusa L.

| 中 药 名 | 吊裙草（药用部位：全草或种子、根）

| 植物形态 | 草本，茎枝被短柔毛。托叶钻状，约 1mm；单叶，叶片长圆形，长 3~8cm，宽 1~3.5cm，先端凹，下面略被短柔毛；叶柄短。总状花序顶生，有花 10~20；苞片披针形，长约 1mm，小苞片线形，极细小，生于花梗中部以上；花梗长 3~5mm；花萼二唇形，长 10~12mm，萼齿阔披针形，被稀疏的短柔毛；花冠黄色，旗瓣圆形或椭圆形，长 1~1.5cm，基部具 2 胼胝体，翼瓣长圆形，长 1~1.5cm，龙骨瓣约与翼瓣等长，中部以上变狭，形成长喙，伸出萼外。荚果长圆形，长 3~4cm，无毛，果颈长约 2mm；种子 10~20。花果期 10 月至翌年 4 月。

吊裙草

|分布区域|

产于海南三亚、东方、昌江、陵水、临高、乐东、保亭。亦分布于中国广东。世界热带地区也有分布。

|资　　源|

生于旷野或海滨沙地，少见。

|采收加工|

全草：全年均可采收，洗净晾干或鲜用。种子：秋季果实成熟时采收。根：夏、秋季间采挖根，洗净，切片，晒干。

|功能主治|

全草：止咳解毒，抗癌。用于干咳、疥癣、脓疱疮、肿痛。种子：补肝益肾，明目固精。用于肝肾不足、腰膝酸痛、目昏、遗精早泄、小便频数、遗尿、尿血、白带。根：用于胃肠气胀、疝气。

蝶形花科 Fabaceae 猪屎豆属 *Crotalaria*

球果猪屎豆 *Crotalaria uncinella* Lam.

| 中 药 名 |　球果猪屎豆（药用部位：全草）

| 植物形态 |　草本或亚灌木。托叶卵状三角形，长 1~1.5mm；叶三出，叶柄长 1~2cm；小叶椭圆形，长 1~2cm，宽 1~1.5cm，上面秃净无毛，下面被短柔毛，顶生小叶较侧生小叶大。总状花序有花 10~30；苞片极小，长约 1mm，小苞片与苞片相似，生于萼筒基部；花萼近钟形，5 裂，约与萼筒等长，密被短柔毛；花冠黄色，伸出萼外，旗瓣圆形或椭圆形，长约 5mm，翼瓣长圆形，约与旗瓣等长，龙骨瓣长于旗瓣，弯曲，具长喙，扭转；子房无柄。荚果卵球形，长约 5mm，被短柔毛；种子 2，成熟后呈朱红色。花果期 8~12 月。

球果猪屎豆

| 分布区域 |

产于海南三亚、乐东、东方，昌江有分布记录。亦分布于中国华南其他区域。越南、泰国、马来西亚、印度均有分布。

| 资　　源 |

生于山地路旁，常见。

| 采收加工 |

秋季采收茎叶，打去荚果及种子，晒干或鲜用。

| 功能主治 |

同属植物全草一般有清热解毒的作用，本种或有类似功能，其作用有待进一步研究。

蝶形花科 Fabaceae 猪屎豆属 Crotalaria

光萼猪屎豆 *Crotalaria zanzibarica* Benth.

| **中 药 名** | 光萼猪屎豆（药用部位：全草）

| **植物形态** | 草本或亚灌木；茎枝被短柔毛。钻状托叶极细小；叶三出，叶柄长 3~5cm，小叶长椭圆形，长 6~10cm，宽 1~2cm，上面无毛，下面被短柔毛。总状花序顶生，有花 10~20，花序长达 20cm；苞片线形，小苞片与苞片同形，稍短小，生于花梗中部以上；花梗在花蕾时挺直向上，开花时屈曲向下，结果时下垂；花萼近钟形，5 裂，无毛；花冠黄色，伸出萼外，旗瓣圆形，直径约 12mm，基部具胼胝体 2，先端具芒尖，翼瓣长圆形，约与旗瓣等长，龙骨瓣最长，约 15mm，稍弯曲，中部以上变狭，形成长喙，基部边缘具微柔毛；子房无柄。荚果长圆柱形，长 3~4cm，果皮常呈黑色，基部有宿存花丝及花萼；种子 20~30，肾形，成熟时呈朱红色。花果期 4~12 月。

光萼猪屎豆

| 分布区域 | 产于海南万宁、琼中、屯昌、琼海、文昌、海口。亦栽培或逸生于中国华南其他区域，以及湖南、福建、台湾、四川、云南。世界热带、亚热带地区均有分布。

| 资　　源 | 生于山地路旁，常见。

| 采收加工 | 秋季采收茎叶，打去荚果及种子，晒干或鲜用。

| 功能主治 | 清热解毒，消炎，散结祛瘀，抗肿瘤。用于肿瘤。外用于疮疖。

蝶形花科 Fabaceae 黄檀属 Dalbergia

海南黄檀 *Dalbergia hainanensis* Merr. et Chun

| 中 药 名 | 海南黄檀（药用部位：心材、紫胶）

| 植物形态 | 乔木，树皮暗灰色，有槽纹。羽状复叶长 15~18cm；叶轴、叶柄被褐色短柔毛；小叶 4~5 对，纸质，卵形，长 3~5.5cm，宽 2~2.5cm，小叶柄被褐色短柔毛。圆锥花序腋生，连总花梗长 4~9cm，略被褐色短柔毛；花初时近圆形，极小；副萼状小苞片阔卵形；花萼长约 5mm，与花梗同被褐色短柔毛，萼齿 5，不相等，花冠粉红色，旗瓣倒卵状长圆形，长约 9mm，宽约 5mm，翼瓣菱状长圆形，长 9~10mm，宽约 3mm，内侧有下向的耳，龙骨瓣较短，亦具耳；雄蕊 10，成 "5+5" 的二体；子房线形，具短柄，除花柱外密被短柔毛，有胚珠 1~3。荚果长圆形、倒披针形或带状，长 5~9cm，宽 1.5~1.8cm，直或稍弯，先端急尖，基部楔形，渐狭下延为一短果颈，果瓣被褐色短柔毛，对种子部分不明显突起，有网纹，有种子 1。

海南黄檀

| **分布区域** | 产于海南三亚、乐东、白沙、五指山、陵水、万宁、琼中，永兴岛有分布记录。

| **资　　源** | 生于海拔 700m 以下的山地林中，常见。

| **采收加工** | 全年均可采，将木材砍碎，晒干。

| **功能主治** | 心材：止血，止痛。用于胃胀痛、刀伤出血。紫胶（紫胶虫寄生树上所产的胶）：止血。用于外伤出血。

■蝶形花科■ Fabaceae ■黄檀属■ *Dalbergia*

藤黄檀*Dalbergia hancei* Benth.

| 中 药 名 | 藤檀（药用部位：藤茎、树脂、根）

| 植物形态 | 藤本。羽状复叶长 5~8cm；披针形托叶膜质，早落；小叶 3~6 对，
倒卵状长圆形，长 10~20mm，宽 5~10mm。总状花序远较复叶短，
幼时包藏于舟状或覆瓦状排列、早落的苞片内，数个总状花序常再
集成腋生短圆锥花序；花梗长 1~2mm，与花萼和小苞片同被褐色短
茸毛；基生小苞片卵形，副萼状小苞片披针形，均早落；花萼阔钟状，
萼齿短，阔三角形，具缘毛；花冠绿白色，芳香，长约 6mm，各瓣
均具长柄，旗瓣椭圆形，基部两侧稍呈截形，具耳，中间下延成一瓣柄，
翼瓣与龙骨瓣长圆形；雄蕊 9，单体；子房线形。荚果扁平，长圆形，
长 3~7cm，宽 8~14mm，基部收缩为一细果颈，通常有 1 种子；种
子肾形，极扁平，长约 8mm，宽约 5mm。花期 4~5 月。

藤黄檀

|分布区域|

产于海南东方、昌江、五指山、陵水、万宁、儋州。亦分布于中国华南其他区域，以及江西、福建、浙江、安徽、贵州、四川。

|资　　源|

生于山地林中或溪边，常见。

|采收加工|

藤茎：夏、秋季采收藤茎，砍碎，晒干。树脂：夏、秋季采收，砍破树皮，让树脂渗出，干燥后收集备用。根：夏、秋季采挖根，洗净，切片晒干。

|药材性状|

藤茎圆柱形，可见呈钩状或螺旋状排列的小枝条，折断面木质部占大部分。羽状复叶，小叶6~12或散落，小叶片长圆形。先端钝，呈截形，微缺，基部楔形或圆形，全缘，绿色或枯绿色，下表面具贴伏的柔毛。质脆。气微。

|功能主治|

茎：味辛，性温。行气止痛，破积。用于胸胁痛、胃脘痛、劳伤疼痛。树脂：止血。用于外伤出血。根：舒筋活络，强壮筋骨。用于腰腿痛、关节痛、跌打损伤、骨折。

■ 蝶形花科 ■ Fabaceae ■ 黄檀属 ■ *Dalbergia*

降 香
Dalbergia odorifera T. Chen

| 中 药 名 |　降香（药用部位：根、茎、心材）

| 植物形态 |　乔木，除幼嫩部分、花序及子房略被短柔毛外，全株无毛；树皮粗糙，有纵裂槽纹，小枝有小而密集的皮孔。羽状复叶长 12~25cm；托叶早落；卵形小叶 4~5 对，近革质，长 4~7cm，宽 2~3.5cm，先端的 1 小叶最大，往下渐小。圆锥花序腋生，长 8~10cm；总花梗长 3~5cm；基生小苞片长 0.5mm，副萼状小苞片长约 1mm；花长约 5mm；披针形花萼长约 2mm，下方 1 萼齿较长，其余的阔卵形，急尖；花冠乳白色或淡黄色，各瓣近等长，均具长约 1mm 的瓣柄，旗瓣倒心形，连柄长约 5mm，上部宽约 3mm，先端平截，微凹缺，翼瓣长圆形，龙骨瓣半月形；雄蕊 9，单体；子房狭椭圆形，具长约 2.5mm 的柄。荚果舌状长圆形，长 4.5~8cm，宽 1.5~1.8cm，基部略被毛，先端钝或急尖，基部骤然收窄与纤细的果颈相接，果颈长 5~10mm，果瓣革质，对种子的部分明显突起，状如棋子，厚可达 5mm，有种子 1。

降香

|分布区域|

产于海南三亚、乐东、东方、昌江、五指山、万宁、琼海、保亭、琼中及西沙群岛。亦分布于中国福建、浙江。

|资　　源|

生于低海拔的山地疏林或村旁，常见。

|采收加工|

全年均可采收。将树干削去外皮和白色木质部，锯成段；或将根部挖出，削去外皮，锯成段。晒干。

|药材性状|

心材呈类圆柱形或不规则块状。表面紫红色或红褐色，切面有致密的纹理。质硬，有油性。气微香，味微苦。以色紫红、坚硬、气香、不带白色边材、入水下沉者为佳。

|功能主治|

行气活血，祛瘀止痛，止血。用于脘腹疼痛、心胸闷痛、胃痛、肝郁胁痛、胸痹刺痛、腰腿痛、风湿骨痛、痈疽疮肿、跌打损伤、外伤出血、金疮出血、吐血、咯血。

蝶形花科 Fabaceae 黄檀属 *Dalbergia*

白沙黄檀
Dalbergia peishaensis Chun & T. C. Chen

| 中 药 名 | 白沙黄檀（药用部位：茎）

| 植物形态 | 藤本；茎无毛，幼枝略被短柔毛，有皮孔。羽状复叶长 10~14cm；叶柄被褐色短柔毛；小叶 10~15 对，长圆形，长 8~15mm，宽 3~6mm，两面被褐色丝质柔毛；小叶柄被毛。圆锥花序腋生，长 3~5cm，被褐色长柔毛；总花梗长 1~2cm；基生小苞片长不及 1mm，卵形，急尖；副萼状小苞片 2，基部贴合；花梗长约 1mm；花微小，聚集于花序分枝的先端；花萼浅钟状，长约 1mm，被褐色柔毛，萼齿 5，下方 1 最长，阔卵状兜形，上方 2 半圆形，侧方 2 卵形；

白沙黄檀

花瓣近等长，具短柄，旗瓣横椭圆形，先端凹缺，基部近戟形，翼瓣倒卵状长圆形，龙骨瓣阔，椭圆形，基部内侧有耳；雄蕊 10，单体。荚果长圆形，长约 4.5cm，宽约 9mm，基部渐狭为果颈，果瓣有细网纹。花期 4 月。

| 分布区域 | 产于海南东方、乐东、昌江、白沙。

| 资　　源 | 生于密林中，少见。

| 采收加工 | 夏、秋季采收，切碎，晒干或鲜用。

| 功能主治 | 同属植物两粤黄檀的茎可用于消肿止痛，本种或有类似作用，其功能可进一步研究。

蝶形花科 Fabaceae 黄檀属 *Dalbergia*

斜叶黄檀 *Dalbergia pinnata* (Lour.) Prain

| 中 药 名 | 斜叶檀（药用部位：全株、根、根皮）

| 植物形态 | 乔木。叶轴、叶柄和小叶柄均密被褐色短柔毛；托叶披针形，被毛；小叶 10~20 对，长 12~18mm，宽 5~7.5mm，两面被褐色短柔毛，下面青白色。圆锥花序腋生，长 1.5~5cm，直径 1.2~2.5cm，具伞房状的分枝；总花梗极短或近无梗，与花序分枝和花梗均密被褐色短柔毛；苞片和小苞片卵形，被毛，宿存；花长约 6mm；花萼钟状，外面被褐色短柔毛或近无毛，上方 2 萼齿稍合生；花冠白色，各瓣均具

斜叶黄檀

长柄，旗瓣卵形，反折，翼瓣基部戟形，龙骨瓣具下面的耳；雄蕊 9~10，单体，子房无毛，有胚珠 2~3，花柱纤细。荚果薄，膜质，长圆状舌形，长 2.5~6.5cm，具小凸尖，具纤细果颈，荚瓣绿色，干时褐色有光泽，表面有细网纹，有种子 1~4；种子狭长，长约 18mm，宽约 4mm。花期 1~2 月。

| **分布区域** | 产于海南三亚、乐东、昌江、白沙、五指山、保亭、万宁、琼中。亦分布于中国广西、云南、四川、西藏。越南、老挝、缅甸、泰国、马来西亚、印度尼西亚、菲律宾也有分布。

| **资　　源** | 生于山地林中，常见。

| **采收加工** | 夏、秋季采收，切碎，晒干或鲜用。

| **功能主治** | 全株：消肿止痛。用于风湿痛、跌打损伤、沙虫脚。根、根皮：消炎解毒，截疟。

蝶形花科 Fabaceae 黄檀属 *Dalbergia*

印度黄檀
Dalbergia sissoo Roxb. ex DC.

| 中 药 名 |　印度黄檀（药用部位：心材、叶、紫胶）

| 植物形态 |　乔木；树皮灰色，厚而深裂，枝被白色短柔毛。羽状复叶长12~15cm；托叶披针形，早落；小叶 1~2 对，近革质，近圆形，长3.5~6cm，先端具短尾尖，成长时无毛，有光泽。圆锥花序腋生，比复叶短一半；分枝与花序轴被柔毛；基生小苞片、副萼状小苞片均早落；花长 8~10mm，芳香；花萼筒状，长 6~7mm，被柔毛，上方 2萼齿近圆形，其余的披针形，下方 1 最长；花冠淡黄色或白色，旗瓣阔倒卵形，翼瓣和龙骨瓣倒披针形，无耳；雄蕊 9，单体；子房长圆形，被白色柔毛，具长约 4.5mm 的柄。荚果线状长圆形至带状，

印度黄檀

长 4~8cm，宽 6~12mm，果瓣薄革质，干时淡褐色，无毛，对种子部分略具网纹，有种子 12；种子肾形，扁平。花期 3~4 月。

| **分布区域** | 产于海南三亚、海口、西沙群岛。中国广东、福建、台湾、浙江亦有栽培。原产于印度，世界热带地区广泛栽培。

| **资　　源** | 栽培，少见。

| **采收加工** | 全年均可采收。将树干或根部削去外皮和白色木质部，锯成段，晒干。

| **功能主治** | 心材：行气止痛，活血止血，理气行瘀。用于肚腹胀痛、外伤出血。 叶：用于急性淋病。 紫胶（紫胶虫寄生于树枝上所产的胶）：消炎止血。用于外伤出血、口腔炎、心火亢盛所致的口舌生疮、吐血、衄血。

蝶形花科 Fabaceae **黄檀属** *Dalbergia*

红果黄檀
Dalbergia tsoi Merr. & Chun

| 中 药 名 | 红果黄檀（药用部位：茎）

| 植物形态 | 藤本，皮孔圆形或椭圆形。羽状复叶长 8~10cm；叶轴被柔毛；小叶 8~13 对，椭圆形，长 10~17mm，宽 5~8mm，两面被伏贴柔毛，下面毛不脱落。圆锥花序腋生，伞房状；花长约 3.5mm；花梗、花萼和小苞片同被褐色短柔毛；基生小苞片圆形，副萼状小苞片近圆形，均宿存；花萼浅钟状，萼齿 5，具缘毛，下方 1 较长，兜状披针形，其余的椭圆形；花冠长约 3mm，旗瓣横椭圆形，翼瓣与龙骨瓣长圆形，均具耳，瓣柄狭，长约 0.8mm；雄蕊 9，单体。荚果带状，长 5~7cm，宽 1.2~2cm，先端有小凸尖，果瓣革质，种子有粗大、突起

红果黄檀

疏网纹，干时常呈红褐色，有种子 1，稀 2；种子肾形，扁平，长约 9mm，宽约 5mm。花期 4 月。

| **分布区域** | 产于海南三亚、乐东、昌江、五指山、万宁、陵水、儋州。

| **资　源** | 生于山谷林中，少见。

| **采收加工** | 夏、秋季采收，切碎，晒干或鲜用。

| **功能主治** | 同属植物两粤黄檀的茎可用于消肿止痛，本种或有类似作用，其功能可进一步研究。

■蝶形花科■ Fabaceae ■黄檀属■ *Dalbergia*

两粤黄檀
Dalbergia benthami Prain

| 中 药 名 | 藤春（药用部位：茎）

| 植物形态 | 藤本，干时黑色。羽状复叶长 12~17cm；叶轴、叶柄均略被伏贴微柔毛；小叶 2~3 对，近革质，卵形或椭圆形，长 3.5~6cm，宽 1.5~3cm，上面无毛，下面干时粉白色。圆锥花序腋生，长约 4cm；总花梗极短，与花梗同被锈色茸毛；花长约 8mm，芳香；基生小苞片脱落，副萼状小苞片宿存；花萼钟状，外面被锈色茸毛，萼齿近相等；花冠白色，各瓣具长柄，旗瓣椭圆形，先端微缺，外反，与瓣柄成直角，基部两侧具短耳，翼瓣倒卵状长圆形，一侧具内弯的耳，龙骨瓣近半月形，内侧具耳，瓣柄与花萼等长；雄蕊 9，单体；子房无毛，具长柄，有胚珠 2~3，花柱锥状。荚果薄革质，舌状长圆形，长 5~7.5cm，宽 1.5cm，有种子 1~2；种子肾形，长约 11mm，宽约 5mm。花期 2~4 月。

两粤黄檀

| 分布区域 |

产于海南三亚、乐东、昌江、白沙、五指山、万宁、儋州、澄迈。亦分布于中国华南其他区域，以及台湾、贵州。越南也有分布。

| 资　　源 |

多生于疏林或灌丛中，常见。

| 采收加工 |

夏、秋季采收，将茎切碎，晒干。

| 药材性状 |

茎圆柱形，外皮呈棕色，质较硬，断面木质部占大部分。单数羽状复叶，或散落的小叶片，小叶椭圆形，长 3.5~6cm，宽 1.5~3cm，先端钝、微缺，基部宽楔形，全缘，叶片绿色或枯绿色，下表面有疏毛茸。质脆。气微。

| 功能主治 |

活血通经。用于跌打损伤、痛经、月经不调、气郁血滞。

蝶形花科 Fabaceae 假木豆属 Dendrolobium

单节假木豆

Dendrolobium lanceolatum (Dunn) Schindl.

| 中 药 名 |

单节假木豆（药用部位：全株）

| 植物形态 |

灌木，叶为三出羽状复叶；托叶披针形，长
5~12mm；叶柄长 0.5~2cm，长圆形小叶硬纸
质，长 2~5cm，宽 0.9~1.9cm，侧生小叶较小；
小托叶针形，长 2~3mm。花序腋生，近伞形，
长 10~15mm，结果时因花轴延长呈短的总
状果序，花轴被黄褐色柔毛；苞片披针形；
花萼长 4mm，外面被贴伏柔毛，上部 1 裂
片宽卵形，下部 1 裂片狭披针形；花白色或
淡黄色，旗瓣椭圆形，具瓣柄，翼瓣狭长圆形，
龙骨瓣近镰刀状；子房被疏柔毛。荚果有 1
荚节，宽椭圆形，长 8~10mm，宽 6~7mm，
扁平而中部突起，无毛，有明显的网脉。种
子 1，宽椭圆形，长约 3mm，宽约 2mm。
花期 5~8 月，果期 9~11 月。

| 分布区域 |

产于海南三亚、乐东、昌江、琼中、五指山、
陵水、儋州、澄迈、琼海。亦分布于中国福
建。越南、老挝、柬埔寨、泰国也有分布。

单节假木豆

| 资　源 |

生于灌丛中，十分常见。

| 采收加工 |

全年均可采收，鲜用或晒干。

| 功能主治 |

同属植物假木豆的全株可祛风湿、去疳积，本种或有类似作用，其功能可进一步研究。

■ 蝶形花科 ■ Fabaceae ■ 假木豆属 ■ *Dendrolobium*

假木豆 *Dendrolobium triangulare* (Retz.) Schindl.

| 中 药 名 | 假木豆（药用部位：根、叶或全株）

| 植物形态 | 灌木，嫩枝三棱形，密被灰白色丝状毛，老时变无毛。叶为三出羽状复叶；托叶披针形，外面密被灰白色丝状毛；叶柄被开展或贴伏丝状毛；小叶硬纸质，侧生小叶略小，下面被长丝状毛；小托叶钻形，小叶柄被开展或贴伏丝状毛。花序腋生，伞形花序有花 20~30；苞片披针形，花梗不等长，密被贴伏丝状毛；花萼被贴伏丝状毛；花冠白色或淡黄色，长约 9mm，旗瓣宽椭圆形，具短瓣柄，翼瓣和龙骨瓣长圆形，基部具瓣柄；子房被毛。荚果长 2~2.5cm，稍弯曲，有荚节 3~6，被贴伏丝状毛；种子椭圆形，长 2.5~3.5mm，宽 2~2.5mm。花期 8~10 月，果期 10~12 月。

假木豆

|分布区域|

产于海南三亚、乐东、昌江、白沙、保亭、陵水、万宁、琼中、儋州、定安。亦分布于中国西南部至东南部各地。越南、老挝、柬埔寨、泰国、缅甸、马来西亚、印度、斯里兰卡和非洲也有分布。

|资　　源|

生于海拔 100~1400m 的沟边荒草地或山坡灌丛中，十分常见。

|采收加工|

全年均可采收，鲜用或晒干。

|功能主治|

根、叶：清热凉血，强筋骨，健脾利湿。用于咽喉痛、腹泻、瘫痪、跌打损伤、骨折、内伤出血、咯血。全株：祛风湿，去疳积。用于风湿骨痛、肾虚腰痛、小儿疳积、角膜白斑。

■■■蝶形花科■ Fabaceae ■鱼藤属■ *Derris*

锈毛鱼藤
Derris ferruginea (Roxb.) Benth.

| 中 药 名 | 老荆藤（药用部位：根）

| 植物形态 | 攀缘状灌木，小枝密被锈色柔毛。羽状复叶；革质小叶 2~4 对，椭圆形，长 6~13cm，宽 2~5cm，上面无毛，有光泽。圆锥花序腋生，长 15~30cm，密被锈色短柔毛；花梗纤细，轴常延伸成一短枝；花萼长约 3mm，萼齿极小；花冠淡红色或白色，长 8~10mm；雄蕊单体；子房被毛。荚果革质，长椭圆形，长 5~8cm，宽 2.5cm，幼时密被锈色绢毛，成熟时近无毛，腹缝、背缝有翅，有种子 1~2。花期 4~7 月，果期 9~12 月。

锈毛鱼藤

| **分布区域** | 产于海南三亚、乐东、东方、昌江、白沙、保亭、陵水、琼中、儋州。亦分布于中国华南其他区域，以及贵州、云南。印度至中南半岛也有分布。

| **资　　源** | 生于低海拔的林中，常见。

| **采收加工** | 夏、秋季采挖，洗净，切片，晒干。

| **功能主治** | 外用于疥癣、湿疹。

蝶形花科 Fabaceae　鱼藤属 *Derris*

粉叶鱼藤

Derris glauca Merr. & Chun

| 中 药 名 | 粉叶鱼藤（药用部位：根）

| 植物形态 | 攀缘状灌木。羽状复叶；小叶 4~6 对，倒卵状长圆形，长 5~7cm，宽 2~3.5cm，先端尾状渐尖。聚伞花序组成圆锥花序，长 10~15cm，花通常 3 朵聚生于短枝先端；花长 16~18mm；花梗纤细，有小苞片 2；花萼红褐色，阔杯状，边缘和口部有黄色柔毛；花冠玫瑰色，旗瓣阔卵形，长 16~17mm，宽约 12mm，先端 2 浅裂，近基部内侧有 2 薄片状附属体，翼瓣和龙骨瓣约与旗瓣等长，基部有耳；雄蕊单体；子房下部被黄色微柔毛。荚果薄，长椭圆形，长 4~8cm，腹缝、背缝有翅，种子 1~3。花期 4~5 月，果期 7~8 月。

粉叶鱼藤

| **分布区域** | 产于海南三亚、乐东、五指山、万宁、琼中、儋州、澄迈，东方及昌江有分布记录。亦分布于中国广西。 |

| **资　　源** | 生于低海拔至中海拔的林中，常见。 |

| **采收加工** | 夏、秋季采挖，洗净，切片，晒干。 |

| **功能主治** | 同属植物的根一般可消炎、杀菌，本种或有类似作用，其功能可进一步研究。 |

蝶形花科 Fabaceae 鱼藤属 *Derris*

鱼 藤 *Derris trifoliata* Lour.

| 中 药 名 | 鱼藤（药用部位：全株或根、藤茎、枝叶）

| 植物形态 | 攀缘状灌木，枝叶均无毛。羽状复叶长 7~15cm；小叶通常 2 对，卵形，长 5~10cm，宽 2~4cm；小叶柄短，长 2~3mm。总状花序腋生，通常长 5~10cm；花梗聚生，长 2~4mm；花萼钟状，长约 2mm，萼齿钝，极短；花冠白色或粉红色，各瓣长约 10mm，旗瓣近圆形，翼瓣和龙骨瓣狭长椭圆形，雄蕊单体。荚果斜卵形，长 2.5~4cm，宽 2~3cm，扁平，仅于腹缝有狭翅，有种子 1~2。花期 4~8 月，果期 8~12 月。

鱼藤

分布区域

产于海南三亚、万宁、文昌。亦分布于中国华南其他区域，以及台湾、福建。亚洲、澳大利亚、太平洋群岛、非洲南部也有分布。

资　源

生于沿海河岸灌丛、海边灌丛或近海岸的红树林中，常见。

采收加工

根：全年均可采挖，洗净，切片，晒干。茎、叶：夏、秋季采收，多鲜用。

功能主治

解毒，散瘀，消肿，活血，止痛，杀虫。用于跌打损伤、风湿关节肿痛、风湿骨病、湿疹、疥癣、足癣。也可杀灭蛆蝇。

蝶形花科 Fabaceae 鱼藤属 *Derris*

白花鱼藤
Derris albo-rubra Hemsl.

| 中 药 名 | 白花鱼藤（药用部位：根皮）

| 植物形态 | 常绿木质藤，羽状复叶；革质小叶2对，椭圆形，长5~8cm，宽2~5cm，无毛。圆锥花序顶生或腋生，长15~30cm，花序轴和花梗薄被微柔毛；花萼红色，斜钟状，长3~4mm，萼齿5，最下1较长，被黄色、褐色短柔毛；花冠白色，长10~12mm，先端被微柔毛，旗瓣近圆形，先端微凹陷，基部无附属体，翼瓣基部有2耳；雄蕊单体；子房无柄，被黄色柔毛。荚果革质，斜卵形，长2~5cm，宽2.2~2.5cm，扁平，腹缝、背缝有翅，通常有种子1~2。花期4~6月，果期7~10月。

白花鱼藤

| 分布区域 | 产于海南三亚、东方、乐东、昌江、保亭、万宁、琼中、琼海、海口、儋州。越南、老挝、柬埔寨也有分布。 |

| 资　　源 | 生于山地疏林或灌丛中，常见。 |

| 采收加工 | 夏、秋季采收，切碎，晒干或鲜用。 |

| 功能主治 | 用于疮癣。 |

| 蝶形花科 | Fabaceae | 山蚂蝗属 | *Desmodium*

大叶山蚂蝗
Desmodium gangeticum (L.) DC.

| 中 药 名 | 红母鸡草（药用部位：全株或根、茎、叶）

| 植物形态 | 直立，茎被稀疏柔毛。叶具单小叶；托叶狭三角形，长约 1cm，宽 1~3mm；叶柄密被直毛和小钩状毛；小叶纸质，长椭圆状卵形，长 3~13cm，宽 2~7cm，下面薄被灰色长柔毛；小托叶钻形。总状花序顶生和腋生，总花梗被短柔毛，花 2~6 生于每一节上，节疏离；苞片针状，脱落；花梗被毛；花萼宽钟状，长约 2mm，被糙伏毛，裂片披针形；花冠绿白色，长 3~4mm，旗瓣倒卵形，基部渐狭，具不明显的瓣柄，翼瓣长圆形，基部具耳和短瓣柄，龙骨瓣狭倒卵形，无耳；雄蕊二体；子房线形，被毛。荚果密集，长 1.2~2cm，宽约 2.5mm，背缝线波状，有荚节 6~8，荚节近圆形，长 2~3mm，被钩状短柔毛。花期 4~8 月，果期 8~9 月。

大叶山蚂蝗

分布区域

产于海南三亚、东方、昌江、白沙、五指山、陵水、万宁、儋州、澄迈、海口。亦分布于中国华南其他区域，以及台湾、贵州、云南。亚洲、澳大利亚及非洲的热带地区也有分布。

资 源

生于海拔 300~900m 的旷野、疏林中，常见。

采收加工

全株 9~10 月采收，晒干。

药材性状

枝条呈圆柱形，可见毛茸。叶单生，矩形或阔披针形，长 3~13cm，宽 2~7cm，先端渐狭呈急尖，基部圆形或楔形，全缘。表面枯绿色，下表面可见短柔毛，纸质，有时可见细长的荚果，长 1.2~2cm，直径约 2.5mm，有 6~8 荚节，腹缝线平直，背缝线深波状，表面具带钩的小毛。气特异。

功能主治

消炎杀菌，调经止血止痛，消瘀散肿。用于跌打损伤、骨折、疮疖、阴挺、脱肛、腹痛、闭经、牛皮癣、神经性皮炎。

|蝶形花科| Fabaceae |山蚂蝗属| *Desmodium*

假地豆
Desmodium heterocarpon (L.) DC.

|**中 药 名**| 山花生（药用部位：全株）

|**植物形态**| 小灌木。叶为羽状三出复叶，小叶 3；托叶宿存，狭三角形；顶生小叶椭圆形，长 2.5~6cm，宽 1.3~3cm，侧生小叶较小，下面被贴伏白色短柔毛；小托叶丝状，小叶柄密被糙伏毛。总状花序长 2.5~7cm，总花梗密被淡黄色开展的钩状毛；花极密，每 2 朵生于花序的节上；苞片卵状披针形，被缘毛；花萼钟形，4 裂，疏被柔毛，裂片三角形，上部裂片先端微 2 裂；花冠长约 5mm，旗瓣倒卵状长圆形，先端圆至微缺，基部具短瓣柄，翼瓣倒卵形，具耳和瓣柄，龙骨瓣极弯曲，雄蕊二体。荚果密集，狭长圆形，长 12~20mm，宽 2.5~3mm，腹背两缝线被钩状毛，有荚节 4~7，荚节近方形。花期 7~10 月，果期 10~11 月。

假地豆

| 分布区域 | 产于海南东方、白沙、五指山、保亭、万宁、琼中、儋州、临高、澄迈、定安、文昌、海口。亦分布于中国华南其他区域、华东、西南，以及湖南、江西。亚洲东部和南部、太平洋群岛及大洋洲也有分布。 |

| 资　源 | 生于海拔350~1800m的山谷灌丛中，十分常见。 |

| 采收加工 | 9~10月采收，切断，晒干或鲜用。 |

| 药材性状 | 小枝圆柱形，光滑。掌状复叶，3小叶，枝端小叶较大，椭圆形或倒卵形，长2.5~6cm，宽1.3~3cm，先端圆形或钝，有的微有缺刻，基部楔形，全缘；两侧小叶稍小，椭圆形。气特异。有时可见密集排列的荚果，长12~20mm，宽约3mm，有4~7荚节，腹缝线较平直，背缝线稍缢缩，表面被带钩的缘毛。 |

| 功能主治 | 清热解毒，消肿止痛。用于流行性乙型脑炎、流行性腮腺炎、跌打损伤、咳嗽、喉痛、肺结核、咯血、小儿疳积、头痛、尿路感染。外用于疮疡肿毒、毒蛇咬伤。 |

蝶形花科 Fabaceae 山蚂蝗属 *Desmodium*

异叶山蚂蝗
Desmodium heterophyllum (Willd.) DC.

| 中 药 名 | 铁线草（药用部位：全草或根、叶）

| 植物形态 | 草本，茎多分枝。叶为羽状三出复叶，在茎下部有时为单小叶；托叶卵形，长 3~6mm，被缘毛；叶柄疏生长柔毛；小叶纸质；小托叶狭三角形。花单生或成对生于腋内，不组成花序；苞片卵形；花梗长 10~25mm，无毛；花萼宽钟形，被长柔毛和小钩状毛，5 深裂，裂片披针形，较萼筒长；花冠紫红色至白色，长约 5mm，旗瓣宽倒卵形，翼瓣倒卵形或长椭圆形，具短耳，龙骨瓣稍弯曲，具短瓣柄；雄蕊二体，子房被贴伏柔毛。荚果长 12~18mm，宽约 3mm，窄长圆形，有荚节 3~5，扁平，荚节宽长圆形，长 3.5~4mm，老时近无毛，有网脉。花果期 7~10 月。

异叶山蚂蝗

| 分布区域 |

产于海南三亚、乐东、东方、五指山、万宁、儋州、琼中。亦分布于中国华南其他区域，以及江西、福建、台湾、云南。越南、缅甸、马来西亚、泰国、菲律宾、尼泊尔、印度、斯里兰卡、太平洋群岛和大洋洲也有分布。

| 资　　源 |

生于河边或田边，常见。

| 采收加工 |

全草 9~10 月采收，晒干。

| 功能主治 |

全草：清热解毒，利水通淋，散瘀消肿。用于感冒发热、消化不良、乳痈、尿路感染、泌尿系结石、跌打损伤。外用于外伤出血、疮疡肿毒、毒蛇咬伤。 根：健胃，祛痰止咳。用于虚寒性咳嗽、小儿疳积。 叶：清热解毒。用于疮疡、创伤。

蝶形花科 Fabaceae 山蚂蝗属 *Desmodium*

大叶拿身草

Desmodium laxiflorum DC.

| 中药名 | 大叶拿身草（药用部位：全株）

| 植物形态 | 灌木或亚灌木，茎被贴伏毛和小钩状毛。叶为羽状三出复叶，长 7~10mm，宽 2~3mm，被柔毛和小钩状毛；叶柄长 1.5~4cm，被柔毛和小钩状毛；下面密被淡黄色丝状毛；小托叶钻形。总状花序腋生或顶生，长达 28cm；总轴被柔毛和小钩状毛；花 2~7 簇生于每一节上；苞片小，线状钻形；花梗长 2~3mm，密被小钩状毛和混生稀疏开展毛；花萼漏斗形，密被长柔毛；花冠紫堇色或白色，长 4~7mm，旗瓣宽倒卵形或近圆形，翼瓣基部具耳和短瓣柄，龙骨瓣无耳，但具瓣柄；雄蕊二体，子房疏生柔毛。荚果线形，长 2~6cm，腹背缝线

大叶拿身草

在荚节处稍缢缩，有荚节 4~12，荚节长圆形，长 4~5mm，宽 1.5~2mm，密被钩状小毛。花期 8~10 月，果期 10~11 月。

| 分布区域 | 产于海南白沙。亦分布于中国华南其他区域、西南，以及湖南、江西、福建、台湾、湖北。越南、泰国、缅甸、马来西亚、菲律宾及印度也有分布。

| 资　　源 | 生于山地林缘、山谷水旁，少见。

| 采收加工 | 9~10 月采收，切断，晒干。

| 药材性状 | 茎圆柱形，长 50~100cm，密生短柔毛，具不明显的棱，质脆，折断面髓部明显。三出复叶，小叶 3，长 0.7~1cm，表面枯绿色，下表面具毛茸，两侧小叶较小。气微，有时可见荚果，长 2~6cm，有 4~12 荚节，表面密被带钩的黄棕色小毛。气微。

| 功能主治 | 清热解毒，平肝，祛风利湿，消食，止血。用于跌打损伤、毒蛇咬伤、胃痛、膀胱结石、肾结石、过敏性皮炎、神经性皮炎、淋巴结炎、乳腺炎、烫伤、小儿疳积、梅毒。

蝶形花科 Fabaceae 山蚂蝗属 *Desmodium*

小叶三点金
Desmodium microphyllum (Thunb.) DC.

| 中 药 名 | 小叶三点金（药用部位：全草），辫子草根（药用部位：根）

| 植物形态 | 多年生草本。茎通常红褐色，近无毛；根粗，木质。叶为羽状三出复叶，托叶披针形，有缘毛；小叶薄纸质；小托叶小，长 0.2~0.4mm；顶生小叶柄长 3~10mm，疏被柔毛。总状花序顶生或腋生，被黄褐色开展柔毛；有花 6~10，花小，长约 5mm；苞片卵形，被黄褐色柔毛；花梗长 5~8mm，略被短柔毛；花萼长 4mm，5 深裂，密被黄褐色长柔毛，裂片线状披针形，较萼筒长 3~4 倍；花冠粉红色，与花萼近等长，旗瓣倒卵形或倒卵状圆形，中部以下渐狭。雄蕊二体，长约 5mm；子房线形，被毛。荚果长 12mm，宽约 3mm，腹背两缝

小叶三点金

线浅齿状，通常有荚节 3~4，有时 2 或 5，荚节近圆形，扁平，被小钩状毛，有网脉。花期 5~9 月，果期 9~11 月。

| 分布区域 | 产于海南陵水。亦分布于中国长江以南各地。越南、泰国、缅甸、马来西亚、尼泊尔、印度、斯里兰卡、日本及澳大利亚也有分布。

| 资　　源 | 生于荒地草丛中或灌木林中，少见。

| 采收加工 | 夏、秋季采收全草、根，鲜用或晒干。

| 药材性状 | 小草多缠绕成团。根粗壮有分枝，木化。茎较细，小叶 3，先端小叶较大，绿色，下表面具柔毛，两侧小叶很小。有时可见总状花序或荚果，荚果长 12mm，直径约 3mm，有荚节 2~5，节处有缢缩，表面被短毛。气特异。

| 功能主治 | 全草：清热解毒，健脾利湿，止血消肿，止咳平喘。用于泌尿系结石、慢性吐泻、慢性支气管炎、咳嗽痰喘、小儿疳积、消化不良、肝炎、胃炎、黄疸、痢疾、头痛、牙痛、痈疽发背、痔疮、骨折、毒蛇咬伤。根：清热利湿，止血，通络。用于黄疸、痢疾、小便淋痛、风湿痛、咯血、崩漏等。

| 附　　注 | 在 FOC 中，其学名被修订为 *Codariocalyx microphyllus* (Thunb.) H. Ohashi。

蝶形花科 Fabaceae **山蚂蝗属** *Desmodium*

肾叶山蚂蝗
Desmodium renifolium (L.) Schindl.

| 中 药 名 | 肾叶山蚂蝗（药用部位：根、叶）

| 植物形态 | 亚灌木，茎具纵条纹，通常无毛，根茎木质。叶具单小叶；托叶线形，叶柄纤细，长1~2cm；小叶膜质，肾形或扁菱形，通常宽大于长，长1.5~3.5cm，宽2.5~5cm；小托叶刺毛状。圆锥花序顶生，长5~15cm；总花梗纤细；花疏离，通常2~5朵生于花序的每一节上，节间长1cm；苞片干膜质，具条纹；花梗疏生小钩状毛；花萼长约2mm，外面疏生钩状毛；花冠白色至淡黄色或紫色，长约5mm，旗瓣倒卵形，具宽短瓣柄，翼瓣狭长圆形，有不明显的耳，具长瓣柄，龙骨瓣长椭圆形，较翼瓣稍长，无耳，但有长瓣柄；雄蕊单体；子房被贴伏小柔毛。荚果狭长圆形，背缝线缢缩，有荚节2~5，荚节近方形至半圆形，具网脉。花果期9~11月。

肾叶山蚂蝗

| 分布区域 |

产于海南东方、昌江。亦分布于中国台湾、云南。越南、老挝、泰国、缅甸、马来西亚、印度及大洋洲也有分布。

| 资　　源 |

散生于向阳草地、灌丛中、林缘或阔叶林下，少见。

| 采收加工 |

根和叶：夏、秋季采收，鲜用或晒干。

| 功能主治 |

根：祛风除湿，止咳，消炎，止血。叶：解热。

蝶形花科 Fabaceae 山蚂蝗属 *Desmodium*

显脉山绿豆
Desmodium reticulatum Champ. ex Benth.

| 中 药 名 |

显脉山绿豆（药用部位：全株）

| 植物形态 |

亚灌木，无毛。叶为羽状三出复叶；托叶宿
存，狭三角形，叶柄被疏毛；小叶厚纸质；
小托叶钻形。总状花序顶生，长 10~15cm，
总花梗密被钩状毛；花小，每 2 朵生于节
上；苞片卵状披针形，被缘毛，脱落；花梗
长约 3mm；花萼钟形，4 裂，疏被柔毛，
与萼筒等长；花冠粉红色，后变蓝色，长约
6mm，旗瓣卵状圆形，翼瓣倒卵状长椭圆
形，翼瓣与龙骨瓣明显弯曲；雄蕊二体。荚
果长圆形，长 10~20mm，宽约 2.5mm，背
缝线波状，近无毛或被钩状短柔毛，有荚节
3~7。花期 6~8 月，果期 9~10 月。

| 分布区域 |

产于海南三亚、乐东、东方、昌江、白沙、
五指山、陵水、万宁、儋州、屯昌、琼海。
亦分布于中国华南其他区域，以及云南。越
南、泰国、缅甸也有分布。

| 资　　源 |

生于山地灌丛间或草坡上，十分常见。

显脉山绿豆

| 采收加工 | 秋季采收全株、根，鲜用或晒干。

| 功能主治 | 祛瘀，去腐生肌。用于痢疾、跌打损伤、外伤出血。

| 附　　注 | 在 FRPS 中，其被归为假地豆 *Desmodium heterocarpon* 下的一个变种，学名被修订为 *Desmodium heterocarpon* (L.) DC. subsp. *angustifolium* (Benth. ex Craib) H. Ohashi。

蝶形花科 Fabaceae　山蚂蝗属 *Desmodium*

广金钱草
Desmodium styracifolium (Osbeck) Merr.

| 中 药 名 | 广金钱草（药用部位：枝叶）

| 植物形态 | 亚灌木状草本，幼枝密被白色或淡黄色毛。叶常具单小叶；叶柄密被丝状毛；托叶长 7~8mm；小叶厚纸质至近革质，圆形，长与宽均为 2~4.5cm，下面密被贴伏、白色丝状毛，全缘；小托叶钻形，疏生柔毛。总状花序短，长 1~3cm，总花梗密被绢毛；花密生，每 2 朵生于节上；苞片密集，覆瓦状排列，长 3~4mm，被毛；花萼长约 3.5mm，密被小钩状毛和混生丝状毛，萼筒长约 1.5mm，先端 4 裂，上部裂片又 2 裂；花冠紫红色，长约 4mm，旗瓣倒卵形或近圆形，具瓣柄，翼瓣倒卵形，亦具短瓣柄，龙骨瓣较翼瓣长，极弯曲，

广金钱草

有长瓣柄；雄蕊二体；子房线形，被毛。荚果长 10~20mm，宽约 2.5mm，被短柔毛和小钩状毛，背缝线波状，有荚节 3~6，荚节近方形，扁平，具网纹。花果期 6~9 月。

| 分布区域 |

产于海南万宁、琼中、儋州、澄迈。亦分布于中国华南其他区域，以及福建、湖北、云南。越南、泰国、缅甸、马来西亚、印度、斯里兰卡也有分布。

| 资　　源 |

生于山坡、草地或灌丛中，常见。

| 采收加工 |

夏、秋季采割，除去杂质，晒干。

| 药材性状 |

茎枝呈圆柱形，长通常达 60cm，直径 2~5mm；表面淡棕黄色，密被黄色柔毛；质稍脆，断面中部有髓。叶互生，小叶 1~3，圆形或长圆形，上面黄绿色或灰绿色，无毛，下面具灰白色紧贴的丝毛。偶见花、果。气微香，味微甘。以叶多、色绿者为佳。

| 功能主治 |

清热利湿，通淋排石。用于泌尿系感染、泌尿系结石、肾炎水肿、胆囊炎、胆结石、小儿疳积、痈肿。

蝶形花科 Fabaceae 山蚂蝗属 *Desmodium*

三点金 *Desmodium triflorum* (L.) DC.

| 中 药 名 | 三点金草（药用部位：全草）

| 植物形态 | 多年生草本，茎被开展柔毛；根茎木质。叶为羽状三出复叶，托叶披针形，长 3~4mm，宽 1~1.5mm，边缘疏生丝状毛；小叶纸质，顶生小叶倒心形，下面被白色柔毛；小托叶狭卵形。花单生或 2~3 簇生于叶腋；苞片狭卵形，外面散生贴伏柔毛；花梗长 3~8mm；花萼 5 深裂，裂片狭披针形；花冠紫红色，与萼近相等，旗瓣倒心形，具长瓣柄，翼瓣椭圆形，具短瓣柄，龙骨瓣略呈镰刀形，较翼瓣长，弯曲，具长瓣柄；雄蕊二体；子房线形，多少被毛。荚果扁平，狭长圆形，略呈镰刀状，长 5~12mm，宽 2.5mm，背缝线波状，有荚节 3~5，长 2~2.5mm，被钩状短毛，具网脉。花果期 6~10 月。

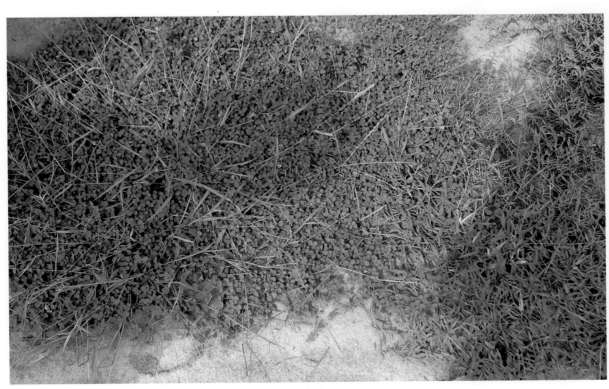

三点金

分布区域

产于海南三亚、乐东、东方、昌江、白沙、五指山、陵水、万宁、儋州、西沙群岛。亦分布于中国华南其他区域，以及江西、福建、台湾、浙江、云南。广布于世界热带地区。

资　　源

生于海拔180~570m的旷野或河边沙土上，常见。

采收加工

夏、秋季采收，鲜用或晒干。

药材性状

多缠绕成团。茎纤细，多分枝，长10~45cm，被伸长的柔毛。三出复叶，多皱缩，展平后，小叶倒心形，长、宽均为3~10mm，先端小叶较大。有时可见荚果，呈镰状弯曲，长5~11mm，宽约2.5mm，腹缝线直，背缝线在种子处有缢缩，有3~5荚节，具网状纹理，可见柔毛。气微香。

功能主治

清热解毒，行气止痛，温经散寒，止血生肌。用于感冒发热、咽喉肿痛、中暑腹痛、疝气痛、月经不调、痛经、产后关节痛、狂犬病、急性肾炎水肿、肠炎、痢疾、小儿疳积、跌打损伤、毒蛇咬伤、疮疡肿毒。

蝶形花科 Fabaceae **山蚂蝗属** *Desmodium*

绒毛山蚂蝗 *Desmodium velutinum* (Willd.) DC.

| **中 药 名** | 绒毛山蚂蝗（药用部位：全株）

| **植物形态** | 小灌木，被短柔毛或糙伏毛；枝嫩时密被黄褐色绒毛。叶通常具单小叶，托叶长 5~7mm；叶柄密被黄色绒毛；小叶纸质，长 4~11cm，宽 2.5~8cm，两面被黄色绒毛，下面毛密而长；小托叶钻形，小叶柄极短。总状花序腋生和顶生，总花梗被黄色绒毛；花小，每 2~5 朵生于节上，密集；苞片钻形，密被毛；花梗长约 1.5mm，被毛；花萼宽钟形，长 2~3mm，外面密被小钩状毛和贴伏毛，4 裂，裂片三角形，上部裂片先端微 2 裂；花冠紫色或粉红色，长约 3mm，旗瓣倒卵状近圆形，翼瓣长椭圆形，具耳，龙骨瓣狭窄，无耳；雄蕊二体，子房密被糙伏毛。荚果狭长圆形，长 10~20mm，宽 2~3mm，背缝线浅波状，有荚节 5~7，荚节近圆形，密被黄色直毛和混有钩状毛。花果期 9~11 月。

绒毛山蚂蝗

| 分布区域 | 产于海南三亚、乐东、东方、昌江、五指山、保亭、万宁、琼中、儋州、临高、澄迈。亦分布于中国华南其他区域，以及台湾、贵州、云南。越南、印度至非洲热带地区也有分布。

| 资　　源 | 生于草坡或灌丛中，常见。

| 采收加工 | 夏、秋季采收，鲜用或晒干。

| 功能主治 | 清热。用于黄疸型肝炎。

蝶形花科　Fabaceae　山蚂蟥属　*Desmodium*

单叶拿身草 *Desmodium zonatum* Miq.

| 中 药 名 | 山槐树（药用部位：全株）

| 植物形态 | 小灌木。叶具单小叶；托叶三角状披针形，长 4~10mm，基部宽 2~3mm，近无毛；叶柄长 1~2.5cm，被开展小钩状毛和散生贴伏毛；小叶纸质，长 5~12cm，宽 2~5cm；小托叶钻形，小叶柄长 1~2mm。总状花序通常顶生，长 10~25cm；总花梗密被开展小钩状毛和疏生直长毛；花通常 2~3 簇生于每一节上，苞片三角状披针形；花萼长 2.5~3mm，密被黄色开展的钩状毛，上部裂片先端微 2 裂；花冠白色或粉红色，旗瓣倒卵形，基部渐狭，翼瓣倒卵状长椭圆形，具短而圆的耳，瓣柄短，龙骨瓣弯曲；雄蕊二体；子房线形，被小柔毛。荚果线形，长 8~12cm，腹背两缝线均为浅波状，有荚节 6~8，荚节扁平，密被黄色小钩状毛。花期 7~8 月，果期 8~9 月。

单叶拿身草

| **分布区域** | 产于海南乐东、白沙、五指山。亦分布于中国广西、台湾、贵州、云南。印度尼西亚、印度，以及中南半岛、太平洋群岛也有分布。 |

| **资 源** | 生于山地林中，少见。 |

| **采收加工** | 夏、秋季采收，切断晒干。 |

| **功能主治** | 清热。用于黄疸型肝炎。 |

蝶形花科 Fabaceae 山蚂蝗属 *Desmodium*

糙毛假地豆

Desmodium heterocarpon (L.) DC. var. *strigosum* Vaniot Meeuwen

| 中 药 名 | 糙毛假地豆（药用部位：全株或根、叶）

| 植物形态 | 小灌木。叶为羽状三出复叶，托叶宿存，狭三角形，长 5~15mm；小叶纸质，长 2.5~6cm，宽 1.3~3cm，侧生小叶通常较小，下面被贴伏白色短柔毛；小托叶丝状；小叶柄密被糙伏毛。总状花序顶生或腋生，长 2.5~7cm，总花梗密被淡黄色开展的钩状毛；花极密；苞片卵状披针形，被缘毛；花萼钟形，4 裂，疏被柔毛；花冠紫红色、紫色或白色，长约 5mm，旗瓣倒卵状长圆形，先端圆至微缺，基部具短瓣柄，翼瓣倒卵形，具耳和瓣柄，龙骨瓣极弯曲；雄蕊二体。荚果密集，狭长圆形，长 12~20mm，宽 2.5~3mm，腹缝线浅波状，腹背两缝线被钩状毛，有荚节 4~7，荚节近方形。花期 7~10 月，果期 10~11 月。

糙毛假地豆

分布区域	产于海南乐东、澄迈、屯昌、琼海、海口、保亭、琼中、定安。亦分布于中国华南其他区域、华东，以及云南。亚洲东部和南部、太平洋群岛、澳大利亚、非洲也有分布。
资　　源	生于海拔 450~900m 的稀疏灌丛、山坡草地或溪边，常见。
采收加工	全株：夏、秋季采收，切断晒干。根：全年均可采。
功能主治	全株：止痛止血，生肌。用于砂淋、胃出血、毒蛇咬伤。根：用于感冒发热、头痛。叶：用于毒蛇咬伤。

蝶形花科 Fabaceae 野扁豆属 *Dunbaria*

鸽仔豆
Dunbaria henryi Y. C. Wu

| 中 药 名 | 鸽仔豆（药用部位：全株）

| 植物形态 | 缠绕草质藤本，茎和枝薄被短柔毛。叶具羽状 3 小叶；托叶小，线状披针形；小叶薄纸质，顶生小叶两面略被短柔毛并有红色腺点，基出脉 3，侧生小叶较小。总状花序腋生，长 1.5~6cm，略被短柔毛；花梗被短柔毛；苞片小，线状披针形；花萼长约 8mm，密被短柔毛及红色腺点，裂齿线状披针形，不等长；花冠黄色，旗瓣近圆形，宽大于长，基部具 2 耳，翼瓣倒卵形，内弯，基部有弯耳，龙骨瓣稍内弯，半圆形，中部以上贴生；子房具柄，被柔毛和具腺体。荚果线状长圆形，扁平，长 3~6cm，宽约 7mm，先端有喙；种子 5~8，近圆形，赤褐色，直径 3~4.5mm。花期 2~5 月，果期 6~12 月。

鸽仔豆

| 分布区域 |

产于海南三亚、乐东、东方、昌江、万宁、文昌、海口，澄迈有分布记录。亦分布于中国广西。越南、缅甸、印度尼西亚、澳大利亚也有分布。

| 资　源 |

生于路旁或旷地灌丛中，常见。

| 采收加工 |

春季采收，洗净，晒干。

| 功能主治 |

同属植物的全株多有清热解毒的功能，本种或有类似作用，其具体功能有待进一步研究。

| 附　注 |

在 FOC 中，其学名被修订为 *Dunbaria truncata* (Miq.) Maesen。

蝶形花科 Fabaceae 野扁豆属 *Dunbaria*

白背野扁豆 *Dunbaria nivea* Miq.

| 中 药 名 | 白背野扁豆（药用部位：全株）

| 植物形态 | 缠绕状草质藤本，全株密被灰白色绒毛。托叶小，早落；顶生小叶菱形，侧生小叶稍小，背面密被灰白色绒毛及隐约可见的黑褐色腺点；基出脉 5。总状花序腋生或侧生，长 5~15cm，密被灰白色绒毛；苞片卵状披针形，早落；花萼钟状，齿裂，不等大，下面 1 枚最长，萼管及各裂片均被灰白色绒毛及红色腺点；花冠紫红色，旗瓣扁圆形，基部具 2 急尖的耳，翼瓣倒卵状长圆形，基部具钝耳，龙骨瓣极弯曲；子房密被丝质绒毛及红色腺点，无柄。荚果线状长圆形，长 4~6.5cm，宽 7~9mm，密被灰色至灰黑色绒毛；种子 6~8，近圆形，直径约 5mm。花期 2~4 月。

白背野扁豆

| 分布区域 | 产于海南三亚、昌江、白沙、五指山、万宁、琼中、儋州、海口。缅甸以及马来半岛也有分布。 |

| 资　　源 | 生于林中，常见。 |

| 采收加工 | 春季采收，洗净，晒干。 |

| 功能主治 | 同属植物的全株多有清热解毒的功能，本种或有类似作用，其具体功能有待进一步研究。 |

蝶形花科 Fabaceae 野扁豆属 *Dunbaria*

长柄野扁豆 *Dunbaria podocarpa* Kurz

| 中 药 名 | 长柄野扁豆（药用部位：全株或根）

| 植物形态 | 多年生缠绕藤本，茎密被灰色短柔毛。叶具羽状3小叶；托叶小，早落；顶生小叶菱形，侧生小叶较小，两面均密被灰色短柔毛，下面有红色腺点；基出脉3。短总状花序腋生；有花1~2；总花梗、花梗均密被灰色短柔毛；花萼钟状，萼齿被短柔毛及有橙黄色腺点；花冠黄色，旗瓣横椭圆形，宽大于长，基部有2耳，翼瓣窄椭圆形，基部一侧具下弯的耳，龙骨瓣极弯曲，具长喙，无耳；雄蕊二体；子房密被丝质柔毛及橙黄色腺点，具柄。荚果线状长圆形，长5~8cm，宽0.9~1.1cm，密被灰色短柔毛和橙黄色细小腺点，先端具长喙；种

长柄野扁豆

子 7~11，近圆形，扁平，黑色。花果期 6~11 月。

| **分布区域** | 产于海南乐东、五指山、万宁、文昌，琼中有分布记录。亦分布于中国华南其他区域，以及福建。中南半岛以及印度也有分布。

| **资　　源** | 生于溪边林中或旷野草坡，常见。

| **采收加工** | 全株：春季采收，洗净，晒干。种子：秋季采收，晒干。

| **药材性状** | 茎具棱，小叶长可达 4.5cm，宽约 5cm，背面毛较多，可见锈色腺点。荚果条形，长达 7cm，宽约 1cm，密被短柔毛，内含种子 7~11，种子近圆形，黑色。果柄长可达 1.5cm。

| **功能主治** | 全株：清热解毒，消肿止痛。用于喉痛、牙痛、乳痛。 根：外用于毒蛇咬伤。

蝶形花科 Fabaceae 野扁豆属 *Dunbaria*

圆叶野扁豆 *Dunbaria rotundifolia* (Lour.) Merr.

| 中 药 名 | 罗网藤（药用部位：根、叶或全株）

| 植物形态 | 多年生缠绕藤本。茎纤细，柔弱，微被短柔毛。叶具羽状 3 小叶；托叶小，披针形，常早落；小叶纸质，顶生小叶圆菱形，两面被黑褐色小腺点，尤以下面较密，侧生小叶稍小，叶缘波状。花 1~2 腋生；花萼钟状，裂齿密被红色腺点和短柔毛；花冠黄色，长 1~1.5cm，旗瓣倒卵状圆形，翼瓣倒卵形，略弯，具尖耳，龙骨瓣镰状，具钝喙；雄蕊二体；子房无柄。荚果线状长椭圆形，扁平，长 3~5cm，宽约 8mm，先端具针状喙，无果颈；种子 6~8，近圆形，黑褐色。果期 9~10 月。

圆叶野扁豆

| **分布区域** | 产于海南三亚、东方、昌江、万宁、琼中，保亭及文昌有分布记录。亦分布于中国华南其他区域，以及江西、福建、台湾、江苏、贵州、云南、四川。印度至澳大利亚也有分布。 |

| **资　　源** | 生于溪边、旷野草坡，常见。 |

| **采收加工** | 春、夏季采收全株，洗净，晒干。 |

| **药材性状** | 全体缠绕成团，茎纤细、长，有毛茸。完整叶三出复叶，小叶近菱形，长1.5~3cm，宽略大于长，绿色，两面均可见红色腺点；质脆，易碎。荚果条状长椭圆形而扁平，长3~5cm，宽约0.8cm，无果柄。气微，具豆腥气。 |

| **功能主治** | 清热解毒，消肿，止血生肌。用于肺热咳嗽、大肠湿热、疔痈疮疡、急性肝炎。 |

██ **蝶形花科** ██ Fabaceae ██ **鸡头薯属** ██ *Eriosema*

猪仔笠
Eriosema chinense Vogel.

| 中 药 名 |

猪仔笠（药用部位：块根）

| 植物形态 |

多年生草本，茎密被棕色长柔毛并杂以同色的短柔毛；肉质块根纺锤形。托叶线形，被毛，宿存。叶仅具单小叶，披针形，长3~7cm，宽0.5~1.5cm，上面及叶缘散生棕色长柔毛，下面被灰白色短绒毛，沿主脉密被棕色长柔毛。总状花序腋生，通常有花1~2；苞片线形；花萼钟状，5裂，裂片被棕色近丝质柔毛；花冠淡黄色，长约为花萼的3倍，旗瓣倒卵形，背面略被丝质毛，基部具2下垂、长圆形的耳，翼瓣倒卵状长圆形，一侧具短耳，龙骨瓣比翼瓣短；雄蕊二体；子房密被白色长硬毛。荚果菱状椭圆形，长8~10mm，宽约6mm，成熟时黑色，被褐色长硬毛；种子2，肾形，黑色，种脐长线形，长约占种子的全长，珠柄着生于种脐的一端。花期5~6月，果期7~10月。

| 分布区域 |

产于海南乐东、万宁、儋州、澄迈、屯昌。亦分布于中国华南其他区域，以及湖南、江西、贵州、云南、西藏。越南、泰国、缅甸、

猪仔笠

印度尼西亚、印度、斯里兰卡及澳大利亚也有分布。

| 资　源 |

生于山野间土壤贫瘠的草坡上，少见。

| 采收加工 |

夏、秋季采挖，多为鲜用，亦可切片，晒干。

| 药材性状 |

块根肉质，呈圆锥形，长 4~7cm，直径 2~4cm，末端细长，木质化。表面深棕色，有短横列的皮孔和少数支根痕。干燥根表面灰褐色，密布不规则的皱纹。质软而韧，切断面外部淡褐色，内部类白色，带纤维性。气微，味微甘。

| 功能主治 |

清热解毒，生津止咳，清肺化痰，滋阴，消肿止痛，健胃消食。用于肺热咳嗽、上呼吸道感染、发热、烦渴、肺脓肿、赤白痢疾。外用于跌打损伤。

蝶形花科 Fabaceae 刺桐属 *Erythrina*

龙牙花
Erythrina corallodendron L.

| 中 药 名 | 龙牙花（药用部位：树皮）

| 植物形态 | 小乔木，树干和枝条散生皮刺。羽状复叶具 3 小叶；小叶菱状卵形，长 4~10cm，宽 2.5~7cm。总状花序腋生，长可达 30cm 以上；花深红色，具短梗，长 4~6cm，狭而近闭合；花萼钟状，下面 1 枚稍突出；旗瓣长椭圆形，长约 4.2cm，翼瓣长 1.4cm，龙骨瓣长 2.2cm，均无瓣柄；雄蕊二体，不整齐，子房有长柄，被白色短柔毛，花柱无毛。荚果长约 10cm，具梗，先端有喙，在种子间缢缩；种子多数，深红色，有一黑斑。花期 6~11 月。

龙牙花

| 分布区域 | 海南海口有栽培。中国华南其他区域，以及贵州、云南、湖北、浙江、台湾等地有栽培。原产于南美洲。

| 资　　源 | 栽培，少见。

| 采收加工 | 全年均可采收，春季容易剥取，剥取后晒干。

| 功能主治 | 味辛，性温。疏肝行气，止痛。用于胸胁胀痛、乳房胀痛、痛经、经闭。

蝶形花科　Fabaceae　刺桐属　*Erythrina*

鸡冠刺桐
Erythrina crista-galli L.

| 中 药 名 | 鸡冠刺桐（药用部位：树皮）

| 植物形态 | 落叶灌木或小乔木，茎和叶柄稍具皮刺。羽状复叶具 3 小叶；小叶长卵形或披针状长椭圆形，长 7~10cm，宽 3~4.5cm。花与叶同出，总状花序顶生，每节有花 1~3；花深红色，长 3~5cm，稍下垂或与花序轴成直角；花萼钟状，先端 2 浅裂；雄蕊二体；子房有柄，具细绒毛。荚果长约 15cm，褐色，于种子间缢缩；种子大，亮褐色。

鸡冠刺桐

| 分布区域 |

海南各地均有栽培。亦分布于中国台湾、云南西双版纳。美国也有栽培。原产于巴西。

| 资　　源 |

栽培，常见。

| 采收加工 |

夏、秋季剥取树皮。

| 功能主治 |

用作收敛剂、镇静剂、驱虫剂，用于腹泻。

■ 蝶形花科 ■ Fabaceae ■ 刺桐属 ■ *Erythrina*

刺 桐
Erythrina variegata L.

| **中 药 名** | 海桐皮（药用部位：根皮或树皮），刺桐花（药用部位：花、叶）

| **植物形态** | 大乔木，树皮灰褐色，枝有明显叶痕及短圆锥形的黑色直刺，髓部疏松，颓废部分成空腔。羽状复叶具 3 小叶，常密集枝端；小叶柄基部有一对腺体状的托叶。总状花序顶生，长 10~16cm，上有密集、成对着生的花；花梗具短绒毛；花萼佛焰苞状，长 2~3cm，口部偏斜，一边开裂；花冠红色，长 6~7mm，旗瓣椭圆形，长 5~6cm，宽约 2.5cm，先端圆，瓣柄短；翼瓣与龙骨瓣近等长；龙骨瓣 2 片离生；雄蕊 10，单体；子房被微柔毛。荚果黑色，肥厚，种子间略缢缩，

刺桐

长 15~30cm，宽 2~3cm，稍弯曲，先端不育；种子 1~8，肾形，暗红色。花期 3 月，果期 8 月。

| 分布区域 | 海南各地均有栽培。亦分布于中国华南其他区域，以及台湾、福建。原产于印度至大洋洲海岸林中，越南、老挝、柬埔寨、马来西亚、印度尼西亚也有分布。

| 资　　源 | 生于树旁、近海边或栽于公园，常见。

| 采收加工 | 根皮或树皮：栽后 8 年左右，即可剥取树皮，通常于夏、秋季进行。有剥取干皮、砍枝剥皮和挖根剥皮 3 种方法。剥后，刮去灰垢，晒干即成。花：在 3 月花开时采收。叶：秋季采收，晒干。

| 药材性状 | 刺桐皮，呈半圆筒状或板片状，两边略卷曲，长约 40cm，厚 0.25~1.5cm，外表面黄棕色至棕黑色，常有宽窄不等的纵沟纹。老树皮栓皮较厚，栓皮有时被刮去，未除去栓皮的表面粗糙，有黄色皮孔，并散布有钉刺，或除去钉刺后的圆形疤痕，钉刺长圆锥形，高 5~8mm，顶锐尖，基部直径 5~10mm；内表面黄棕色，较平坦，有细密纵网纹，根皮无刺。质坚韧，易纵裂，不易折断，断面浅棕色，裂片状。气微，味微苦。

| 功能主治 | 根皮：祛风湿，通筋络，解热，杀虫，麻醉，镇痛。用于风湿痹痛、麻木、腰腿筋骨疼痛、霍乱、痢疾、牙痛、咳嗽、眼疾、跌打损伤、疥癣、顽癣。花：止血。用于金疮。叶：用于小儿疳积、蛔虫症、发热等。

蝶形花科 Fabaceae　千斤拔属 Flemingia

大叶千斤拔 *Flemingia macrophylla* (Willdenow) Prain

| 中 药 名 |

大叶千斤拔（药用部位：根）

| 植物形态 |

直立灌木，幼枝密被紧贴丝质柔毛。叶具指
状 3 小叶，托叶大，披针形，具腺纹，常早落；
叶柄具狭翅，被毛与幼枝同；顶生小叶基出
脉 3，下面被黑褐色小腺点，侧生小叶稍小。
总状花序常数个聚生于叶腋，长 3~8cm，花
多而密集；花萼钟状，被丝质短柔毛，裂齿
较萼管长 1 倍，花序轴、苞片、花梗均密被
灰色至灰褐色柔毛；花冠紫红色，稍长于
萼，旗瓣长椭圆形，具短瓣柄及 2 耳，翼瓣
狭椭圆形，一侧略具耳，龙骨瓣长椭圆形，
基部具长瓣柄，一侧具耳；雄蕊二体；子
房被丝质毛。荚果椭圆形，长 1~1.6cm，宽
7~9mm，褐色，略被短柔毛，先端具小尖喙；
种子 1~2，球形，光亮，黑色。花期 6~9 月，
果期 10~12 月。

| 分布区域 |

产于海南乐东、东方、昌江、五指山、保亭、
万宁、琼中、儋州、澄迈。亦分布于中国华
南其他区域，以及江西、福建、台湾、贵州、
云南、四川。越南、老挝、柬埔寨、泰国、

大叶千斤拔

缅甸、马来西亚、印度尼西亚、孟加拉国、不丹、尼泊尔、印度也有分布。

| 资　　源 | 生于旷野灌丛中，十分常见。

| 采收加工 | 秋季采根，抖净泥土，晒干。

| **药材性状** | 根较粗壮，多有分枝，表面深红棕色，香气较浓郁，其余与千斤拔相同。 |

| **功能主治** | 清热解毒，健脾补虚，调经补血，壮筋骨，强腰肾，舒筋活络，散瘀消肿，生津止渴。用于红白痢、风湿骨痛、胃脘痛、哮喘、咽喉肿痛、上呼吸道感染、气虚脚肿、月经不调、尿淋、产后大出血、阳痿、偏瘫。外用于跌打损伤、骨折、外伤出血、狂犬咬伤、疮疖。 |

蝶形花科 Fabaceae 千斤拔属 Flemingia

千斤拔 *Flemingia philippinensis* Merr. et Rolfe

千斤拔

| 中 药 名 |

千斤拔（药用部位：根或全株）

| 植物形态 |

亚灌木，幼枝三棱柱状，密被灰褐色短柔毛。叶具指状 3 小叶；宿存托叶线状披针形，被毛；小叶厚纸质，长椭圆形，偏斜，长4~7cm，宽 1.7~3cm，上面被疏短柔毛，背面密被灰褐色柔毛；基出脉 3。总状花序腋生，各部密被灰褐色至灰白色柔毛；苞片狭卵状披针形，花密生；萼裂片披针形，被灰白色长伏毛；花冠紫红色，约与花萼等长，旗瓣长圆形，基部具极短瓣柄，两侧具不明显的耳；翼瓣镰状，基部具瓣柄，一侧具微耳；龙骨瓣椭圆状，略弯，基部具瓣柄，一侧具 1 尖耳；雄蕊二体；子房被毛。荚果椭圆状，长 7~8mm，宽约 5mm，被短柔毛；种子 2，近圆球形，黑色。花果期夏、秋季。

| 分布区域 |

产于海南三亚、保亭、澄迈、东方、昌江、万宁。亦分布于中国华南其他区域、西南，以及湖南、江西、福建、台湾、湖北。菲律宾也有分布。

| **资　　源** | 生于旷野草地上，偶见。

| **采收加工** | 秋季采挖，洗净，切断，晒干。

药材性状

根长圆柱形，上粗下渐细，极少分枝，长30~70cm，上部直径1~2cm。表面棕黄色、灰黄色至棕褐色，有较突起的横长皮孔及细皱纹，近顶部常呈圆肩膀状，下半部间见须根痕；栓皮薄，鲜时易刮离，刮去栓皮可见棕红色或棕褐色皮部。质坚韧，不易折断。横切面皮部棕红色，木质部宽广，淡黄白色，有细微的放射状纹理。气微，味微甘、涩。以根条粗长、除净芦茎及须根、断面黄白色者为佳。

功能主治

根：祛风利湿，消瘀解毒，强筋骨。用于风湿痹痛、腰腿痛、水肿、跌打损伤、痈肿、乳蛾、白带。全株：清热解毒。用于痢疾。外用于跌打损伤。

附 注

在FOC中，其学名被修订为 *Flemingia prostrata* Roxb. f. ex Roxb.。

■蝶形花科■ Fabaceae ■乳豆属■ *Galactia*

乳 豆 *Galactia tenuiflora* (Klein ex Willd.) Wight et Arn.

| 中 药 名 | 乳豆（药用部位：全株）

| 植 物 形 态 | 多年生草质藤本，茎密被灰白色或灰黄色长柔毛。小叶椭圆形，纸质，长 2~4.5cm，宽 1.3~2.7cm，上面被疏短柔毛，下面密被长柔毛；小托叶针状，长 1~1.5mm。总状花序腋生，小苞片卵状披针形，被毛；花萼长约 7mm，萼管长约 3mm，裂片狭披针形，先端尖；花冠淡蓝色，旗瓣倒卵形，基部具小耳；翼瓣长圆形，基部具尖耳；龙骨瓣稍长于翼瓣，基部具小耳；对旗瓣的 1 雄蕊完全离生；子房密被长柔毛，有胚珠约 10，花柱突出，顶部弯，无毛。荚果线形，长 2~4cm，宽 6~7mm，初时被长柔毛，后渐变无毛；种子肾形，稍扁，长 2~3.5mm，宽 3~5mm，棕褐色，光滑。花果期 8~9 月。

乳豆

分布区域

产于海南三亚、乐东、东方、昌江、陵水、万宁、五指山。亦分布于中国华南其他区域，以及湖南、江西、台湾、云南。越南、泰国、马来西亚、菲律宾、印度、斯里兰卡也有分布。

资　　源

生于海边旷地灌丛，或低海拔丘陵地带疏林或密林中，常攀缘于灌木或乔木上，常见。

采收加工

夏、秋季采收全株，扎成把，晒干。

功能主治

接骨。用于跌打损伤、骨折。

■蝶形花科　Fabaceae　■大豆属　*Glycine*

大　豆 *Glycine max* (L.) Merr.

| 中 药 名 |　黑大豆（药用部位：黑色种子），黄大豆（药用部位：黄色种子）

| 植物形态 |　一年生草本。叶通常具 3 小叶；托叶宽卵形，被黄色柔毛；小叶纸质，宽卵形，顶生 1 较大，侧生斜卵形，通常两面散生糙毛；小托叶披针形，小叶柄被黄褐色长硬毛。总花梗长 10~35mm，通常有 5~8 无柄、紧挤的花；苞片被糙伏毛；小苞片被伏贴的刚毛；花萼长 4~6mm，密被长硬毛，常深裂成二唇形，裂片 5，披针形，上部 2 裂片常合生至中部以上，下部 3 裂片分离，均密被白色长柔毛，花紫色、淡

大豆

紫色或白色，长 4.5~8mm，旗瓣倒卵状近圆形，基部具瓣柄；翼瓣篦状，基部具瓣柄和耳；龙骨瓣斜倒卵形，具短瓣柄；雄蕊二体；子房基部有不发达的腺体，被毛。荚果肥大，长圆形，下垂，黄绿色，长 4~7.5cm，宽 8~15mm，密被褐黄色长毛；种子 2~5，椭圆形，种皮光滑，种脐明显，椭圆形。花期 6~7 月，果期 7~9 月。

| 分布区域 | 产于海南三亚、东方、昌江、保亭、万宁、儋州、澄迈。中国各地亦有栽培。原产于中国，世界各地广泛栽培。

| 资　　源 | 栽培，常见。

| 采收加工 | 黑色种子：8 月果实成熟后采收，晒干，碾碎果壳，拣取黑色种子。黄色种子：8~10 月果实成熟后采收，取其种子晒干。

| 药材性状 | 黑色种子：呈椭圆形而略扁，长 6~10mm，直径 5~7mm，厚 1~6mm。表面黑色，略有光泽，有时具横向皱纹，一侧边缘具长圆形种脐。种皮薄，内表面呈灰黄色，除去种皮，可见到 2 子叶，黄绿色，肥厚。质较坚硬。气微，具豆腥味。黄色种子：种子黄色、黄绿色。种皮薄，除去种皮，可见 2 子叶，黄绿色，肥厚。质坚硬。气微，具豆腥味。

| 功能主治 | 解表除烦，宣发郁热。用于感冒、寒热头痛、烦躁胸闷、虚烦不眠。

■ 蝶形花科 ■ Fabaceae ■ 长柄山蚂蝗属 ■ *Hylodesmum*

密毛长柄山蚂蝗

Hylodesmum densum (C. Chen et X. J. Cui) H. Ohashi

| 中 药 名 |

密毛长柄山蚂蝗（药用部位：全草）

| 植物形态 |

草本，高 50~70cm。茎单生，密被白色糙伏毛。叶具 3 小叶；叶柄长 12~14cm；顶生小叶宽卵形，长 5~7cm，宽 3.2~5cm，两面密被白色糙伏毛，侧生小叶狭卵形，稍小，基部偏斜。果序总状，顶生，荚果常具 2 荚节；斜狭三角形，长 8~10mm，宽 3~4mm，被短柔毛，基部楔形，先端凹；果梗长 5~6mm；果颈长约 5mm。花期不明，果期 9~10 月。

| 分布区域 |

产于海南保亭仙安石林。分布于中国广西、云南。

| 资　　源 |

生于海拔 600~800m 的林中，少见。

| 采收加工 |

全年皆可采收，洗净切段，鲜用或晒干。

密毛长柄山蚂蝗

| **功能主治** | 同属植物尖叶长柄山蚂蝗*Hylodesmum podocarpum* subsp. *oxyphyllum*有祛风除湿、活血解毒之效，本种或有类似作用，其具体功能有待进一步研究。 |

| **附　注** | 本种为郑希龙等人于2014年发表的海南新记录植物。 |

| 蝶形花科 | Fabaceae | 长柄山蚂蝗属 | *Hylodesmum* |

疏花长柄山蚂蝗

Hylodesmum laxum (DC.) H. Ohashi et R. R. Mill

| 中 药 名 | 疏花长柄山蚂蝗（药用部位：全草）

| 植物形态 | 直立草本，茎上部毛较密。叶为羽状三出复叶，通常簇生于枝顶部；托叶三角状披针形，长约 10mm；叶柄长 3~9cm，被柔毛；小叶纸质，顶生小叶卵形，长 5~12cm，宽 5~5.5cm；小托叶丝状，被柔毛；小叶柄长 1~2cm，被柔毛。总状花序长达 30cm；总花梗被钩状毛和小柔毛，花 2~3 簇生于每节上；苞片卵形，花梗长 3~4mm，结果时长 4~10mm；花萼宽钟状，长约 2mm，裂片较萼筒短；花冠粉红色，长 4~6mm，旗瓣椭圆形，翼瓣长椭圆形，基部具耳，龙骨瓣具瓣柄；雄蕊单体，长约 5mm；雌蕊长约 6mm，子房具柄。荚果通常有荚

疏花长柄山蚂蝗

节 2~4，背缝线于节间凹入，几达腹缝线而成一深缺口，荚节略呈宽的半倒卵形，长 9~10mm，宽约 4mm，被钩状毛；果梗长 4~10mm；果颈长约 10mm。花果期 8~10 月。

| **分布区域** | 产于海南乐东、五指山、万宁。亦分布于中国广东、湖南、江西、福建、湖北、贵州、云南、西藏。越南、老挝、泰国、印度、菲律宾、斯里兰卡、尼泊尔、不丹、日本也有分布。

| **资　　源** | 生于海拔 700~1400m 的山坡阔叶林中，少见。

| **采收加工** | 9~10 月采收，切断，晒干。

| **功能主治** | 本种的药效未见报道，但同属的植物多具有清热解表、利湿退黄的作用，其作用有待进一步研究。

蝶形花科 Fabaceae 木蓝属 *Indigofera*

疏花木蓝
Indigofera chuniana F. P. Metcalf

| 中 药 名 | 疏花木蓝（药用部位：枝叶）

| 植物形态 | 亚灌木状草本；茎与分枝被灰白色柔毛和具柄头状腺毛。叶长 2.5~4cm；叶柄与叶轴均被开展腺毛；托叶线状钻形，对生小叶 3~5 对，椭圆形，两面均被白色丁字毛；小叶柄短，长达 0.5mm。总状花序腋生，总花梗与花序轴均被丁字毛和腺毛；苞片线形，长约 5mm；花梗极短；花萼长 1.5~2mm，密被白色丁字毛，萼齿线形，基部被毛；花冠红色，长约 4mm，旗瓣倒卵形，外面被毛，翼瓣线状长圆形，均具极短瓣柄，龙骨瓣中部以下渐狭；子房被茸毛。荚果圆柱形，长 1.1~1.4cm，直径 1.5~1.8mm，先端有凸尖，被腺毛和开展丁字毛，有种子 9~12，内果皮有紫红色斑点。花期 6~8 月，果期 8~12 月。

疏花木蓝

| 分布区域 |

产于海南三亚、乐东、东方、昌江、临高、西沙。亦分布于中国广东。亚洲、太平洋群岛、非洲，以及澳大利亚也有分布。

| 资　　源 |

生于海边沙地上，常见。

| 采收加工 |

春、秋季采收，晒干。

| 功能主治 |

同属植物硬毛木蓝的枝叶可消肿解毒，本种或有类似作用，其具体功能有待进一步研究。

| 附　　注 |

在 FOC 中，其学名已被修订为 *Indigofera colutea* (Burm. f.) Merr.。

蝶形花科 Fabaceae 木蓝属 *Indigofera*

硬毛木蓝 *Indigofera hirsuta* L.

| 中 药 名 | 毛木蓝（药用部位：枝叶、根）

| 植物形态 | 亚灌木，枝、叶柄和花序均被开展长硬毛。羽状复叶长 2.5~10cm；叶柄长约 1cm，叶轴有灰褐色开展毛；对生小叶 3~5 对，纸质，倒卵形，长 3~3.5cm，宽 1~2cm，两面有伏贴毛；小叶柄长约 2mm。总状花序长 10~25cm，密被锈色和白色混生的硬毛，花小，密集，苞片线形，长约 4mm；花梗长约 1mm；花萼长约 4mm，外面有红褐色开展长硬毛，萼齿线形；花冠红色，长 4~5mm，外面有柔毛，旗瓣倒卵状椭圆形，有瓣柄，翼瓣与龙骨瓣等长，有瓣柄，距短小；花药卵球形，先端有红色尖头；子房有淡黄棕色长粗毛，花柱无毛。荚果线状圆柱形，长 1.5~2cm，直径 2.5~8mm，有开展长硬毛，有种子 6~8，内果皮有黑色斑点；果梗下弯。花期 7~9 月，果期 10~12 月。

硬毛木蓝

| 分布区域 |

产于海南三亚、乐东、东方、昌江、儋州、澄迈、定安、海口、西沙群岛。亦分布于中国华南其他区域，以及福建、台湾、浙江、云南。亚洲、大洋洲、非洲、美洲也有分布。

| 资　　源 |

生于低海拔的山坡旷野、路旁、河边草地及海滨沙地上，常见。

| 采收加工 |

春、秋季采收，晒干。

| 功能主治 |

枝叶：解毒消肿，燥湿收敛。用于疮疥、疖肿、皮肤瘙痒。根：用于毒蛇咬伤。

蝶形花科　Fabaceae　木蓝属　Indigofera

刺荚木蓝
Indigofera nummularifolia (L.) Alston

| 中 药 名 | 刺荚木蓝（药用部位：枝叶）

| 植物形态 | 多年生草本，茎平卧。单叶互生，长 1~2cm，宽 8~14mm，除边缘有密毛外，两面近无毛或在下面疏生脱落性丁字毛；叶柄长 1~2mm；托叶三角形，宿存；总状花序长 1.5~3cm，有花 5~10；花序轴有丁字毛；苞片长约 2mm，早落；花萼长 3~4mm，萼齿线形，长 2~3mm；花冠深红色，旗瓣倒卵形，外面密生丁字毛，翼瓣基部具耳状附属物，龙骨瓣长约 4mm；花药两端有髯毛；子房有毛。荚果镰形，侧向压扁，长约 5mm，宽约 4mm，先端有尖喙，背缝极弯拱，有数行钩刺，有种子 1；种子亮褐色，肾状长圆形，长 3.5~4mm。花期 10 月，果期 10~11 月。

刺荚木蓝

| 分布区域 |

产于海南三亚、乐东、万宁、西沙群岛，琼中有分布记录。亦分布于中国台湾。中南半岛、马来半岛，以及斯里兰卡至非洲热带地区也有分布。

| 资　源 |

生于海边沙土上，少见。

| 采收加工 |

春、秋季采收，晒干。

| 功能主治 |

同属植物硬毛木蓝的枝叶可消肿解毒，本种或有类似作用，其具体功能有待进一步研究。

蝶形花科 Fabaceae 木蓝属 *Indigofera*

野青树

Indigofera suffruticosa Mill.

| 中 药 名 |

野青树（药用部位：全株或茎、叶、种子）

| 植物形态 |

灌木，茎有棱，被平贴丁字毛。羽状复叶长 5~10cm；叶轴被丁字毛；托叶钻形，对生小叶 5~7 对，长椭圆形或倒披针形，长 1~4cm，宽 5~15mm，上面密被丁字毛，下面被平贴丁字毛。总状花序呈穗状，长 2~3cm；总花梗极短或缺；苞片线形，被粗丁字毛，早落；花萼钟状，长约 1.5mm，外面有毛；花冠红色，旗瓣倒阔卵形，长 4~5mm，外面密被毛，有瓣柄，翼瓣与龙骨瓣等长，龙骨瓣有距，被毛；花药球形，先端具短尖头，无髯毛；子房在腹缝线上密被毛。荚果镰状弯曲，长 1~1.5cm，下垂，被毛，有种子 6~8；种子短圆柱状。花期 3~5 月，果期 6~10 月。

| 分布区域 |

产于海南三亚、昌江、万宁、五指山、陵水、白沙、乐东。中国华南其他区域，以及福建、台湾、浙江、江苏、云南亦有栽培。原产于美洲热带地区，现广布于世界热带地区。

野青树

资　源

生于低海拔的山地路旁、山谷疏林、田野沟边及海滩沙地，常见。

采收加工

茎：全年可采。叶：夏、秋季采收，洗净，切段，晒干或鲜用。

功能主治

全株：凉血解毒，消炎止痛。用于衄血、皮肤瘙痒、斑疹、咽喉肿痛、疱疮肿毒。茎、叶及种子：清热解毒，凉血定惊，透疹。用于血热吐衄、胸痛咯血、喉痹、口疮、流行性腮腺炎、小儿惊痫、皮肤瘙痒、斑疹透发不畅。

蝶形花科 Fabaceae 木蓝属 Indigofera

木 蓝 *Indigofera tinctoria* L.

| **中 药 名** | 木蓝（药用部位：茎、叶、根）

| **植物形态** | 亚灌木，幼枝有棱，扭曲，被白色丁字毛。羽状复叶长 2.5~11cm；叶轴上面有浅槽，被丁字毛，托叶钻形，长约 2mm；小叶 4~6 对，对生，倒卵状长圆形或倒卵形，长 1.5~3cm；宽 0.5~1.5cm，两面被丁字毛，小托叶钻形。总状花序长 2.5~5cm，苞片钻形，长 1~1.5mm；花萼钟状，长约 1.5mm，萼齿三角形，外面有丁字毛；花冠伸出萼外，红色，旗瓣阔倒卵形，外面被毛，翼瓣、龙骨瓣约与旗瓣等长；花药心形；子房无毛。荚果线形，长 2.5~3cm，种子

木蓝

间有缢缩，外形似串珠状，有种子 5~10，内果皮具紫色斑点。种子近方形，长约 1.5mm。花期几全年，果期 10 月。

| **分布区域** | 产于海南乐东、东方、万宁。中国华南其他区域，以及台湾、安徽、贵州、云南亦有栽培。广泛分布于亚洲、非洲热带地区。

| **资　　源** | 生于低海拔的山坡旷野、路旁，常见。

| **采收加工** | 茎、叶：夏、秋季采收，鲜用或晒干。根：秋季采收，切断晒干。

| **药材性状** | 枝条圆柱形，有纵棱，被白色丁字毛，羽状复叶互生，小叶 8~12，常脱落，小叶倒卵状矩圆形或倒卵形，长 1.5~3cm，宽 0.5~1.5cm，两面被丁字毛，叶柄、叶轴与小叶柄均被白色丁字毛。气微，味微苦。

| **功能主治** | 茎、叶：清热解毒，祛瘀消肿，活血止血，凉血定惊。用于乙型脑炎、流行性腮腺炎、口疮、喉痹、小儿惊痫、目赤红肿、疮肿、皮疹、斑疹、胸痛咯血、吐血衄血、崩漏。土耳其用于黄疸、儿童口腔溃疡、愈合伤口。根：解虫毒。用于丹毒、蚊虫叮咬。

蝶形花科 Fabaceae 鸡眼草属 *Kummerowia*

鸡眼草 *Kummerowia striata* (Thunb.) Schindl.

| 中 药 名 |　鸡眼草（药用部位：全草）

| 植物形态 |　一年生草本，披散或平卧，多分枝，高（5~）10~45cm，茎和枝上被倒生的白色细毛。叶为三出羽状复叶；托叶大，膜质，卵状长圆形，比叶柄长，长 3~4mm，具条纹，有缘毛；叶柄极短；小叶纸质，倒卵形、长倒卵形或长圆形，较小，长 6~22mm，宽 3~8mm，先端圆形，稀微缺，基部近圆形或宽楔形，全缘；两面沿中脉及边缘有白色粗毛，但上面毛较稀少，侧脉多而密。花小，单生或 2~3 簇生于叶腋；花梗下端具 2 大小不等的苞片，萼基部具 4 小苞片，其中 1 枚极小，位于花梗关节处，小苞片常具 5~7 纵脉；花萼钟状，带紫色，5 裂，裂片宽卵形，具网状脉，外面及边缘具白毛；花冠粉红色或紫色，

鸡眼草

长 5~6mm，较萼约长 1 倍，旗瓣椭圆形，下部渐狭成瓣柄，具耳，龙骨瓣比旗瓣稍长或近等长，翼瓣比龙骨瓣稍短。荚果圆形或倒卵形，稍侧扁，长 3.5~5mm，较萼稍长或长达 1 倍，先端短尖，被小柔毛。花期 7~9 月，果期 8~10 月。

| 分布区域 | 海南偶见栽培。亦分布于中国东北、华北、华东、中南、西南及华南各地。

| 资　　源 | 生于林下、田边、路旁，为习见杂草。

| 采收加工 |

7~8 月采收，鲜用或晒干。

| 药材性状 |

茎枝圆柱形，多分枝，长 5~30cm，被白色向下的细毛。三出复叶互生，叶多皱缩，完整小叶长椭圆形或倒卵状长椭圆形，长 6~22mm；叶端钝圆，有小突刺，叶基楔形；沿中脉及叶缘疏生白色长毛；托叶 2。花腋生，花萼钟状，深紫褐色，蝶形花冠浅玫瑰色，较萼约长 1 倍。荚果卵状矩圆形，先端稍急尖，有小喙，长达 4mm。种子 1，黑色，具不规则褐色斑点，气微，味淡。

| 功能主治 |

全草：清热解毒，健脾利湿，活血，利尿止泻。用于感冒发热、暑湿胃肠炎、吐泻、痢疾、疟疾、传染性肝炎、夜盲症、泌尿系感染、热淋、白浊、跌打损伤、疔疮疖肿。

▌蝶形花科▐ Fabaceae ▌扁豆属▐ *Lablab*

扁 豆 *Lablab purpureus* (L.) Sweet.

| 中 药 名 | 扁豆（药用部位：种子、种皮、藤、叶、花）

| 植物形态 | 多年生缠绕藤本，全株几无毛，茎常呈淡紫色。羽状复叶具 3 小叶；托叶基着，披针形；小托叶线形，长 3~4mm；小叶宽三角状卵形，长、宽均为 6~10cm，侧生小叶两边不等大。总状花序直立，总花梗长 8~14cm；小苞片 2，近圆形，脱落；花萼钟状，长约 6mm，上方 2 裂齿几完全合生，下方 3 裂齿近相等；花冠白色或紫色，旗瓣圆形，基部两侧具 2 长而直立的小附属体，附属体下有 2 耳，翼瓣宽倒卵形，具平截的耳，龙骨瓣呈直角弯曲，基部渐狭成瓣柄；子房线形，无毛。荚果长圆状镰形，长 5~7cm，宽 1.4~1.8cm，扁平，先端有尖喙；种子 3~5，长椭圆形，种脐线形，长约占种子周围的 2/5。花期 4~12 月。

扁豆

| 分布区域 |

产于海南三亚、东方、昌江、白沙、五指山、保亭、陵水、万宁、儋州、澄迈、西沙群岛。中国各地亦有栽培。原产于印度及非洲热带地区，现世界热带、亚热带地区广泛栽培。

| 资　源 |

海南各地均有栽培，常见。

| 采收加工 |

待果实成熟后采收种子，剥取种皮。

| 功能主治 |

种子：健脾化湿，和中消暑。用于脾胃虚弱、食欲不振、呕吐泄泻、胸闷腹胀、白带过多。种皮：消暑化湿，健脾止泻。用于痢疾、呕吐腹泻、脚气浮肿。藤：用于风痰迷窍、癫狂乱语。叶：用于吐泻、转筋、疮毒、跌打损伤。 花：消暑，化湿，和中。用于暑湿泄泻、痢疾。

蝶形花科 Fabaceae ▎胡枝子属 *Lespedeza*

截叶铁扫帚

Lespedeza cuneata G. Don

| 中 药 名 | 截叶铁扫帚（药用部位：全株或根）

| 植物形态 | 小灌木，茎被毛。叶密集，柄短；小叶楔形，长 1~3cm，宽 2~5mm，先端截形，具小刺尖，下面密被伏毛。总状花序腋生，具 2~4 花；小苞片卵形，背面被白色伏毛，边具缘毛；花萼狭钟形，密被伏毛，5 深裂，裂片披针形；花冠淡黄色或白色，旗瓣基部有紫斑，有时龙骨瓣先端带紫色，翼瓣与旗瓣近等长，龙骨瓣稍长；闭锁花簇生于叶腋。荚果宽卵形或近球形，被伏毛，长 2.5~3.5mm，宽约 2.5mm。花期 7~8 月，果期 9~10 月。

截叶铁扫帚

| 分布区域 | 产于海南琼中、琼海。亦分布于中国广东、湖南、台湾、湖北、云南、四川、西藏、甘肃、陕西、河南、山东等。印度、巴基斯坦、朝鲜、日本、阿富汗、澳大利亚也有分布。

| 资　　源 | 生于海拔1800m以下的山坡路旁，少见。

| 采收加工 | 9~10月结果盛期采收。齐地割起，拣去杂质，晒干，或洗净鲜用。

| 药材性状 | 根细长，条状，多分枝。茎枝细长，被微柔毛。三出复叶互生，密集，多卷曲皱缩，完整小叶线状楔形，长1~2.5cm；叶端钝或截形；上面无毛，下面被灰色丝毛。短总状花序腋生，花萼钟形，蝶形花冠淡黄白色至黄棕色，心部带红紫色。荚果卵形，稍斜，长约3mm，棕色，先端有喙。气微，味苦。

| 功能主治 | 清热解毒，祛痰止咳，利湿消积，补肝肾，益肺阴。用于遗精遗尿、白浊、带下病、口腔炎、咳嗽、哮喘、胃痛、劳伤、小儿疳积、泻痢、消化不良、胃肠炎、黄疸型肝炎、肾炎水肿、跌打损伤、视力减退、目赤肿痛、乳痈。外用于带状疱疹、毒蛇咬伤。

蝶形花科 Fabaceae 大翼豆属 *Macroptilium*

紫花大翼豆 *Macroptilium atropurpureum* (DC.) Urban.

| 中 药 名 | 紫花大翼豆（药用部位：全草）

| 植物形态 | 多年生蔓生草本。根茎深入土层；茎被短柔毛或茸毛，逐节生根。羽状复叶具 3 小叶；托叶卵形，长 4~5mm，被长柔毛，脉显露；小叶卵形至菱形，长 1.5~7cm，宽 1.3~5cm，有时具裂片，侧生小叶偏斜，外侧具裂片，先端钝或急尖，基部圆形，上面被短柔毛，下面被银色茸毛；叶柄长 0.5~5cm。花序轴长 1~8cm，总花梗长 10~25cm；花萼钟状，长约 5mm，被白色长柔毛，具 5 齿；花冠深紫色，旗瓣长 1.5~2cm，具长瓣柄。荚果线形，长 5~9cm，宽不逾 3mm，先端

紫花大翼豆

具喙尖，具种子 12~15；种子长圆状椭圆形，长 4mm，具棕色及黑色大理石花纹，具凹痕。

| 分布区域 | 产于海南儋州。亦分布于中国广东、台湾。原产于美洲热带地区，现世界热带地区都有分布。

| 资　　源 | 生于旷野、水塘边。世界各地广泛栽培，已逸为野生，少见。

| 采收加工 | 全年皆可采收，洗净，晒干或鲜用。

| 功能主治 | 本种的药用功能尚不明确，但本种在海南逸为野生，分布量较大，有一定开发价值，其具体作用值得进一步研究。

蝶形花科 Fabaceae **大翼豆属** *Macroptilium*

大翼豆 *Macroptilium lathyroides* (L.) Urban

| **中 药 名** | 大翼豆（药用部位：全草）

| **植物形态** | 草本，茎密被短柔毛。羽状复叶具 3 小叶；托叶披针形，长 5~10mm；小叶狭椭圆形至卵状披针形，长 3~8cm，宽 1~3.5cm，下面密被柔毛。花序长 3.5~15cm，总花梗长 15~40cm；花成对稀疏地生于花序轴的上部；花萼管状钟形；萼齿短三角形；花冠紫红色，旗瓣近圆形，翼瓣具白色瓣柄，龙骨瓣先端旋卷。荚果线形，长 5.5~10cm，宽 2~3mm，密被短柔毛，内含种子 18~30；种子斜长圆形，棕色或具棕色及黑色的斑，长约 3mm，具凹痕。花期 7 月，果期 9~11 月。

大翼豆

| 分布区域 |

产于海南三亚、东方、儋州、海口。中国广东、福建、台湾亦有栽培。原产于美洲热带地区，现广泛栽培于热带、亚热带地区。

| 资 源 |

生于低海拔的山地路旁，常见。

| 采收加工 |

全年皆可采收，洗净，晒干或鲜用。

| 功能主治 |

本种的药用功能尚不明确，但本种在海南逸为野生，分布量较大，有一定开发价值，其具体作用值得进一步研究。

蝶形花科 Fabaceae **崖豆藤属** *Millettia*

亮叶崖豆藤 *Millettia nitida* Benth.

| 中 药 名 | 亮叶崖豆藤（药用部位：根、藤茎、花、老藤）

| 植物形态 | 攀缘灌木，茎皮锈褐色。羽状复叶长 15~20cm；叶柄长 3~6cm；托叶线形，脱落；小叶 2 对，硬纸质，长 5~9cm，宽 3~4cm，上面光亮无毛，小托叶锥刺状。圆锥花序顶生，长 10~20cm，密被锈褐色绒毛，花单生；苞片卵状披针形，小苞片卵形，均早落；花萼钟状，密被绒毛，下方 1 齿最长；花冠青紫色，旗瓣密被绢毛，长圆形，近基部具 2 胼胝体，翼瓣短而直，基部戟形，龙骨瓣镰形，瓣柄长占其 1/3；雄蕊二体；花盘皿状；子房线形，密被绒毛，花柱旋曲。荚果线状长圆形，长 10~14cm，宽 1.5~2cm，密被黄褐色绒毛，先端具尖喙，瓣裂；有种子 4~5；种子栗褐色，光亮，斜长圆形，长约 10mm，宽约 12mm。花期 5~9 月，果期 7~11 月。

亮叶崖豆藤

|分布区域|

产于海南三亚、乐东、东方、昌江。亦分布于中国华南其他区域，以及湖南、江西、福建、台湾、浙江、贵州、云南。

|资　源|

生于海岸灌丛或山地疏林中，常见。

|采收加工|

夏、秋季采收藤茎，切片晒干。

|功能主治|

根、藤茎：活血补血，通经活络，解热解毒，止痢。用于红白痢疾、便下脓血、贫血、风湿关节痛。花：用于贫血。老藤：用于乳痈。

|附　注|

在 FOC 中，其学名被修订为 *Callerya nitida* （Benth.) R. Geesink。

蝶形花科 Fabaceae   崖豆藤属 *Millettia*

厚果崖豆藤 *Millettia pachycarpa* Benth.

| 中 药 名 | 苦檀子（药用部位：种子、叶、根）

| 植物形态 | 巨大藤本，嫩枝密被黄色绒毛，老枝黑色，散布褐色皮孔，茎中空。
羽状复叶长 30~50cm；叶柄长 7~9cm；托叶阔卵形，黑褐色，贴生
于鳞芽两侧；小叶 6~8 对，草质，长圆状椭圆形，长 10~18cm，宽
3.5~4.5cm，下面被平伏绢毛；小叶柄长 4~5mm，密被毛；无小托叶。
总状圆锥花序，长 15~30cm，密被褐色绒毛，花长 2.1~2.3cm；花萼
杯状，长约 6mm，密被绒毛，上方 2 萼齿全合生；花冠淡紫色，旗
瓣无毛，或先端边缘具睫毛，卵形，基部淡紫色，具 2 短耳，无胼
胝体；翼瓣长圆形，下侧具钩；龙骨瓣基部截形，具短钩；雄蕊单

厚果崖豆藤

体，子房线形，密被绒毛。荚果深褐黄色，长圆形，长 5~23cm，宽约 4cm，厚约 3cm，果瓣木质，甚厚，有种子 1~5；种子黑褐色，肾形。花期 4~6 月，果期 6~11 月。

| **分布区域** | 产于海南东方、昌江。亦分布于中国华南其他区域、华东、西南，以及湖南、湖北。越南、老挝、泰国、缅甸、孟加拉国、印度、尼泊尔及不丹也有分布。

| **资　　源** | 生于海拔 1500m 以下的沟谷常绿阔叶林中，少见。

| **采收加工** | 叶：夏季采叶。根：夏、秋季采挖根，洗净，鲜用或切片晒干。种子：果实成熟后采收，除去果皮，将种子晒干。

| **药材性状** | 种子扁圆而略呈肾形，着生在荚果两端的种子，一面圆形，另一面平截；居于荚果中间的种子，两面均平截；长约 4cm，厚约 3cm。表面红棕色至黑褐色，有光泽，或带有灰白色的薄膜，脐点位于中腰陷凹处。子叶 2，肥厚，角质样，易纵裂；近脐点周围有不规则的突起，使子叶纵裂而不平。气微，味淡而后带窜透性的麻感。

| **功能主治** | 种子、根：含鱼藤酮，磨粉用作杀虫剂，用于防治多种粮食害虫。叶、根：散瘀消肿。用于跌打损伤、骨折、皮肤病、皮肤麻木、疥癣、毒蛇咬伤。广西民间用根治疗乙型肝炎。果实：解毒，止痛。用于疥疮、癣癞、疝气腹痛、小儿疳积。

蝶形花科 Fabaceae 崖豆藤属 Millettia

海南崖豆藤 *Millettia pachyloba* Drake.

| 中 药 名 | 海南崖豆藤（药用部位：全株或根、茎、叶）

| 植物形态 | 巨大藤本，树皮黄色，纵裂，茎中空。羽状复叶长 25~35cm；叶柄长 6~8cm；托叶三角形，宿存；小叶 4 对，厚纸质，倒卵状长圆形，长 7~17cm，宽 3~5.5cm，小托叶针刺状，被毛。总状圆锥花序顶生，长 20~30cm，花 3~7 着生于节上；苞片和小苞片均小，花长 1.2~1.5cm；花萼杯状，密被绢毛，萼齿尖三角形，花冠淡紫色，花瓣近等长，旗瓣密被黄褐色绢毛，长 10~12mm，翼瓣长圆形，具

海南崖豆藤

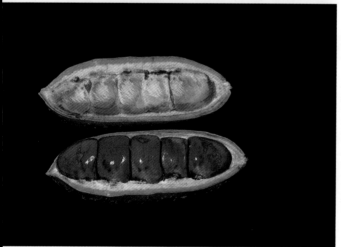

1耳，龙骨瓣阔长圆形，先端粘连，翼瓣和龙骨瓣的外露部分均密被绢毛；雄蕊二体。荚果为菱状长圆形，长5~8cm，宽3~4cm，厚约2cm，肿胀，先端喙尖，木质，瓣裂，有种子1~4；种子黑褐色，具光泽，挤压成棋子形。花期4~6月，果期7~11月。

| 分布区域 |

产于海南三亚、乐东、昌江、白沙、五指山、保亭、万宁、琼中、儋州、澄迈、琼海。亦分布于中国华南其他区域，以及湖南、贵州、云南。越南也有分布。

| 资　源 |

生于山地林缘或疏林中，十分常见。

| 采收加工 |

根：夏、秋季采挖，洗净，鲜用或切片晒干。叶：夏季采收，洗净，鲜用。

| 功能主治 |

全株、根、茎、叶：杀虫止痒，逐湿痹，祛瘀，消炎止痛。用于跌打损伤、骨节肿痛、疥疮、湿疹瘙痒。

███ **蝶形花科** ███ Fabaceae　███ **崖豆藤属** ███ *Millettia*

印度崖豆 *Millettia pulchra* Kurz.

| **中 药 名** |

印度崖豆（药用部位：藤茎、根、叶）

| **植物形态** |

灌木或小乔木，高 3~8m；树皮粗糙，散布小皮孔。枝、叶轴、花序均被灰黄色柔毛，后渐脱落。羽状复叶长 8~20cm；叶柄长 3~4cm，叶轴上面具沟；托叶披针形，长约 2mm，密被黄色柔毛；小叶 6~9 对，间隔约 2cm，纸质，披针形或披针状椭圆形，长 2~6cm，宽 7~15mm，先端急尖，基部渐狭或钝，上面暗绿色，具稀疏细毛，下面浅绿色，被平伏柔毛，中脉隆起，侧脉 4~6 对，直达叶缘弧曲，细脉不明显；小叶柄长约 2mm，被毛；小托叶刺毛状，长 1~3mm，被毛。总状圆锥花序腋生，长 6~15cm，短于复叶，密被灰黄色柔毛，生花节短，长 1~2mm，远离；花 3~4 着生于节上；苞片小，披针形，小苞片小，贴萼生；花长 0.9~1.2cm；花梗细，长 3~4mm；花萼钟状，长约 4mm，宽约 3mm，密被柔毛，萼齿短，三角形，上方 2 齿全合生；花冠淡红色至紫红色，旗瓣长圆形，先端微凹，被线状细柔毛，基部截形，瓣柄短；翼瓣长圆形，具 1 耳；龙骨瓣长圆状镰形，与翼瓣均具长约 2.5mm 的

印度崖豆

瓣柄；雄蕊单体，对旗瓣的 1 枚基部分离；无花盘；子房线形，密被柔毛，花柱
细，短于子房，向上弯曲，胚珠约 5。荚果线形，长 5~10cm，宽 1~1.5cm，扁平，
初被灰黄色柔毛，后渐脱落，瓣裂，果瓣薄木质，有种子 1~4；种子褐色，椭圆形，
宽约 1cm。花期 4~8 月，果期 6~10 月。

| 分布区域 | 产于海南三亚、东方、昌江、白沙、五指山、万宁、琼中、文昌。亦分布于中
国华南其他区域，以及湖南、江西、台湾、云南。越南、老挝、缅甸、印度也
有分布。

| 资　　源 | 生于山地、旷野或杂木林缘，十分常见。

| 采收加工 | 根：夏、秋季采挖，洗净，鲜用或切片晒干。叶：夏季采收，洗净，鲜用。

| 功能主治 | 藤茎、根：活血止血，散瘀止痛，消肿，宁神。用于风湿关节痛、跌打损伤、痔血、
风疹瘙痒。叶：用于水痘。

蝶形花科 Fabaceae 崖豆藤属 *Millettia*

网络崖豆藤 *Millettia reticulata* Benth.

| 中 药 名 | 网络鸡血藤（药用部位：藤茎、根）

| 植物形态 | 藤本，羽状复叶长 10~20cm；叶柄长 2~5cm；托叶锥刺形，长
3~5mm，小叶 3~4 对，硬纸质，卵状长椭圆形，长 5~6cm，宽 1.5~4cm，
小托叶针刺状，宿存。圆锥花序长 10~20cm，花序轴被黄褐色柔毛；
花密集；花长 1.3~1.7cm；花萼阔钟状至杯状，长 3~4mm，萼齿短而
钝圆，边缘有黄色绢毛；花冠红紫色，旗瓣无毛，卵状长圆形，翼
瓣和龙骨瓣均直，略长于旗瓣；雄蕊二体，花盘筒状。荚果线形，

网络崖豆藤

狭长，长约 15cm，宽 1~1.5cm，扁平，瓣裂，果瓣薄而硬，近木质，有种子 3~6；种子长圆形。花期 5~11 月。

| **分布区域** | 产于海南乐东、东方、昌江、白沙、五指山、琼中、儋州，保亭有分布记录。亦分布于中国长江以南各地。越南也有分布。

| **资　　源** | 生于灌丛或疏林中，常见。

| **采收加工** | 8~9 月割取藤茎，去净枝叶，秋季挖根，除去枝叶，洗净，切成 30~60cm 的小段，晒干。

| **药材性状** | 茎呈圆柱形，直径约 3cm。表面灰黄色，粗糙，具横向环纹，皮孔椭圆形至长椭圆形，长 1~5mm，横向开裂。质坚，难折断，折断面呈不规则裂片状。皮部约占横切面半径的 1/7，分泌物深褐色，木质部黄白色，导管孔不明显，髓小居中。气微，味微涩。

| **功能主治** | 藤茎：补血活血，舒筋活络，祛风，通经。用于风湿骨痛、腰膝酸痛、贫血、月经不调。根：镇静。用于狂躁型精神分裂症。

蝶形花科　Fabaceae　崖豆藤属　*Millettia*

美丽崖豆藤 *Millettia speciosa* Champ.

|中 药 名|

牛大力（药用部位：根）

|植物形态|

藤本。羽状复叶长 15~25cm；叶柄长
3~4cm，托叶披针形，宿存；小叶通常 6
对，硬纸质，长圆状披针形，长 4~8cm，宽
2~3cm，下面被锈色柔毛或无毛，干后红褐
色，小叶柄密被绒毛；小托叶针刺状，宿存。
圆锥花序腋生，长达 30cm，密被黄褐色绒毛，
小苞片卵形，花大，长 2.5~3.5cm，有香气；
花梗与花萼、花序轴同被黄褐色绒毛；花萼
钟状，萼齿钝圆头，花冠白色、米黄色至淡
红色，花瓣近等长，旗瓣无毛，圆形，具 2 胼
胝体，翼瓣长圆形，龙骨瓣镰形；雄蕊二体，
花盘筒状，子房密被绒毛，花柱向上旋卷。
荚果线状，伸长，长 10~15cm，宽 1~2cm，
扁平，先端狭尖，基部具短颈，密被褐色绒
毛，果瓣木质，开裂，有种子 4~6；种子卵
形。花期 7~10 月，果期翌年 2 月。

|分布区域|

产于海南三亚、乐东、东方、白沙、五指山、
保亭、万宁、琼中、儋州、临高、澄迈、屯
昌、定安、琼海、文昌。亦分布于中国华南

美丽崖豆藤

其他区域，以及湖南、福建、贵州、云南。越南也有分布。

| 资　　　源 | 生于灌丛或疏林中，常见。

| 采收加工 | 夏、秋季采挖，洗净，晒干。

| 药材性状 | 根呈扁圆柱形，直径 1.3~2.5cm。表面灰黄色，粗糙，具纵棱和横向环纹。质坚，难折断。横切面皮部狭，分泌物呈深褐色，木质部黄色，导管孔不明显，射线放射状排列，无髓部。气微，味微甜。

| 功能主治 | 润肺滋肾，强筋活络，清热止咳。用于腰肌劳损、风湿性关节炎、骨痛、肺热咳嗽、肺结核、病后体虚、慢性支气管炎、慢性肝炎、遗精、白带、毒蛇咬伤。

蝶形花科 Fabaceae 崖豆藤属 Millettia

香花崖豆藤 *Millettia dielsiana* Harms

| 中 药 名 | 山鸡血藤（药用部位：藤茎），岩豆藤（药用部位：根、花）

| 植物形态 | 攀缘灌木。羽状复叶长 15~30cm；叶柄长 5~12cm，托叶线形，小叶 2 对，纸质，披针形、长圆形至狭长圆形，长 5~15cm，宽 1.5~6cm，小托叶锥刺状。圆锥花序顶生，长达 40cm，花序轴被黄褐色柔毛；花单生，苞片线形，线形小苞片早落，花长 1.2~2.4cm；花萼阔钟状，与花梗同被细柔毛，下方 1 齿最长；花冠紫红色，旗瓣阔卵形至倒阔卵形，密被锈色或银色绢毛，翼瓣甚短，下侧有耳，龙骨瓣镰形；雄蕊二体，花盘浅皿状。荚果线形至长圆形，长 7~12cm，宽 1.5~2cm，扁平，密被灰色绒毛，果瓣薄，近木质，瓣裂，有种子 3~5；种子

香花崖豆藤

长圆状凸镜形，长约 8cm，宽约 6cm。花期 5~9 月，果期 6~11 月。

| 分布区域 | 产于海南乐东、东方、海口、昌江、白沙、保亭、儋州、琼海。亦分布于中国西南、华南、东南各地。

| 资　　源 | 生于山坡杂木林与灌丛、谷地、溪沟或路旁，少见。

| 采收加工 | 藤茎、根：夏、秋季采收藤茎、根，洗净，切片鲜用或晒干备用。花：5~8 月花开时采收，晒干。

| 药材性状 | 茎圆柱形，直径 1.5~2cm。表面灰褐色，粗糙，栓皮鳞片状，皮孔椭圆形，纵向开裂。商品为长椭圆形斜切片，皮部占横切面半径的 1/4~1/3，外侧淡黄色，内侧分泌物呈黑褐色；木质部淡黄色，导管孔洞状，放射状排列呈轮状；髓小居中。气微，味微涩。

| 功能主治 | 藤茎、根：活血补血，舒筋通络，通经。用于风湿痹痛、关节痛、腰痛、跌打损伤、创伤出血、四肢麻木、瘫痪、贫血、月经不调、闭经、放射引起的白细胞减少症。花：收敛止血。用于鼻衄。

| 附　　注 | 在 FOC 中，其已被归并为灰毛鸡血藤，学名为 *Callerya cinerea* (Benth.) Schot。

蝶形花科 Fabaceae　鰲豆属 Mucuna

黄毛鰲豆
Mucuna bracteata DC.

|中药名|

黄毛鰲豆（药用部位：根、藤茎或全株）

|植物形态|

一年生缠绕藤本，茎具纵条纹。羽状复叶具 3 小叶，叶长 14~31cm；托叶早落；叶柄长 6~11cm；小叶上面柔毛较少，下面毛较密；小托叶长 2~5mm；小叶柄长 5mm。总状花序腋生，花聚集在花序上端 2/3 处；总花梗上具许多苞片；苞片和小苞片被毛。密被褐毛；花萼密被柔毛和散生黄褐色刺毛，萼筒宽杯状，长 4~7mm；花冠深紫色，旗瓣长 1.6~2.3cm，基部耳长 1~2mm；翼瓣长 2.5~3.3cm，宽 6~8mm，具瓣柄，耳长 1~2mm；龙骨瓣长 3.5~4.3cm，具瓣柄，耳长 1~2mm；雄蕊无毛；子房密被短毛。荚果长 6~9cm，宽 1.2~1.6cm，被黑褐色刺毛；种子 3~6，椭圆体状，长约 9mm，带褐黑色，具斑点，种脐长 5mm。

|分布区域|

产于海南东方、昌江、白沙、五指山、保亭、陵水、澄迈、乐东。亦分布于中国广东、云南。越南、老挝、泰国、缅甸也有分布。

黄毛鰲豆

资　　源

生于林中或草地、山坡、路边或溪旁，十分常见。

采收加工

根全年均可采，洗净，鲜用或晒干。

功能主治

根：清热解毒，止痛截疟。用于疟疾。 藤茎：
用于风湿麻木。 全株：清热解毒，活血止痛，
截疟。用于疮疡肿毒、跌打损伤、疟疾。

蝶形花科 Fabaceae　鱶豆属 *Mucuna*

刺毛鱶豆 *Mucuna pruriens* (L.) DC.

| **中 药 名** | 刺毛鱶豆（药用部位：种子）

| **植物形态** | 缠绕藤本。茎具细纵沟槽；枝纤细，被紧贴的柔毛，渐变无毛。羽状复叶具 3 小叶，叶的大小变化大；叶柄被柔毛；顶生小叶椭圆形，长 14~16cm，宽 8~10cm，下面薄被灰白色绢毛；小托叶锥状，长 4~5mm；小叶柄被浅褐色茸毛。总状花序腋生，每节生 2~3 花，花序先端 2/3 有花；花梗长 2~4mm，密被毛；苞片和小苞片线状披针形，被毛，在花开放后脱落；花萼密被浅棕色短毛，萼筒宽杯

刺毛鱶豆

状，长 5mm，2 侧齿宽三角形；花冠暗紫色；旗瓣长 1.6~2.5cm，长为龙骨瓣的 1/2~2/3，边缘具睫毛，翼瓣长 2~4cm，边缘具睫毛，龙骨瓣长 2.8~4.2cm；雄蕊管长 2~2.7cm。荚果长圆形，稍呈"S"形，长 5~9cm，宽 0.8~2cm，厚 5mm，密被深褐色、橙色或金黄色长硬刺毛，边缘加厚，中央具槽；种子 3~6，椭圆形，长 0.9~1.78cm，种脐长 3~6mm，占种子周长之 1/8。花期 8~9 月，果期 10~11 月。

| 分布区域 | 产于海南三亚、东方、昌江。亦分布于中国华南其他区域，以及台湾、湖北、贵州、云南、四川。世界热带地区也有分布。

| 资　　源 | 生于平地、疏林、混交林或灌丛中，少见。

| 采收加工 | 秋季果实成熟时采收，晒干，打下种子。

| 功能主治 | 种子内含多巴碱成分，此成分是治疗帕金森病（震颤麻痹）的重要药物。服用粉末可治疗帕金森病。

| 附　　注 | 印度用种子治疗神经疾患。印第安人用于驱虫。斯里兰卡用于蝎螫伤。

| 蝶形花科 | Fabaceae | 红豆属 | *Ormosia* |

长脐红豆 *Ormosia balansae* Drake.

| **中 药 名** | 长脐红豆（药用部位：种子）

| **植物形态** | 常绿乔木，小枝密生褐色短毡毛。奇数羽状复叶，长 15~20cm；叶轴 1~5cm，最上部一对小叶处延长 1~4cm 生顶小叶，叶柄及叶轴均密被短毛；小叶 2~3 对，革质，长圆形，长 8~13cm，宽 4~5.5cm，下面有淡黄色平贴短毡毛；小叶柄长 5~9mm，有短毛。大型圆锥花序顶生，长约 19cm；总花梗及花梗密被灰褐色短茸毛；萼齿 5，不相等，密被褐色绒毛；花冠白色，旗瓣近圆形，翼瓣与龙骨瓣长椭圆形；雄蕊 10，子房密被灰褐色短绒毛。荚果阔卵形，长 3~4.5cm，宽 2.4~3cm，喙偏斜，果颈长 3~4mm，果瓣薄革质，质脆，

长脐红豆

密被褐色短绒毛；花萼宿存，有种子1，种子红色，圆形，长1.3~2cm，种脐长1.5~1.8cm。花期6~7月，果期10~12月。

| **分布区域** | 产于海南乐东、五指山、陵水、万宁、琼中、琼海、昌江。亦分布于中国广西、江西、云南。越南也有分布。

| **资　　源** | 生于中海拔至高海拔的林中，常见。

| **采收加工** | 果实成熟时采收种子。

| **功能主治** | 同属植物光叶红豆的种子用于痢疾，本种种子或有类似作用，其具体功能可进一步研究。

蝶形花科　Fabaceae　红豆属　Ormosia

凹叶红豆 *Ormosia emarginata* (Hook. & Arn.) Benth.

| 中 药 名 | 凹叶红豆（药用部位：种子）

| 植物形态 | 常绿小乔木，小枝无毛，芽有锈褐色毛。奇数羽状复叶，长
11~20.5cm，叶柄长 3.4~4.8cm；小叶 2~3 对，厚革质，倒卵形，长
3.7~7cm，宽 1.6~3.2cm；小叶柄长 3~5mm，有凹槽及皱纹；圆锥花
序顶生，长约 11cm；花有香气；花梗长 3~5mm，无毛；花萼 5 裂达
中部，边缘及内面有灰色茸毛；花冠白色或粉红色，旗瓣半圆形，
先端圆，基部柄长 2mm；翼瓣篦形，有长柄，基部耳状；龙骨瓣为
不整齐的长圆形，基部有纤细的柄，一侧微呈耳形；雄蕊 10，3 长 7
短；子房无毛。荚果扁平，黑褐色，菱形，长 3~5.5cm，宽 1.7~2.4cm，

凹叶红豆

两端尖，果颈长 2~3mm，果瓣木质，内面有隔膜，有种子 1~4；种子近圆形，长 7~10mm，种皮鲜红色，种脐小，有黄白色残留珠柄。花期 5~6 月。

| **分布区域** | 产于海南三亚、陵水、万宁。亦分布于中国华南其他区域。越南也有分布。

| **资　　源** | 生于混交林中，常见。

| **采收加工** | 果实成熟时采收种子。

| **功能主治** | 同属植物光叶红豆的种子用于痢疾，本种种子或有类似作用，其具体功能可进一步研究。

蝶形花科 Fabaceae 红豆属 *Ormosia*

肥荚红豆 *Ormosia fordiana* Oliv.

| **中药名** | 青竹蛇（药用部位：树皮、根、叶）

| **植物形态** | 乔木，奇数羽状复叶，长 19~40cm；叶柄长 3.5~7cm；小叶 3~4 对，薄革质，倒卵状披针形，顶生小叶较大，先端急尖，下面被锈褐色平贴疏毛或无毛；小叶柄长 6~8mm，上面有锈色柔毛，后脱落。花梗长 6~12mm；小苞片 2，披针形，密被锈褐色毛；花长 2~2.5mm；花萼长 1.5~2cm，淡褐绿色，萼齿 5，深裂，上部 2 齿联合至萼的中部以上的 2/3 处，密被锈色短毛；花冠淡紫红色，长约 1.5cm，旗瓣圆形，兜状，上部边缘强度内折，近基部中央有一黄色点，龙骨

肥荚红豆

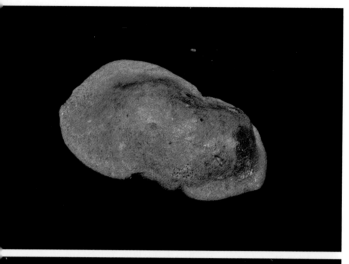

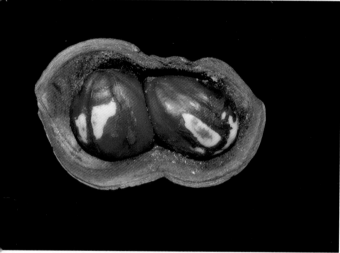

瓣与翼瓣相似；雄蕊 10，子房密被锈褐色绢毛，花柱在先端内卷。荚果半圆形，长 5~12cm，宽 5~6.8cm，先端有斜歪的喙，果颈扁，长 5~10mm，种子处突起，果瓣木质，开裂，厚约 2mm，淡黄色，内壁象牙色，具光泽，无隔膜；具宿存花萼，有种子 1~4；种子长椭圆形，长 2.5~3.3cm，种皮鲜红色，薄肉质，种脐近圆形，平坦，位于长短轴之间。花期 6~7 月，果期 11 月。

| 分布区域 |

产于海南三亚、乐东、五指山、保亭、琼中、昌江和白沙。亦分布于中国华南其他区域，以及云南。越南、泰国、缅甸、孟加拉国也有分布。

| 资　　源 |

生于山谷林中，少见。

| 采收加工 |

全年均可采收，鲜用或晒干。

| 药材性状 |

枝条圆柱形，嫩枝可见棕色短柔毛，质较硬，断面木质部占大部分，中央有髓。平整小叶狭长椭圆形，长 6~20cm，宽 1.5~6cm，先端急尖，基部楔形，全缘，羽状网脉，绿色或黄绿色。纸质，气微。

| 功能主治 |

清热解毒，消炎，消肿止痛。用于急性肝炎、风火牙痛、牙龈发炎、跌打损伤、肿痛、烫火伤。

蝶形花科 Fabaceae 红豆属 *Ormosia*

花榈木
Ormosia henryi Prain.

| 中 药 名 | 榈木（药用部位：根、根皮、枝叶、木材）

| 植物形态 | 常绿乔木，小枝、叶轴、花序密被茸毛。奇数羽状复叶，长
13~32.5cm；小叶2~3对，革质，椭圆形，长4.3~13.5cm，宽2.3~6.8cm，
下面及叶柄均密被黄褐色绒毛。圆锥花序顶生，密被淡褐色茸毛；
花长2cm，花萼钟形，5齿裂，裂至2/3处，萼齿内外均密被褐色绒
毛；花冠中央淡绿色，边缘绿色微带淡紫色，旗瓣近圆形，基部具
胼胝体，翼瓣倒卵状长圆形，龙骨瓣倒卵状长圆形；雄蕊10，分离，
花丝淡绿色，花药淡灰紫色。荚果扁平，长椭圆形，长5~12cm，宽
1.5~4cm，先端有喙，果颈长约5mm，果瓣革质，厚2~3mm，紫褐色，

花榈木

内壁有横隔膜，有种子 4~8，稀 1~2；种子椭圆形，长 8~15mm，种皮鲜红色，有光泽，种脐长约 3mm，位于短轴一端。花期 7~8 月，果期 10~11 月。

分布区域

海南偶见栽培。亦分布于陕西、江苏、安徽、浙江、江西、福建、湖北、湖南、广东、广西、四川、贵州、云南等地。

资　　源

生于海拔 100~1300m 的山坡、溪谷两旁的杂木林内。

采收加工

全年均可采收，晒干或鲜用。

功能主治

根、根皮、枝叶、木材：活血消肿，祛瘀解毒，散结，祛风湿。用于跌打损伤、腰肌劳损、腰酸、赤白带下、产后瘀血腹痛、风湿关节痛、流行性腮腺炎。根皮：外用于骨折。叶：外用于烫伤。

蝶形花科 Fabaceae 红豆属 *Ormosia*

海南红豆 *Ormosia pinnata* (Lour.) Merr.

| 中 药 名 |

海南红豆（药用部位：种子）

| 植物形态 |

常绿乔木或灌木，木质部有黏液。奇数羽状
复叶，长 16~22.5cm；小叶 3 对，薄革质，
披针形，长 12~15cm，两面均无毛，小叶柄
长 3~6mm。圆锥花序顶生，长 20~30cm；
花萼钟状，被柔毛，萼齿阔三角形；花冠粉
红色而带黄白色，各瓣均具柄，旗瓣瓣片基
部有角质耳状体 2，翼瓣倒卵圆形，龙骨瓣
基部耳形；子房密被褐色短柔毛。荚果长
3~7cm，宽约 2cm，有种子 1~4，果瓣厚木质，
成熟时橙红色，干时褐色，有淡色斑点；种
子椭圆形，长 15~20mm，种皮红色，种脐
长不足 1mm，位于短轴一端。花期 7~8 月。

| 分布区域 |

产于海南三亚、乐东、昌江、白沙、五指山、
保亭、陵水、万宁、琼中、儋州、澄迈、琼
海、文昌。亦分布于中国华南其他区域。

| 资　　源 |

生于中海拔及低海拔的山谷、山坡、路旁森
林中，常见。

海南红豆

| **采收加工** | 果实成熟时采收种子。

| **功能主治** | 同属植物光叶红豆的种子用于痢疾，本种种子或有类似作用，其具体功能可进一步研究。

蝶形花科 Fabaceae **红豆属** Ormosia

软荚红豆 *Ormosia semicastrata* Hance.

| **中 药 名** | 软荚红豆（药用部位：种子）

| **植物形态** | 常绿乔木，皮孔突起并有不规则的裂纹，小枝具黄色柔毛。奇数羽状复叶，长 18.5~24.5cm；小叶 1~2 对，革质，卵状长椭圆形，长 4~14.2cm，宽 2~5.7cm。圆锥花序顶生，总花梗、花梗均密被黄褐色柔毛；花长约 7mm，花萼钟状，长 4~5mm，萼齿三角形，外面密被锈褐色绒毛，内面疏被锈褐色柔毛；花冠白色，比萼约长 2 倍，旗瓣近圆形，连柄翼瓣线状倒披针形，龙骨瓣长圆形；雄蕊 10，5 枚发育，5 枚短小退化而无花药，交互着生于花盘边缘，花盘与萼

软荚红豆

筒贴生；雄蕊花柱下部腹面及子房背腹缝密被黄褐色短柔毛。荚果小，近圆形，革质，长1.5~2cm，先端具短喙，果颈长2~3mm，有种子1；种子扁圆形，鲜红色，长和宽约9mm，种脐长2mm，灰色。花期4~5月。

分布区域

产于海南昌江、五指山、万宁、琼海、琼中和定安。亦分布于中国华南其他区域，以及湖南、江西、福建、贵州。

资源

生于山地林中，常见。

采收加工

果实成熟时采收种子。

功能主治

同属植物光叶红豆的种子用于痢疾，本种种子或有类似作用，其具体功能可进一步研究。

蝶形花科 Fabaceae 红豆属 *Ormosia*

荔枝叶红豆
Ormosia semicastrata Hance f. *litchifolia* How.

| **中 药 名** | 荔枝叶红豆（药用部位：种子）

| **植物形态** | 本变型与原变型软荚红豆形态相似，区别为：树皮白色或暗灰色，小叶 2~3 对，有时达 4 对，叶片椭圆形或披针形，上面光亮如荔枝叶。

| **分布区域** | 产于海南乐东、东方、昌江、五指山、保亭、陵水。

| **资　　源** | 生于山地林中，十分常见。

荔枝叶红豆

| 采收加工 | 果实成熟时采收种子。

| 功能主治 | 同属植物光叶红豆的种子用于痢疾，本种种子或有类似作用，其具体功能可进一步研究。

| 附　　注 | FOC 把本变种归入软荚红豆，但 FRPS 认为两者存在较大差异，故予保留，本书中认为两者叶片有一定区别，故同意 FRPS 看法。

■ 蝶形花科 ■ Fabaceae ■ 豆薯属 ■ *Pachyrhizus*

豆 薯 *Pachyrhizus erosus* (L.) Urban

| 中 药 名 |　凉薯（药用部位：块根、种子、花）

| 植物形态 |　缠绕、草质藤本，稍被毛，根块状纺锤形，肉质。羽状复叶具 3 小叶；托叶线状披针形，长 5~11mm；小托叶锥状，长约 4mm；小叶菱形或卵形，长 4~18cm，宽 4~20cm，中部以上不规则浅裂，仅下面微被毛。总状花序长 15~30cm，每节有花 3~5；小苞片刚毛状，早落；萼长 9~11mm，被紧贴的长硬毛；花冠浅紫色或淡红色，旗瓣近圆形，中央近基部处有一黄绿色斑块及 2 胼胝状附属物，瓣柄以上有 2 半圆形、直立的耳；翼瓣镰刀形，基部具线形、向下的长耳；龙骨瓣近镰刀形；雄蕊二体，子房被浅黄色长硬毛。荚果带形，长 7.5~13cm，

豆薯

宽 12~15mm，被细长糙伏毛；种子每荚 8~10，近方形，长和宽 5~10mm，扁平。花期 8 月，果期 11 月。

| **分布区域** | 产于海南三亚、乐东、东方、五指山、陵水、万宁、澄迈、琼海，西沙群岛有栽培。中国南部各地亦有栽培。原产于美洲热带地区，现热带、亚热带地区广泛分布。

| **资　　源** | 栽培，常见。

| **采收加工** | 块根：秋季采挖块根，鲜用或晒干。种子：10~11 月采收成熟果实，打取种子，晒干。花：7~9 月采收花，晒干。

| **药材性状** | 块根纺锤形或扁球形，有的凹陷呈瓣状，长 5~20cm，直径可达 20cm，表面黄白色或棕褐色，肥厚肉质，鲜时外皮易撕去，内面白色，水分较多，干品粉白色，粉性足。气微，味甘。种子近方形而扁，直径约 6mm，表面棕色至深棕色，有光泽。花蕾呈扁长圆形或短镰状，长约 2cm，宽约 5mm。萼片灰绿色或灰黄色，花瓣淡黄色，间有浅蓝色。

| **功能主治** | 块根：消暑，生津止渴，降压，解酒毒。用于热病口渴、肠风下血、中暑、高血压、慢性酒精中毒。种子：外用于疥癣、痈肿、头虱。花：解酒毒。用于慢性酒精中毒、烦渴、肠风下血。

蝶形花科 Fabaceae **排钱树属** *Phyllodium*

毛排钱树 *Phyllodium elegans* (Lour.) Desv.

| **中 药 名** | 毛排钱草（药用部位：根及地上部分、叶或全株）

| **植物形态** | 灌木，茎、枝和叶柄均密被黄色绒毛。托叶宽三角形，外面被绒毛；叶柄长约 5mm；小叶革质，长 7~10cm，宽 3~5cm，两面均密被绒毛，边缘呈浅波状；小托叶针状，小叶柄长 1~2mm，密被黄色绒毛。花通常 4~9 朵组成伞形花序生于叶状苞片内，叶状苞片排列成总状圆锥花序状，苞片与总轴均密被黄色绒毛；苞片宽椭圆形，花梗长 2~4mm，密被开展软毛；花萼钟状，长 3~4mm，被灰白色短

毛排钱树

柔毛，花冠白色或淡绿色，旗瓣长 6~7mm，具不明显的瓣柄，翼瓣长 5~6mm，基部具耳和瓣柄，龙骨瓣较翼瓣大，基部多少有耳；雌蕊被毛，基部具小花盘。荚果通常长 1~1.2cm，宽 3~4mm，密被银灰色绒毛，背缝线波状，通常有荚节 3~4；种子椭圆形，长 2.5mm，宽 1.8~2mm，花期 7~8 月，果期 10~11 月。

| 分布区域 | 产于海南乐东、昌江、五指山、保亭、万宁、琼中、儋州、澄迈、屯昌、琼海。亦分布于中国华南其他区域，以及福建、贵州、云南。越南、老挝、柬埔寨、泰国、印度尼西亚也有分布。

| 资　　源 | 生于平原、丘陵荒地或山坡草地、疏林或灌丛中，常见。

| 采收加工 | 全株：夏季采收，鲜用或晒干。

| 功能主治 | 根及地上部分：清热利湿，散瘀消肿，活血。用于跌打损伤、乳疮、咯血、血淋、小儿牙疳及锁喉风、牙痛、头疮、疳积、瘰疬、风湿骨痛、感冒、痢疾、肝脾肿大。叶：接骨。用于骨折。全株：开胃健脾，清热利湿。用于小儿疳积、风湿关节痛、胸腹胀痛。

■ 蝶形花科 ■ Fabaceae ■ 排钱树属 ■ *Phyllodium*

排钱树
Phyllodium pulchellum (L.) Desv.

| 中 药 名 | 排钱草（药用部位：全株），排钱草根（药用部位：根）

| 植物形态 | 灌木，小枝被白色或灰色短柔毛。托叶三角形，长约5mm，叶柄密被灰黄色柔毛；小叶革质，顶生小叶卵形，长6~10cm，宽2.5~4.5cm，边缘稍呈浅波状，下面疏被短柔毛；小托叶钻形，小叶柄长1mm，密被黄色柔毛。伞形花序有花5~6，藏于叶状苞片内，叶状苞片排列成总状圆锥花序状；两面略被短柔毛及缘毛，具羽状脉；花萼被短柔毛；花冠白色或淡黄色，旗瓣长5~6mm，具短宽的瓣柄；翼瓣

排钱树

长约5mm，基部具耳，具瓣柄；龙骨瓣长约6mm，具瓣柄。荚果长6mm，宽2.5mm，腹、背两缝线稍缢缩，荚节2，成熟时无毛；种子宽椭圆形，长2.2~2.8mm，宽2mm。花期7~9月，果期10~11月。

| 分布区域 | 产于海南三亚、东方、昌江、五指山、保亭、万宁、琼中、儋州、临高。亦分布于中国华南其他区域，以及江西、福建、台湾、贵州、云南。亚洲热带地区至澳大利亚及巴布亚新几内亚也有分布。

| 资　　源 | 生于丘陵荒地、路旁或山坡疏林中，常见。

| 采收加工 | 全株：夏、秋季采收，鲜用或切片晒干。根：全年均可采根，洗净，切片，晒干或鲜用。

| 功能主治 | 全株：清热解毒，散瘀消肿，祛湿活络，疏风解表。用于感冒、胃脘痛、风湿痹痛、水肿、喉风、牙痛、跌打损伤。根：清热利湿，活血祛瘀，软坚散结。用于感冒发热、疟疾、肝炎、肝硬化腹水、血吸虫病、肝脾肿大、风湿疼痛、跌打损伤。

| 蝶形花科 | Fabaceae | 水黄皮属 | Pongamia |

水黄皮
Pongamia pinnata (L.) Pierre.

| **中 药 名** | 水流豆（药用部位：全株或种子、花）

| **植物形态** | 乔木，一老枝密生灰白色小皮孔。羽状复叶长 20~25cm；小叶 2~3 对，近革质，卵形、阔椭圆形至长椭圆形，长 5~10cm，宽 4~8cm，先端短渐尖或圆形，基部宽楔形、圆形或近截形；小叶柄长 6~8mm。总状花序腋生，长 15~20cm，通常 2 花簇生于花序总轴的节上；花梗长 5~8mm，在花萼下有卵形的小苞片 2；花萼长约 3mm，萼齿不明显，外面略被锈色短柔毛，边缘尤密；花冠白色或粉红色，长 12~14mm，各瓣均具柄，旗瓣背面被丝毛，边缘内卷，龙骨瓣略弯曲。荚果长 4~5cm，宽 1.5~2.5cm，先端有短喙，不开裂，有种子 1；种子肾形。花期 5~6 月，果期 8~10 月。

水黄皮

分布区域

产于海南三亚、万宁、琼海、海口。亦分布于中国华南其他区域，以及福建、台湾。越南、缅甸、马来西亚、印度尼西亚、菲律宾、孟加拉国、尼泊尔、印度、斯里兰卡、日本，以及太平洋群岛、澳大利亚、非洲、中美洲也有分布。

资　　源

生于溪边、塘边及海边潮汐能到达的地方，常见。

采收加工

秋季果实成熟时采收，打下种子，晒干。

功能主治

种子：清热燥湿，杀虫灭疥。用于疥癣、脓疮及风湿关节痛。全株：用作催吐剂。花：用于糖尿病。

蝶形花科 Fabaceae 四棱豆属 Psophocarpus

四棱豆
Psophocarpus tetragonolobus (L.) DC.

| **中 药 名** | 四棱豆（药用部位：种子、块根、叶）

| **植物形态** | 攀缘草本，具块根。叶为具 3 小叶的羽状复叶；叶柄长，基部有叶枕；小叶卵状三角形，长 4~15cm，宽 3.5~12cm，全缘；托叶卵形至披针形，着生点以下延长成形状相似的距，长 0.8~1.2cm。总状花序腋生，长 1~10cm，小苞片近圆形；花萼绿色，钟状，长约 1.5cm；旗瓣圆形，外淡绿，内浅蓝，翼瓣倒卵形，浅蓝色，瓣柄中部具"丁"字着生的耳，龙骨瓣稍内弯，基部具圆形的耳，白色而略染浅蓝；对旗瓣的 1 雄蕊基部离生，中部以上和其他雄蕊合生成管。荚果四棱状，长 10~25cm，宽 2~3.5cm，黄绿色或绿色，翅宽 0.3~1cm，边缘具锯齿；

四棱豆

种子 8~17，各种颜色，近球形，直径 0.6~1cm，光亮，边缘具假种皮。果期 10~11 月。

| 分布区域 |

产于海南保亭、万宁、澄迈、海口。亦分布于中国华南其他区域，以及台湾、云南。原产于亚洲热带地区，热带地区广泛栽培。

| 资　　源 |

栽培，常见。

| 采收加工 |

块根：全年均可采，洗净，切片，鲜用或晒干。

| 药材性状 |

块根：鲜品呈圆柱形或纺锤形，肥嫩多汁，干品有不规则的纵沟纹。气微，味微涩。

| 功能主治 |

清热利湿，消炎止痛，强壮。用于咽喉痛、牙痛、口腔溃疡、皮疹、尿急、尿痛、痢疾、腹痛、跌打损伤、肾虚腰痛、风湿痹痛、闭经痛经、淋巴结结核。

蝶形花科 Fabaceae　紫檀属 *Pterocarpus*

紫 檀 *Pterocarpus indicus* Willd.

中 药 名

紫檀（药用部位：心材、树脂）

植物形态

乔木，树皮灰色。羽状复叶长 15~30cm；托叶早落；小叶 3~5 对，卵形，长 6~11cm，宽 4~5cm，两面无毛。圆锥花序被褐色短柔毛；花梗长 7~10mm，先端有 2 线形小苞片；花萼钟状，萼齿阔三角形，被褐色丝毛；花冠黄色，花瓣有长柄，边缘皱波状，旗瓣宽 10~13mm；雄蕊 10，单体，最后分为"5+5"的二体；子房密被柔毛。荚果圆形，偏斜，宽约 5cm，种子部分略被毛且有网纹，周围具宽翅，有种子 1~2。花期春季。

分布区域

产于海南三亚、儋州、屯昌、海口。亦分布于中国广东、台湾、云南。越南、泰国、缅甸、马来西亚、菲律宾、印度尼西亚、印度及太平洋群岛也有分布。

资　源

生于坡地疏林中或栽培于庭园，少见。

紫檀

| **采收加工** | 心材：夏、秋季采收，切片，晒干。

| **功能主治** | 消肿止痛，凉血止血，清热利尿。用于肿毒、恶毒、风毒、卒毒肿起、急痛、金疮出血、尿结石、血尿、热淋、尿痛、尿涩、外伤出血。

蝶形花科　Fabaceae　葛属　Pueraria

葛

Pueraria lobata (Willd.) Ohwi.

| 中 药 名 | 野葛（药用部位：块根、花、叶、藤茎），葛谷（药用部位：种子）

| 植物形态 | 粗壮藤本，全体被黄色长硬毛，有粗厚的块状根。羽状复叶具3小叶；托叶背着，具线条；小托叶线状披针形；小叶三裂，长7~15cm，宽5~12cm，上面被淡黄色、平伏的疏柔毛，下面较密；小叶柄被黄褐色绒毛。总状花序长15~30cm，中部以上有颇密集的花；苞片线状披针形至线形，早落；小苞片卵形；花2~3聚生于花序轴的节上；花萼钟形，长8~10mm，被黄褐色柔毛，裂片披针形；花冠长10~12mm，紫色，旗瓣倒卵形，基部有2耳及一黄色硬痂状附属体，

葛

具短瓣柄；翼瓣镰状，较龙骨瓣为狭，基部有线形、向下的耳；龙骨瓣镰状长圆形，基部有极小、急尖的耳；子房线形，被毛。荚果长椭圆形，长 5~9cm，宽 8~11mm，扁平，被褐色长硬毛。花期 9~10 月，果期 11~12 月。

| 分布区域 | 产于海南东方、五指山、保亭、万宁、琼中、儋州、澄迈、三亚、乐东及昌江。亦分布于中国各地。东南亚、澳大利亚也有分布。

| 资　　源 | 生于山地林缘，常见。

| 采收加工 | 块根：栽培 3~4 年采挖，在冬季叶片枯黄后到发芽前进行。把块根挖出，去掉藤蔓，切下根头作种，除去泥沙，刮去粗皮，切成 1.5~2cm 厚的斜片，晒干或烘干。广东、福建等地切片后，用盐水、白矾水或淘米水浸泡，再用硫黄熏后晒干，色较白净。花：立秋后当花未完全开放时采收，去枝叶，晒干。叶：全年均可采，鲜用或晒干。藤茎：全年均可采，鲜用或晒干。种子：秋季果实成熟时采收，打下种子，晒干。

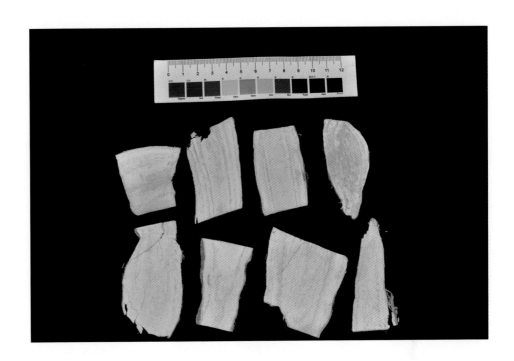

| 药材性状 | 完整的块根多呈圆柱形,商品常为斜切、纵切、横切的片块,大小不等。表面褐色,具纵皱纹,可见横向皮孔和不规则的须根痕。质坚实,断面粗糙,黄白色,隐约可见 1~3 层同心环层。纤维性强,略具粉性。气微,味微甜。花蕾呈扁长圆形。开放的花皱缩,花萼灰绿色至灰黄色,萼齿 5。花冠蓝色至蓝紫色,久置则呈灰黄色;旗瓣近圆形或长圆形,长 6~15mm,宽 6~12mm,先端中央缺刻。 |

| 功能主治 | 块根:清热解毒,生津止渴,升阳,醒酒,退疹,止泻止痢。用于伤寒、烦热口渴、风寒感冒、头痛、项强痛、腹泻、痢疾、斑疹不透、高血压、心绞痛、耳聋、疔疖疮疡、衄血、吐血、毒蛇咬伤。 |

| 附 注 | 在 FOC 中,其被修订为葛麻姆 *Pueraria montana* (Lour.) Merr. var. *lobata* (Willd.)。 |

葛麻姆
Pueraria lobata (Willd.) Ohwi var. *montana* (Lour.) Vaniot der Maesen

| 中 药 名 | 葛麻姆（药用部位：根、花）

| 植物形态 | 粗壮藤本，全体被黄色长硬毛，茎基部木质，有粗厚的块状根。羽状复叶具 3 小叶；托叶背着，小托叶线状披针形，小叶 3 裂，偶尔全缘，长 7~15cm，宽 5~12cm，上面被淡黄色、平伏的疏柔毛，下面较密；小叶柄被黄褐色绒毛。总状花序长 15~30cm，中部以上有颇密集的花；苞片线状披针形，远比小苞片长，早落；小苞片长不及 2mm；花 2~3 聚生于花序轴的节上；花萼钟形，被黄褐色柔毛，裂片披针形；花冠长 10~12mm，紫色，旗瓣倒卵形，基部有 2 耳及一黄色硬痂状附属体，具短瓣柄；翼瓣镰状，较龙骨瓣为狭，基部有线形、向下的耳；龙骨瓣镰状长圆形，基部有极小、急尖的耳；

葛麻姆

对旗瓣的 1 雄蕊仅上部离生；子房被毛。荚果长椭圆形，长 5~9cm，宽 8~11mm，扁平，被褐色长硬毛。花期 9~10 月，果期 11~12 月。

| 分布区域 |

产于海南三亚、昌江、白沙、五指山、保亭、陵水、万宁、琼中、儋州。亦分布于中国各地。东南亚、澳大利亚、非洲、美洲、欧洲也有分布。

| 资　　源 |

生于向阳旷野灌丛或疏林下，十分常见。

| 采收加工 |

根：春、秋季采挖，洗净，切片，晒干。

| 功能主治 |

根：解热，生津止渴，清火止咳，透疹。用于麻疹不透、吐血、口渴咳嗽、口腔破溃。花：用于痔疮、酒精中毒。

| 附　　注 |

在 FRPS 中，其学名被修订为 *Pueraria montana* (Lour.) Merr.。

蝶形花科 Fabaceae 葛属 Pueraria

三裂叶野葛 *Pueraria phaseoloides* (Roxb.) Benth.

| **中 药 名** | 三裂叶野葛（药用部位：块根、花）

| **植物形态** | 草质藤本，茎被褐黄色、开展的长硬毛。羽状复叶具 3 小叶；托叶基着，小托叶线形；小叶长 6~10cm，宽 4.5~9cm，上面被紧贴的长硬毛，下面密被白色长硬毛。总状花序单生，长 8~15cm，中部以上有花；苞片和小苞片线状披针形，被长硬毛；萼钟状，被紧贴的长硬毛；花冠浅蓝色或淡紫色，旗瓣近圆形，基部有小片状、直立的附属体及 2 内弯的耳；翼瓣倒卵状长椭圆形，稍较龙骨瓣为长，基部一侧有宽而圆的耳；龙骨瓣镰刀状，先端具短喙；子房线形，略被毛。荚果近圆柱状，长 5~8cm，直径约 4mm，果瓣开裂后扭曲；种子长椭圆形，长 4mm。花期 8~9 月，果期 10~11 月。

三裂叶野葛

| **分布区域** | 产于海南三亚、乐东、东方、昌江、白沙、五指山、保亭、陵水、万宁、儋州、琼中、屯昌、定安、琼海、海口。亦分布于中国华南其他区域，以及浙江、云南。中南半岛，以及马来西亚、印度也有分布，热带地区广泛栽培。 |

| **资　　源** | 生于山地、丘陵的灌丛中，十分常见。 |

| **采收加工** | 花：夏、秋季选晴天采摘。 |

| **功能主治** | 块根：清热解毒，生津止渴，发表透疹，升阳止泻。花：解酒止渴。 |

蝶形花科 Fabaceae 葛属 *Pueraria*

粉 葛
Pueraria lobata (Willd.) Ohwi var. *thomsonii* (Benth.) Vaniot der Maesen

| 中 药 名 | 粉葛（药用部位：块根、花、种子）

| 植物形态 | 本变种与原变种葛的形态相似，区别在于顶生小叶菱状卵形或宽卵形，侧生的斜卵形，长和宽均为10~13cm，先端急尖或具长小尖头，基部平截或急尖，全缘或具2~3裂片，两面均被黄色粗伏毛；花冠长16~18mm；旗瓣近圆形。花期9月，果期11月。

| 分布区域 | 产于海南三亚、保亭、屯昌、海口、琼中。亦分布于中国华南其他区域，以及江西、云南、四川、西藏。越南、老挝、泰国、缅甸、菲律宾、不丹、印度也有分布。

粉葛

| 资　源 |

生于山野灌丛、疏林中或栽培，十分常见。

| 采收加工 |

花：夏、秋季选晴天采摘。种子：果实成熟后采收种子。

| 功能主治 |

块根：清热解毒，生津止渴，发表透疹，升阳止泻。用于外感发热、头痛、口渴、消渴、麻疹不透、热病、泄泻、高血压、颈项强痛。花：解酒醒脾。用于酒醉烦渴。种子：用于下痢。

| 附　注 |

在 FOC 中，其学名被修订为 *Pueraria montana* (Lour.) Merr. var. *thomsonii* (Benth.) Wiersema ex D. B. Ward。

蝶形花科 Fabaceae 密子豆属 Pycnospora

密子豆 *Pycnospora lutescens* (Poir.) Schindl.

| 中 药 名 |　密子豆（药用部位：全草）

| 植物形态 |　亚灌木状草本，小枝被灰色短柔毛。托叶狭三角形，长 4mm，基部宽 1mm，被灰色柔毛和缘毛；叶柄被灰色短柔毛；小叶近革质，倒卵形，两面密被贴伏柔毛；小托叶针状，长 1mm；小叶柄长约 1mm。总状花序长 3~6cm，花很小，每 2 朵排列于疏离的节上，节间长约 1cm，总花梗被灰色柔毛；苞片早落，干膜质，被柔毛和缘毛；花梗长 2~4mm，被灰色短柔毛；花萼深裂，裂片窄三角形，被柔毛；花冠淡紫蓝色，长约 4mm；子房有柔毛。荚果长圆形，长 6~10mm，宽及厚 5~6mm，膨胀，有横脉纹，成熟时黑色，沿腹缝线开裂；果梗被开展柔毛；种子 8~10，肾状椭圆形，长约 2mm。花果期 8~9 月。

密子豆

| 分布区域 |

产于海南三亚、东方、昌江、五指山、陵水、万宁、儋州、澄迈、定安、文昌。亦分布于中国华南其他区域，以及江西、福建、台湾、贵州、云南。越南、老挝、柬埔寨、缅甸、菲律宾、印度尼西亚、印度、巴布亚新几内亚及澳大利亚东部也有分布。

| 资　源 |

生于山地草坡及平原，十分常见。

| 采收加工 |

夏、秋季采收，洗净，晒干。

| 功能主治 |

清热解毒，消肿利水，利尿通淋。用于咽喉肿痛、皮肤无名肿毒、小便不利、淋沥涩痛、癃闭、砂淋、白浊、水肿、下肢浮肿。

蝶形花科 Fabaceae 鹿藿属 Rhynchosia

小鹿藿 *Rhynchosia minima* (L.) DC.

| 中 药 名 | 小鹿藿（药用部位：全草）

| 植物形态 | 缠绕状一年生草本，茎具细纵纹。叶具羽状 3 小叶；托叶披针形，常早落；叶柄长 1~4cm，小叶膜质，顶生小叶菱状圆形，长、宽均为 1.5~3cm，下面密被小腺点，基出脉 3，侧生小叶与顶生小叶近相等。总状花序腋生，长 5~11cm，花长约 8mm，排列稀疏，常略下弯，披针形苞片早落，花萼长约 5mm，微被短柔毛，裂片披针形，花冠黄色，伸出萼外，各瓣近等长，旗瓣基部具瓣柄和 2 尖耳，翼瓣具瓣柄和耳，龙骨瓣稍弯，具瓣柄。荚果倒披针形至椭圆形，长 1~1.7cm，宽约 5mm，被短柔毛；种子 1~2。花果期 5~11 月。

小鹿藿

| 分布区域 | 产于海南三亚、儋州、西沙群岛。亦分布于中国台湾、湖北、云南、四川。越南、缅甸、马来西亚、尼泊尔、不丹、印度、阿富汗、巴基斯坦、日本及东非热带地区也有分布。

| 资　　源 | 生于海边沙质土上，偶见。

| 采收加工 | 5~6 月采收，洗净，鲜用或晒干。

| 功能主治 | 同属植物鹿藿全草可利尿消肿，解毒杀虫。本种或有类似作用，其功能有待进一步研究。

蝶形花科 Fabaceae 鹿藿属 Rhynchosia

鹿 藿 *Rhynchosia volubilis* Lour.

| 中 药 名 | 鹿藿（药用部位：茎、叶、根或全株）

| 植物形态 | 缠绕草质藤本。全株各部多少被灰色至淡黄色柔毛。叶为羽状；托叶披针形，被短柔毛；小叶纸质，两面均被灰色或淡黄色柔毛，并被黄褐色腺点；基出脉 3；小叶柄长 2~4mm。总状花序长 1.5~4cm，花萼钟状，裂片披针形，外面被短柔毛及腺点；花冠黄色，旗瓣近圆形，有宽而内弯的耳；翼瓣倒卵状长圆形，基部一侧具长耳；龙骨瓣具喙；雄蕊二体；子房被毛及密集的小腺点。荚果长圆形，红紫色，长 1~1.5cm，宽约 8mm，极扁平，在种子间略收缩，先端有小喙；种子通常 2，黑色，光亮。花期 5~8 月，果期 9~12 月。

鹿藿

| 分布区域 |

产于海南东方、昌江、万宁、儋州。亦分布于中国广东、台湾。越南、朝鲜、日本也有分布。

| 资　源 |

生于山坡路旁草丛中，偶见。

| 采收加工 |

5~6 月采收茎、叶，秋季挖根，除去泥土，洗净，鲜用或晒干，贮干燥处。

| 功能主治 |

茎、叶：凉血解毒。外用于乳疮、结膜白斑。根：用于风湿关节痛。种子：镇咳祛痰，祛风和血，解毒杀虫。全株：利尿消肿，解毒杀虫。用于头痛、腰疼腹痛、产后发热、瘰疬、痈肿、流注、气管炎。

蝶形花科 Fabaceae 田菁属 Sesbania

田 菁
Sesbania cannabina (Retz.) Pers.

| 中药名 | 向天蜈蚣（药用部位：叶、根）

| 植物形态 | 一年生草本，茎微被白粉。基部有多数不定根，折断有白色黏液。羽状复叶；叶轴长 15~25cm；托叶披针形，早落；小叶 20~30 对，线状长圆形，长 8~20mm，宽 2.5~4mm，两面被紫色小腺点，下面尤密；小托叶钻形，宿存。总状花序长 3~10cm，具 2~6 花，疏松；总花梗及花梗纤细，下垂，疏被绢毛；苞片线状披针形，小苞片 2，均早落；花萼斜钟状，萼齿短三角形，各齿间常有 1~3 腺状附属物，内面边缘具白色细长曲柔毛；花冠黄色，旗瓣横椭圆形至近圆形，外面散生大小不等的紫黑点和线，胼胝体小，梨形；翼瓣倒卵状长圆形，基部具短耳，中部具较深色的斑块，并有横向皱褶；龙骨瓣较翼瓣短，三角状阔卵形，长宽近相等；雄蕊二体；雌蕊无毛。荚果

田菁

细长，长圆柱形，长 12~22cm，宽 2.5~3.5mm，外面具黑褐色斑纹，喙尖，果颈长约 5mm，种子间具横隔，有种子 20~35；种子绿褐色，有光泽，种脐圆形，稍偏于一端。花果期 7~12 月。

| 分布区域 |

产于海南三亚、乐东、万宁，西沙群岛有分布记录。中国长江以南亦有栽培或逸为野生。原产于澳大利亚及太平洋群岛。

| 资　　源 |

生于水田、水沟等潮湿低地，常见。

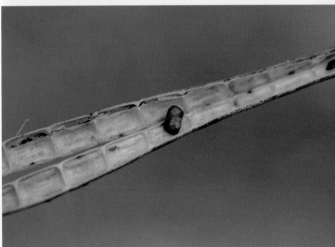

| 采收加工 |

夏季采收叶，秋季挖根，洗净，鲜用或晒干。

| 功能主治 |

根、叶：清热解毒，凉血利尿。用于热淋下消、妇人赤白带、尿血、毒蛇咬伤。种子：消炎，止痛。用于流行性腮腺炎、高热、胸膜炎、关节痛、挫伤。

蝶形花科 Fabaceae 槐属 Sophora

绒毛槐
Sophora tomentosa L.

| 中 药 名 | 绒毛槐（药用部位：根）

| 植物形态 | 灌木或小乔木，枝被灰白色短绒毛；羽状复叶长 12~18cm，无托叶；小叶 5~7 对，近革质，长 2.5~5cm，宽 2~3.5cm，上面无毛，下面密被灰白色短绒毛，干时边缘反卷或内折。通常为总状花序，顶生，长 10~20cm，被灰白色短绒毛；花较密；花梗与花等长，苞片线形；花萼钟状，长 5~6mm，被灰白色短绒毛；花冠淡黄色或近白色，旗瓣阔卵形，边缘反卷；翼瓣长椭圆形，与旗瓣等长，具钝圆形单耳，柄纤细，长约 5mm；龙骨瓣与翼瓣相似，稍短，背部明显呈龙骨状互相盖叠；雄蕊 10，分离；子房密被灰白色短柔毛。荚果为典型串

绒毛槐

珠状，长 7~10cm，直径约 10mm，表面被短茸毛，成熟时近无毛，有多数种子；
种子球形，褐色，具光泽。花期 8~10 月，果期 9~12 月。

| **分布区域** | 产于海南三亚、万宁、西沙群岛、南沙群岛。亦分布于中国广东、台湾。广布
于世界热带海岸地带及岛屿上。

| **资 源** | 生于海滨沙丘及附近小灌木林中，偶见。

| **采收加工** | 全年均可采挖，洗净，切片，晒干。

| **功能主治** | 用于腹泻。

蝶形花科 Fabaceae 密花豆属 Spatholobus

光叶密花豆
Spatholobus harmandii Gagnep.

| 中 药 名 | 光叶密花豆（药用部位：藤茎）

| 植物形态 | 攀缘藤本，小叶革质至厚革质，同形，侧生小叶两侧对称，长
7.5~13cm，宽 3~6cm；小叶柄长 3~5mm，无毛或被疏短毛；小托
叶针状，长 2~3mm。圆锥花序腋生，疏被棕褐色短柔毛；花梗与
花萼近等长；小苞片线形，生于花梗顶部，早落；花萼钟形，长约
4mm，裂齿钝三角形，被柔毛；花瓣紫红色，旗瓣圆形，长和宽均
为 5~6mm；翼瓣与龙骨瓣长圆形，近等长，基部一侧具 1 圆耳垂；
子房被毛。荚果长 8~9cm，下部较宽，被棕色短柔毛，先端钝，基
部无果颈；种子长圆形或狭椭圆形，长 1.9~2.9cm，宽 1~1.3cm，黑色，
无光泽。花期 3 月，果期 6~7 月。

光叶密花豆

| 分布区域 |

产于海南三亚、白沙、万宁、屯昌。越南、老挝也有分布。

| 资　源 |

生于疏林下，偶见。

| 采收加工 |

全年或秋、冬季采收，洗净，切片，晒干。

| 药材性状 |

茎呈圆柱形，稍弯曲，直径 1.5~5cm，具明显的环状突起，横向环纹不明显，表面灰棕色至红棕色，可见灰白色斑，栓皮脱落处呈棕红色，皮孔突起，圆点状或椭圆形，直径 1~5mm。质坚硬，难折断。横切面皮部分泌物黑棕色，木质部红棕色，导管孔洞状，不规则排列，髓细小。气微，味淡。

| 功能主治 |

补血强筋，通经活络。用于跌打损伤、筋骨酸痛。

蝶形花科 Fabaceae 密花豆属 Spatholobus

红血藤
Spatholobus sinensis Chun et T. Chen

| 中 药 名 | 红血藤（药用部位：藤茎）

| 植物形态 | 攀缘藤本，小叶革质，长圆状椭圆形，顶生小叶长 5~9.5cm，宽 2~4cm，侧生小叶略小，小叶柄膨大，密被糙伏毛；小托叶钻形，长 3~5mm，宿存。圆锥花序通常腋生，长 5~10cm，密被棕褐色糙伏毛，苞片和小苞片钻状；花萼钟状，长约 4mm，两面密被糙伏毛，裂齿约与萼管等长，上面 2 齿多少合生；花瓣紫红色，旗瓣扁圆形，先端深凹入；翼瓣倒卵状长圆形，基部一侧具短尖耳垂；龙骨瓣镰状，长圆形，无耳；花药近球形，黄色；沿腹缝线密被糙伏毛，其余被疏长毛。荚果斜长圆形，长 6~9cm，上部较狭，被棕色长柔毛；种子长圆形，长约 1.5cm，黑色。花期 6~7 月，果期翌年 1 月。

红血藤

| 分布区域 |

产于海南三亚、保亭、万宁、澄迈。亦分布于中国华南其他区域。

| 资　　源 |

生于低海拔山谷密林中较阴湿的地方，常见。

| 采收加工 |

全年或秋、冬季采收，洗净，切片，晒干。

| 药材性状 |

茎呈圆柱形，稍弯曲，直径 3.3~4.0cm，表面灰棕色，具明显的纵沟及细密的横向环纹，皮孔突起，圆点状或椭圆形，较小，质坚，难折断，折断面呈不规则裂片状，横切面皮部分泌物呈黑棕色，木质部红棕色，木薄壁组织色较深，波状排列成层，导管孔洞状，不规则排列，髓细小。气微，味淡。

| 功能主治 |

补血，通经，活络。用于贫血、月调不调、筋骨酸痛。

蝶形花科 Fabaceae 笔花豆属 Stylosanthes

圭亚那笔花豆
Stylosanthes guianensis (Aubl.) Sw.

圭亚那笔花豆

| 中 药 名 |

圭亚那笔花豆（药用部位：全草）

| 植物形态 |

草本或亚灌木。叶具 3 小叶，托叶鞘状，长 0.4~2.5cm；叶柄和叶轴长 0.2~1.2cm；小叶卵形，长 0.5~3cm，宽 0.2~1cm；无小托叶。花序长 1~1.5cm，具密集的花 2~40；初生苞片长 1~2.2cm，密被伸展长刚毛，次生苞片长 2.5~5.5mm，小苞片长 2~4.5mm；花萼管椭圆形，旗瓣橙黄色，具红色细脉纹，长 4~8mm，宽 3~5mm。荚果具 1 荚节，卵形，长 2~3mm，宽 1.8mm，喙很小，内弯；种子灰褐色，扁椭圆形，近种脐具喙，长 2.2mm，宽 1.5mm。

| 分布区域 |

海南有栽培品种，现已归化。广东、台湾亦有栽培。原产于墨西哥至阿根廷。

| **资　　源** | 生于田边、林缘，常见。

| **采收加工** | 夏、秋季采收全草。

| **功能主治** | 止痛，浸剂可作镇痛药。

蝶形花科 Fabaceae 葫芦茶属 Tadehagi

葫芦茶
Tadehagi triquetrum (L.) Ohashi.

| 中 药 名 | 葫芦茶（药用部位：全株或根）

| 植物形态 | 灌木或亚灌木。叶仅具单小叶；托叶披针形，叶柄长 1~3cm，两侧有宽翅；小叶纸质，狭披针形，长 5.8~13cm，宽 1.1~3.5cm。总状花序长 15~30cm，被贴伏丝状毛和小钩状毛；花 2~3 簇生于每节上；苞片长 5~10mm；花萼宽钟形，上部裂片三角形；花冠淡紫色或蓝紫色，长 5~6mm，伸出萼外，旗瓣近圆形，先端凹入，翼瓣倒卵形，基部具耳，龙骨瓣镰刀形，弯曲，瓣柄与瓣片近等长；雄蕊二体；子房被毛。荚果长 2~5cm，宽 5mm，全部密被糙伏毛，背缝线稍缢缩，有荚节 5~8，荚节近方形；种子宽椭圆形，长 2~3mm，宽 1.5~2.5mm。花期 6~10 月，果期 10~12 月。

葫芦茶

分布区域	产于海南三亚、乐东、东方、昌江、五指山、保亭、陵水、万宁、琼中、儋州、定安。亦分布于中国华南其他区域，以及江西、福建、台湾、贵州、云南。越南、老挝、柬埔寨、泰国、缅甸、马来西亚、印度尼西亚、菲律宾、尼泊尔、印度、斯里兰卡、太平洋群岛、日本也有分布。
资　　源	生于荒地或山地林缘、路旁，常见。
采收加工	夏、秋季割取地上部分、挖根，除去粗枝、泥土，洗净，切断晒干。

| 药材性状 | 茎枝多折断，基部木质，圆柱形，直径约 5mm，表面红棕色至红褐色；上部草质，具三棱，棱上疏被粗毛。叶多皱缩卷曲，展平后呈卵状矩圆形至披针形，长 5.8~13cm，宽 1.1~3.5cm；表面红棕色，下面主脉上有毛；叶柄长 1~3cm，具阔翅。有时可见总状花序或扁平荚果，荚果长 2~5cm，有 5~8 近方形荚节，被毛。气香，味微甘。

| 功能主治 | 全株：清热解毒，消积利湿，杀虫防腐。用于预防中暑、感冒发热、咽喉肿痛、肾炎、黄疸型肝炎、肠炎、细菌性痢疾、小儿疳积、妊娠呕吐、菠萝中毒、小儿硬皮病。民间腌制咸鱼、肉类时，放本品以预防蝇蛆。根：清热止咳，拔毒散结。用于风热咳嗽、肺痈。

蝶形花科 Fabaceae **灰毛豆属** *Tephrosia*

黄灰毛豆 *Tephrosia vestita* Vogel.

| **中 药 名** | 黄灰毛豆（药用部位：全草或根）

| **植物形态** | 灌木状草本，全株密被黄白色茸毛，茎基部木质化，"之"字形上升。羽状复叶长约 10cm；托叶线形，长 3~5mm，早落；小叶 3~5 对，倒卵状椭圆形，长 2~4cm，宽 1~1.8cm，上面粗糙无毛，下面密被绢毛。总状花序顶生，稠密多花；苞片小，早落；花长约 1.7cm，芳香；花萼皿状，长约 3mm，萼齿三角形，上方 2 齿分离，下方 1 齿稍长；花冠白色，旗瓣近圆形，外面密被黄色绢毛，翼瓣线状椭圆形，龙骨瓣卵形；子房密被绢毛。荚果直，长 5.5~6cm，宽约 0.5cm，密被黄色绢毛，缝线稍厚，喙部直，连宿存花柱长约 1cm，有种子

黄灰毛豆

10~12；种子小，黑色，肾形。花期 6~10 月，果期 7~11 月。

| **分布区域** | 产于海南三亚、东方、昌江、陵水、万宁、琼中、儋州、澄迈、屯昌、海口。亦分布于中国华南其他区域，以及江西。中南半岛，以及菲律宾、马来西亚、印度尼西亚、巴布亚新几内亚也有分布。

| **资　　源** | 生于旷野、路旁、疏林和草地，十分常见。

| **采收加工** | 全草夏、秋季采收。

| **功能主治** | 同属植物灰毛豆有清热消滞、消炎的功能，本种或有类似作用，其具体功能有待进一步研究。

■ 蝶形花科 ■ Fabaceae ■ 灰毛豆属 ■ *Tephrosia*

灰毛豆
Tephrosia purpurea (L.) Pers. Syn.

| **中 药 名** | 灰毛豆（药用部位：全草或根）

| **植物形态** | 灌木状草本，茎基部木质化。羽状复叶长 7~15cm，叶柄短；托叶线状锥形，小叶 4~8 对，长 15~35mm，宽 4~14mm，下面被平伏短柔毛。花序总状，花每节有 2，疏散；苞片锥状狭披针形，花长约 8mm；花梗细，长 2~4mm，果期稍伸长，被柔毛；花萼阔钟状，长 2~4mm，被柔毛，萼齿狭尾状锥尖；花冠淡紫色，旗瓣扁圆形，外面被细柔毛，翼瓣长椭圆状倒卵形，龙骨瓣近半圆形；子房密被柔毛。荚果线形，长 4~5cm，宽 0.4cm，稍上弯，先端具短喙，被稀疏平伏柔毛，有种子 6；种子灰褐色，具斑纹，长约 3mm，宽约 1.5mm，种脐位于中央。花期 3~10 月。

灰毛豆

分布区域

产于海南三亚、乐东、东方、昌江、白沙、五指山、陵水、万宁、儋州、澄迈、定安、文昌、海口，西沙群岛有分布记录。亦分布于中国华南其他区域，以及福建、台湾、云南、四川。越南、柬埔寨、老挝、泰国、马来西亚、印度尼西亚、尼泊尔、印度、斯里兰卡也有分布。

资　　源

生于低海拔的旷野，十分常见。

采收加工

全草：夏、秋季采收。根：全年均可采，洗净，鲜用或晒干。

功能主治

清热消滞，解表，健脾燥湿，行气止痛。用于风热感冒、消化不良、腹胀腹痛、慢性胃炎。外用于湿疹、皮炎。印度用于气喘、腹泻、淋病、风湿病、泌尿系统疾病。

| 蝶形花科 | Fabaceae | 车轴草属 | *Trifolium* |

红车轴草 *Trifolium pratense* L.

| 中 药 名 | 红车轴草（药用部位：花序及带花枝叶、全草）

| 植物形态 | 多年生草本，主根深入土层达 1m。掌状三出复叶；托叶近卵形，基部抱茎，小叶卵状椭圆形，长 1.5~3.5cm，宽 1~2cm，两面疏生褐色长柔毛，叶面上常有"V"字形白斑。花序球状或卵状，顶生；包于顶生叶的托叶内，托叶扩展成佛焰苞状，具花 30~70，密集；萼钟形，被长柔毛，具脉纹 10，萼齿丝状，最下方 1 齿比其余萼齿长 1 倍，萼喉多毛的加厚环；花冠紫红色至淡红色，旗瓣匙形，先端圆形，微凹缺，基部狭楔形，明显比翼瓣和龙骨瓣长，龙骨瓣稍比翼瓣短；子房椭圆形，花柱丝状细长，胚珠 1~2。荚果卵形；通常有 1 扁圆形种子。花果期 5~9 月。

红车轴草

| 分布区域 |

海南有栽培。亦分布于中国东北、华北及江苏、安徽、浙江、江西、贵州、云南等地。

| 资　　源 |

栽培，少见。

| 采收加工 |

夏季采摘花序或带花嫩枝叶，阴干。

| 药材性状 |

头状花序扁球形或不规则球形，直径 2~3cm，近无总花梗。有大型总苞，总苞卵圆形，有纵脉。花瓣暗紫红色，具爪。有时花序带有枝叶，为三出复叶；托叶卵形，基部抱茎。小叶 3，多卷缩或脱落，完整者展平后呈卵形或长椭圆形，长 1.5~3.5cm，宽 1~2cm，叶面有浅色斑纹。气微，味淡。

| 功能主治 |

镇痉，止咳，止喘。全草：制成软膏，用于局部溃疡。

猫尾草
Uraria crinita (L.) Desv.

| 中药名 | 虎尾轮（药用部位：全株或根）

| 植物形态 | 亚灌木；茎直立，被灰色短毛。叶为奇数羽状复叶，茎下部小叶通常为3，上部为5；托叶长三角形，边缘有灰白色缘毛；叶柄长5.5~15cm，被灰白色短柔毛；小叶近革质，长椭圆形，小托叶狭三角形，长5mm。总状花序顶生，密被灰白色长硬毛；苞片长达2cm，具条纹，被白色开展缘毛；花萼浅杯状，被白色长硬毛，5裂，上部2裂；花冠紫色，长6mm。荚果略被短柔毛；荚节2~4，椭圆形，具网脉。花果期4~9月。

猫尾草

| 分布区域 | 产于海南三亚、乐东、昌江、保亭、万宁、琼中、儋州、澄迈、屯昌、海口、东方。亦分布于中国华南其他区域，以及江西、福建、台湾、云南。泰国、缅甸、马来西亚、菲律宾、印度、斯里兰卡、澳大利亚也有分布。 |

| 资　源 | 生于干燥旷野坡地、路旁或灌丛中，常见。 |

| 采收加工 | 秋季采收全株及根，洗净，切断，晒干或鲜用。 |

| 药材性状 | 全株：长 40~80cm。茎多分枝，有细纵纹及短柔毛。羽状复叶；叶柄长 5.5~10cm；托叶长三角形。小叶 3~5，多皱缩或脱落，完整者展平后呈长圆形或卵状披针形，长 3~11cm，宽 2~5cm。有时可见顶生的猫尾状花序，长 6~30cm，花密集或脱落，花萼有长毛，花瓣暗紫色。有时可见荚果，表面有短毛。气微，味淡。根：细长，圆柱形，有分枝，表面棕黄色，具细皱纹，支根纤细，皮部易剥离。质稍硬，折断面不平整，断面皮部棕黄色，木质部淡黄色，于放大镜下观察，木质部具众多小孔，射线明显。 |

| 功能主治 | 清热解毒，止血，消痈。用于咳嗽、肺痈、吐血、咯血、尿血、脱肛、子宫脱垂、肿毒、关节炎、小儿疳积、胃及十二指肠溃疡、白带。 |

| 蝶形花科 | Fabaceae | 狸尾豆属 | *Uraria*

狸尾豆
Uraria lagopodioides (L.) Desv.

| 中 药 名 | 狐狸尾（药用部位：全草）

| 植物形态 | 平卧或开展草本，花枝被短柔毛。叶多为 3 小叶；托叶三角形，被灰黄色长柔毛和缘毛；小叶纸质，侧生小叶较小，下面被灰黄色短柔毛；小托叶刚毛状，小叶柄密被灰黄色短柔毛。总状花序顶生，长 3~6cm，苞片宽卵形，密被灰色毛和缘毛，开花时脱落；花梗疏被白色长柔毛；花萼 5 裂，上部 2 裂片三角形，下部 3 裂片刺毛状，被白色长柔毛，萼筒长约 1mm；花冠长约 6mm，淡紫色，旗瓣倒卵形；雄蕊二体；子房无毛。荚果小，包藏于萼内，有荚节 1~2，荚节椭圆形，长约 2.5mm，黑褐色，膨胀。花果期 8~10 月。

狸尾豆

| 分布区域 | 产于海南三亚、乐东、东方、昌江、白沙、五指山、万宁、琼中、儋州、屯昌、定安。亦分布于中国华南其他区域，以及湖南、江西、福建、台湾、贵州、云南。越南、柬埔寨、泰国、缅甸、马来西亚、菲律宾、不丹、印度、日本、太平洋群岛及澳大利亚也有分布。 |

| 资　　源 | 生于旷野坡地灌丛中，常见。 |

| 采收加工 | 夏、秋季采收全草，洗净，鲜用或晒干。 |

药材性状

全草多已切断，长 20~30cm。茎圆柱形，直径 2~4mm，表面灰褐色至灰绿色。小叶革质，圆形或椭圆形，灰绿色。枝梢花序稠密，花冠萎缩，多数脱落。荚果椭圆形，具 1~2 荚节，包于宿萼内，表面黑褐色，有光泽，具网状纹理，果皮薄而不裂，内含浅黄色种子 1。气微，味淡。

功能主治

消肿，驱虫，清热解毒。用于疮毒、小儿疳积、痔疮、瘰疬、毒蛇咬伤。

蝶形花科　Fabaceae　狸尾豆属　*Uraria*

美花狸尾豆
Uraria picta (Jacq.) Desv. ex DC.

|中药名|

美花狸尾豆（药用部位：全株）

|植物形态|

亚灌木，茎被灰色短糙毛。叶为奇数羽状复叶，小叶5~7，托叶中部以上突然收缩成尾尖，具条纹，有灰色长缘毛，叶柄长4~7cm；小叶硬纸质，线状长圆形，长6~10cm，宽1~2cm，上面中脉及基部边缘处被短柔毛，下面脉上毛较密，小托叶刺毛状。总状花序顶生，长10~30cm；苞片长披针形，被长毛；花梗长5~6mm，先端弯曲，被灰色毛；花萼5深裂，被长毛和缘毛，上部2裂片狭三角形，下部3裂片刺毛状；花冠蓝紫色，稍伸出于花萼之外，旗瓣圆形，长6~8mm，基部具瓣柄；翼瓣耳形，稍短，基部有很短的耳；龙骨瓣约与翼瓣等长，上部弯曲；雄蕊二体。荚果铅色，有光泽，有3~5荚节，荚节长约3mm。花果期4~10月。

|分布区域|

产于海南陵水。亦分布于中国广西、台湾、贵州、云南、四川。越南、泰国、马来西亚、菲律宾、孟加拉国、不丹、尼泊尔、印度、澳大利亚及非洲等也有分布。

美花狸尾豆

| 资　　源 |

生于草坡上，少见。

| 采收加工 |

夏、秋季采收全株，洗净，鲜用或晒干。

| 功能主治 |

同属植物狸尾豆可消肿、驱虫、清热解毒，本种或有类似作用，其功能有待进一步研究。

蝶形花科 Fabaceae 豇豆属 *Vigna*

滨豇豆
Vigna marina (Burm.) Merr.

| 中 药 名 |　滨豇豆（药用部位：种子）

| 植物形态 |　多年生草本。羽状复叶具 3 小叶；托叶基着，卵形，长 3~5mm；小叶近革质，卵圆形，长 3.5~9.5cm，宽 2.5~9.5cm。总状花序长 2~4cm，被短柔毛；总花梗长 3~13cm；花梗长 4.5~6mm；小苞片披针形，长 1.5mm，早落；花萼管长 2.5~3mm，裂片三角形，上方的一对连合成全缘的上唇，具缘毛；花冠黄色，旗瓣倒卵形，长 1.2~1.3cm，宽 1.4cm；翼瓣及龙骨瓣长约 1cm。荚果线状长圆形，微弯，肿胀，长 3.5~6cm，宽 8~9mm，嫩时被稀疏微柔毛，老时无毛，种子间稍收缩；种子 2~6，黄褐色或红褐色，长圆形，长 5~7mm，宽 4.5~5mm，种脐长圆形，一端稍狭，种脐周围的种皮稍隆起。

滨豇豆

| 分布区域 |

产于海南文昌、万宁、南沙群岛,西沙群岛有分布记录。亦分布于中国台湾。世界热带地区广泛引种。

| 资　　源 |

生于海边沙地,少见。

| 采收加工 |

秋季果实成熟后采收,晒干,打下种子。

| 功能主治 |

同属植物豇豆具有健脾利湿、补肾涩精等作用。但本种的功能主治鲜有报道,有待进一步研究。

蝶形花科 Fabaceae 豇豆属 *Vigna*

贼小豆
Vigna minima (Roxb.) Ohwi et Ohashi

| **中 药 名** | 贼小豆（药用部位：种子）

| **植物形态** | 一年生缠绕草本。羽状复叶具 3 小叶；托叶披针形，长约 4mm，盾状着生，被疏硬毛；小叶的形状和大小变化颇大，长 2.5~7cm，宽 0.8~3cm。总状花序柔弱；总花梗远长于叶柄，通常有花 3~4；小苞片线形；花萼钟状，具不等大的 5 齿，裂齿被硬缘毛；花冠黄色，旗瓣极外弯，近圆形，长约 1cm，宽约 8mm；龙骨瓣具长而尖的耳。荚果圆柱形，长 3.5~6.5cm，宽 4mm，开裂后旋卷；种子 4~8，长圆形，长约 4mm，宽约 2mm，深灰色，种脐线形，突起，长 3mm。花果期 8~10 月。

贼小豆

分布区域

产于海南乐东、白沙、五指山、万宁、琼中、陵水。亦分布于中国各地。菲律宾、日本、印度也有分布。

资　　源

生于旷野、草丛或灌丛中，常见。

采收加工

果实成熟后采收种子。

功能主治

清热，利尿，消肿，行气，止痛。

蝶形花科 Fabaceae　**豇豆属** Vigna

绿 豆
Vigna radiata (L.) Wilczek

| 中 药 名 |

绿豆（药用部位：种子、种皮、叶、花）

| 植物形态 |

一年生直立草本，茎被褐色长硬毛。羽状复叶具 3 小叶；托叶盾状着生，卵形，具缘毛；小托叶显著，披针形；小叶卵形，两面多少被疏长毛，基部三脉明显。总状花序腋生，有花 4 至数朵，总花梗长 2.5~9.5cm；花梗长 2~3mm；小苞片线状披针形，长 4~7mm；萼管无毛，具缘毛，上方的一对合生成一先端 2 裂的裂片；旗瓣近方形，长 1.2cm，宽 1.6cm，外面黄绿色，里面有时粉红，先端微凹，内弯，无毛；翼瓣卵形，黄色；龙骨瓣镰刀状，绿色而染粉红，右侧有显著的囊。荚果线状圆柱形，平展，长 4~9cm，宽 5~6mm，被淡褐色、散生的长硬毛，种子间多少收缩；种子 8~14，淡绿色或黄褐色，短圆柱形，长 2.5~4mm，宽 2.5~3mm，种脐白色而不凹陷。花期初夏，果期 6~8 月。

| 分布区域 |

产于海南三亚、乐东、儋州。中国各地亦有栽培。世界热带、亚热带地区广泛栽培。

绿豆

| 资　　源 | 海南各地均有栽培，常见。 |

| 采收加工 | 种子：立秋后种子成熟时采收，拔取全株，晒干，打下种子，簸净杂质。种皮：将绿豆用水浸泡，揉搓取种皮，一般取绿豆发芽后残留的皮壳晒干而得。叶：夏、秋季采收叶，随采随用。花：6~7 月摘取花朵，晒干。 |

| 药材性状 | 种子：短矩圆形，长 2.5~4mm。表面绿黄色、暗绿色、绿棕色，光滑而有光泽。种脐位于种子的一侧，白色，条形，约为种子长的 1/2。种皮薄而坚韧，剥离后露出 2 淡黄绿色或黄白色、肥厚的子叶。气微，嚼之具豆腥气。种皮：本品多向内卷成梭形或不规则形，长 4~7mm，直径约 2mm。表面黄绿色至暗绿色，微有光泽；种脐呈槽状长圆形，其上常有残留的黄白色种柄；内表面色较淡。质较脆，易捻碎。气微，味淡。以身干、色绿、不变红、无霉者为佳。 |

| 功能主治 |

种子：清热解毒，消暑利水，生津止渴。用于暑热烦渴、水肿、泄泻、痢疾、丹毒、药物或食物中毒。种皮：清热解毒，消暑止渴。用于暑热烦渴、肿胀、痈肿热毒、药物或食物中毒。叶：用于吐泻、斑疹、疔疮。发芽的种子：用于酒毒、热毒。花：解酒毒。

蝶形花科 Fabaceae 豇豆属 Vigna

赤小豆
Vigna umbellata (Thunb.) Ohwi & H. Ohashi

| **中 药 名** | 赤小豆（药用部位：种子、叶、花、豆芽）

| **植物形态** | 一年生草本，茎纤细，幼时被黄色长柔毛，老时无毛。羽状复叶具 3 小叶；托叶盾状着生，披针形，长 10~15mm，两端渐尖；小托叶钻形，小叶纸质，全缘或微 3 裂，沿两面脉上薄被疏毛，基出脉 3。总状花序腋生，有花 2~3；苞片披针形；花梗短，着生处有腺体；花黄色，长约 1.8cm，宽约 1.2cm；龙骨瓣右侧具长角状附属体。荚果线状圆柱形，下垂，长 6~10cm，宽约 5mm，种子 6~10，长椭圆形，通常暗红色，直径 3~3.5mm，种脐凹陷。花期 5~8 月。

赤小豆

| 分布区域 | 产于海南乐东、五指山、保亭、万宁、琼中、琼海。亦分布于中国华南其他区域，以及台湾、云南。原产于东南亚、菲律宾、日本、朝鲜，世界热带地区广泛栽培。

| 资　　源 | 海南各地均有栽培，常见。

| 采收加工 | 种子：秋季荚果成熟而未开裂时拔取全株，晒干并打下种子，去杂质，晒干。叶：夏季采收叶，鲜用或晒干。花：夏季采收花，阴干或鲜用。豆芽：将成熟的种子发芽后，晒干备用。

| 药材性状 | 种子圆柱形而略扁，两端稍平截或圆钝，长 5~7mm，直径 3~3.5mm。表面紫红色或暗红棕色。平滑，稍具光泽或无光泽；一侧有线形突起的种脐，偏向一端，白色；另一侧有一条不明显的种脊。质坚硬，不易破碎；剖开后种皮薄而脆，子叶 2，乳白色，肥厚，胚根细长，弯向一端。气微，味微甘，嚼之有豆腥气。

| 功能主治 | 种子：利水除湿，消肿解毒，和血排脓。用于肾炎、水肿胀满、脚气浮肿、黄疸尿赤、风湿热痹、泻痢便血、痈肿疮毒、肠痈腹痛。叶：用于小便频数、遗尿。花：清热解毒，醒酒止渴。用于疟疾、痢疾、消渴、伤酒头痛、痔瘘下血、丹毒、疔疮。 豆芽：用于便血、妊娠胎漏。

蝶形花科 Fabaceae 丁癸草属 Zornia

丁癸草
Zornia gibbosa Spanog.

| **中 药 名** | 丁癸草（药用部位：全草或根）

| **植物形态** | 多年生小草本，茎披散或直立，无毛。小叶 2，生于叶轴先端，叶片披针形，长 2~3.5cm，宽 0.5~1cm，厚纸质，两边无毛；托叶狭披针形，基部有长约 3mm 的距。总状花序腋生，长 2~6cm；花无梗；苞片 2，盾状着生，革质，卵形，基部延伸成距，有明显脉纹，边缘有白色缘毛；花萼钟状，二唇形，有短柔毛；花冠黄色，极突出，旗瓣圆形，翼瓣倒卵形或长圆形，龙骨瓣内弯，短尖；雄蕊 10，一体，花药二型；子房上位，无柄，花柱线形。荚果通常长于苞片，不开裂，有荚节 2~6，荚节近圆形，表面具明显网脉及针刺。花期 4~7 月，果期 7~9 月。

丁癸草

分布区域	产于海南三亚、乐东、昌江、陵水、万宁、海口。亦分布于中国浙江、江西、福建、台湾、广东、广西、四川、云南。
资　　源	生于干旱的山野地上，常见。
采收加工	全草：夏季采收，鲜用或晒干。根：在夏、秋季采挖，除去茎叶、泥土，洗净，鲜用或晒干。

药材性状	全草长 20~40cm。根及根茎长圆锥形，黄色或灰黄色，直径约 2mm。茎纤细，丛生，黄绿色或灰绿色，直径约 1mm，无毛。小叶 2，生于叶柄先端，呈"人"字形；托叶细，卵状披针形。小叶多皱缩卷曲，完整者展平后呈长椭圆形或披针形，灰绿色或灰白色，长 20~35mm，宽 5~10mm，先端处具一细尖刺，全缘，下面疏被茸毛或无毛，在放大镜下可见黑色腺点。气微，味淡。以叶多、灰绿者为佳。
功能主治	全草：清热解表，凉血解毒，除湿利尿。用于风热感冒、咽痛、目赤、乳痈、疮疡肿毒、毒蛇咬伤、黄疸、泄泻、痢疾、小儿疳积。根：清热解毒。用于痈疽、疔疮、脚气浮肿、瘰疬、蛇伤。

▉金缕梅科▉ Hamamelidaceae ▉蕈树属▉ *Altingia*

蕈 树

Altingia chinensis (Champ.) Oliv. et Hance

| 中 药 名 |

半边风（药用部位：根、木材中所提取的蕈树香油）

| 植物形态 |

常绿乔木，芽体卵形，有短柔毛，有多数鳞状苞片。叶革质，二年生，倒卵状矩圆形，长 7~13cm，宽 3~4.5cm，边缘有钝锯齿，叶柄长约 1cm，托叶早落。雄花常由多个短穗状花序排成圆锥花序，花序柄有短柔毛；雄蕊多数。雌花头状花序单生，有花 15~26，苞片 4~5，长 1~1.5cm；萼筒与子房连合，萼齿乳突状；子房藏在花序轴内，花柱有柔毛，先端向外弯曲。头状果序近于球形，基底平截，宽 1.7~2.8cm，种子多数，褐色，有光泽。

| 分布区域 |

产于海南乐东、琼中。亦分布于中国华南其他区域，以及湖南、江西、福建、浙江、贵州、云南。越南也有分布。

| 资　　源 |

生于山地林中，常见。

蕈树

| **采收加工** | 夏、秋季采挖根，除去须根，洗净，切段，晒干。

| **药材性状** | 根圆柱形，大小长短不一。表面灰白色，光滑。质坚硬，断面具纤维性。气微，味淡。

| **功能主治** | 根：味辛，性温；归肝经。用于风湿、跌打损伤、瘫痪。木材中所提取的蕈树香油：供药用及香料用。

金缕梅科 | Hamamelidaceae | 山铜材属 | *Chunia*

山铜材

Chunia bucklandioides H. T. Chang

| 中 药 名 | 山铜材（药用部位：全株）

| 植物形态 | 常绿乔木，树皮黑褐色，小枝有皮孔。叶厚革质，阔卵圆形，长10~15cm，宽8~14cm，先端掌状3浅裂，托叶厚革质。肉穗花序生于侧面，比新叶先开放，纺锤形，长1.5cm，被星毛，花序柄长3~6cm。花螺旋状紧密排列在肉穗花序上，萼筒与子房合生，藏在肉穗花序轴中，萼齿不明显；花瓣不存在；雄蕊8，着生在子房外围的垫状环上，花药红色。果序长3~4cm，蒴果卵圆形，木质，长约1.5cm，宽1.3cm，室间裂开为2片，每片2浅裂，果皮厚约2mm；种子每室4~6，椭圆形，长4~6mm，黑褐色，有光泽。

山铜材

| **分布区域** | 产于海南三亚、乐东、陵水、保亭。海南特有种。

| **资　　源** | 生于低海拔林中，少见。

| **采收加工** | 全年皆可采收，洗净，晒干或鲜用。

| **功能主治** | 本种为《南药园植物名录》所收载，具体药用功能并未说明，有待进一步研究。

金缕梅科 | Hamamelidaceae | 檵木属 | *Loropetalum*

檵木 *Loropetalum chinense* (R. Br.) Oliv.

| 中 药 名 | 檵木（药用部位：叶、根）

| 植物形态 | 灌木，小枝有星毛。叶革质，卵形，长 2~5cm，宽 1.5~2.5cm，下面被星毛，稍带灰白色，叶柄长 2~5mm，有星毛；托叶膜质，三角状披针形，早落。花 3~8 簇生，有短花梗，白色，比新叶先开放，苞片线形，长 3mm；萼筒杯状，被星毛，萼齿卵形，长约 2mm，花后脱落；花瓣 4，带状，长 1~2cm，先端圆或钝；雄蕊 4，花丝极短，药隔突出呈角状；退化雄蕊 4，鳞片状，与雄蕊互生；子房完全下位，被星毛；花柱极短，长约 1mm；胚珠 1，垂生于心皮内上角。蒴果卵圆形，长 7~8mm，宽 6~7mm，先端圆，被褐色星状绒毛，萼筒长为蒴果的 2/3。种子圆卵形，长 4~5mm，黑色，发亮。花期 3~4 月。

檵木

| 分布区域 | 海南海口、万宁、三亚等地有栽培。亦分布于中国长江以南各地。印度、日本也有分布。

| 资　　源 | 栽培，常见。

| 采收加工 | 花：清明前后采收花，阴干，贮于干燥处。根、叶：全年均可采，洗净，晒干或鲜用。

| 药材性状 | 根：根圆柱形、拐状不规则弯曲或不规则分枝状，长短粗细不一。一般切成块状，表面灰褐色或黑褐色，具浅纵纹，有圆形的茎痕及支根痕；栓皮易呈片状剥落而露出棕红色的皮部。体重，质坚硬，不易折断，断面灰黄色或棕红色，纤维性。气微，味淡、微苦涩。叶：叶多皱缩卷曲，完整叶片展平后椭圆形或卵形，长2~5cm，宽1.5~2.5cm。气微，味涩、微苦。

| **功能主治** | 根：味苦、涩，性微温；归肝、脾、大肠经。止血活血，收敛固涩。用于咯血、吐血、便血、外伤出血、崩漏、产后恶露不尽、风湿关节疼痛、跌打损伤、泄泻、痢疾、白带、肛脱。　叶：味苦、涩，性凉；归肝、胃、大肠经。收敛止血，清热解毒。用于咯血、吐血、便血、崩漏、产后恶露不净、紫癜、暑热泻痢、跌打损伤、肝热目赤、喉痛。

金缕梅科 Hamamelidaceae 半枫荷属 Loropetalum

半枫荷
Semiliquidambar cathayensis H. T. Chang

| 中 药 名 | 金缕半枫荷（药用部位：根、叶）

| 植物形态 | 常绿乔木，芽体长卵形，略有短柔毛；老枝灰色，有皮孔。叶簇生于枝顶，革质，异型，长 8~13cm，宽 3.5~6cm，边缘有具腺锯齿，掌状脉 3。雄花的短穗状花序常数个排成总状，长 6cm，花被全缺，雄蕊多数，花丝极短，花药先端凹入，长 1.2mm。雌花的头状花序单生，萼齿针形，长 2~5mm，有短柔毛，花柱长 6~8mm，先端卷曲，有柔毛，花序柄长 4.5cm，无毛。头状果序直径 2.5cm，有蒴果 22~28，宿存萼齿比花柱短。

| 分布区域 | 产于海南乐东、陵水、保亭。亦分布于中国华南其他区域，以及江西、福建、贵州。

半枫荷

| 资　源 |

生于低海拔林中，少见。

| 采收加工 |

根：全年均可采挖。叶：春、夏、秋季叶生长茂盛时采收叶片，洗净，晒干或鲜用。

| 药材性状 |

根：根圆柱形或不规则分枝状，长短粗细不一。表面棕褐色，较粗糙，有纵皱纹及横向突起的皮孔，长 2~5mm。质坚实，不易折断，切断面皮部薄，易剥离，木质部淡黄色至棕红色，较粗的根可见明显的多轮同心性圆环。气微香，味涩、微苦。叶：叶片多卷折，叶有二型；一种卵状长圆形，不分裂；一种单侧叉状分裂或掌状 3 裂，叶缘有具腺锯齿。革质而脆，易折断。揉之有香气，味淡。

| 功能主治 |

根：味涩、微苦，性温；归肝经。祛风除湿，活血消肿。用于风湿痹痛、腰肌劳损、手足酸麻无力、跌打损伤。叶：用于外伤出血。

黄杨科 Buxaceae 黄杨属 Buxus

海南黄杨 *Buxus hainanensis* Merr.

海南黄杨

| 中 药 名 |

海南黄杨（药用部位：根）

| 植物形态 |

灌木，小枝两侧各有一纵沟直径约 1mm，节间长 2~6cm。叶薄革质，椭圆状长圆形，长 5.5~7cm，宽 1.8~2.3cm，边缘下曲，叶柄长约 1mm。花未见。蒴果生于叶腋及枝顶，球形，未成熟果和宿存花柱各长 5mm，花柱斜出，柱头狭倒心形，下延达花柱的 1/4~1/2 处，果基部宿存萼片三角状卵形，长 2~2.5mm，无毛，果柄长约 4mm，上有披针形、尖锐、几无毛的苞片多片。果期 9~12 月。

| 分布区域 |

产于海南万宁、三亚。海南特有种。

| 资　　源 |

生于溪边或湿润处，少见。

| 采收加工 |

全年均可采收，洗净，切段，晒干。

| 功能主治 |

同属植物黄杨的根有祛风除湿、行气活血之功能,本种或有类似功能,其作用有待进一步研究。

黄杨科 Buxaceae 黄杨属 Buxus

匙叶黄杨
Buxus harlandii Hance

| 中 药 名 | 匙叶黄杨（药用部位：根、叶或花）

| 植物形态 | 小灌木，小枝近四棱形，被轻微的短柔毛，节间长 1~2cm。叶薄革质，匙形，长 2~3.5cm，宽 5~8mm，侧脉与中脉成 30°~35°角，叶面中脉下半段常被微细毛。花序头状，花密集，花序轴长 3~4mm，苞片卵形；雄花 8~10，萼片阔卵形，长约 2mm，雄蕊连花药长 4mm，不育雌蕊具极短柄，末端甚膨大，为萼片长度的 1/2；雌花萼片阔卵形，长约 2mm，边缘干膜质，花柱下部扁阔，柱头倒心形，下延达花柱的 1/4 处。蒴果近球形，长 7mm，花柱宿存。花期 5 月，果期 10 月。

匙叶黄杨

| 分布区域 | 产于海南东方、陵水、万宁、琼中、保亭。亦分布于中国广东。

| 资　　源 | 生于林中溪边，少见。

| 采收加工 | 根：全年可挖。叶：全年均可采。花：春季采收，洗净，鲜用或晒干。

| 药材性状 | 本品叶多皱缩，薄革质。完整叶通常匙形，亦有狭卵形或倒卵形，大多数中部以上最宽，长 2~3.5cm，宽 5~8mm。叶背苍灰色，叶面中脉下半段大多数被微细毛，叶柄长 1~2mm。质脆，气微，味苦。

| 功能主治 | 味苦、甘，性凉。止咳，止血，清热解毒。用于咳嗽、咯血、疮疡肿毒。

黄杨科 Buxaceae 黄杨属 Buxus

黄 杨
Buxus sinica (Rehd. et Wils.) Cheng

| 中 药 名 | 黄杨（药用部位：根、茎、叶、果实）

| 植物形态 | 灌木或小乔木，枝圆柱形，有纵棱，灰白色；小枝四棱形，节间长 0.5~2cm。叶革质，阔椭圆形，大多数长 1.5~3.5cm，宽 0.8~2cm。花序腋生，头状，花密集，花序轴长 3~4mm，被毛，苞片阔卵形。长 2~2.5mm，背部多少有毛；雄花约 10，无花梗，外萼片卵状椭圆形，内萼片近圆形，长 2.5~3mm，无毛，雄蕊连花药长 4mm，不育雌蕊有棒状柄，末端膨大；雌花萼片长 3mm，花柱粗扁，柱头倒心形，下延达花柱中部。蒴果近球形，长 6~8mm，宿存花柱长 2~3mm。花期 3 月，果期 5~6 月。

黄杨

| 分布区域 | 产于海南东方、陵水。亦分布于中国长江以南各地。

| 资　　源 | 生于密林中，少见。

| 采收加工 | 茎枝：全年均可采。果实：5~7 月成熟时采收。根：全年可采挖，洗净，鲜用或晒干。

| 药材性状 | 茎圆柱形，有纵棱，小棱四棱形，全面被短柔毛或外方相对两侧面无毛，叶片长 1.5~3.5cm，宽椭圆形，叶面光亮，中脉上常密被短线状钟乳体，革质。叶柄长 1~2cm，上面被毛。气微，味苦，无毒。

| 功能主治 | 根：味苦、微辛，性平。祛风除湿，行气活血。用于筋骨痛、目赤肿痛。茎：味苦，性平。祛风除湿，理气止痛。用于风湿痛、胸腹气胀、牙痛、跌打损伤。叶：味苦，性平。用于难产、暑疖。果实：味苦，性凉。用于中暑、面上生疖。

| 附　　注 | 在 FRPS 中，其被修订为日本黄杨 *Buxus microphylla* 下的一个变种，学名被修订为 *Buxus microphylla* Siebold et Zucc. subsp. *sinica* (Rehder et E. H. Wilson) Hatus.。

黄杨科 Buxaceae **野扇花属** *Sarcococca*

海南野扇花 *Sarcococca vagans* Stapf.

| **中 药 名** | 海南野扇花（药用部位：根、叶）

| **植物形态** | 灌木，小枝常左右屈曲，有纵棱。叶坚纸质，椭圆状披针形，长 8~16cm，宽 4~6cm，两面无毛，离基三出脉，叶柄长 1~2cm。花序长 1~1.3cm，花序轴无毛，苞片卵形，雄花 7~10，占花序轴的大部，雌花 1~2，在花序轴基部；雄花萼片 4，先端有小尖凸头，不育雌蕊长方形；雌花小苞片卵形，萼片和末梢小苞片形状相似。果实球形，直径 8~10mm，萼片宿存，急尖头，长 1.5~2mm，花柱 2，先端向外反卷，果柄长 4~6mm。花果期 9 月至翌年 3 月。

海南野扇花

|分布区域|

产于海南三亚、乐东、昌江、保亭。亦分布于中国云南。越南、缅甸也有分布。

|资　　源|

生于密林下，少见。

|采收加工|

根、叶全年皆可采收，洗净，晒干或鲜用。

|功能主治|

止咳，接骨。用于肺结核咳嗽。外用于骨折。

杨梅科 Myricaceae 杨梅属 Myrica

青杨梅
Myrica adenophora Hance.

| 中 药 名 | 青杨梅（药用部位：果实）

| 植物形态 | 常绿灌木，小枝密被毡毛及金黄色腺体。叶薄革质，叶柄密生毡毛，
叶片椭圆状倒卵形至短楔状倒卵形，长 2~7cm，宽 5~30mm，中部
以上常具粗大的锯齿，下面密被不易脱落的腺体。雌雄异株。雄花
序单生于叶腋，长 1~2cm，呈单一穗状花序；分枝基部具 1~5 不孕
性苞片，基部以上具 1~4 雄花。雄花无小苞片，具 3~6 雄蕊。雌花
序单生于叶腋，直立或向上倾斜，长 1~1.5cm，单一穗状或在基部
具不显著分枝；分枝极短，具 2~4 不孕性苞片及 1~3 雌花。雌花常
具 2 小苞片，子房近无。

青杨梅

| **分布区域** | 产于海南万宁、儋州、澄迈、定安、琼海、文昌、保亭、陵水。亦分布于中国华南其他区域，以及台湾。 |

| **资　　源** | 生于山坡疏林中或沿河谷处，常见。 |

| **采收加工** | 果实成熟时采收，洗净，鲜用或晒干。 |

| **功能主治** | 果实盐渍后称青梅。祛痰，解酒，止吐。 |

桦木科 Betulaceae 鹅耳枥属 *Carpinus*

海南鹅耳枥

Carpinus londoniana H.Winkl. var. *lanceolata* (Hand.-Mazz.) P. C. Li

| 中 药 名 | 海南鹅耳枥（药用部位：根或根皮）

| 植物形态 | 乔木，枝条下垂，小枝棕色，密生灰白色皮孔。叶厚纸质，狭披针形，较小，边缘具重锯齿，下面仅在脉腋间具髯毛，叶柄长 4~7mm，密被短柔毛。果序长 5~10cm，果序梗、果序轴均密被短柔毛；果苞长 2~2.5cm，内外侧的基部均具明显的裂片，中裂片矩圆形或微作镰状弯曲，长 1.52cm，宽 6~7mm，外侧边缘具不明显的波状细齿。小坚果宽卵圆形，长 3~4mm，被褐色树脂腺体并有无色透明的树脂分泌物，无毛。

海南鹅耳枥

| 分布区域 |

产于海南三亚、乐东、东方、昌江、五指山、保亭、
定安、海口。

| 资　源 |

生于溪边林中，常见。

| 采收加工 |

全年皆可采收，洗净，晒干或鲜用。

| 功能主治 |

同属植物华鹅耳枥 *Carpinus cordata* var.
chinensis 有活血消肿、利湿通淋等功能，本种
或有类似作用，其功能有待进一步研究。

壳斗科 Fagaceae 锥属 Castanopsis

台湾锥 *Castanopsis formosana* (Skan) Hayata.

台湾锥

中 药 名

台湾锥（药用部位：总苞、种仁）

植物形态

乔木，树皮纵深裂，内皮淡褐色，2~3 年生枝有 1 薄膜状灰白色外皮层，皮孔甚多。叶卵形，大小差异颇大，大的长 4~10cm，宽 1.5~4.5cm，叶缘的裂齿其先端常向内弯钩，叶背带银灰色；叶柄长不超过 15mm。果序长 10~15cm，果序轴较其着生的枝纤细，壳斗密集，连刺宽 30~35mm，刺长 8~10mm，数条在基部合生成束，位于壳斗上部的较密，与壳壁相同均有黄棕色细片状蜡鳞，每壳斗有 1 坚果，坚果宽卵形，高约 20mm，宽约 15mm，密被棕色伏毛，果脐位于底部。花期 4~5 月，果实翌年 8~10 月成熟。

分布区域

产于海南三亚、乐东、昌江、保亭、琼海。亦分布于中国长江以南各地。越南也有分布。

资　　源

生于疏林中，常见。

| **采收加工** | 果实成熟时采收，剥取总苞及种仁，晒干。

| **功能主治** | 同属植物的总苞及种仁多有药用，可用于止泻，本种作用有待进一步研究。

| **附　　注** | 在 FOC 中，本种被归并至秀丽锥 *Castanopsis jucunda* Hance。

壳斗科 Fagaceae 锥属 Castanopsis

海南锥 *Castanopsis hainanensis* Merr.

| 中 药 名 | 海南锥（药用部位：总苞、种仁）

| 植物形态 | 乔木，嫩枝、嫩叶、叶背、叶柄及花序轴和花被片被早脱落的毡状柔毛，小枝常散生明显突起的皮孔。叶厚纸质，倒卵形，长 5~12cm，宽 2.5~5cm，叶缘有锯齿状锐齿，成长叶的叶背常灰白色；叶柄长 10~18mm。果序长 10~17cm，横切面直径 5~6mm；壳斗有 1 坚果，连刺直径 40~50mm，刺密集，将壳斗外壁完全遮蔽；坚果阔圆锥形，高 12~15mm，横径 16~20mm，密被伏毛，果脐位于坚果的底部，但较宽。花期 3~4 月，果实翌年 8~10 月成熟。

海南锥

| 分布区域 | 产于海南三亚、乐东、昌江、白沙、五指山、保亭、万宁、琼中、儋州、屯昌、琼海、文昌、东方。海南特有种。

| 资　　源 | 生于山地密林中，常见。

| 采收加工 | 果实成熟时采收，剥取总苞及种仁，晒干。

| 功能主治 | 同属植物的总苞及种仁多有药用，可用于止泻，本种作用有待进一步研究。

壳斗科 Fagaceae 锥属 *Castanopsis*

印度锥 *Castanopsis indica* (Roxb.) A. DC.

| 中 药 名 | 印度锥（药用部位：果实、茎皮）

| 植物形态 | 乔木，当年生枝、叶柄、叶背及花序轴均被黄棕色短柔毛，2 年生枝散生较明显的皮孔。叶厚纸质，卵状椭圆形，长 9~20cm，宽 4~10cm，一侧略短且稍偏斜，叶缘常自下半部起有锯齿状锐齿。雄花序多为圆锥花序，雄蕊 10~12；雌花序长达 40cm，花柱 3，长约 1mm。果序长 10~27cm，成熟壳斗密集，每壳斗有 1（~2）坚果，壳斗圆球形，连刺直径 35~40mm 或稍大，整齐的 4 瓣开裂，刺浑圆而劲直，在下部合生成刺束，壳壁为密刺完全遮蔽；坚果阔圆锥形，

印度锥

高与宽几相等或高有时稍过于宽，横径 10~14mm，密被毛，果脐约占坚果面积的 1/4。花期 3~5 月，果实翌年 9~11 月成熟。

| 分布区域 | 产于海南乐东、白沙、五指山、保亭、万宁。亦分布于中国广东、广西、云南。中南半岛，以及印度也有分布。

| 资　源 | 生于山地林中，常见。

| 采收加工 | 果实：成熟时采收，鲜用或晒干。茎皮：全年可采，收集后进行提取。

| 功能主治 | 果实：用于痢疾。茎皮：提取物有抗癌活性。

壳斗科 Fagaceae 锥属 *Castanopsis*

秀丽锥 *Castanopsis jucunda* Hance.

| 中 药 名 | 秀丽锥（药用部位：种仁）

| 植物形态 | 乔木，高达 26m，胸径 80cm，树皮灰黑色，块状脱落，当年生枝及新叶叶面干后褐黑色，芽鳞、嫩枝、嫩叶叶柄、叶背及花序轴均被早脱落的红棕色略松散的蜡鳞，枝、叶均无毛。叶纸质或近革质，卵形、卵状椭圆形或长椭圆形，常兼有倒卵形或倒卵状椭圆形，长 10~18cm，宽 4~8cm，顶部短或渐尖，基部近于圆形或阔楔形，常一侧略短且偏斜，或两侧对称，叶缘至少在中部以上有锯齿状、很少波浪状裂齿，裂齿通常向内弯钩，中脉在叶面凹陷，侧脉每边 8~11，直达齿尖，支脉甚纤细；叶柄长 1~2.5cm。雄花序为穗状或圆锥花序，花序轴无毛，花被裂片内面被短卷毛；雄蕊通常 10；雌

秀丽锥

花序单穗腋生，各花部无毛，花柱 3 或 2，长不超过 1mm。果序长达 15cm，果序轴较其着生的小枝纤细；壳斗近圆球形，连刺直径 25~30mm，基部无柄，3~5 瓣裂，刺长 6~10mm，多条在基部合生成束，有时又横向连生成不连续刺环，刺及壳斗外壁被灰棕色片状蜡鳞及微柔毛，幼嫩时最明显；坚果阔圆锥形，高 11~15mm，横径 10~13mm，无毛或几无毛，果脐位于坚果底部。花期 4~5 月，果实翌年 9~10 月成熟。

| 分布区域 |

产于海南三亚、乐东、昌江、保亭、琼海。亦分布于中国长江以南各地。越南也有分布。

| 资　　源 |

生于疏林中，常见。

| 采收加工 |

果实成熟时采收，剥取种仁，晒干。

| 功能主治 |

用于痢疾。

壳斗科 Fagaceae 锥属 Castanopsis

文昌锥
Castanopsis wenchangensis G. A. Fu et Huang

|中 药 名|　文昌锥（药用部位：果实）

|植物形态|　乔木，顶芽近圆球形，枝、叶、芽鳞及花序轴均无毛，当年生枝及
壳斗干后黑褐色，小枝有微突起的小皮孔。叶革质，新生嫩叶叶背
有紧贴的蜡鳞层，披针形或卵形，通常长 5~9cm，宽 2~3.5cm，边缘
有锯齿状锐齿，齿尖有小硬体，叶柄长 1~2cm。雌花序长 3~8cm，
花柱 2~3，花柱下半段被早脱落的短柔毛。果序长 4~5cm，果序轴
横切面直径 1~1.5mm，有成熟壳斗 1~6，壳斗近圆球形，全包坚果，
直径 15~20mm，基部突然狭窄而稍延长，呈短柄状，不等大的 4 或
3 瓣开裂，被稀疏微柔毛及细片状蜡鳞；坚果近圆球形，顶部锥尖

文昌锥

且稍长及被微柔毛，直径 13~14mm，果脐位于底部。花期 7~8 月，果实翌年 10~12 月成熟。

| **分布区域** | 产于海南文昌、屯昌。海南特有种。

| **资　　源** | 生于村边林中，偶见。

| **采收加工** | 果实成熟时采收，晒干备用。

| **功能主治** | 平肝补胃，健脾止痛。用于头晕心烦、饮食不振。

壳斗科 Fagaceae 青冈属 Cyclobalanopsis

槟榔青冈

Cyclobalanopsis bella (Chun & Tsiang) Chun ex Y. C. Hsu & H. W. Jen

| 中 药 名 |　槟榔青冈（药用部位：树皮、壳斗）

| 植物形态 |　常绿乔木，冬芽细小，宽卵形。叶片薄革质，长椭圆状披针形，
长 8~15cm，宽 2~3.5cm，略偏斜，叶缘中部以上有锯齿，叶柄
长 1~2cm，无毛。雌花序长 1~2cm，通常有花 2~3，花柱 4，长
1~1.5mm，被毛。壳斗盘形，包着坚果基部，直径 2.5~3cm，高约
5mm，外壁被灰黄色微柔毛，后渐脱落，内壁被黄色长伏贴柔毛；
小苞片合生成 6~8 同心环带，环带边缘有不规整小裂齿。坚果扁球
形，直径 2.2~3cm，高 1.5~2cm，柱座高达 3mm，果脐略内凹，直
径 1~1.4cm。花期 2~4 月，果期 10~12 月。

槟榔青冈

| 分布区域 | 产于海南陵水、保亭。亦分布于中国广东、广西、贵州。

| 资　　源 | 生于中海拔山谷林中，偶见。

| 采收加工 | 壳斗：果实成熟时采收，留下壳斗。树皮：全年可采，洗净，鲜用或晒干。

| 功能主治 | 同属植物的壳斗及树皮多用于涩肠止泻、解毒截疟，本种或有类似功能，其具体作用有待进一步研究。

壳斗科 Fagaceae 青冈属 Cyclobalanopsis

毛叶青冈 *Cyclobalanopsis kerrii* (Craib) Hu.

| 中 药 名 | 毛叶青冈（药用部位：树皮、壳斗）

| 植物形态 | 常绿乔木，叶片长椭圆状披针形，长 9~18cm，宽 3~7cm，叶缘 1/3
以上有钝锯齿，叶柄长 1~2cm，被绒毛。雄花序多个簇生于近枝顶，
长 5~8cm；雌花序单生，长 2~5cm，稀达 7cm。壳斗盘形，深浅不一，
包着坚果基部或达 1/2，直径 2~2.5cm，高 5~10mm，被灰色或灰黄
色柔毛；小苞片合生成 7~11 同心环带，环带边缘有细锯齿。坚果扁
球形，直径 2~2.8cm，高 7~12mm，先端中央凹陷或平坦，柱座突起，
被绢质灰色短柔毛，果脐微突起，直径 1~2cm。花期 3~5 月，果期
10~11 月。

毛叶青冈

| 分布区域 | 产于海南三亚、乐东、昌江、白沙、琼中、儋州。亦分布于中国广东、广西、云南、贵州。越南、泰国均有分布。

| 资　　源 | 生于中海拔山谷林中，常见。

| 采收加工 | 壳斗：果实成熟时采收，留下壳斗。树皮：全年可采，洗净，鲜用或晒干。

| 功能主治 | 涩肠止泻，解毒截疟，杀菌。水煎服用于疟疾。

壳斗科 Fagaceae 青冈属 *Cyclobalanopsis*

竹叶青冈

Cyclobalanopsis bambusaefolia (Hance) Chun ex Y. C. Hsu et H. W. Jen

| 中 药 名 | 竹叶青冈（药用部位：叶）

| 植物形态 | 常绿乔木，叶片薄革质，集生于枝顶，窄披针形，长 3~11cm，宽 0.5~1.8cm，叶背带粉白色，叶柄长 2~5mm。雄花序长 1.5~5cm；雌花序长 0.5~1cm，花柱 3~4。果序长 5~10mm，通常有果 1 个。壳斗盘形或杯形，包着坚果基部，直径 1.3~1.5cm，高 0.5~1cm，内壁有棕色绒毛，外壁被灰棕色短绒毛；小苞片合生成 4~6 同心环带，环带全缘。坚果倒卵形，直径 1~1.6cm，高 1.5~2.5cm，柱座明显；果脐微突起，直径 5~7mm。花期 2~3 月，果期翌年 8~11 月。

竹叶青冈

| 分布区域 |

产于海南乐东、东方、五指山、保亭、陵水、万宁、昌江。亦分布于中国广东、广西。越南也有分布。

| 资　　源 |

生于中海拔至高海拔林中，常见。

| 采收加工 |

全年皆可采收，除去杂质，晒干。

| 功能主治 |

用于尿石病。

壳斗科 Fagaceae 柯属 Lithocarpus

胡颓子叶柯

Lithocarpus elaeagnifolius (Seem.) Chun.

| **中 药 名** | 胡颓子叶柯（药用部位：树皮）

| **植物形态** | 乔木，当年生新枝及嫩叶两面被早脱落的棕黄色卷柔毛，无蜡鳞，二及三年枝暗黑褐色，有白灰色或奶黄色薄片状蜡层，皮孔甚细小，密生。叶狭长圆形，长 7~15cm，宽 1~2.5mm，硬纸质，基部沿叶柄下延，干后叶背有紧实的蜡鳞层；叶柄基部增粗呈枕状。雄穗状花序位于枝顶部，常集生成圆锥花序，长 3~7cm，雌雄花序轴被棕黄色短绒毛，雌花序长达 18cm，其顶部常着生雄花，雌花每 3 朵一簇。壳斗扁圆形或近圆球形，宽 14~17mm，包着坚果的 3/4~4/5，壳壁薄壳质，三角形小苞片鳞片状，伏贴，被棕黄色微毛状鳞秕；坚果

胡颓子叶柯

为略扁的圆球形，宽 12~14mm，栗褐色，底部果脐浅凹陷，深约 1/2mm，口径 10~11mm。花期 7~9 月，果实翌年同期成熟。

| **分布区域** | 产于海南乐东、昌江、白沙、琼中、琼海、保亭。亦分布于中国广东。越南也有分布。

| **资　　源** | 生于山坡或山谷丛林中，常见。

| **采收加工** | 树皮全年可采，洗净，鲜用或晒干。

| **功能主治** | 同属植物柯 *Lithocarpus glaber* 的树皮可用于利尿消肿，本种或有类似功能，其具体作用有待进一步研究。

壳斗科 Fagaceae 柯属 *Lithocarpus*

硬壳柯
Lithocarpus hancei (Bentham) Rehder

| 中 药 名 | 硬壳柯（药用部位：树皮）

| 植物形态 | 乔木，除花序轴及壳斗被灰色短柔毛外，各部均无毛。小枝淡黄灰色或灰色，常有很薄的透明蜡层。叶薄纸质至硬革质，长与宽的变异很大，基部通常沿叶柄下延，全缘，两面同色，叶柄长 0.5~4cm。雄穗状花序通常多穗排成圆锥花序，雌花序 2 至多穗聚生于枝顶部。壳斗浅碗状至近于平展的浅碟状，高 3~7mm，宽 10~20mm，包着坚果不到 1/3，小苞片鳞片状三角形，紧贴，覆瓦状排列或连生成数个圆环，壳斗通常 3~5 个一簇；坚果扁圆形或近圆球形，高 8~20mm，宽 6~25mm，先端圆至尖，淡棕色或淡灰黄色，果脐深 1~2.5mm，口径 5~10mm。花期 4~6 月，果实翌年 9~12 月成熟。

硬壳柯

| 分布区域 | 产于海南乐东、东方、五指山、万宁、昌江、白沙、琼中。亦分布于中国长江以南各地。

| 资　　源 | 生于山坡密林中，常见。

| 采收加工 | 树皮全年可采，洗净，鲜用或晒干。

| 功能主治 | 同属植物柯 *Lithocarpus glaber* 的树皮可用于利尿消肿，本种或有类似功能，其具体作用有待进一步研究。

壳斗科 Fagaceae 柯属 Lithocarpus

烟斗柯
Lithocarpus corneus (Lour.) Rehd.

| 中 药 名 |　烟斗柯（药用部位：树皮）

| 植物形态 |　乔木，枝淡黄灰色，散生微突起的皮孔；托叶披针形，较迟脱落。叶常聚生于枝顶部，椭圆形，长 4~20cm，宽 1.5~7cm，叶缘有裂齿，两面同色，叶背被雨点状、无色、半透明、甚细小的鳞腺，叶柄长 0.5~4cm。雌花通常着生于雄花序轴的下段，若全为雌花则花序长不过 10cm，每 3 朵一簇。壳斗碗状或半圆形，高 22~45mm，宽 25~55mm，包着坚果一半至大部分，小苞片三角形，中央及两侧边缘脊肋状增厚且略隆起，形成规则的网纹，很少几全与壳壁愈合而仅留痕迹，壳壁中部以下甚增厚，木质；坚果半圆形或宽陀螺形，顶部圆，平坦或中央略凹陷，果壁近角质，比壳壁厚，果脐占坚果

烟斗柯

面积一半至大部分，其上部的边缘槽状，4~8浅裂。花期几全年，盛花期5~7月，果实翌年约同期成熟。

| 分布区域 |

产于海南三亚、东方、昌江、白沙、五指山、保亭、陵水、万宁、琼中、儋州、屯昌、文昌。亦分布于中国广东、广西、湖南、台湾、贵州、云南。越南也有分布。

| 资　源 |

生于溪边、山坡或疏林，十分常见。

| 采收加工 |

树皮全年可采，洗净，鲜用或晒干。

| 功能主治 |

同属植物柯 *Lithocarpus glaber* 的树皮可用于利尿消肿，本种或有类似功能，其具体作用有待进一步研究。

| 附　注 |

同属植物柯的树皮有小毒，本种亦或有小毒，应注意使用。

壳斗科 Fagaceae 柯属 Lithocarpus

瘤果柯 *Lithocarpus handelianus* A. Camus.

| **中 药 名** | 瘤果柯（药用部位：树皮）

| **植物形态** | 乔木，芽鳞被灰黄色伏贴的短毛，卵状三角形至披针形。当年生枝粗壮，被灰棕色短毛，一年生枝无毛，与叶柄、叶背相同，均有蜡黄色紧实而厚的鳞秕层，干后常油润有光泽。叶厚革质，常聚生于枝顶部，椭圆形，长 15~20cm，宽 6~9cm，全缘，干后淡灰黄色；叶柄长 2~3cm。雄穗状花序单穗顶生，很少腋生，常雌雄同序，花序长达 20cm，花序轴被短伏毛，雌花每 3 朵一簇。果序轴粗壮；壳斗近圆球形，高 20~30mm，宽 20~32mm，全包坚果，小苞片增厚，分明，干后坚实，三角形钻尖状，横切面多呈四角菱形，长 2~4mm，先端略弯卷，覆瓦状排列；坚果圆锥形，比壳斗稍小，被

瘤果柯

灰黄色细伏毛，果脐位于坚果底部，浅凹陷，但中央部分明显隆起。花期 5 月及 8~10 月，果实翌年成熟。

| 分布区域 |

产于海南乐东、保亭、陵水、琼中、三亚、白沙、定安。亦分布于中国广东、广西、云南。

| 资　源 |

生于中海拔山谷或山顶林中，偶见。

| 采收加工 |

树皮全年可采，洗净，鲜用或晒干。

| 功能主治 |

同属植物柯 *Lithocarpus glaber* 的树皮可用于利尿消肿，本种或有类似功能，其具体作用有待进一步研究。

| 附　注 |

柯的树皮有小毒，本种亦或有小毒，应注意使用。

壳斗科 Fagaceae 柯属 Lithocarpus

水仙柯
Lithocarpus naiadarum (Hance) Chun

| 中 药 名 | 水仙柯（药用部位：树皮）

| 植物形态 | 乔木，一年生枝有透明的薄蜡层，枝、叶无毛。叶硬纸质，狭长椭圆形，长通常为其宽度的 5~10 倍，宽 1~3cm，基部沿叶柄下延，两面同色，叶背无蜡鳞层。雄穗状花序多排成圆锥花序，花序轴密被灰黄色短柔毛；雌花序长达 20cm；雌花每 3 朵一簇。壳斗浅碟状，通常平展，宽 12~18mm，包着坚果底部，小苞片三角形，紧贴，稍增厚，通常连生成圆环状，但位于壳斗上部的常为覆瓦状排列，壳壁底部增厚，近木质，被灰色微柔毛；坚果宽圆锥形，高 10~20mm，宽 15~25mm，稀近圆球形，栗褐色，未完全成熟时有淡薄的白粉，果脐深 1~2mm。花期 7~8 月，果实翌年 8~9 月成熟。

水仙柯

| 分布区域 | 产于海南乐东、东方、白沙、琼中、儋州、澄迈、定安。亦分布于中国广东、广西。

| 资　　源 | 生于河边沙质土林中，常见。

| 采收加工 | 树皮全年可采，洗净，鲜用或晒干。

| 功能主治 | 同属植物柯 Lithocarpus glaber 的树皮可用于利尿消肿，本种或有类似功能，其具体作用有待进一步研究。

| 附　　注 | 柯的树皮有小毒，本种亦或有小毒，应注意使用。

木麻黄科 Casuarinaceae   木麻黄属 *Casuarina*

木麻黄 *Casuarina equisetifolia* Forst.

| 中 药 名 | 木麻黄（药用部位：树皮、枝、叶、种子）

| 植物形态 | 乔木，在幼树上的树皮赭红色，皮孔密集排列为条状，老树的树皮内皮深红色；枝红褐色，有密集的节，节间长 4~9mm，节脆易抽离。鳞片状叶每轮通常 7，披针形，长 1~3mm，紧贴。雌雄同株或异株；雄花序几无总花梗，棒状圆柱形，长 1~4cm，有覆瓦状排列、被白色柔毛的苞片；小苞片具缘毛；花被片 2；雌花序通常生于近枝顶的侧生短枝顶部。球果状果序椭圆形，长 1.5~2.5cm，直径 1.2~1.5cm，两端近平截或钝，幼嫩时外被灰绿色或黄褐色茸毛，成长时毛常脱落；小苞片变木质，阔卵形，先端略钝或急尖，背无隆起的棱脊；小坚果连翅长 4~7mm，宽 2~3mm。花期 4~5 月，果期 7~10 月。

木麻黄

分布区域

海南沿海各地有栽培。中国广东、广西、福建、台湾、浙江、云南有栽培。原产于澳大利亚及太平洋岛屿，越南、泰国、缅甸、菲律宾、马来西亚、印度尼西亚、巴布亚新几内亚也有分布。

资 源

本种作为海防林常用树种，在海南十分常见。

采收加工

树皮、枝：全年可采摘嫩枝，或剥取树皮，均鲜用或晒干。种子：秋季采收成熟果实，晒至近干，脱下种子，充分干燥。

药材性状

枝条较长，主枝圆柱形，灰绿色或褐红色，小枝轮生，灰绿色，约有纵棱7，纤细，直径0.4~0.6mm。节密生，节间长4~9mm，鳞叶7，轮生，下部灰白色，先端红棕色。枝条先端有时有穗状雄花序和头状雌花序。节易脱落，枝条易折断，断面黄绿色。气微，味淡。

功能主治

树皮、枝、叶：味微苦、辛，性温；归肺、大肠、小肠经。祛风除湿，解表发汗，止咳，利尿，止痢，收敛，调经，催生。用于感冒、咳嗽、慢性支气管炎、小便不利、疝气、泄泻、阿米巴痢疾。种子：味微苦，性温。涩肠止泻。用于慢性腹泻。

榆科 Ulmaceae 朴属 Celtis

朴 树 *Celtis sinensis* Pers.

| 中 药 名 | 朴树（药用部位：树皮、根皮、叶、果实）

| 植物形态 | 落叶乔木；树皮灰色。叶革质，多为卵形，长 3~10cm，中部以上边缘有浅锯齿，基部几乎不偏斜，三出脉。花杂性，1~3 朵生于当年枝的叶腋；花被片 4，被毛；雄蕊 4；柱头 2。核果近球形，直径5~7mm，红褐色；果核有穴和突肋。花期 3~4 月，果期 9~10 月。

| 分布区域 | 产于海南东方、昌江、琼中、儋州、澄迈。亦分布于中国长江以南各地。日本、朝鲜也有分布。

朴树

| 资　　源 | 生于山坡、平地或林边，常见。

| 采收加工 | 树皮、根皮：全年均可采收，刮去粗皮。叶：夏季采收叶，洗净。果实：秋季成熟时采收果实，切片，晒干。

| 药材性状 | 树皮：树皮呈板块状，表面棕灰色，粗糙而不开裂，有白色皮孔；内表面棕褐色。气微，味淡。叶：叶多破碎，完整者卵形或卵状椭圆形，长 3~10cm，宽 1.5~4cm，叶柄长 5~10mm，被柔毛。气微，味淡。

| 功能主治 | 树皮：味辛、苦，性平。祛风透疹，消食化滞。用于麻疹透发不畅、消化不良。叶：味微苦，性凉。清热，凉血，解毒。用于漆疮、荨麻疹。果实：味苦、涩，性平。清热利咽。用于感冒咳嗽、音哑。根皮：味苦、辛，性平。祛风透疹，消食止泻。用于麻疹透发不畅、消化不良、食积泻痢、跌打损伤。

■榆科■ Ulmaceae ■朴属■ *Celtis*

假玉桂 *Celtis timorensis* Span.

| 中 药 名 | 香胶木（药用部位：叶、根皮）

| 植物形态 | 常绿乔木，树皮灰色，木材有恶臭，有散生短条形皮孔；冬芽外部鳞片近无毛，内部鳞片被毛。叶革质，卵状椭圆形，长 5~13cm，宽 2.5~6.5cm，稍不对称，叶柄长 3~12mm。小聚伞圆锥花序具 10 花左右，幼时被金褐色毛，在小枝下部的花序全生雄花，在小枝上部的花序为杂性，结果时通常一个果序上有 3~6 果实，果实容易脱落。果实宽卵状，先端残留花柱基部而呈短喙状，长 8~9mm，成熟时黄色、橙红色至红色；核椭圆状球形，长约 6mm，乳白色，四条肋较明显，表面有网孔状凹陷。

假玉桂

| 分布区域 |

产于海南三亚、乐东、东方、昌江、白沙、保亭、万宁、琼中、定安、琼海、海口、澄迈。亦分布于中国广东、广西、福建、台湾、贵州、云南、四川、西藏。越南、泰国、缅甸、菲律宾、印度、马来西亚、印度尼西亚、孟加拉国、尼泊尔、斯里兰卡也有分布。

| 资　　源 |

生于低海拔林中，常见。

| 采收加工 |

全年均可采收，洗净，剥皮，鲜用或晒干。

| 功能主治 |

根皮：味淡，性平。活血消肿，止血。用于跌打损伤、肿痛、外伤出血。 叶：味辛，性平。祛瘀止血。用于跌打损伤、外伤出血。

榆科 Ulmaceae 白颜树属 *Gironniera*

白颜树

Gironniera subaequalis Planch.

| 中 药 名 | 白颜树（药用部位：叶）

| 植物形态 | 乔木，小枝疏生黄褐色长粗毛。革质叶椭圆形，长 10~25cm，宽 5~10cm，仅在顶部疏生浅钝锯齿，叶柄长 6~12mm，疏生长糙伏毛；托叶对生，鞘包着芽，披针形，外面被长糙伏毛，脱落后留有一环托叶痕。雌雄异株，聚伞花序成对腋生，花序梗上疏生长糙伏毛，雄的多分枝，雌的分枝较少，呈总状；雄花直径约 2mm，花被片 5，宽椭圆形，中央部分增厚，边缘膜质，外面被糙毛，花药外面被细糙毛。核果具短梗，阔卵状或阔椭圆状，直径 4~5mm，侧向压扁，被贴生

白颜树

的细糙毛，内果皮骨质，两侧具 2 钝棱，熟时橘红色，具宿存的花柱及花被。花期 2~4 月，果期 7~11 月。

| 分布区域 |

产于海南三亚、乐东、东方、昌江、白沙、五指山、万宁、琼中、儋州、澄迈、琼海。亦分布于中国广东、广西、云南。东亚及东南亚也有分布。

| 资　　源 |

生于低海拔林中，常见。

| 采收加工 |

全年皆可采收，除去杂质，洗净，鲜用或晒干。

| 功能主治 |

祛寒除湿。用于寒湿。

榆科 Ulmaceae 山黄麻属 Trema

狭叶山黄麻 *Trema angustifolia* (Planch.) Bl.

| **中 药 名** | 山郎木（药用部位：根、叶）

| **植物形态** | 小乔木，小枝紫红色，密被细粗毛。叶卵状披针形，长 3~5cm，宽 0.8~1.4cm，边缘有细锯齿，叶背密被灰短毡毛，基出脉 3，叶柄长 2~5mm，密被细粗毛。花单性，由数朵花组成小聚伞花序；雄花小，直径约 1mm，几乎无梗，花被片 5，狭椭圆形，内弯，在开放前其边缘凹陷包裹着雄蕊呈瓣状，外面密被细粗毛。核果宽卵状或近圆球形，微压扁，直径 2~2.5mm，熟时橘红色，有宿存的花被。花期 4~6 月，果期 8~11 月。

狭叶山黄麻

| 分布区域 | 产于海南乐东、东方、昌江、白沙、五指山、保亭。亦分布于中国广东、广西、云南。越南、泰国、印度、马来西亚、印度尼西亚也有分布。 |

| 资　　源 | 生于低海拔灌丛中，常见。 |

| 采收加工 | 春、夏季采摘叶，秋末、冬初挖取根部，去净泥土，晒干或鲜用。 |

| 药材性状 | 完整叶卵形或卵状披针形，长 3~5cm，具三出脉，侧脉 3~5 对；边缘具整齐的小锯齿；上面粗糙，密生乳头状突起，下面密被浅灰色柔毛；叶柄长 2~5mm，密被短毛。 |

| 功能主治 | 止痛，止血，清热。 |

榆科 Ulmaceae 山黄麻属 Trema

光叶山黄麻 *Trema cannabina Lour.*

光叶山黄麻

|中 药 名|

光叶山黄麻（药用部位：根皮）

|植物形态|

小乔木，小枝黄绿色，被贴生的短柔毛，后脱落。叶近膜质，卵形，长 4~9cm，宽 1.5~4cm，边缘具圆齿状锯齿，基部有明显的三出脉，叶柄纤细，被贴生短柔毛。花单性，雌雄同株，雌花序常生于花枝的上部叶腋，雄花序常生于花枝的下部叶腋，或雌雄同序，聚伞花序一般长不过叶柄；雄花具梗，直径约 1mm，花被片 5，倒卵形，外面无毛。核果近球形，微压扁，直径 2~3mm，熟时橘红色，有宿存花被。花期 3~6 月，果期 9~10 月。

|分布区域|

产于海南保亭、琼中、临高、澄迈、琼海。亦分布于中国广东、广西、湖南、江西、福建、台湾、浙江、江苏、安徽、湖北、贵州、云南及四川。越南、柬埔寨、泰国、缅甸、菲律宾、印度、尼泊尔、日本、马来西亚、印度尼西亚、澳大利亚、太平洋群岛也有分布。

| 资　　源 | 生于低海拔疏林及灌丛中，常见。

| 采收加工 | 夏、秋季采收，鲜用或晒干。

| 功能主治 | 味甘、淡，性微寒。健脾利水，化瘀生新，接骨。

榆科 Ulmaceae 山黄麻属 *Trema*

山黄麻
Trema tomentosa (Roxb.) H. Hara

| 中 药 名 | 山黄麻（药用部位：叶、根）

| 植物形态 | 小乔木，树皮灰褐色，密被短绒毛。叶纸质或薄革质，宽卵形，长
7~15cm，宽 3~7cm，基部明显偏斜，边缘有细锯齿，叶面极粗糙，
有直立的基部膨大的硬毛，叶背有短绒毛，基出脉 3，托叶条状披
针形。雄花序长 2~4.5cm，雄花直径 1.5~2mm，花被片 5，卵状矩圆形，
外面被微毛，边缘有缘毛，雄蕊 5，退化雌蕊倒卵状矩圆形，压扁，
透明，在其基部有一环细曲柔毛。雌花序长 1~2cm；雌花具短梗，
花被片 4~5，三角状卵形，长 1~1.5mm，外面疏生细毛，在中肋上
密生短粗毛，小苞片卵形，长约 1mm，具缘毛，在背面中肋上有细毛。
核果宽卵珠状，压扁，直径 2~3mm，成熟时具不规则的蜂窝状皱纹，

山黄麻

褐黑色或紫黑色,具宿存的花被。种子阔卵珠状,压扁,直径 1.5~2mm,两侧有棱。花期 3~6 月,果期 9~11 月,在热带地区,几乎四季开花。

| 分布区域 |

海南有分布记录。亦分布于中国广东、广西、福建、台湾、贵州、云南、四川、西藏。越南、老挝、柬埔寨、缅甸、马来西亚、孟加拉国、不丹、尼泊尔、巴基斯坦、日本、澳大利亚也有分布。

| 资　源 |

生于海拔 100m 以上的林中、湿润山谷、开阔山坡,少见。

| 采收加工 |

全年均可采叶、根,鲜用或晒干。

| 药材性状 |

叶多皱缩,展平后完整者呈卵形、卵状披针形或披针形,长 7~15cm,先端长渐尖,基部心形或近截形,常稍斜,基部三出脉明显,边缘有小锯齿,上面有短硬毛而粗糙,下面密被淡黄色柔毛。质脆。气微,味涩。

| 功能主治 |

叶:味涩,性平。止血。用于外伤出血。 根:味辛,性平。散瘀消肿,止痛。用于跌打损伤、瘀肿疼痛、腹痛。

榆科 Ulmaceae 榆属 Ulmus

榔 榆 *Ulmus parvifolia Jacq.*

| 中 药 名 | 榔榆（药用部位：树皮或根皮、茎、叶）

| 植物形态 | 落叶乔木，树冠广圆形，树干基部有时成板状根，树皮灰色，裂成不规则鳞状薄片剥落，露出红褐色内皮，冬芽卵圆形，红褐色，无毛。叶质地厚，披针状卵形，长1.7~8cm，宽0.8~3cm，边缘有单锯齿，叶柄长2~6mm，仅上面有毛。花秋季开放，3~6数在叶腋簇生，花被上部杯状，下部管状，花被片4，深裂至杯状花被的基部。翅果椭圆形，长10~13mm，宽6~8mm，先端缺口柱头面被毛，果翅稍厚，基部的柄长约2mm，两侧的翅较果核部分为窄，果核部分位于翅果的中上部，上端接近缺口，花被片脱落或残存，果梗较管状花被为短，长1~3mm，有疏生短毛。花果期8~10月。

榔榆

| **分布区域** | 产于海南东方。亦分布于中国广东、广西、湖南、江西、福建、台湾、浙江、江苏、安徽、湖北、贵州、四川、陕西、河南、山西及山东。越南、印度、日本、朝鲜也有分布。 |

| **资　　源** | 生于平原、丘陵、山坡及谷地，少见。 |

| **采收加工** | 树皮及根皮：全年均可采收，洗净，晒干。叶、茎：在夏、秋季采收，鲜用。 |

| **药材性状** | 树皮：树皮呈长卷曲状。外表面灰褐色，呈不规则鳞片状脱落，有突出的横向皮孔；内表面黄白色。质柔韧，不易折断，断面外侧棕红色，内侧黄白色。气特异，味淡，嚼之有黏液感。根皮：根皮表面灰黄棕色，较平滑。余同树皮。叶：叶椭圆形、卵圆形或倒卵形，长 1.7~8cm，宽 1~2.8cm，基部圆形，稍歪，先端短尖，叶缘有锯齿，上面微粗糙，棕褐色，下面淡棕色。气微，味淡，嚼之有黏液感。 |

| **功能主治** | 树皮或根皮：味甘、微苦，性寒。利水通淋，消痈。用于乳痈、风毒流注。叶：味甘、微苦，性寒。消热解毒，消肿止痛。用于热毒疮疡、牙痛。茎：味甘、微苦，性寒。通络止痛。用于腰背酸痛。 |

榆科 Ulmaceae 榆属 Ulmus

越南榆
Ulmus tonkinensis Gagnep.

| 中 药 名 | 越南榆（药用部位：树干内皮）

| 植物形态 | 常绿小乔木；树皮灰褐色，带微红，呈不规则鳞片状脱落，内皮粉红；小枝幼时密被短柔毛；无木栓翅及膨大的木栓层。叶卵状披针形，长3~9cm，宽1.5~3cm，边缘具单锯齿，叶柄长2~6mm。花冬季开放，3~7数簇生，花被上部杯状，下部管状，花被片5，裂至杯状花被的中下部，雄蕊5，子房具疏毛，柱头面密被绒毛。翅果近圆形、宽长圆形或倒卵状圆形，长1.2~2.3cm，无毛，先端缺口常封闭，内缘柱头面被毛，果核部分位于翅果中上部，上端接近缺口，基部有短柄，花被片不脱落，果梗长4~9mm，无毛或几无毛。花后数周果即成熟，常宿存至翌年3~4月。

越南榆

分布区域	产于海南三亚、乐东、东方、白沙。亦分布于中国广西、云南。越南、泰国、老挝、缅甸、马来西亚、不丹、印度也有分布。
资　　源	生于密林中，石灰岩地区常见。
采收加工	全年皆可采收树皮，刮去粗皮，留下内皮，晒干备用。
功能主治	收敛止血。用于肠胃出血、尿血、各种外伤出血。
附　　注	在 FOC 中，其被修订为常绿榆 *Ulmus lanceifolia* Roxb.。

桑科 Moraceae 波罗蜜属 Artocarpus

白桂木 *Artocarpus hypargyreus* Hance ex Benth.

| 中 药 名 | 白桂木（药用部位：根、果实）

| 植物形态 | 大乔木，树皮深紫色，片状剥落；幼枝被白色紧贴柔毛。叶互生，革质，椭圆形至倒卵形，长 8~15cm，宽 4~7cm，背面绿色，被粉末状柔毛，叶柄长 1.5~2cm，被毛；托叶线形，早落。花序单生于叶腋。雄花序椭圆形至倒卵圆形，长 1.5~2cm，直径 1~1.5cm；总柄长 2~4.5cm，被短柔毛；雄花花被 4 裂，裂片匙形，与盾形苞片紧贴，密被微柔毛，雄蕊 1，花药椭圆形。聚花果近球形，直径 3~4cm，浅黄色至橙黄色，表面被褐色柔毛，微具乳头状突起；果柄长 3~5cm，被短柔毛。花期春、夏季。

白桂木

| 分布区域 | 产于海南白沙、儋州、澄迈、琼海。亦分布于中国华南其他区域，以及湖南、江西、云南。

| 资　源 | 生于低海拔疏林中，少见。

| 采收加工 | 果实：夏、秋季摘取成熟果实。根：全年可采，洗净，切片，晒干。

| 药材性状 | 肉质聚花果呈类球形，外表面灰绿色至茶褐色，常被锈色绒毛。已切成片块者直径约1.5cm，边缘皱缩不干，切面肉质肥厚，黄白色或淡棕色。内有众多细小瘦果，瘦果心形或卵形，黄色，藏于肉质体内。气微，味酸、微甜。

| 功能主治 | 根：味甘、淡，性温。祛风除湿，活血消肿。果实：味甘、酸，性平；归肺、胃、肝经。生津止渴，止血，开胃化痰。用于热渴、咯血、吐血、衄血、咽喉痛、食欲不振。

桑科 Moraceae　波罗蜜属 Artocarpus

二色波罗蜜 *Artocarpus styracifolius* Pierre.

| 中 药 名 | 二色波罗蜜（药用部位：根）

| 植物形态 | 乔木，小枝幼时密被白色短柔毛。纸质叶互生排为 2 列，长圆形，长 4~8cm，宽 2.5~3cm，先端渐尖为尾状，基部略下延至叶柄，全缘，背面被苍白色粉末状毛，叶柄长 8~14mm，被毛；托叶钻形，脱落。雌雄同株，花序单生于叶腋，雄花序椭圆形，长 6~12mm，密被灰白色短柔毛，花序轴被毛，头状腺毛细胞 1~6，苞片盾形或圆形；雌花花被片外面被柔毛，先端 2~3 裂，长圆形，雄蕊 1。聚花果球形，直径约 4cm，黄色，干时红褐色，被毛，表面着生很多弯曲、圆柱形、长达 5mm 的圆形突起；总梗长 18~25mm，被柔毛；核果球形。花期秋初，果期秋末冬初。

二色波罗蜜

| 分布区域 |

产于海南乐东、东方、昌江、五指山、陵水、万宁、琼中。亦分布于中国华南其他区域，以及湖南、贵州、云南。越南、老挝也有分布。

| 资 源 |

生于中海拔山谷中，常见。

| 采收加工 |

全年均可采挖，洗净，切段，鲜用或晒干。

| 功能主治 |

祛风除湿，舒筋活血。用于风湿关节痛、腰肌劳损、半身不遂、跌打损伤、扭挫伤。

桑科 Moraceae 波罗蜜属 Artocarpus

胭 脂
Artocarpus tonkinensis A. Chev. ex Gagnep.

| 中 药 名 | 胭脂（药用部位：根）

| 植物形态 | 乔木，树皮褐色，粗糙；小枝淡红褐色，常被平伏短柔毛。叶革质，椭圆形，长 8~20cm，宽 4~10cm，先端具短尖，背面密被微柔毛；叶柄长 4~10mm，微被柔毛；托叶锥形，脱落后有疤痕。花序单生于叶腋，雄花序倒卵圆形，长 1~1.5cm，直径 0.8~1.5cm，总花梗短于花序；雄花花被 2~3 裂，边缘具纤毛，雄蕊 1，花药椭圆形，苞片有柄，顶部盾状；雌花序球形，花柱伸出于苞片外，花被片完全融合。聚花果近球形，直径达 6.5cm，成熟时黄色，果柄长 3~4cm；核果椭圆形，直径 9~12mm。花期夏、秋季，果期秋、冬季。

胭脂

分布区域

产于海南乐东、东方、保亭、万宁、琼中、儋州、澄迈、临高。亦分布于中国广东、广西、福建、贵州、云南。越南、柬埔寨均有分布。

资 源

生于低至中海拔山地或丘陵，常见。

采收加工

全年可采，洗净，切片，晒干。

功能主治

用于风湿、咀嚼痛。

桑科 Moraceae 波罗蜜属 Artocarpus

桂 木
Artocarpus nitidus Trec. subsp. *lingnanensis* (Merr.) Jarr.

| 中 药 名 | 桂木（药用部位：果实、根）

| 植物形态 | 乔木，树皮黑褐色，纵裂，叶互生，革质，长圆状椭圆形至倒卵状椭圆形，长7~15cm，宽3~7cm，叶柄长5~15mm；托叶披针形，早落。雄花序头状，倒卵圆形至长圆形，长2.5~12mm，雄花花被片2~4裂，基部联合，长0.5~0.7mm，雄蕊1；雌花序近头状，雌花花被管状，花柱伸出苞片外；总花梗长1.5~5mm。聚花果近球形，表面粗糙被毛，直径约5cm，成熟红色，肉质，干时褐色，苞片宿存；小核果10~15。花期4~5月。

桂木

| 分布区域 | 产于海南乐东、东方、昌江、陵水、万宁、儋州。亦分布于中国广东、广西、湖南、云南。越南、老挝、柬埔寨、泰国、菲律宾、马来西亚、印度尼西亚也有分布。

| 资　　源 | 生于旷野或山谷林中，常见。

| 采收加工 |

果实: 夏、秋季摘取成熟果实。根: 全年均可采, 洗净, 切片, 晒干。

| 药材性状 |

本种与白桂木相似, 主要区别为: 聚花果较大, 直径约 5cm, 厚约 5mm。

| 功能主治 |

果实: 味甘、酸, 性平; 归肺、胃、肝经。生津止血, 敛气, 开胃化痰。根: 味辛, 性微温; 归胃经。健脾和胃, 祛风活血。用于胃脘不舒、食欲不振、风湿痹痛、跌打损伤。

桑科 Moraceae　构属 *Broussonetia*

葡 蟠
Broussonetia kaempferi Siebold.

| 中 药 名 |　葡蟠（药用部位：全株）

| 植物形态 |　蔓生藤状灌木；叶互生，螺旋状排列，呈近对称的卵状椭圆形，长 3.5~8cm，宽 2~3cm，边缘锯齿细，齿尖具腺体，表面无毛，稍粗糙；叶柄长 8~10mm，被毛。雌雄异株，雄花序短穗状，长 1.5~2.5cm，花序轴约 1cm；雄花花被片 3~4，裂片外面被毛，雄蕊 3~4，花药黄色，椭圆球形，退化雌蕊小；雌花集生为球形头状花序。聚花果直径为 1cm，花柱线形，延长。花期 4~6 月，果期 5~7 月。

葡蟠

| 分布区域 |

产于海南乐东、东方、白沙、五指山、陵水、保亭、琼中、澄迈、定安。亦分布于中国浙江、湖北、湖南、安徽、江西、福建、广东、广西、云南、四川、贵州、台湾等地。越南、日本也有分布。

| 资　源 |

生于灌丛中，常见。

| 采收加工 |

全年均可采，洗净，晒干。

| 功能主治 |

清热止渴，利尿。用于砂淋、肺热咳嗽。

桑科 Moraceae 构属 Broussonetia

构 树
Broussonetia papyrifera (L.) Vent.

| 中 药 名 | 楮（药用部位：果实、嫩根或根皮、叶、白皮、皮间白汁、树枝）

| 植物形态 | 乔木，树皮暗灰色；小枝密生柔毛。叶螺旋状排列，广卵形至长椭圆状卵形，长 6~18cm，宽 5~9cm，两侧常不相等，边缘具粗锯齿，背面密被绒毛，基生叶脉三出，叶柄长 2.5~8cm，密被糙毛；托叶卵形。雌雄异株；雄花序为柔荑花序，长 3~8cm，苞片被毛，花被4 裂，裂片三角状卵形，被毛，雄蕊 4，花药近球形，退化雌蕊小；雌花序球形头状，苞片棍棒状，先端被毛，花被管状，柱头线形，被毛。聚花果直径 1.5~3cm，成熟时橙红色，肉质；瘦果表面有小瘤，龙骨双层，外果皮壳质。花期 4~5 月，果期 6~7 月。

构树

| 分布区域 | 产于海南三亚、乐东、昌江、白沙、保亭、琼中、儋州。亦分布于中国浙江、湖北、湖南、安徽、甘肃、江西、福建、广东、广西、云南、四川、贵州、河北、河南、江苏、陕西、山西、山东、西藏、台湾等地。越南、泰国、老挝、缅甸、柬埔寨、马来西亚、印度、太平洋群岛、日本、朝鲜、美国也有分布。

| 资　　源 | 生于低海拔山谷，常见。

| 采收加工 |

果实：果实在9月变红时采摘，除去灰白色膜状宿萼及杂质，晒干。树枝：春季采收枝条，晒干。根皮、白皮、皮间白汁：春、秋季剥取树皮、根皮，除去外皮，流出乳汁干后取下，晒干。叶：叶全年均可采收，鲜用或晒干。

| 药材性状 |

果实呈扁圆形或卵圆形，直径约1.5cm。表面红棕色，有网状皱纹或疣状突起。一侧有棱，一侧略平或有凹槽，有的具子房柄。果皮坚脆，易压碎，膜质种皮紧贴于果皮内面，胚乳类白色，富油性，气微，味淡。以色红、饱满者为佳。

| 功能主治 |

果实：味甘，性寒；归肝、肾、脾经。补肾，清肝明目，利尿。用于腰膝酸软、虚痨骨蒸、头晕目昏、目生翳膜、水肿胀满。嫩根或根皮：味甘，性微寒。凉血散瘀，清热利湿。用于咳嗽吐血、崩漏、水肿、跌打损伤。白皮：味甘，性平。行水，止血。用于气短咳嗽、肠风血痢。叶：味甘，性凉。凉血，利水。用于衄血、外伤出血、水肿、痢疾。皮间白汁：用于水肿、癣疾。树枝：用于风疹、目赤肿痛、小便不利。

桑科 Moraceae 榕属 Ficus

大果榕 *Ficus auriculata* Lour.

| 中药名 | 大果榕（药用部位：果实）

| 植物形态 | 乔木，树皮灰褐色，幼枝红褐色，中空。叶互生，厚纸质，广卵状心形，长 15~55cm，宽 15~27cm，边缘具整齐细锯齿；托叶三角状卵形，紫红色，外面被短柔毛。榕果簇生于树干基部或老茎短枝上，大而呈梨形，直径 3~5cm，具明显的纵棱 8~12，红褐色，顶生苞片宽三角状卵形，4~5 轮覆瓦状排列而呈莲座状，基生苞片 3，卵状三角形；雄花花被片 3，匙形，薄膜质，雄蕊 2；瘿花花被片下部合生，上部 3 裂，微覆盖子房，花柱侧生，被毛，柱头膨大；雌花生于另一植株榕果内，花被片 3 裂，子房卵圆形，花柱侧生，被毛，较瘿花花

大果榕

柱长。瘦果有黏液。花期 8 月至翌年 3 月，果
期 5~8 月。

| 分布区域 |

产于海南乐东、东方、昌江、白沙、保亭、陵水、
万宁、儋州、琼中、定安、琼海。亦分布于中
国华南其他区域，以及贵州、云南、四川。越南、
泰国、缅甸、印度、不丹、尼泊尔、巴基斯坦
也有分布。

| 资　　源 |

生于低山沟谷潮湿雨林中，常见。

| 采收加工 |

果实成熟时采收，用开水烫后晒干。

| 功能主治 |

祛风除湿。

桑科 Moraceae 榕属 Ficus

垂叶榕 *Ficus benjamina* L.

| **中 药 名** | 垂叶榕（药用部位：气生根、树皮、叶芽、果实、枝、叶、乳汁）

| **植物形态** | 大乔木，树皮平滑；小枝下垂。叶薄革质，卵形至卵状椭圆形，长 4~8cm，宽 2~4cm，全缘，叶柄长 1~2cm，托叶披针形，长约 6mm。榕果生于叶腋，基部缢缩成柄，球形，光滑，成熟时红色至黄色，直径 8~15cm，基生苞片不明显；雄花、瘿花、雌花同生于一榕果内；雄花极少数，具柄，花被片 4，宽卵形，雄蕊 1；瘿花具柄，多数，花被片 4~5，狭匙形，花柱侧生；雌花无柄，花被片短匙形。瘦果卵状肾形，短于花柱，花柱近侧生，柱头膨大。花期 8~11 月。

垂叶榕

| **分布区域** | 产于海南三亚、乐东、东方、昌江、白沙、保亭、陵水、万宁、儋州、澄迈、琼海、文昌、海口。亦分布于中国南部至西南部各地。亚洲南部及大洋洲也有分布。 |

| **资　　源** | 生于低海拔山谷，常见。 |

| **采收加工** | 果实：果实成熟时采收。叶芽：春天采收叶芽。其余全年皆可采收，晒干。 |

| **功能主治** | 气生根、树皮、叶芽、果实：清热解毒，祛风凉血，滋阴润肺，发表透疹，催乳。用于风湿麻木、出血。枝、叶：通经活血。用于月经不调、跌打损伤。 |

桑科 Moraceae　榕属 Ficus

无花果 *Ficus carica* L.

| 中 药 名 | 无花果（药用部位：果实、根、叶）

| 植物形态 | 落叶灌木，树皮皮孔明显。叶互生，厚纸质，广卵圆形，长、宽均为 10~20cm，通常 3~5 裂，小裂片卵形，边缘具不规则钝齿，背面密生细小钟乳体及灰色短柔毛，叶柄长 2~5cm；托叶卵状披针形，红色。雌雄异株，雄花和瘿花同生于一榕果内壁，雄花生于内壁口部，花被片 4~5，雄蕊 3，瘿花花柱侧生；雌花花被与雄花同，花柱侧生，柱头 2 裂，线形。榕果单生于叶腋，大而呈梨形，直径 3~5cm，顶部下陷，成熟时紫红色或黄色，基生苞片 3，卵形；瘦果透镜状。花果期 5~7 月。

无花果

| 分布区域 |

产于海南万宁。中国各地亦有栽培。原产于亚洲西部至地中海地区。

| 资　　源 |

栽培量较少，少见。

| 采收加工 |

果实：7~10 月果实呈绿色时，分批采摘；或拾取落地的未成熟果实，鲜果用开水烫后，晒干。叶、根：夏、秋季采收叶，根全年均可采收，鲜用或晒干。

| 药材性状 |

干燥的花序托呈倒圆形或类球形，长约 2cm，直径 1.5~2.5cm；表面淡黄棕色至暗棕色、青黑色，有波状弯曲的纵棱线；先端稍平截，中央有圆形突起，基部渐狭，带有果柄及残存的苞片。质坚硬，横切面黄白色，内壁着生众多细小瘦果，有时壁的上部尚见枯萎的雄花。瘦果卵形或三棱状卵形，长 1~2mm，淡黄色，外有宿萼包被。气微，味甜、略酸。以干燥、青黑色或暗棕色、无霉蛀者为佳。

| 功能主治 |

果实：味甘，性凉；归肺、胃、大肠经。清热解毒，润肺止咳，健胃清肠，消肿。用于泄泻、痢疾、便秘、痔疮、咳喘、咽喉痛、痈肿。 根、叶：味甘，性平。散瘀消肿，止泻。用于肠炎、痢疾。外用于痈肿。

桑科 Moraceae 榕属 Ficus

粗叶榕 *Ficus hirta* Vahl.

粗叶榕

| 中 药 名 |

粗叶榕（药用部位：根或枝条、花序托）

| 植物形态 |

灌木，小枝、叶和榕果均被金黄色开展的长硬毛。纸质叶互生，长 10~25cm，多型，边缘具细锯齿，有时全缘或 3~5 深裂，表面疏生贴伏粗硬毛，背面生开展的绵毛和糙毛，基生脉 3~5；膜质托叶长 10~30mm，红色，被柔毛。榕果成对腋生或生于已落叶枝上，球形，直径 10~15mm，雌花果球形，雄花及瘿花果卵球形，直径 10~15mm，幼嫩时顶部苞片形成脐状突起，基生苞片早落，卵状披针形，先端急尖，外面被贴伏柔毛；雄花生于榕果内壁近口部，有柄，红色花被片 4，雄蕊 2~3，花药长于花丝；瘿花花被片与雌花同数，子房球形，花柱侧生，柱头漏斗形；雌花生于雌株榕果内，花被片 4。瘦果椭圆球形，表面光滑，花柱贴生于一侧微凹处，细长，柱头棒状。

| 分布区域 |

产于海南三亚、乐东、东方、昌江、白沙、五指山、保亭、陵水、万宁、琼中、儋州、澄迈、屯昌。亦分布于中国东南部至西南部各地。越南、泰国、缅甸、印度尼西亚、尼泊尔、印度、不丹也有分布。

| 资　源 |

生于山地灌丛或旷野，十分常见。

| 采收加工 |

根或枝条全年均可采收，鲜用或切段、切片晒干。

| 药材性状 |

根呈圆柱形短段或片状，段长 2~4cm，直径 1~4cm，片厚 0.5~1cm。表面灰黄色或黄棕色，有红棕色花斑及细密纵皱纹，可见横向皮孔。质坚硬，不易折断。横切面皮部薄而韧，易剥落，富纤维性，木质部宽大，淡黄白色，有较密的同心性环纹。纵切面木纹顺直。茎枝圆柱形，黄绿色，被金黄色的长硬毛，质脆，折断面髓部多中空。叶互生，多皱缩破碎，完整的叶片椭圆形或倒卵形，全缘或 3~5 深裂。气微香，有类似败油气，味微甜。

| 功能主治 |

根或枝条：味甘、苦，性平。祛风除湿，祛瘀消肿。用于风湿痿痹、腰腿痛、痢疾、水肿、带下、瘰疬、跌打损伤、经闭、乳少。花序托：祛风消肿，活血祛瘀，清热解毒。用于风湿骨痛、闭经、产后瘀血腹痛、白带、睾丸炎、跌打损伤。

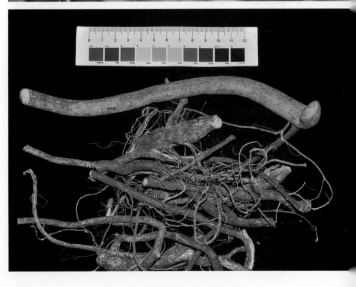

青藤公 *Ficus langkokensis* Drake.

| 中 药 名 | 青藤公（药用部位：果实）

| 植物形态 | 乔木，高6~15m，树皮红褐色或灰黄色，小枝细，黄褐色，被锈色
糠屑状毛。叶互生，纸质，椭圆状披针形至椭圆形，长7~19cm，宽
2~6cm，先端尾状渐尖，基部阔楔形，全缘，两面无毛，叶背红褐
色，叶基三出脉，基出侧脉达叶的1/3~1/2，侧脉2~4对，背面突起，
网脉在叶背稍明显；叶柄长1~4cm，无毛或疏被柔毛；托叶披针形，
长7~10mm。雄花具柄，花被片3~4，卵形，雄蕊1~2，花丝短；雌
花花被片4，倒卵形，暗红色，花柱侧生。榕果成对或单生于叶腋，
球形，直径5~12mm，被锈色糠屑状毛，先端具脐状突起，基生苞片3，
阔卵形，总梗较细，长5~15mm，被锈色糠屑状毛。

青藤公

| 分布区域 | 产于海南乐东、东方、昌江、白沙、五指山、陵水、万宁、琼中、儋州、澄迈。亦分布于中国华南其他区域，以及湖南、福建、云南、四川。越南、老挝、印度也有分布。 |

| 资　　源 | 生于山谷林中，十分常见。 |

| 采收加工 | 果实成熟时采收，用开水烫后晒干。 |

| 功能主治 | 同属植物的果实多有药用，本种功能可进一步研究。 |

桑科 Moraceae 榕属 Ficus

榕 树
Ficus microcarpa L. f.

| **中 药 名** | 榕树（药用部位：叶、树皮、果实、树胶汁、气生根）

| **植物形态** | 大乔木，老树常有锈褐色气生根。叶薄革质，狭椭圆形，长4~8cm，宽 3~4cm，基生叶脉延长，叶柄长 5~10mm，托叶小。榕果成对腋生或生于已落叶枝叶腋，成熟时黄色，扁球形，直径6~8mm，无总梗，基生苞片 3，宿存；雄花、雌花、瘿花同生于一榕果内，花间有少许短刚毛；雄花散生于内壁，花丝与花药等长；雌花与瘿花相似，花被片 3，广卵形，花柱近侧生，柱头棒形。瘦果卵圆形。花期 5~6 月。

榕树

| **分布区域** | 产于海南三亚、乐东、东方、昌江、白沙、五指山、保亭、陵水、万宁、琼中、儋州、南沙群岛。亦分布于中国南部各地。越南、泰国、缅甸、马来西亚、尼泊尔、印度、斯里兰卡、不丹、巴布亚新几内亚、澳大利亚也有分布。 |

| **资　　源** | 生于低海拔林中或旷地，十分常见。 |

采收加工

气生根：全年均可采，割下后扎成小把。果实：夏、秋季采收。树胶汁：全年均可采，割伤树皮，收集流出的乳汁。树皮、叶：全年均可采，鲜用或晒干。

药材性状

气生根：干燥气生根呈木质细条状，长 1m 左右，基部较粗，直径 4~8mm，末端渐细，多分枝，有时簇生 6~7 支根。表面红褐色，外皮多纵裂，有时剥落，皮孔灰白色，呈圆点状或椭圆状。质韧，皮部不易折断，断面木质部棕色。气微，味苦、涩。以条细、红褐色者为佳。叶：叶不规则卷曲成筒状，褐色至黄褐色，展平后呈椭圆形或卵状，长 4~8cm，宽 3~4cm，全缘，叶柄长 5~10mm。革质，体轻，稍有韧性。

功能主治

叶：味淡，性凉。清热解表，利湿，活血散瘀。用于咳嗽、流行性感冒、支气管炎、疟疾、百日咳、肠炎、痢疾、泄泻。树皮：味微苦，性微寒。用于泄泻、疥癣、痔疮。果实：味微甘、淡，性平。用于臁疮。树胶汁：味微甘，性平。用于目翳、目赤、瘰疬、牛皮癣。气生根：味苦，性平。散风热，祛风湿，活血止痛。用于流行性感冒、百日咳、麻疹不透、扁桃体炎、风湿骨痛、痧气腹痛、久痢、胃痛、白带、湿疹、阴痒、跌打损伤。

桑科 Moraceae 榕属 Ficus

九丁榕
Ficus nervosa B. Heyne ex Roth.

| 中 药 名 |　九丁树（药用部位：树皮）

| 植物形态 |　乔木，叶薄革质，椭圆形，长 6~15cm 或更长，宽 2.5~5cm，全缘，微反卷，背面散生细小乳突状瘤点，脉腋有腺体，叶柄长 1~2cm。榕果单生或成对腋生，球形，幼时表面有瘤体，直径 1~1.2cm，基部缢缩成柄，基生苞片 3，被柔毛；雄花、瘿花和雌花同生于一榕果内；雄花具梗，生于内壁近口部，匙形花被片 2，长短不一，雄蕊 1；瘿花花被片 3，延长，顶部渐尖，花柱侧生，较瘦果长 2 倍，柱头棒状。花期 1~8 月。

九丁榕

| 分布区域 | 产于海南三亚、乐东、东方、保亭、陵水、万宁、儋州、澄迈、文昌。亦分布于中国南部及西南部各地。越南、泰国、缅甸、印度、不丹、尼泊尔、斯里兰卡也有分布。

| 资　　源 | 生于中海拔山谷林中，常见。

| 采收加工 | 全年皆可采收，鲜用或晒干。

| 功能主治 | 可助消化。

桑科 Moraceae　榕属 Ficus

琴叶榕 *Ficus pandurata* Hance

| 中 药 名 |

琴叶榕（药用部位：叶、根）

| 植物形态 |

小灌木，嫩叶幼时被白色柔毛。叶纸质，提琴形，长4~8cm，背面叶脉有疏毛和小瘤点，叶柄疏被糙毛，长3~5mm；托叶披针形，迟落。榕果单生于叶腋，鲜红色，椭圆形或球形，直径6~10mm，顶部脐状突起，基生苞片3，总梗长4~5mm，雄花有柄，生于榕果内壁口部，花被片4，线形，雄蕊3，长短不一；瘿花花被片3~4，倒披针形至线形，子房近球形，花柱侧生，雌花花被片3~4，椭圆形，花柱侧生，柱头漏斗形。花期6~8月。

| 分布区域 |

产于海南昌江、万宁、三亚、澄迈。亦分布于中国广东、广西、湖南、江西、福建、浙江、安徽、湖北、河南、贵州、云南、四川。越南、泰国也有分布。

| 资　源 |

生于山谷溪边，少见。

琴叶榕

采收加工

根：全年可采，秋季为佳。叶：夏、秋季采收，鲜用或晒干。

功能主治

味甘、微辛，性平。行气活血，舒筋活络，和瘀通乳，调经。用于腰背酸痛、风湿痹痛、胃脘痛、跌打损伤、乳痈、痛经、月经不调、乳汁不通、疟疾、病后虚弱。

桑科 Moraceae　榕属 Ficus

舶梨榕
Ficus pyriformis Hook. et Arn.

| 中 药 名 | 舶梨榕（药用部位：茎）

| 植物形态 | 灌木，小枝被糙毛。叶纸质，倒披针形，长 4~11cm，宽 2~4cm，先端尾状渐尖，背面微被柔毛和细小疣点，叶柄被毛，长 1~1.5cm；托叶披针形，红色。榕果单生于叶腋，梨形，直径 2~3cm，无毛，有白斑；雄花生于内壁口部，花被片 3~4，披针形，雄蕊 2；瘿花花被片 4，线形，花柱侧生；雌花生于另一植株榕果内壁，花被片 3~4，子房肾形，花柱侧生。瘦果表面有瘤体。花期 12 月至翌年 6 月。

| 分布区域 | 产于海南三亚、乐东、昌江、五指山、保亭、陵水、万宁、儋州。亦分布于中国广东、广西、福建、云南。越南也有分布。

舶梨榕

| 资　　源 | 生于溪边，常见。

| 采收加工 | 全年均可采，切碎，鲜用或晒干。

| 功能主治 | 味涩，性凉。清热利尿，止痛。用于小便淋痛、肾炎、膀胱炎、尿道炎、肾性水肿、心性水肿、胃痛。

桑科 Moraceae　榕属 Ficus

羊乳榕
Ficus sagittata Vahl.

| 中 药 名 | 羊乳榕（药用部位：果实、茎）

| 植物形态 | 幼时为附生藤本，成长为独立乔木；节上附生短根。叶革质，卵形至卵状椭圆形，长 7~13cm，宽 5~10cm，叶柄长约 15mm，微被柔毛；托叶卵状披针形，早落。榕果生于叶腋，近球形，直径 8~15mm，幼时被毛，成熟时橙红色，顶生苞片脐状，基部收狭成短柄，花间无刚毛；雄花生于榕果内壁近口部，花被片 3，雄蕊 2，花丝联合，花药有短尖，瘿花、花被片与雄花相似，子房倒卵形，花柱侧生、短；雌花生于另一植株榕果内，花被 3 裂，基部合生。瘦果椭圆形，花柱侧生、长。花期 12 月至翌年 3 月。

羊乳榕

| 分布区域 | 产于海南三亚、乐东、东方、昌江、白沙、保亭、陵水、万宁、琼中、儋州、澄迈。亦分布于中国广东、广西、贵州、云南。越南、泰国、缅甸、印度、不丹、菲律宾、印度尼西亚、太平洋群岛也有分布。 |

| 资　源 | 生于林中，常见。 |

| 采收加工 | 果实：果实成熟时采收。茎：全年均可采，切碎，鲜用或晒干。 |

| 功能主治 | 同属植物的茎、果实多药用，本种功能有待进一步研究。 |

桑科 Moraceae　榕属 Ficus

竹叶榕
Ficus stenophylla Hemsl.

| 中药名 | 水稻清（药用部位：全株或根、茎、乳汁）

| 植物形态 | 小灌木，小枝散生灰白色硬毛，节间短。叶纸质，线状披针形，长5~13cm，背面有小瘤体，全缘背卷，红色托叶披针形，长约8mm；叶柄长3~7mm。榕果椭圆状球形，表面稍被柔毛，直径7~8mm，成熟时深红色，先端脐状突起，基生苞片三角形，宿存，总梗长20~40mm；雄花和瘿花同生于雄株榕果中，雄花生内壁口部，有短柄，花被片3~4，卵状披针形，红色，雄蕊2~3；瘿花具柄，倒披针形，花被片3~4，内弯，子房球形，花柱侧生；雌花生于另一植株榕果中，近无柄，花被片4，线形。瘦果透镜状，顶部具棱骨，一侧微凹入，花柱侧生。花果期5~7月。

竹叶榕

| 分布区域 | 产于海南五指山、白沙、儋州、三亚、临高。亦分布于中国长江以南各地。越南、老挝、泰国也有分布。

| 资　　源 | 生于旷野、丘陵、山谷沟边，少见。

| 采收加工 | 全株：在春、秋季间采收，洗净，切片，晾干。叶亦鲜用。乳汁：在春、秋季间切割树皮，流出乳汁，随采随用。

| 功能主治 | 根：祛风除湿，清热解毒，行气活血。用于风湿痹痛、贫血。叶：外用于乳痈。茎及全株：味苦，性温。祛痰止咳，行气活血，祛风除湿。用于咳嗽、胸痛、跌打肿痛、风湿骨痛、肾炎、乳少。乳汁：味辛，性平。解毒消肿。用于蛇虫咬伤。

桑科 Moraceae 榕属 Ficus

笔管榕 *Ficus superba* Miq. var. *japonica* Miq.

| 中 药 名 | 笔管榕（药用部位：根、叶）

| 植物形态 | 落叶乔木，小枝淡红色，无毛。叶互生或簇生，近纸质，椭圆形至长圆形，长 10~15cm，宽 4~6cm，叶柄长 3~7cm；托叶膜质，微被柔毛，披针形，长约 2cm，早落。榕果生于叶腋或无叶枝上，扁球形，直径 5~8mm，成熟时紫黑色，顶部微下陷，基生苞片 3，革质；总梗长 3~4mm；雄花、瘿花、雌花生于同一榕果内；雄花很少，生于内壁近口部，无梗，花被片 3，宽卵形，雄蕊 1；雌花无柄或有柄，花被片 3，披针形，花柱侧生，柱头圆形；瘿花多数，与雌花相似，仅子房有粗长的柄，柱头线形。花期 4~6 月。

笔管榕

| 分布区域 |

产于海南乐东、东方、昌江、保亭、万宁、琼中、儋州、琼海。分布于中国东南部至西南部各地。亚洲南部至大洋洲也有分布。

| 资　源 |

生于杂木林中，十分常见。

| 采收加工 |

叶、根全年均可采收，鲜用或晒干。

| 功能主治 |

叶：味甘、苦，性平。清热解毒，除湿止痒。用于漆过敏、湿疹、鹅口疮。根：味甘、微苦，性平。清热解毒。用于乳痈肿痛。

| 附　注 |

在 FOC 中，其学名已被修订为 *Ficus subpisocarpa* Gagnep.。

桑科 Moraceae 榕属 Ficus

青果榕
Ficus variegata Bl. var. *chlorocarpa* (Benth.) King

| **中 药 名** | 青果榕（药用部位：根、叶）

| **植物形态** | 乔木，叶互生，厚纸质，广卵形至卵状椭圆形，长 10~17cm，边缘波状或具浅疏锯齿；幼叶背面被柔毛，基生叶脉 5，叶柄长 2.5~6cm，托叶无毛，长 1~1.5cm。榕果簇生于老茎发出的瘤状短枝上，球形，直径 2.5~3cm，顶部微压扁，顶生苞片卵圆形，脐状微突起，基生苞片 3，早落，残存环状疤痕，成熟榕果红色，有绿色条纹和斑点；总梗长 2~4cm；雄花生于榕果内壁口部，花被片 3~4，宽卵形，雄蕊 2，花丝基部合生成一柄；瘿花生于内壁近口部，花被合生，管状，先端 4~5 齿裂，包围子房，花柱侧生，柱头漏斗形；雌花生于雌植株

青果榕

榕果内壁，花被片 3~4，条状披针形，薄膜质，基部合生。瘦果倒卵形，薄被瘤体，花柱与瘦果等长，柱头棒状，无毛。花期冬季。

| 分布区域 |

产于海南三亚、乐东、东方、昌江、保亭、陵水、万宁、儋州。亦分布于中国华南其他区域，以及台湾、云南。亚洲南部、东南部至大洋洲也有分布。

| 资　　源 |

生于低海拔，沟谷地区常见。

| 采收加工 |

叶、根全年均可采收，鲜用或晒干。

| 功能主治 |

用于乳腺炎。

| 附　　注 |

在 FOC 中，其已被归并于杂色榕 *Ficus variegata* Blume。

桑科 Moraceae　榕属 Ficus

白肉榕 *Ficus vasculosa* Wall. ex Miq.

| **中 药 名** | 白肉榕（药用部位：根）

| **植物形态** | 乔木，叶革质，椭圆形至长椭圆状披针形，长 4~11cm，宽 2~4cm，全缘或为不规则分裂，侧脉 10~12 对，叶柄长 1~2cm，托叶卵形，长约 6mm。雌雄同株，榕果球形，直径 7~10mm，基部缢缩为短柄，总梗长 7~8mm，基生苞片 3，脱落；雄花少数，生于内壁近口部，具短柄，花被 3~4 深裂，雄花 2；瘿花和雌花多数，花被 3~4 深裂，柱头 2 裂。榕果成熟时黄色或黄红色。瘦果光滑，通常在顶一侧有龙骨。花果期 5~7 月。

白肉榕

分布区域

产于海南三亚、昌江、保亭、陵水、儋州、澄迈、琼海。亦分布于中国华南其他区域，以及贵州、云南。越南、泰国及马来西亚也有分布。

资　源

生于山谷密林下，常见。

采收加工

全年均可采收，鲜用或晒干。

功能主治

用于腹痛、腹泻。

桑科 Moraceae 榕属 *Ficus*

黄葛树
Ficus virens Ait. var. *sublanceolata* (Miq.) Corner

|中 药 名|

黄葛树（药用部位：气生根、根、叶、树皮、根皮、乳汁、根部由寄生虫所形成的疙瘩）

|植物形态|

落叶或半落叶乔木，有板根或支柱根，幼时附生。叶薄革质或皮纸质，卵状披针形至椭圆状卵形，先端短渐尖，基部钝圆或楔形至浅心形，全缘，干后表面无光泽，基生叶脉短，侧脉 7~10 对，背面突起，网脉稍明显；叶柄长 2~5cm；托叶披针状卵形，先端急尖，长可达 10cm。榕果单生或成对腋生或簇生于已落叶枝叶腋，球形，直径 7~12mm，成熟时紫红色，基生苞片 3，细小；有总梗。雄花、瘿花、雌花生于同一榕果内；雄花无柄，少数，生于榕果内壁近口部，花被片 4~5，披针形，雄蕊 1，花药广卵形，花丝短；瘿花具柄，花被片 3~4，花柱侧生，短于子房；雌花与瘿花相似，花柱长于子房。瘦果表面有皱纹。花期 5~8 月。

|分布区域|

产于海南三亚、东方、昌江、保亭、儋州、澄迈。亦分布于中国东南部至西南部各地。亚洲南部至大洋洲也有分布。

黄葛树

资　源

生于旷野或山谷林中，常见。

采收加工

叶：夏、秋季采收，鲜用。根皮：全年均可采，以 8~9 月采者为佳，鲜用或晒干。树根疙瘩：全年均可采，由根部割取。树皮：全年均可采收，剥落树皮，切片，晒干。乳汁：全年均可采，切割树皮使乳汁流出，随采随用。

功能主治

气生根、根：祛风除湿，清热解毒。用于风湿麻木、筋骨痛、跌打损伤、劳伤、腰背酸痛、湿肿、虚弱、外伤吐血。叶：味涩，性平。消肿止痛。用于风湿胃痛、感冒、乳蛾、目赤。外用于跌打损伤。 树皮：味苦、酸，性温。用于风湿痹痛、四肢麻木、半身不遂、癣疮。乳汁：用于疗疮、血风癣、腮腺炎。根皮：味苦、酸，性温。祛风除湿，通经活络，消肿杀虫。用于风湿痹痛、四肢麻木、半身不遂、劳伤腰痛、跌打损伤、水肿、疥癣。树根疙瘩：味苦，性温。祛风除湿，活血通络。用于风湿关节痛、劳伤腰痛。

附　注

在 FOC 中，其学名被修订为 *Ficus virens* Aiton。

 桑科 Moraceae 桑属 *Morus*

桑 *Morus alba* L.

| 中 药 名 | 桑（药用部位：树皮、根皮、嫩枝、叶、果穗）

| 植物形态 | 乔木或为灌木，树皮厚，具不规则浅纵裂；冬芽红褐色，卵形，芽鳞覆瓦状排列，灰褐色，有细毛；小枝有细毛。叶卵形，长5~15cm，宽5~12cm，边缘锯齿粗钝，表面鲜绿色，无毛，背面沿脉有疏毛，脉腋有簇毛；叶柄长1.5~5.5cm，具柔毛；托叶披针形，早落，外面密被细硬毛。花单性，腋生或生于芽鳞腋内，与叶同时生出；雄花序下垂，长2~3.5cm，密被白色柔毛，雄花花被片宽椭圆形，淡绿色，花丝在芽时内折，花药2室，球形至肾形，纵裂；雌花序长1~2cm，被毛，总花梗长5~10mm，被柔毛，雌花无梗，

桑

花被片倒卵形,外面和边缘被毛,两侧紧抱子房,无花柱,柱头2裂,内面有乳头状突起。聚花果卵状椭圆形,长1~2.5cm,成熟时红色或暗紫色。花期4~5月,果期5~8月。

| 分布区域 |

产于海南三亚、乐东、白沙、万宁、琼中、文昌、海口。亦分布于中国各地。原产于中国,现世界各地均有栽培。

| 资　　源 |

栽培,常见。

| 采收加工 |

树皮、根皮、嫩枝、叶:全年皆可采,洗净切段,晒干或鲜用。果穗:成熟时剪下,鲜用。

| 功能主治 |

树皮、根皮:泻肺平喘,利水消肿。用于肺热咳嗽、水肿胀满尿少、面目肌肤浮肿。 嫩枝:祛风湿,利关节。用于肩臂关节酸痛、手足麻木、风湿痹痛、瘫痪。 叶:疏风清热,清肝明目。用于风热感冒、肺热燥咳、头晕头痛、目赤昏花。果穗:补血滋阴,生津润燥。用于眩晕耳鸣、心悸失眠、须发早白、津伤口渴。

桑科　Moraceae　鹊肾树属　Streblus

鹊肾树 *Streblus asper* Lour.

| 中 药 名 |

鹊肾树（药用部位：树皮、根）

| 植物形态 |

灌木，小枝被短硬毛，幼时皮孔明显。叶革质，椭圆状倒卵形，长 2.5~6cm，宽 2~3.5cm，基部钝或近耳状，两面粗糙，托叶小，早落。雌雄异株或同株；雄花序头状，总花梗长 8~10mm，苞片长椭圆形；雄花近无梗，花丝在芽时内折，退化雌蕊圆锥状至柱形，顶部有瘤状凸体；雌花具梗，下部有小苞片，顶部有 2~3 苞片，花被片 4，交互对生，被微柔毛；花柱在中部以上分枝，果时增长 6~12mm。核果近球形，直径约 6mm，成熟时黄色，不开裂，基部一侧不为肉质，宿存花被片包围核果。花期 2~4 月，果期 5~6 月。

| 分布区域 |

产于海南三亚、乐东、东方、昌江、陵水、万宁、琼中、儋州、澄迈、琼海、文昌、海口。亦分布于中国华南其他区域，以及云南。南亚、东南亚也有分布。

鹊肾树

| **资　　源** | 生于旷野灌丛或疏林，常见。

| **采收加工** | 树皮、根：全年皆可采，洗净切段，晒干或鲜用。

| **功能主治** | 树皮：止痢止泻。用于痢疾、腹泻、疥疮、伤口长期溃疡不愈。 根：消炎解毒。用于溃疡、毒蛇咬伤。

桑科 Moraceae 鹊肾树属 Streblus

刺 桑
Streblus ilicifolius (Vidal) Corner.

| 中 药 名 |　刺桑（药用部位：树皮）

| 植物形态 |　有刺乔木，小枝具直刺，长 1~1.5cm。叶厚革质，圆状倒卵形，长 1~4.5cm，宽 0.6~2.5cm，尖端常具 2 小刺齿，基部下延，边缘疏生 5 枚以下刺状锯齿，背面有细小点状钟乳体；叶柄短；托叶锥形。雄花序腋生，穗状，长 0.5~1.2cm，覆瓦状苞片明显，具深色边缘，总花梗短；雄花花被片 4，近圆形，边缘内曲，有缘毛，雄蕊 4，花丝在芽时内折，退化雌蕊 3~5 裂；雌花序短穗状，有花 2~6，花被片 4，覆瓦状排列，子房偏斜。小核果生于具有宿存苞片的短枝上，扁球形，直径约 1cm，为宿存花被片半包围，子叶极不相等，肉质，内褶，胚根弯曲。花期 4 月，果期 5~6 月。

刺桑

分布区域

产于海南三亚、乐东、东方、昌江、白沙、保亭、陵水、万宁、琼中。亦分布于中国广西及云南。南亚、东南亚也有分布。

资 源

生于山谷林中，常见。

采收加工

全年皆可采，洗净切段，晒干或鲜用。

功能主治

同属植物的树皮多可药用，本种在海南分布较广，其功能值得进一步研究。

桑科 Moraceae 鹊肾树属 Streblus

假鹊肾树
Streblus indicus (Bureau) Corner.

| 中 药 名 |

滑叶跌打（药用部位：树皮）

| 植物形态 |

无刺乔木，有乳状树液。叶革质，排为两列，椭圆状披针形，长 7~15cm，宽 2.5~4cm，托叶线形，早落。雌雄同株或同序；雄花为腋生蝎尾形聚伞花序，总花梗长约 6mm，被微柔毛；花白色微红，三角形苞片 3，基部合生，花被片 5，覆瓦状排列，长椭圆形，长约 4mm，边缘有缘毛，雄蕊 5，与花被片对生，花丝扁平，退化雌蕊小；雌花单生于叶腋或生于雄花序上，花梗边缘有缘毛，花柱深 2 裂，密被深褐色短柔毛，子房球形，为花被片紧密包围。核果球形，直径约 10mm，中部以下渐狭，基部一边肉质，包围在增大的花被内。花期 10~11 月。

| 分布区域 |

产于海南东方、昌江、白沙、五指山、保亭、陵水、万宁、琼中。亦分布于中国广东、广西、云南。泰国、印度也有分布。

| 资 源 |

生于中海拔山地，常见。

假鹊肾树

| 采收加工 |

全年均可采剥树皮，晒干。

| 药材性状 |

树皮为不规则扭曲状，长短宽狭不一。外表面灰褐色或褐色，枝条可见互生叶痕。内表面淡黄棕色，有纵纹。体轻，纤维性较强，不易折断。易纵向裂开。断面具纤维性。

| 功能主治 |

味苦、微辛，性温；归胃经。水煎剂用于高血压、睡眠障碍、纤维瘤、疥疮。

荨麻科 Urticaceae　苎麻属 *Boehmeria*

苎麻

Boehmeria nivea (L.) Gaudich.

| 中药名 | 苎麻（药用部位：根、皮、叶、花、茎或带叶嫩茎）

| 植物形态 | 灌木，茎上部与叶柄均密被毛。叶互生；叶片草质，通常呈圆卵形或宽卵形，长6~15cm，宽4~11cm，边缘在基部之上有牙齿，下面密被雪白色毡毛，托叶分生，钻状披针形。圆锥花序腋生，长2~9cm。雄花：花被片4，狭椭圆形，长约1.5mm，合生至中部，外面有疏柔毛；雄蕊4，退化雌蕊狭倒卵球形，先端有短柱头。雌花：花被椭圆形，长0.6~1mm，先端有2~3小齿，外面有短柔毛，柱头丝形。瘦果近球形，长约0.6mm，光滑，基部突缩成细柄。花期8~10月。

苎麻

分布区域

产于海南乐东、东方、白沙、五指山、万宁、琼中。亦分布于中国广东、广西、湖南、江西、福建、台湾、浙江、安徽、湖北、贵州、云南、陕西、四川。越南、老挝、柬埔寨、泰国、印度、不丹、尼泊尔、印度尼西亚、日本、朝鲜也有分布。

资　　源

栽培或野生，常见。

| **采收加工** | 根：冬、春季采挖根，除去地上茎和泥土，晒干。一般选择示指粗细的根，太粗者不易切片，药效亦不佳。皮：春、秋季采收茎，剥取茎皮。叶：春、夏、秋季均可采收。花：夏季花盛期采收，梗在春、夏季采收，鲜用或晒干。

| **药材性状** | 根茎：根茎呈不规则圆柱形，稍弯曲，长4~30cm，直径0.4~5cm；表面灰棕色，有纵纹及多数皮孔，并有多数疣状突起及残留须根；质坚硬，不易折断，折断面具纤维性，皮部棕色，木质部淡棕色，有的中间有数个同心环纹，中央有髓或中空。根：根略呈纺锤形，长约10cm，直径1~1.3cm；表面灰棕色，有纵皱纹及横长皮孔；断面粉性。气微，味淡，有黏性。以色灰棕、无空心者为佳。茎皮：茎皮为长短不一的条片，皮甚薄，粗皮易脱落或有少量残留，粗皮绿棕色，内皮白色或淡灰白色。质地软，韧性强，曲而不断。气微，味淡。

| **功能主治** | 根：味甘，性寒；归肝、心、膀胱经。凉血止血，清热安胎，利尿解毒。用于血热妄行所致的咯血、吐血、便血、紫癜，胎动不安，胎漏下血，小便淋沥，痈疮肿毒，虫蛇咬伤。皮：味甘，性寒；归胃、膀胱、肝经。清热凉血，散瘀止血，解毒利尿，安胎回乳。用于郁热心烦、跌打损伤、创伤出血、血淋、小便不通、胎动不安、乳房胀痛。叶：味甘，微苦，性寒；归肝、心经。凉血止血，散瘀消肿，解毒。用于咯血、吐血、血淋、尿血、月经过多、外伤出血、丹毒、疮肿、乳痈、湿疹、蛇虫咬伤。

荨麻科 Urticaceae　苎麻属 Boehmeria

疏毛水苎麻
Boehmeria pilosiuscula (Bl.) Hassk.

| 中 药 名 |　疏毛水苎麻（药用部位：全株）

| 植物形态 |　亚灌木，上部密被近贴伏或开展的短柔毛。叶对生，叶片纸质，斜椭圆形，长 2.9~9cm，宽 1.5~4.5cm，边缘有多数小牙齿，上面疏被短伏毛。穗状花序单生于叶腋，雌性或通常两性，上部生雄花，其下生雌花，长 0.8~2cm。雄花：椭圆形花被片 4，长约 1mm，下部合生，外面有疏柔毛；雄蕊 4，退化雌蕊椭圆形。雌花：花被纺锤形，长 0.8~1.1mm，先端有 2 小齿，外面上部有短毛。瘦果倒卵球形，长约 0.8mm，光滑。花期 9~10 月。

疏毛水苎麻

| **分布区域** | 产于海南昌江、白沙、五指山、陵水、万宁、琼中、儋州。亦分布于中国台湾、云南。泰国、印度尼西亚也有分布。 |

| **资　　源** | 生于低海拔溪边岩石上，常见。 |

| **采收加工** | 全年皆可采收，鲜用或晒干。 |

| **功能主治** | 清热解毒。 |

尊麻科 Urticaceae　水麻属 *Debregeasia*

鳞片水麻 *Debregeasia squamata* King

| 中 药 名 |　鳞片水麻（药用部位：全株）

| 植物形态 |　落叶矮灌木，分枝有伸展的红色肉质皮刺和贴生短柔毛。叶薄纸质，
卵形，长 6~16cm，宽 4~12cm，边缘具牙齿，上面疏生伏毛，基出
脉 3，托叶上部的 1/3 处 2 裂。花序雌雄同株，团伞花簇由多数雌
花和少数雄花组成，苞片三角状披针形，长 0.6~1mm，背面密被短
柔毛。雄花具短梗，黄绿色，花被片 3，合生至中部，宽卵形，背
面密被短柔毛；雄蕊 3；退化雌蕊倒卵形，长约 0.6mm，基部围以
雪白色绵毛。雌花较小，黄绿色，倒卵形，长约 0.6mm；花被薄膜

鳞片水麻

质，合生成梨形，先端 4 齿，与子房明显离生；柱头短圆锥状，长约 0.2mm，周围生帚刷状的长毛，宿存。瘦果浆果状，橙红色，干时变铁锈色，梨形，具短柄，长约 1mm，外果皮肉质，宿存花被薄膜质壶形，包被着果实，但离生。花期 8~10 月，果期 10 月至翌年 1 月。

| **分布区域** | 产于海南乐东、东方、昌江、保亭、陵水、琼中。亦分布于中国广东、广西、福建、贵州、云南。东南亚也有分布。

| **资　　源** | 生于中海拔至高海拔山谷中，常见。

| **采收加工** | 夏、秋季采收，洗净，鲜用或晒干。

| **功能主治** | 味甘、微苦，性凉。止血。用于跌打损伤、刀伤出血。

荨麻科 Urticaceae 火麻树属 *Dendrocnide*

全缘火麻树 *Dendrocnide sinuata* (Bl.) Chew

| 中 药 名 | 老虎俐（药用部位：茎叶、根皮）

| 植物形态 | 小乔木，高 3~7m，枝疏生刺毛。叶革质或坚纸质，形状多变，长 10~45cm，宽 5~20cm，钟乳体细点状，上面较明显，叶柄长 2~10cm，疏生柔毛和刺毛；托叶近革质。花序雌雄异株，圆锥状，序轴与分枝上被刺毛；雄花序长 5~10cm；雌花序长 10~20cm。雄花花被片 4，外面疏生微毛和小刺毛；雄蕊 4；退化雌蕊倒卵形。雌花具梗；花被片 4，合生至中部，不等大，柱头丝形。瘦果鲜时淡绿色，干时变紫黑色，梨形，压扁，长 5~6mm，先端骤缩成短喙状，柱头

全缘火麻树

宿存，两面有疣状突起。花期秋季至翌年春季，果期秋、冬季。

| 分布区域 | 产于海南琼中、儋州。亦分布于中国广东、广西、云南、西藏。中南半岛，以及印度、菲律宾、马来西亚、印度尼西亚、新西兰也有分布。

| 资　　源 | 生于疏林中，偶见。

| 采收加工 | 茎叶：全年均可采收。根皮：根全年均可采挖，剥取根皮，鲜用或晒干。

| 药材性状 | 叶片椭圆形、椭圆状或矩圆状披针形，先端急尖，基部楔形，全缘或微波状。羽状脉侧脉近缘处彼此联结，表面绿色或深绿色，上表面较粗糙，下表面叶片处有刺毛。质稍厚。气微，味苦、涩。

| 功能主治 | 茎叶：味辛，性温，有毒。散瘀消肿。用于跌打伤肿、骨折。根皮：味微苦，性平。健脾消疳。用于小儿疳积。

荨麻科 Urticaceae　糯米团属 *Gonostegia*

糯米团 *Gonostegia hirta* (Bl.) Miq.

| 中 药 名 | 糯米团（药用部位：全草或根、茎、叶）

| 植物形态 | 多年生草本，茎蔓生、铺地或渐升，长 50~100cm。叶对生；叶片草质，披针形，长 3~10cm，宽 1.2~2.8cm，基出脉 3~5；托叶钻形，长约 2.5mm。团伞花序腋生，通常两性，雌雄异株，苞片长约 2mm。雄花：花梗长 1~4mm；花蕾在内折线上有稀疏长柔毛；花被片 5，分生，倒披针形，长 2~2.5mm，先端短骤尖；雄蕊 5；退化雌蕊极小，圆锥状。雌花：花被长约 1mm，先端有 2 小齿，有疏毛，果期呈卵形，长约 1.6mm，有 10 纵肋；柱头有密毛。瘦果卵球形，长约 1.5mm，白色或黑色，有光泽。花期 5~9 月。

糯米团

| 分布区域 | 产于海南白沙、五指山、万宁、琼中、儋州、澄迈。亦分布于中国长江以南各地。东南亚、澳大利亚也有分布。 |

| 资　　源 | 生于低海拔至中海拔沟边、田边草丛中，常见。 |

| 采收加工 | 全年皆可采收，洗净，切段，晒干。 |

| 功能主治 | 清热解毒，健脾消食，利湿消肿，止血。用于消化不良、食积腹痛、带下病、疟疾。外用于血管神经性水肿、乳腺炎、疔疮疖肿、跌打损伤肿痛、外伤出血。 |

荨麻科 Urticaceae 糯米团属 *Gonostegia*

狭叶糯米团

Gonostegia pentandra (Roxb.) Miq. var. *hypericifolia* (Bl.) Masamune

| 中 药 名 | 狭叶糯米团（药用部位：根、茎叶）

| 植物形态 | 直立亚灌木，茎中部以上有4纵棱，沿棱有极短的曲伏毛，上部节密集。茎下部叶对生，上部叶互生，密集；叶片纸质，叶狭披针形，下部叶长3~5cm，上部叶长0.6~1.8cm，边缘全缘，有短睫毛。团伞花序生于茎上部叶腋，两性。雄花：花蕾直径约2mm，在内折线上有疏柔毛；长圆形花被片5，分生，长约2.2mm；退化雌蕊极小。雌花：花被椭圆形，长约1.2mm，先端有2小齿，有2纵狭翅。瘦果卵球形，长约1.5mm，黑色，有光泽。花期夏季至冬季。

狭叶糯米团

分布区域

产于海南三亚、海口。亦分布于中国广东、广西、台湾、云南。越南、泰国、缅甸、印度、巴基斯坦、孟加拉国、菲律宾、印度尼西亚、巴布亚新几内亚也有分布。

资源

生于田边，偶见。

采收加工

全年皆可采收，洗净，晒干或鲜用。

功能主治

外用于外伤出血、拔恶血。

附注

在 FOC 中，本种被提升为独立的种，学名为 *Gonostegia pentandra* (Roxb.) Miq.。

荨麻科 Urticaceae　艾麻属 *Laportea*

珠芽艾麻　*Laportea bulbifera* (Sieb. et Zucc.) Wedd.

| 中 药 名 | 野绿麻（药用部位：根或全草）

| 植物形态 | 多年生草本。根丛生，纺锤状，红褐色。茎上部常呈"之"字形弯曲，具 5 纵棱，珠芽 1~3。叶卵形至披针形，长 8~16cm，宽 3.5~8cm，边缘自基部以上有牙齿或锯齿，钟乳体细点状，上面明显，基出脉 3，托叶长，先端 2 浅裂。花序雌雄同株，圆锥状，序轴上生短柔毛和稀疏的刺毛；雄花序生于茎顶部以下的叶腋，长 3~10cm；雌花序生于茎顶部，长 10~25cm，花序梗长 5~12cm。雄花：花被片 5，长圆状卵形，外面有微毛；雄蕊 5；退化雌蕊倒梨形；小苞片长约 0.7mm。雌花：雌花具梗，花被片 4，不等大，侧生，紧包被着子房，长圆状卵形或狭倒卵形，长约 1mm，外面多少被短糙毛，背生的一枚兜状，腹生的一枚最短；子房具雌蕊柄，柱头丝状，周围密生短毛。瘦果圆状倒卵形或近半圆形，偏斜，扁平，长 2~3mm，有紫褐色细斑点；

珠芽艾麻

花梗在两侧面扁化成膜质翅。花期6~8月，果期8~12月。

| 分布区域 | 产于海南东方、昌江。亦分布于中国广东、广西、湖南、江西、福建、浙江、安徽、湖北、贵州、云南、四川、西藏、甘肃、陕西、河南、山东、辽宁、吉林、黑龙江等。越南、老挝、柬埔寨、缅甸、泰国、印度、斯里兰卡、不丹、印度尼西亚、日本、朝鲜、俄罗斯也有分布。

| 资　　源 | 生于海拔800m的石灰岩山地，偶见。

| 采收加工 | 根：秋季采挖根部，除去茎、叶及泥土。全草：夏、秋季采收全草，洗净，鲜用或晒干。

药材性状

根茎连接成团块状，大小不等，灰棕色或棕褐色，上面有多数茎的残基和孔洞。根簇生于根茎周围，呈长圆锥形或细长纺锤形，扭曲，长6~20cm，直径3~6mm。表面灰棕色至红棕色，具细纵皱纹，有纤细的须根或须根痕。质坚硬，不易折断，断面纤维性，浅红棕色。气微，味微苦、涩。

功能主治

根：味辛，性温。祛风除湿，活血止痛。用于风湿痹痛、肢体麻木、跌打损伤、骨折疼痛、月经不调、劳伤乏力、肾炎水肿。全草：健脾消积。用于小儿疳积。

荨麻科 Urticaceae 紫麻属 *Oreocnide*

紫 麻
Oreocnide frutescens (Thunb.) Miq.

| 中 药 名 | 紫麻（药用部位：全株或根、叶、果实）

| 植物形态 | 灌木，小枝褐紫色或淡褐色。叶草质，常生于枝的上部，卵形，长
3~15cm，宽 1.5~6cm，边缘自下部以上有锯齿，基出脉 3，叶柄长
1~7cm，被粗毛；托叶条状披针形。花序生于老枝上，呈簇生状，
团伞花簇直径 3~5mm。雄花在芽时直径约 1.5mm；花被片 3，在下
部合生，长圆状卵形，内弯，外面上部有毛；雄蕊 3；退化雌蕊棒状，
长约 0.6mm，被白色绵毛。雌花无梗，长 1mm。瘦果卵球状，两侧
稍压扁，长约 1.2mm；宿存花被变深褐色，外面疏生微毛，内果皮
稍骨质，表面有多数细注点；肉质花托浅盘状，围以果的基部，熟
时则常增大呈壳斗状，包围着果的大部分。花期 3~5 月，果期 6~10 月。

紫麻

分布区域

产于海南乐东、东方、昌江、保亭、万宁。亦分布于中国广东、广西、湖南、江西、福建、台湾、浙江、安徽、湖北、云南、四川、西藏、甘肃、陕西。越南、老挝、柬埔寨、缅甸、印度、不丹、马来西亚、日本也有分布。

资　源

生于中海拔至高海拔林下溪边，十分常见。

采收加工

夏、秋季采收，洗净，鲜用或晒干。

药材性状

全株：全株有毛，长达1m。茎上有棱槽。叶：叶皱缩，展平后卵状长圆形，长4~12cm，宽1.7~5cm，边缘有锯齿；叶柄长1~4cm。果实：果实卵形。气微，味微甜。

功能主治

全株、根：味甘，性凉。清热解毒，行气活血。用于跌打损伤、牙痛、肝炎、感冒发热、透发麻疹、月瘕病。叶：透发麻疹，止血。外用于小儿麻疹发热。果实：用于咽喉痛。

荨麻科 Urticaceae 赤车属 *Pellionia*

长柄赤车 *Pellionia tsoongii* (Merr.) Merr.

| 中 药 名 |　长柄赤车（药用部位：全草）

| 植物形态 |　多年生草本，下部在节处生根。叶互生，纸质，斜椭圆形，长 12.5~20cm，宽 5.8~11cm，边缘全缘，下面钟乳体密集，长 0.5~0.7mm，基出脉 3；托叶三角形，先端尾状长骤尖；退化叶卵形或狭卵形，长 3~4mm。花序通常雌雄异株。雄聚伞花序宽 2~4cm，分枝密被短毛；苞片披针形。雄花：花被片 5，近椭圆形，长约 1.6mm，基部合生；雄蕊 5，退化雌蕊圆锥形。雌聚伞花序宽 2~3cm；苞片长约 0.8mm。雌花：花被片 5，船状狭长圆形，长约 0.8mm，顶部有不明显短角状突起和疏毛。瘦果卵球形，长约 1mm，有小瘤状突起。花期冬季至夏季。

长柄赤车

| 分布区域 | 产于海南五指山、保亭、陵水、澄迈。亦分布于中国广西、云南。越南、老挝、柬埔寨、泰国、缅甸、马来西亚、印度尼西亚也有分布。

| 资　　源 | 生于林下，少见。

| 采收加工 | 夏、秋季采收，多鲜用。

| 功能主治 | 味苦，性寒。清热解毒。用于疗疮肿毒。

| 附　　注 | 在 FOC 中，其学名已被修订为 *Pellionia latifolia* (Blume) Boerl.。

荨麻科 Urticaceae　赤车属 *Pellionia*

海南赤车

Pellionia paucidentata (H. Schoter) Chien var. *hainanica* Chien et S. H. Wu

| 中 药 名 | 海南赤车（药用部位：全草）

| 植物形态 | 多年生草本，高 20~50cm。叶互生；叶片纸质，斜长椭圆形，长 5~15.5cm，宽 2~6.5cm，在宽侧自中部之下向上有波状浅钝齿，下面疏被短毛，钟乳体密集，有半离基三出脉，托叶钻形。花序雌雄同株或异株。雄花序直径 0.9~4.5cm；苞片长 0.5~1mm。雄花：椭圆形花被片 4 或 5，长约 2mm，基部合生，在外面先端之下有长约 0.5mm 的角状突起；雄蕊 4 或 5。雌花序直径 0.4~2cm，苞片长 0.6~0.8mm。雌花：花被片 5，不等大，较大的船状长圆形，在外面先端之下有长 0.5~1.2mm 的角状突起，较小的条状披针形，无突起，有少数毛。瘦果椭圆球形，长约 1mm，有小瘤状突起。花期 9~11 月。

海南赤车

| **分布区域** | 产于海南琼中。亦分布于中国广西、贵州、云南。越南也有分布。

| **资　　源** | 生于山谷溪边阴湿处或林中，偶见。

| **采收加工** | 夏、秋季采收，多鲜用。

| **功能主治** | 同属植物长柄赤车的全草可清热解毒，本种或有类似功能，其具体作用有待进一步研究。

| **附　　注** | 在 FOC 中，本种已被归并为滇南赤车，学名为 *Pellionia paucidentata* (H. Schroet.) S. S. Chien。

荨麻科 Urticaceae　赤车属 *Pellionia*

吐烟花 *Pellionia repens* (Lour.) Merr.

| **中 药 名** |　吐烟花（药用部位：全草）

| **植物形态** |　多年生平卧草本，茎肉质，长 20~60cm，在节处生根。叶具短柄；叶片斜长椭圆形，长 1.8~7cm，宽 1.2~3.7cm，基部宽侧耳形，边缘有波状浅钝齿，下面钟乳体明显，托叶膜质；退化叶长约 1mm，卵形。花序雌雄同株或异株。雄花序有长梗，花序梗长 2~11cm，有短伏毛；苞片三角形，长约 1mm。雄花：花被片 5，椭圆形，长 2~3mm，下部合生，无毛；雄蕊 5；退化雌蕊棒状，长约 1mm。雌花序无梗，直径约 3mm，有多数密集的花；苞片长约 1mm。雌花：花被片 5，稍不等大，船状狭长圆形，长 0.8~1mm，外面先端之下有短突起。瘦果有小瘤状突起。花期 5~10 月。

吐烟花

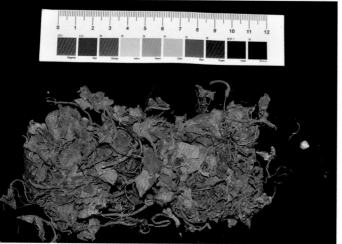

分布区域

产于海南三亚、乐东、东方、昌江、白沙、五指山、万宁、儋州。亦分布于中国云南。亚洲、欧洲及美洲等地也有分布。

资　源

生于低海拔的疏林下溪旁，十分常见。

采收加工

全年皆可采收，洗净，切段，晒干。

功能主治

清热利湿。用于急慢性肝炎、黄疸、肾虚、神经衰弱。外用于过敏性皮炎、下肢溃烂及疖肿。

荨麻科 Urticaceae 冷水花属 *Pilea*

海南冷水花
Pilea tsiangiana Metc.

| 中 药 名 | 海南冷水花（药用部位：茎、叶或全株）

| 植物形态 | 半灌木，无毛。茎高 30~100cm，干时淡绿色，密布短杆状钟乳体。叶薄纸质，椭圆形，长 5~14cm，宽 3.5~7.5cm，边缘自下部以上有浅锯齿，钟乳体纺锤形，两面密布，基出脉 3，叶柄密布钟乳体；托叶草质，长 6~8mm，早落。雌雄异株或同株，花序成对生于叶腋，雄花序聚伞总状，长 2~4.5cm；雌花序呈二歧聚伞状分枝，长约 1.5cm。雄花具梗，花被片 4，卵形，外面近先端处有短角，红褐色，密生钟乳体；雄蕊 4，花药肾形，有紫红色横向条纹，药隔深紫红色，基部围以稀疏绵毛。雌花近无梗，长近 1mm。瘦果卵圆形，压扁，

海南冷水花

长约 2mm，表面密生紫褐色斑点，花被片宿存，长约及果的 1/4，外面被钟乳体。花期 8~10 月，果期 11 月至翌年 1 月。

| **分布区域** | 产于海南乐东、保亭、东方、儋州。亦分布于中国广西。越南也有分布。

| **资　　源** | 生于溪边，常见。

| **采收加工** | 夏季采收，鲜用或晒干。

| **功能主治** | 茎、叶：清热解毒。全株：拔毒消肿，去腐生肌。用于疔疮痈肿、热毒内集、局部红肿热痛、痈疽溃疡。

荨麻科 Urticaceae 冷水花属 Pilea

三脉冷水花
Pilea melastomoides (Poir.) Wedd.

| 中 药 名 | 三脉冷水花（药用部位：全草）

| 植物形态 | 高大草本或半灌木，茎高达 2m，上部肉质，干后常变蓝绿色，上部
的节间密。叶椭圆形，长 10~23cm，宽 5~16cm，边缘除基部与先端
全缘外，有齿，干后变墨绿色、褐色，基出脉 3，下面条形钟乳体细小，
托叶三角形。雌雄异株或同株；雄花序聚伞圆锥状，具粗的长梗，
长 15~35cm，在上部有少数分枝；雌花序聚伞圆锥状。雄花花被片 4，
合生至中部，裂片先端锐尖，雄蕊 4，退化雌蕊不明显。雌花无梗，
长约 0.8mm；花被片 3，中间的 1 枚最长，近船形，侧生 2 枚三角形；
退化雄蕊 3。瘦果椭圆状卵形，扁平，长 1mm，近边缘有一圈稍隆

三脉冷水花

起的呈点状或虚线状的环纹。花期 8~9 月，果期 10~11 月。

| **分布区域** | 产于海南白沙、五指山、琼中。亦分布于中国广西、台湾、贵州、云南、西藏。中南半岛，以及印度、斯里兰卡、印度尼西亚也有分布。

| **资　　源** | 生于中海拔林中，少见。

| **采收加工** | 夏季采收，鲜用或晒干。

| **功能主治** | 清热解毒，利水，消肿止痛。用于尿路感染、喉痛。外用于丹毒、无名肿毒、跌打损伤、骨折、烫伤。

荨麻科 Urticaceae　冷水花属 *Pilea*

小叶冷水花 *Pilea microphylla* (L.) Liebm.

| 中 药 名 | 透明草（药用部位：全草）

| 植物形态 | 纤细小草本，无毛，茎肉质，密布条形钟乳体。叶很小，同对的不等大，倒卵形至匙形，长 3~7mm，宽 1.5~3mm，下面干时呈细蜂巢状，托叶长约 0.5mm。雌雄同株，聚伞花序密集成近头状，具梗，长 1.5~6mm。雄花具梗，花被片 4，卵形，外面近先端有短角状突起；雄蕊 4；退化雌蕊不明显。雌花更小；花被片 3，果时中间 1 枚长圆形，稍增厚，与果近等长，侧生 2 枚卵形，先端锐尖，薄膜质，较长的 1 枚短约 1/4；退化雄蕊不明显。瘦果卵形，长约 0.4mm，熟时变褐色，光滑。花期夏、秋季，果期秋季。

小叶冷水花

分布区域	产于海南万宁、海口、儋州。亦分布于中国广东、广西、台湾。原产于南美洲。
资 源	常生长于路边石缝和墙上阴湿处，常见。
采收加工	夏、秋季采收，洗净，鲜用或晒干。
功能主治	味淡、涩，性凉。清热解毒，安胎。用于疮疡肿毒、胎动不安、无名肿毒。外用于烫火伤。

荨麻科 Urticaceae　冷水花属 *Pilea*

盾叶冷水花 *Pilea peltata* Hance

| 中 药 名 | 背花疮（药用部位：全草）

| 植物形态 | 肉质草本，无毛。叶常集生于茎先端，下部裸露，节间 1~4cm。叶肉质，常盾状着生，近圆形，长 1~4.5cm，宽 1~3.5cm，两面干时常带蓝绿色，干时下面呈蜂窝状，钟乳体条形，上面密布，基出脉 3，托叶三角形，宿存。雌雄同株或异株；团伞花序由数朵花紧缩而成，数个稀疏着生于单一的花序轴上，呈串珠状，雄花序长 3~4cm，雌花序长 1~2.5cm，苞片长约 0.4mm。雄花淡黄绿色，花被片 4，幼时帽状，熟时变兜形，外面上部有明显的钟乳体；雄蕊 4，退化子房极小。雌花近无梗；花被片 3，不等大，果时中间 1 枚船形，侧生 2 枚卵形，较短；退化雄蕊长圆形。瘦果卵形，果时扁，先端歪斜，长约 0.6mm，

盾叶冷水花

棕褐色，边缘内有一圈不明显的条纹。花期
6~8 月，果期 8~9 月。

分布区域

产于海南东方、昌江、保亭。亦分布于中国广
东、广西、湖南。越南也有分布。

资　　源

生于裸露石灰山山顶、石灰岩山上石缝或灌丛
下阴处，少见。

采收加工

夏季采收，鲜用或晒干。

功能主治

味辛、淡，性凉。清热解毒，祛痰化瘀。用于
肺热咳喘、肺痨久咳、咯血、疮疡肿毒、跌打
损伤、外伤出血、疳积。

荨麻科 Urticaceae　冷水花属 Pilea

全缘冷水花
Pilea plataniflora C. H. Wright

| 中 药 名 | 全缘冷水花（药用部位：全草）

| 植物形态 | 多年生草本，根茎匍匐，生纤维状根。茎肉质，高 10~70cm，干时带蓝绿色，常被灰白色蜡质。叶薄纸质或近膜质，形状大小变异很大，长 1~15cm，宽 0.6~5cm，基部常偏斜，边缘全缘，常呈细蜂窠状，疏生腺点，钟乳体梭形，在上面明显，基出脉 3。雌雄同株或异株；雄花带绿黄色或紫红色，花被片 4，合生至中部，倒卵形，外面近先端有短角突起；雄蕊 4，退化雌蕊极小；雌花带绿色，花被片 3，果时中间 1 枚卵状长圆形，侧生 2 枚三角形，退化雄蕊椭圆状长圆形。瘦果卵形，双凸透镜状，长 0.5~0.6mm，熟时深褐色，有细疣点。花期 6~9 月，果期 7~10 月。

全缘冷水花

|分布区域|

产于海南东方、昌江、保亭。亦分布于中国广西、台湾、湖北、贵州、云南、四川、甘肃、陕西。越南、泰国也有分布。

|资　　源|

生于密林中，少见。

|采收加工|

夏季采收，鲜用或晒干。

|功能主治|

同属植物多有清热解毒之功能，本种或有类似功能，其具体作用有待进一步研究。

荨麻科 Urticaceae 雾水葛属 *Pouzolzia*

红雾水葛 *Pouzolzia sanguinea* (Bl.) Merr.

| 中 药 名 | 红雾水葛（药用部位：根、叶、根皮）

| 植物形态 | 灌木，小枝被短糙毛。互生叶纸质，狭卵形，长 2.6~11cm，宽 1.5~4cm，边缘在基部之上有多数小牙齿，叶下面带银灰色并有光泽。团伞花序直径 2~6mm；苞片长 2.5~4mm。雄花：花被片 4，船状椭圆形，长约 1.6mm，合生至中部，外面有糙毛；雄蕊 4，长约 2mm，退化雌蕊狭倒卵形，长约 0.6mm，基部周围有白色柔毛。雌花：花被宽椭圆形，长 0.8~1.2mm，先端约有 3 小齿，外面有稍密的毛，果期长约 2mm；柱头长 0.8~1.5mm。瘦果卵球形，长约 1.6mm，淡黄白色。花期 4~8 月。

红雾水葛

| 分布区域 | 产于海南乐东、昌江、白沙、五指山、保亭、琼中。亦分布于中国广东、广西、台湾、贵州、云南、四川、西藏。越南、泰国、老挝、缅甸、马来西亚、印度尼西亚、尼泊尔、印度、不丹也有分布。 |

| 资　源 | 生于中海拔至高海拔山谷溪边，常见。 |

| 采收加工 | 全年均可采收，洗净，鲜用或晒干。 |

| 功能主治 | 根、叶：味涩、微辛，性凉。祛风湿，舒筋络，消肿散毒。用于鹤膝风、骨折、风湿痹痛、乳痈、疮疖红肿。根皮：用于胃肠炎、外伤出血、刀枪伤。 |

荨麻科 Urticaceae 雾水葛属 *Pouzolzia*

雾水葛
Pouzolzia zeylanica (L.) Benn.

| 中 药 名 | 雾水葛（药用部位：全草或带根全草）

| 植物形态 | 多年生草本，茎有短伏毛。草质叶对生，长 1.2~3.8cm，宽 0.8~2.6cm，两面有疏伏毛，叶柄长 0.3~1.6cm。团伞花序通常两性，直径 1~2.5mm；苞片三角形，背面有毛。雄花有短梗：花被片 4，狭长圆形，长约 1.5mm，基部稍合生，外面有疏毛；雄蕊 4，长约 1.8mm，花药长约 0.5mm；退化雌蕊狭倒卵形，长约 0.4mm。雌花：花被椭圆形或近菱形，长约 0.8mm，先端有 2 小齿，外面密被柔毛，果期呈菱状卵形，长约 1.5mm。瘦果卵球形，长约 1.2mm，淡黄白色，上部褐色，或全部黑色，有光泽。花期秋季。

雾水葛

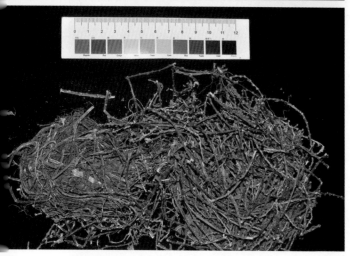

分布区域

产于海南三亚、乐东、昌江、白沙、五指山、万宁、儋州、澄迈、文昌。亦分布于中国广东、广西、湖南、江西、福建、台湾、浙江、安徽、湖北、云南、四川、甘肃。越南、泰国、缅甸、菲律宾、马来西亚、印度尼西亚、印度、巴基斯坦、尼泊尔、斯里兰卡、巴布亚新几内亚、澳大利亚、日本、也门、马尔代夫、波利尼西亚及非洲也有分布。

资 源

生于低海拔至中海拔的旷野、路边潮湿处,常见。

采收加工

全年均可采收,洗净,鲜用或晒干。

药材性状

干燥带根全草:根系细小,主茎短,分枝较多,疏被毛,被红棕色。叶膜质而脆,易碎,叶柄纤细。气微,味淡。

功能主治

味甘、淡,性寒。清热解毒,消肿排脓,利湿。用于疮疖疔肿、乳痈、风火牙痛、肠炎痢疾、尿路感染、吐血。

荨麻科 Urticaceae　藤麻属 *Procris*

藤 麻 *Procris crenata* C. B. Robinson.

| **中 药 名** |　眼睛草（药用部位：茎叶）

| **植物形态** |　多年生草本，茎肉质。叶生于茎上部，叶片两侧稍不对称，狭长圆形，长 8~20cm，宽 2.2~4.5cm，边缘中部以上有少数浅齿或波状，钟乳体明显，叶柄长 1.5~12mm；托叶极小，脱落，退化叶狭长圆形或椭圆形。雄花序通常生于雌花序之下，有短丝状花序梗。雄花 5 数；花被片长圆形或卵形，长约 1.5mm，先端之下有短角状突起。雌花序直径 1.5~3mm，有多数花；花序托半圆球形，小苞片长约 0.4mm。雌花无梗；花被片约 4，船状椭圆形，长约 3.5mm。瘦果褐色，狭卵形，扁，长 0.6~0.8mm，常有多数小条状突起或近光滑。

藤麻

| **分布区域** | 产于海南乐东、昌江、白沙、五指山、保亭、陵水、琼中。亦分布于中国广东、广西、福建、台湾、贵州、云南、四川、西藏。亚洲及非洲热带地区也有分布。 |

| **资　　源** | 生于中海拔至高海拔密林下溪边岩石上，常见。 |

| **采收加工** | 全年均可采收，洗净，鲜用。 |

| **功能主治** | 味微苦，性凉。退翳明目，清热解毒，散瘀消肿。用于角膜云翳、风火赤眼、水火烫伤、骨折、跌打损伤、无名肿毒、皮肤溃疡。 |

冬青科 Aquifoliaceae 冬青属 Ilex

棱枝冬青
Ilex angulata Merr. et Chun

| 中 药 名 | 棱枝冬青（药用部位：叶）

| 植物形态 | 常绿灌木，小枝"之"字形。椭圆形叶片纸质，长 3.5~5cm，宽 1.5~2cm。具 1~3 花的聚伞花序单生于当年生枝叶腋内，苞片三角形，疏被微柔毛，花梗基部具 2 小苞片，花粉红色，5 数。雄花花萼盘状，5 浅裂，长 1~1.5mm，无缘毛；花冠辐状，花瓣卵圆形，长约 3mm；雄蕊长约为花瓣的 3/4，退化子房球形。雌花的花萼与花冠同雄花；退化雄蕊长约为花瓣的 1/3，败育花药箭头形；柱头乳头状。果实椭圆体形，长 6~8mm，直径 5~6mm，成熟时红色，具纵棱，花萼、

棱枝冬青

柱头宿存；分核 5，长约 5mm，背部具 3 纵纹和沟，中脊常深陷，内果皮木质。花期 4 月，果期 7~10 月。

分布区域

产于海南三亚、乐东、保亭、陵水、万宁、琼中、定安、琼海、海口。亦分布于中国广西。

资　源

生于低海拔至中海拔疏林中，常见。

采收加工

全年均可采收，晒干。

功能主治

清热解毒，降脂清浊，消炎，消肿，通经活络，活血。用于高血压、血脂增高、口腔炎、口疮、疖肿、咽喉痛、慢性喉炎。

冬青科 Aquifoliaceae 冬青属 *Ilex*

冬 青
Ilex chinensis Sims.

| 中 药 名 | 冬青（药用部位：根皮、树皮、叶、果实）

| 植物形态 | 常绿乔木，叶痕新月形。叶片薄革质，椭圆形，长 5~11cm，宽 2~4cm，边缘具圆齿。雄花：花序具三至四回分枝，无毛，花淡紫色，4~5 数；花萼浅杯状，具缘毛；花冠辐状，直径约 5mm，花瓣长 2.5mm，开放时反折，雄蕊短于花瓣，退化子房圆锥状。雌花：花序具一至二回分枝，花 3~7，花萼和花瓣同雄花，退化雄蕊长约为花瓣的 1/2，败育花药心形；柱头具不明显的 4~5 裂，厚盘形。果实长球形，成熟时红色，长 10~12mm，直径 6~8mm；分核 4~5，狭披针形，长 9~11mm，宽约 2.5mm，背面平滑，凹形，断面呈三棱形，内果皮厚革质。花期 4~6 月，果期 7~12 月。

冬青

| **分布区域** | 产于海南乐东。亦分布于中国长江以南地区。日本也有分布。 |

| **资　　源** | 生于山顶密林中，少见。 |

| **采收加工** | 叶、树皮、根皮：秋、冬季采摘叶，树皮或根皮全年均可采，晒干或鲜用。果实：冬季果实成熟时采摘果实，晒干。 |

| **药材性状** | 叶长椭圆形或披针形，长 5~11cm，宽 2~4cm，边缘有疏生的浅圆锯齿，两面均无毛，中脉在叶下面隆起，侧脉每边 8~9。革质。气微，味苦、涩。以身干、色绿、无枝梗者为佳。 |

| **功能主治** | 根皮、树皮：味甘、苦，性凉。止血，补益肌肤。用于烫火伤。叶：味苦、涩，性凉。清热解毒，消肿祛瘀，凉血止血。用于烫火伤、溃疡久不愈合、胆道感染、肺炎、急性咽喉炎、咳嗽、小便淋痛、痢疾、外伤出血、冻疮、皮肤皲裂。果实：味甘、苦，性凉；归肺、肾经。祛风，补虚。用于风湿痹痛、痔疮。 |

冬青科 Aquifoliaceae 冬青属 *Ilex*

铁仔冬青 *Ilex chuniana* S. Y. Hu.

| 中 药 名 | 铁仔冬青（药用部位：叶）

| 植物形态 | 小乔木，叶密集于小枝的上部，叶片近革质，披针形，长 3~5.5cm，宽 9~15mm，边缘具齿，叶柄长 3~5mm，托叶微小，宿存。雄花序分枝具 1 花；花黄白色，4 数；花萼盘状，裂片具缘毛；花冠辐状，花瓣卵形，长约 1.5mm；雄蕊与花瓣等长。果实近球状椭圆形，直径约 4.5mm，成熟后红色；花萼、柱头宿存，具缘毛；分核 4，长 4.5mm，具掌状条纹而无沟，被疏微柔毛，内果皮木质。花期 10~11 月，果期 11~12 月。

铁仔冬青

| 分布区域 |

产于海南五指山、陵水。亦分布于中国广东。

| 资　　源 |

生于半山石上，少见。

| 采收加工 |

秋、冬季采摘叶，晒干或鲜用。

| 功能主治 |

同属植物的叶多有清热解毒、消肿祛瘀等功能，本种可能亦有类似功能，其作用有待进一步研究。

冬青科 Aquifoliaceae　冬青属 Ilex

灰冬青

Ilex cinerea Champ. ex Benth.

| 中药名 | 灰冬青（药用部位：叶）

| 植物形态 | 常绿灌木，顶芽长约 3mm，芽鳞被短柔毛。叶片革质，长圆状倒披针形，长 7~15cm，宽 2~4cm，边缘具齿。花序簇生于叶腋，花淡黄绿色，4 数；雄花为一至二回三歧式聚伞花序簇生，被短柔毛，苞片三角状卵形，具托叶状有缘毛附属物；其近基部具 2 小苞片；盘状花萼 4 裂，疏被短柔毛及缘毛；花瓣 4，长约 3mm，先端具缘毛，雄蕊 4，退化子房球形，无毛。雌花：花序的单个分枝具 1 花，苞片近圆形；具有缘毛的小苞片；花萼近杯状，4 浅裂，具缘毛；花瓣长约 3mm；退化雄蕊长为花瓣的 1/2，败育花药箭头状；子房被

灰冬青

短柔毛，柱头盘状。果实球形，直径约7mm，成熟时红色，宿存柱头盘状，4裂；花萼宿存。分核4，倒卵形，长约4mm，背面具掌状纵棱及沟，侧面具皱纹及洼点，内果皮石质。花期3~4月，果期9~10月，甚至到翌年3月才凋落。

| 分布区域 |

海南有分布记录。亦分布于中国广东、香港。越南也有分布。

| 资　源 |

生于高海拔林中，少见。

| 采收加工 |

秋、冬季采摘叶，晒干或鲜用。

| 功能主治 |

同属植物的叶多能清热解毒、消肿祛瘀等，本种可能亦有类似功能，其作用有待进一步研究。

冬青科 Aquifoliaceae　冬青属 *Ilex*

枸 骨
Ilex cornuta Lindl. & J. Paxton.

| 中 药 名 | 功劳、枸骨子（药用部位：根、叶、果实、树皮）

| 植物形态 | 常绿灌木，枝条具纵裂缝及隆起的叶痕，无皮孔。叶片厚革质，二型，长 4~9cm，宽 2~4cm，先端具 3 尖硬刺齿，中央刺齿常反曲，基部圆形或近截形，两侧各具 1~2 刺齿，托叶胼胝质。花序簇生于叶腋，基部宿存鳞片；苞片卵形，被短柔毛和缘毛；花淡黄色，4 数。雄花：花梗长 5~6mm，无毛，基部具 1~2 阔三角形的小苞片；花萼盘状，裂片膜质，阔三角形，具缘毛；花冠辐状，直径约 7mm，花瓣长圆状卵形，长 3~4mm，反折，基部合生。雌花：无毛，基部具 2 小的阔三角形苞片；花萼与花瓣像雄花；退化雄蕊长为花瓣的 4/5，败育花药卵状箭头形；柱头盘状，4 浅裂。果实球形，直径 8~10mm，

枸骨

成熟时鲜红色，花萼、柱头宿存，果梗长 8~14mm。分核 4，轮廓倒卵形，长 7~8mm，遍布皱纹和皱纹状纹孔，背部中央具 1 纵沟，内果皮骨质。花期 4~5 月，果期 10~12 月。

| 分布区域 | 海南万宁有栽培。亦分布于中国华东、华南各地。朝鲜也有分布。

| 资　　源 | 栽培，少见。

| **采收加工** | 根：全年均可采。叶：8~10 月采收。果实：冬季采摘成熟的果实。树皮：全年均可采剥树皮。去净杂质，洗净，晒干。

| **药材性状** | 叶：叶类长方形，长 4~9cm，宽 2~4cm。先端有 3 较大的硬刺齿，两侧有时各有刺齿 1~2，边缘稍反卷；长卵圆形叶长，无刺齿。上表面黄绿色或绿褐色，有光泽，下表面灰黄色或灰绿色。革质，硬而厚。气微，味微苦。以叶大、色绿者为佳。果实：果实圆球形或类球形，直径 8~10mm；表面浅棕色至暗红色，微有光泽，外果皮多干缩而形成深浅不等的凹陷；先端具宿存柱基，基部有果柄痕及残存花萼，偶有细果柄，外果皮质脆易碎，内有分果核 4，分果核呈球体的四等分状，黄棕色至暗棕色，极坚硬，有隆起的脊纹，内有种子 1。气微，味微涩。以果大、饱满、色红、无杂质者为佳。

| **功能主治** | 根：味苦，性凉。补肝肾，清风热，祛风止痛。用于风湿关节痛、腰肌劳损、头痛、牙痛、黄疸型肝炎。 叶：味苦，性凉；归肝、肾经。清热养阴，补肝肾，养气血，祛风湿。用于肺痨潮热、咳嗽咯血、头晕、头痛、耳鸣、高血压、腰酸脚软、白癜风。果实：味苦、涩，性微温；归肝、肾、脾经。滋阴，益精，活络，固涩。用于阴虚身热、淋浊、崩漏、带下、筋骨痛、白带过多。 树皮：味微苦，性凉。补肝肾，强腰膝。用于肝肾不足、腰脚痿弱。

冬青科 Aquifoliaceae 冬青属 Ilex

榕叶冬青 *Ilex ficoidea* Hemsl.

| 中 药 名 | 上山虎（药用部位：根）

| 植物形态 | 常绿乔木，具叶痕。叶片革质，长圆状椭圆形，长 4.5~10cm，宽 1.5~3.5cm，边缘具锯齿，叶柄长 6~10mm。花序生于叶腋，花 4 数，白色或淡黄绿色，芳香；雄花序的聚伞花序具 1~3 花；花萼盘状，裂片三角形，具缘毛；花冠直径约 6mm，花瓣卵状长圆形，长约 3mm，上部具缘毛，雄蕊长于花瓣。雌花单花簇生于叶腋；花萼被微柔毛，裂片常呈龙骨状；花冠直立，卵形花瓣分离，长约 2.5mm，具缘毛。果实球形，直径 5~7mm，成熟后红色，花萼、柱头宿存；分核 4，卵形或近圆形，长 3~4mm，背部具掌状条纹，具纵槽，两侧面具皱条纹及洼点，内果皮石质。花期 3~4 月，果期 8~11 月。

榕叶冬青

| 分布区域 |

产于海南乐东、白沙、五指山、保亭、万宁。
亦分布于中国广东、广西、湖南、江西、福建、
台湾、浙江、安徽、湖北、贵州、云南、四川。
日本也有分布。

| 资　源 |

生于中海拔至高海拔林中，常见。

| 采收加工 |

全年均可采，洗净，切片，晒干。

| 功能主治 |

味苦、甘,性凉。清热解毒,活血止痛。用于肝炎、
跌打肿痛。

冬青科 Aquifoliaceae 冬青属 Ilex

伞花冬青

Ilex godajam (Colebr. ex Wall.) Wall.

伞花冬青

中 药 名

伞花冬青（药用部位：树皮）

植物形态

常绿灌木，小枝"之"字形弯曲，具圆形突起的皮孔。卵形叶薄革质，长 4.5~8cm，宽 2.5~4cm，托叶钻状三角形，被微柔毛。伞状聚伞花序生于叶腋，总花梗及花梗均密被微柔毛；花 4~6 数，白色带黄。雄花序：伞状聚伞花序具 8~23 花，基生小苞片钻形，被微柔毛；花萼盘状，4 深裂，裂片啮齿状，具缘毛；花冠辐状，花瓣 4，长圆形，长 2mm，退化子房球形，具短喙。雌花序：伞形花序具 3~13 花，基生苞片、小苞片三角形，花萼似雄花，柱头头形。果实球形，直径 4mm，成熟时红色，宿存花萼平展，直径约 2.5mm，具缘毛；宿存柱头盘状，突起；分核 5 或 6，椭圆形，长 2.5mm，背部宽约 1.5mm，具 3 纵棱及 2 沟，内果皮木质。花期 4 月，果期 8 月。

分布区域

产于海南三亚、乐东、昌江、白沙、保亭、万宁、琼中、儋州、海口。亦分布于中国广西、

湖南、云南。越南、老挝、缅甸、印度、不丹、
尼泊尔也有分布。

| 资　　源 |

生于低海拔至高海拔林中，常见。

| 采收加工 |

树皮全年可采，晒干或鲜用。

| 功能主治 |

用于腹痛、蛔虫病。

冬青科 Aquifoliaceae 冬青属 Ilex

剑叶冬青 *Ilex lancilimba* Merr.

| 中 药 名 | 剑叶冬青（药用部位：根）

| 植物形态 | 小乔木，芽鳞密被淡黄色短柔毛。叶片革质，披针形，长 9~16cm，宽 2~5cm，全缘，叶柄具叶片下沿的狭翅。聚伞花序单生于当年生枝，总花梗及花梗均被淡黄色短柔毛；花 4 数。雄花序为三回二歧或三歧聚伞花序，总花梗长 5~14mm，花萼盘状，4 裂，花瓣卵状长圆形，长 2.5~3mm，雄蕊短于花瓣，退化子房圆锥状。雌花序为具 3 花的聚伞花序，花萼及花冠同雄花，淡绿白色，4 或 5 数；退化雄蕊长约为花瓣的 1/2，败育花药心形；柱头厚盘状。果实常被淡黄色短柔毛，球形，直径 10~12mm，成熟时红色，宿存花萼平展，四角形，宿存

剑叶冬青

柱头盘状，4裂；分核4，长圆形，长约9mm，背部具宽而深的"U"形槽，内果皮木质。花期3月，果期9~11月。

| 分布区域 |

产于海南三亚、乐东、白沙、五指山、万宁、琼中。亦分布于中国广东、广西、湖南、福建。

| 资　源 |

生于高海拔林中，常见。

| 采收加工 |

全年均可采，洗净，切片，晒干。

| 功能主治 |

清热解毒。

冬青科 Aquifoliaceae 冬青属 Ilex

大叶冬青 *Ilex latifolia* Thunb.

大叶冬青

| 中 药 名 |

苦丁茶（药用部位：叶）

| 植物形态 |

常绿大乔木，全体无毛。叶片厚革质，长圆形，长 8~19cm，宽 4.5~7.5cm，边缘具疏锯齿，齿尖黑色，托叶极小。假圆锥花序生于叶腋，基部具宿存的圆形、覆瓦状排列的芽鳞，花淡黄绿色，4 数。雄花：假圆锥花序的每个分枝具 3~9 花，苞片长 5~7mm，小苞片 1~2，花萼近杯状，4 浅裂，花冠辐状，直径约 9mm，长约 3.5mm，宽约 2.5mm；花药长为花丝的 2 倍；柱头稍 4 裂。雌花：花序的每个分枝具 1~3 花，具 1~2 小苞片；花萼盘状，直立花冠卵形；花瓣 4，长约 3mm，退化雄蕊长为花瓣的 1/3；子房卵球形，柱头盘状，4 裂。果实球形，直径约 7mm，成熟时红色，外果皮厚。分核 4，轮廓长圆状椭圆形，长约 5mm，具不规则的皱纹和尘穴，背面具纵脊，内果皮骨质。花期 4 月，果期 9~10 月。

| 分布区域 |

产于海南昌江、东方、儋州。亦分布于中国广东、广西、湖南、湖北、云南、四川。

| 资 源 |

生于山地林中，少见。

| 采收加工 |

清明前后摘取嫩叶，头轮多采，次轮少采，长梢多采，短梢少采。叶采摘后，放在竹筛上通风，晾干或晒干。

| 药材性状 |

叶片卵状长椭圆形，有的破碎或纵向微卷曲，长 8~17cm，宽 4.5~7.5cm；边缘具疏齿；上表面黄绿色或灰绿色，有光泽，下表面黄绿色；革质而厚；气微，味微苦。

| 功能主治 |

味甘、苦，性寒；归肝、肺、胃经。清热解毒，生津消积，清头目，除烦渴，凉血，止泻。用于头痛、齿痛、目赤、热病烦渴、痢疾、腹痛、耳朵疼痛流脓、饮食不节、脾胃损伤。

冬青科 Aquifoliaceae 冬青属 Ilex

毛冬青
Ilex pubescens Hook. & Arn.

| 中 药 名 | 毛冬青（药用部位：根、叶）

| 植物形态 | 常绿灌木，小枝具叶痕。椭圆形叶片纸质，长 2~6cm，宽 1~2.5cm，边缘具锯齿，叶柄密被长硬毛。花序密被长硬毛。雄花序：聚伞花序，花梗基部具 2 小苞片，花 4 或 5 数，粉红色；盘状花萼被长柔毛，5 或 6 深裂，具缘毛；花冠辐状，卵状长圆形花瓣 4~6，长约 2mm，退化雌蕊垫状，先端具短喙。雌花序：簇生，被长硬毛，单个分枝具单花，基部具小苞片；花 6~8 数；盘状花萼 6 深裂，被长硬毛，花冠辐状，长圆形花瓣 5~8，长约 2mm；退化雄蕊长约为花瓣的一半，败育花药箭头形，花柱明显，柱头头状。果实球形，直径约 4mm，成熟后红色，果梗密被长硬毛；花萼宿存，宿存柱头厚盘状或头状，

毛冬青

花柱明显。分核6，轮廓椭圆体形，长约3mm，背面具纵宽的单沟及3条纹，两侧面平滑，内果皮革质或近木质。花期4~5月，果期8~11月。

| 分布区域 |

海南岛有分布记录。亦分布于中国广东、广西、湖南、江西、福建、台湾、浙江、安徽、湖北、贵州、云南。

| 资　　源 |

生于低海拔山地疏林或山坡灌丛中，少见。

| 采收加工 |

根：夏、秋采收。叶：全年均可采。洗净，鲜用或晒干。

| 药材性状 |

根呈圆柱形，有的分枝，长短不一，直径1~4cm。表面灰褐色至棕褐色，根头部具茎枝及茎残基；外皮稍粗糙，有纵向细皱纹及横向皮孔。质坚实，不易折断，断面皮部菲薄，木质部发达，土黄色至灰白色，有致密的放射状纹理及环纹。气微，味苦、涩而后甜。商品多为块片状，大小不等，厚0.5~1cm。

| 功能主治 |

根：味苦、涩，性寒；归心、肺经。清热凉血，通脉止痛，消肿解毒。用于风热感冒、肺热喘咳、喉头肿、乳蛾、痢疾、胸痹、中心性视网膜炎、疮疡。叶：味苦、涩，性凉。清热解毒，止痛消炎。用于牙龈肿痛、疖痈、缠腰火丹、脓疱疮、烫火伤。

卷边冬青

冬青科 Aquifoliaceae 冬青属 Ilex

卷边冬青 *Ilex revoluta* P. C. Tam.

中药名

卷边冬青（药用部位：叶）

植物形态

常绿小乔木，高 4~8m，全株无毛；树皮灰褐色。小枝圆柱形，具纵棱沟，叶痕稍突起。叶片革质，倒卵形，长 4~5.5cm，宽 2~2.5cm，先端圆形，微凹，基部楔形，渐狭至叶柄，边缘反卷，全缘，叶面绿色，背面淡绿色，具褐色小腺点，主脉在叶面稍凹陷，背面隆起，侧脉 6~8 对，斜升，于近叶缘处网结，在叶面明显，背面稍突起，网状脉不明显；叶柄长 3~4mm，上面具纵槽，上半段具叶片下延的狭翅。花及花序未见。果实单生或双生于当年生或二年生枝的叶腋内，果梗长约 5mm；果实球形，直径 5~6mm，外果皮革质，干时褐黄色或稀淡褐色，宿存花萼杯状，4 裂，裂片圆形，宿存柱头乳头状；分核 4，卵状椭圆形，背面具 1~3 纵条纹，无沟。

分布区域

产于海南陵水、保亭、万宁。亦分布于中国广东。

| 资　　源 | 生于中海拔至高海拔的山顶林中，少见。

| 采收加工 | 秋、冬季采摘叶，晒干或鲜用。

| 功能主治 | 同属植物的叶多有清热解毒、消肿祛瘀等功能，本种可能亦有类似功能，其作用有待进一步研究。

冬青科 Aquifoliaceae 冬青属 Ilex

铁冬青
Ilex rotunda Thunb.

铁冬青

中药名

救必应（药用部位：树皮或根皮、叶、根）

植物形态

乔木，顶芽圆锥形。卵形叶片薄革质，长4~9cm，宽1.8~4cm，叶柄先端具叶片下延的狭翅；托叶早落。聚伞花序具4~13花，雄花序：总花梗长3~11mm，小苞片1~2；花白色，4数；盘状花萼被微柔毛，4浅裂，长约0.3mm，花冠辐状，花瓣长圆形，长2.5mm，花药纵裂；退化子房垫状，中央具长约1mm的喙，喙先端具5或6细裂片。雌花序：具3~7花，花白色，5数；花萼浅杯状，5浅裂，花冠辐状，直径约4mm，花瓣倒卵状长圆形，长约2mm，退化雄蕊长约为花瓣的1/2，柱头头状。果实近球形，直径4~6mm，成熟时红色，宿存花萼平展，直径约3mm，浅裂片三角形，无缘毛，宿存柱头厚盘状，突起，5~6浅裂；分核5~7，椭圆形，长约5mm，背部宽约2.5mm，背面具3纵棱及2沟，稀2棱单沟，两侧面平滑，内果皮近木质。花期4月，果期8~12月。

| 分布区域 | 产于海南三亚、乐东、东方、昌江、白沙、五指山、保亭、陵水、万宁、琼中、儋州、临高、澄迈。亦分布于中国华南其他区域、华东。越南、日本、朝鲜也有分布。

| 资　　源 | 生于低海拔至中海拔林中，十分常见。

| 采收加工 | 全年均可采，鲜用或晒干。

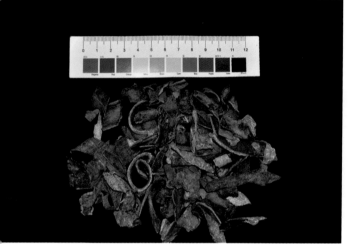

药材性状

根皮呈卷筒状或略卷曲的板片状，长短不一，厚 0.3~0.5cm。外表面灰黄色或灰褐色，粗糙，常有横皱纹或略横向突起；内表面淡褐色或棕褐色，有浅纵向条纹。质硬而脆，断面略平坦，稍呈颗粒状，黄白色或淡黄褐色。气微，味苦、微涩。树皮较薄，边缘略向内卷，外表面有较多椭圆状突起的皮孔。以皮厚、苦味浓、无杂物者为佳。

功能主治

味苦，性寒。清热解毒，消肿止痛，消炎，凉血。用于吐泻、胃痛、中暑腹痛、痢疾、急性胃肠炎、肝炎、胆囊炎、胰腺炎、水肿、感冒发热、咽喉肿痛、风湿关节痛、滴虫病、烫火伤、毒蛇咬伤、疮肿、无名肿毒、跌打损伤、关节扭伤。

冬青科 Aquifoliaceae 冬青属 Ilex

三花冬青 *Ilex triflora* Bl.

| 中 药 名 | 小冬青（药用部位：根）

| 植物形态 | 乔木，幼枝密被短柔毛。近革质叶片椭圆形，长 2.5~10cm，宽 1.5~4cm，边缘具近波状线齿，背面具腺点，疏被短柔毛，叶柄长 3~5mm，密被短柔毛，具叶片下延而成的狭翅。雄花 1~3 排成聚伞 花序，花序梗、花梗均被短柔毛，基部或近中部具小苞片 1~2；花 4 数，白色或淡红色；花萼盘状，4 深裂，裂片具缘毛；花冠直径约 5mm，花瓣阔卵形，基部稍合生，退化子房金字塔形，先端具短喙， 分裂。雌花中部具 2 卵形小苞片；花萼同雄花；花瓣阔卵形至近圆形， 基部稍合生；退化雄蕊长约为花瓣的 1/3，不育花药心状箭形；柱头

三花冬青

厚盘状，4 浅裂。果实球形，直径 6~7mm，成熟后黑色；花萼、柱头宿存；分核 4，卵状椭圆形，长约 6mm，背部具 3 条纹，内果皮革质。花期 5~7 月，果期 8~11 月。

| 分布区域 | 产于海南三亚、乐东、五指山、保亭、陵水、万宁、琼中。亦分布于中国广东、广西、湖南、江西、福建、台湾、浙江、安徽、湖北、贵州、云南、四川。越南、泰国、缅甸、孟加拉国、印度、马来西亚、印度尼西亚也有分布。

| 资　　源 | 生于低海拔至中海拔林中，常见。

| 采收加工 | 全年均可采，洗净，切片，晒干。

| 功能主治 | 味苦，性凉。清热解毒。用于疮疡肿毒。

卫矛科 Celastraceae 南蛇藤属 Celastrus

青江藤 *Celastrus hindsii* Benth.

| 中 药 名 | 青江藤（药用部位：根、根皮、叶）

| 植物形态 | 常绿藤本，叶纸质或革质，长方窄椭圆形，长 7~14cm，宽 3~6cm，边缘具疏锯齿。聚伞圆锥花序，长 5~14cm，花淡绿色，小花梗长 4~5mm，关节在中部偏上；花萼裂片近半圆形，覆瓦状排列，长约 1mm；花瓣长方形，长约 2.5mm，边缘具细短缘毛；花盘杯状，厚膜质，浅裂，裂片三角形；雄蕊着生于花盘边缘，花丝锥状，花药卵圆状，在雌花中退化，花药箭形卵状；雌蕊瓶状，子房近球状，花柱长约 1mm；柱头不明显 3 裂，在雄花中退化。果实近球状或稍窄，长 7~9mm，直径 6.5~8.5mm，幼果先端具明显宿存花柱，长达 1.5mm，裂瓣略皱缩；种子 1，阔椭圆状至近球状，长 5~8mm，假种皮橙红色。花期 5~7 月，果期 7~10 月。

青江藤

分布区域

产于海南昌江、琼中、三亚、保亭、澄迈。亦分布于中国广东、广西、湖南、江西、福建、台湾、湖北、贵州、云南、四川、西藏。越南也有分布。

资　源

生于海拔较低的灌丛或疏林中，常见。

采收加工

秋后采收根，切片晒干。

功能主治

根: 味辛、苦, 性平。通经, 利尿。用于月经不调、闭经、肾炎、淋病。根皮: 用于毒蛇咬伤、肿毒。叶: 清热解毒。

附　注

在 FOC 中, 其已被归并为皱果南蛇藤 *Celastrus tonkinensis* Pitard。

卫矛科 Celastraceae 南蛇藤属 *Celastrus*

独子藤 *Celastrus monospermus* Roxb.

| **中 药 名** | 独子藤（药用部位：种子）

| **植物形态** | 常绿藤本，小枝干时紫褐色，皮孔通常稀疏。叶片近革质，长方阔椭圆形，长 5~17cm，宽 3~7cm，边缘具细锯齿。二歧聚伞花序排成聚伞圆锥花序，雄花序的小聚伞常呈密伞状，关节在最底部；花黄绿色或近白色；雄花花萼三角半圆形，长约 1mm；花瓣长方形，长约 2.5mm，花盘肥厚肉质，垫状，5 浅裂，雄蕊 5，着生于花盘之下，花丝锥状，退化雌蕊长约 1mm；雌蕊近瓶状，柱头 3 裂，反曲。蒴果阔椭圆状，直径 9~14mm，裂瓣椭圆形，边缘皱缩成波状；种子 1，椭圆状，长 10~15mm，直径 6~9mm，光滑，稍具光泽；假种皮紫褐色。花期 3~6 月，果期 6~10 月。

独子藤

| 分布区域 | 产于海南三亚、五指山、白沙、保亭。亦分布于中国广东、广西、福建、贵州、云南。越南、缅甸、印度也有分布。

| 资　　源 | 生于中海拔至高海拔林中，少见。

| 采收加工 | 果实成熟时采收，剥取种子，晒干。

| 功能主治 | 可用于催吐。

卫矛科 Celastraceae 南蛇藤属 Celastrus

南蛇藤 *Celastrus orbiculatus* Thunb.

| 中 药 名 | 南蛇藤（药用部位：根、藤茎、果实、叶）

| 植物形态 | 小枝具稀而不明显的皮孔；叶通常阔倒卵形，长5~13cm，宽3~9cm，先端具有小尖头，边缘具锯齿，叶柄细长，长1~2cm。聚伞花序腋生，长1~3cm，雄花萼片钝三角形；花瓣倒卵状椭圆形，长3~4cm，花盘浅杯状，雄蕊长2~3mm；雌花花冠较雄花窄小，花盘肉质，花柱柱头3深裂，裂端再2浅裂。蒴果近球状，直径8~10mm；种子椭圆状稍扁，长4~5mm，直径2.5~3mm，赤褐色。花期5~6月，果期7~10月。

南蛇藤

| **分布区域** | 海南万宁有栽培。亦分布于中国黑龙江、吉林、辽宁、内蒙古、河北、山东、山西、河南、陕西、甘肃、江苏、安徽、浙江、江西、湖北、四川。朝鲜、日本也有分布。 |

| **资　　源** | 栽培量小。 |

| **采收加工** | 根：8~10月采收。藤茎：春、秋季采收。果实：9~10月间成熟后摘下。叶：春季采收。洗净，鲜用或晒干。 |

| **药材性状** | 根：本品呈圆柱形，细长而弯曲，有少数须根，外表棕褐色，具不规则的纵棱。主根坚韧，不易折断，断面黄白色，具纤维性；须根较细，亦呈圆柱形，质较脆，有香气。以质干、栓皮厚者为佳。果实：蒴果黄色，球形，直径约1cm，3裂，干后呈黄棕色。种子每室2，有红色肉质假种皮。略有异臭，味甘、酸而带腥味。 |

| **功能主治** | 根：味辛、苦，性平；归肝、脾经。祛风除湿，活血通经，消肿解毒。用于风湿痹痛、跌打肿痛、闭经、头痛、腰痛、疝气痛、痢疾、肠风下血、痈疽肿毒、水火烫伤、毒蛇咬伤。藤茎：味苦、辛，性微温；归肝、脾、大肠经。祛风除湿，通经止痛，活血解毒。用于风湿关节痛、四肢麻木、瘫痪、头痛、牙痛、疝气、痛经、闭经、小儿惊风、跌打扭伤、痢疾、痧症、带状疱疹。果实：味甘、微苦，性平。安神镇静。用于神经衰弱、心悸、失眠、健忘。叶：味苦、辛，性平。解毒，散瘀。用于多发性疖、跌打损伤、毒蛇咬伤。 |

卫矛科 Celastraceae 卫矛属 *Euonymus*

扶芳藤
Euonymus fortunei (Turcz.) Hand.-Mazz.

| 中 药 名 | 扶芳藤（药用部位：茎、叶）

| 植物形态 | 常绿藤本灌木。椭圆形叶薄革质，宽窄变异较大，边缘齿浅不明显。聚伞花序 3~4 次分枝；小聚伞花密集，有花 4~7，分枝中央有单花；花白绿色，4 数，直径约 6mm；花盘方形，花药圆心形；子房三角锥状，四棱。蒴果粉红色，果实近球状，直径 6~12mm；种子长方椭圆状，棕褐色，假种皮鲜红色，全包种子。花期 6 月，果期 10 月。

| 分布区域 | 产于海南五指山、琼中。亦分布于中国各地。越南、老挝、泰国、缅甸、菲律宾、印度尼西亚、印度、巴基斯坦、日本、朝鲜及非洲也有分布。

扶芳藤

| 资　　源 | 生于山地林中，少见。

| 采收加工 | 茎、叶全年均可采，清除杂质，切碎，晒干。

| 药材性状 | 茎：茎枝呈圆柱形。表面灰绿色，多生细根，并具小瘤状突起。质脆易折，断面黄白色，中空。叶：叶对生，椭圆形，长2~8cm，宽1~4cm，先端尖或短锐尖，基部宽楔形，边缘有细锯齿，质较厚或稍带革质，上面叶脉突起。气微弱，味辛。

| 功能主治 | 味甘、苦、微辛，性微温；归肝、肾、胃经。散瘀止血，舒筋活络。用于腰肌劳损、风湿痹痛、咯血、慢性泄泻、血崩、月经不调、功能性子宫出血、小儿惊风。外用于跌打损伤、骨折、创伤出血。

卫矛科 Celastraceae **卫矛属** Euonymus

流苏卫矛
Euonymus gibber Hance.

| 中 药 名 | 流苏卫矛（药用部位：根、叶、茎皮）

| 植物形态 | 灌木，叶革质，对生或 3 叶轮生，窄长椭圆形，长 5~10cm，宽 2~5cm，先端急尖而钝，叶柄长 5~7mm。聚伞花序 2~3 次分枝；苞片及小苞片均细小，脱落；花 5 数；萼片边缘啮蚀状；花瓣近圆形，先端呈流苏状，基部窄缩成短爪；花盘微 5 裂；雄蕊着生于花盘角上突起处，花丝扁。蒴果近倒卵状，上部 5 裂，裂片常深浅大小不等，果序梗长，有 4 棱，长 5~7cm；小果梗长 5~8mm；种子基部有浅杯状假种皮。

流苏卫矛

| **分布区域** | 产于海南白沙、保亭。亦分布于中国广东、台湾、云南。

| **资 源** | 生于中海拔林中，少见。

| **采收加工** | 根、叶：全年可采。茎皮：在春、夏季生长旺盛时剥取。洗净，鲜用或晒干。

| **功能主治** | 同属植物疏花卫矛的根、茎皮可用于水肿、风湿骨痛、跌打损伤等。本种或有类似功能，其作用有待进一步研究。

卫矛科 Celastraceae 卫矛属 Euonymus

疏花卫矛
Euonymus laxiflorus Champ. ex Benth.

| **中 药 名** | 疏花卫矛（药用部位：根、叶、茎皮）

| **植物形态** | 灌木，叶纸质或近革质，卵状椭圆形，长 5~12cm，宽 2~6cm。聚伞花序分枝疏松，5~9 花；花紫色，5 数，直径约 8mm；萼片边缘常具紫色短睫毛；花瓣长圆形，基部窄；花盘 5 浅裂；雄蕊无花丝。蒴果紫红色，倒圆锥状，直径约 9mm，先端稍平截；种子长圆状，长 5~9mm，直径 3~5mm，种皮枣红色，假种皮橙红色，呈浅杯状包围种子基部。花期 3~6 月，果期 7~11 月。

疏花卫矛

| 分布区域 | 产于海南三亚、乐东、东方、白沙、五指山、陵水、琼中、昌江。亦分布于中国南部各地。越南、柬埔寨、缅甸、印度也有分布。 |

| 资　　源 | 生于中海拔林中，常见。 |

| 采收加工 | 根、叶：全年可采。茎皮：在春、夏季生长旺盛时剥取。洗净，鲜用或晒干。 |

| 功能主治 | 益肾气，祛风湿，强筋骨，健腰膝。根、茎皮：用于水肿、风湿骨痛、腰膝酸痛、跌打损伤、骨折。叶：用于骨折、跌打损伤、外伤出血。 |

卫矛科 Celastraceae 沟瓣属 Glyptopetalum Thw.

海南沟瓣

Glyptopetalum fengii (Chun et How) D. Hou.

| 中 药 名 | 海南沟瓣（药用部位：根皮）

| 植物形态 | 灌木，高达 4m。叶片厚纸质，倒卵形或长倒卵形，长 3~5cm，宽
1.5~2cm，先端圆钝，常有浅内凹，基部窄缩呈窄楔形，全缘稍反卷，
叶脉不明显；叶柄短，长 2~3mm。聚伞花序，一般 3 花，花序梗长
2~4cm，分枝长约 1cm，两侧花小，花梗极短，与分枝连接处有关节，
中央花小，花梗稍长，无关节；花 4 数，黄绿色，直径 6~8mm；花
瓣稍肉质，阔椭圆形；雄蕊着生于花盘边缘上沿；花丝长过柱头，
花药内向、背着，在与花丝相连处有肿涨的圆环；花盘薄，紧贴子房，
大部与之合生，分界不明显，无花柱，柱头头状。花期冬季。

海南沟瓣

| **分布区域** | 产于海南昌江、万宁、乐东。

| **资　　源** | 生长于平地瘠土林中，少见。

| **附　　注** | 产于四川、贵州等地的同属植物冬青沟瓣 *Glyptopetalum aquifolium* (Loes. et Rehd.) C. Y. Cheng，其根皮可用于消肿解毒。本种功能尚不明确，有待进一步研究。

卫矛科 Celastraceae 沟瓣属 Glyptopetalum

白树沟瓣
Glyptopetalum geloniifolium (Chun & F. C. How) C. Y. Cheng.

| 中 药 名 |

白树沟瓣（药用部位：根皮）

| 植物形态 |

常绿灌木，高 1~2m。叶片革质，椭圆形或
较窄，偶为倒卵状窄椭圆形，长 5~12cm，
宽 2.5~6cm，先端圆钝或常微凹，基部宽楔
形向柄下延，边缘上下皱缩成浅波状；叶柄
长约 5mm。聚伞花序 1~2 次分枝，花序梗
长 2~3cm，分枝长 1~1.5cm，2 次分枝更短，
小花梗长近 1~2mm，中央花有明显的小花
梗；花 4 数，白绿色，直径约 8mm；萼片
边缘常黑褐色，干膜质；花瓣边缘啮蚀状，
花盘与子房分界不明显，雄蕊着生于其边缘
上，花丝长约 1.5mm；子房无明显花柱，柱
头窄小。蒴果扁球状，直径约 15mm，红色，
表面多少有糠秕状斑块；种子紫褐色，卵状，
长约 8mm，假种皮淡黄色，先端开口。花
期 7~8 月，果实成熟期 12 月至翌年 2 月。

| 分布区域 |

产于海南乐东。亦分布于中国广东、广西。

白树沟瓣

| 资　　源 | 生于海边、河边、山坡的疏林中，少见。

| 附　　注 | 产于四川、贵州等地的同属植物冬青沟瓣 *Glyptopetalum aquifolium* (Loes. et Rehd.) C. Y. Cheng，其根皮可用于消肿解毒。本种功能尚不明确，有待进一步研究。

卫矛科 Celastraceae 沟瓣属 *Glyptopetalum*

长梗沟瓣

Glyptopetalum longipedicellatum (Merr. et Chun) C. Y. Cheng

| 中 药 名 | 长梗沟瓣（药用部位：根皮）

| 植物形态 | 乔木或灌木，高 3~12m，在阴暗处常呈依附藤状；小枝粗壮，淡黄绿色，圆柱状，平滑，偶有皱纹。叶革质，形状大小变异很大，通常窄椭圆形，长 15~25cm，可达 30cm，先端渐尖或急尖，基部楔形或阔楔形，偶为近圆形，边缘具极浅齿或近全缘，侧脉 10~18 对，在叶面细而平坦，不明显，在叶背略突起而清晰；叶柄极粗壮，长 12~18mm，直径 2~3mm。聚伞花序 2~3 次分枝，花序梗长 2~5cm，分枝长 1~3cm；小花梗长 2~3.5cm，单花及 1~2 次分枝时花序梗长约 4cm，中央小花梗长约 1cm；苞片及小苞片呈细小钻形，常早落；花

长梗沟瓣

黄绿色，直径 1.2cm；萼片 4，近等大，较薄，常有明显纹脉；花瓣倒卵形，基部有不明显蜜槽，使花充满花蜜；雄蕊着生于花盘边缘的突起上，近无花丝；子房与花盘几全愈合，仅露出短柱状花柱，柱头小。蒴果灰白色或浅灰黄色，近球状或扁球状，长 1.5~1.8cm，直径 1.8~2.5cm，密被细鳞状斑块，果皮常有横皱纹；果序梗长 4~7.5cm，小果梗长 2.5~4.5cm；种子近圆球状，长 12~15cm，直径 7~10mm，鲜时血红色，种脊具 5~7 分枝，假种皮包围种子约 1/2。

| 分布区域 |　产于海南保亭、陵水。亦分布于中国广东、广西。

| 资　　源 |　生于海拔 550m 的山地或石灰岩疏林中，少见。

| 附　　注 |　产于四川、贵州等地的同属植物冬青沟瓣 *Glyptopetalum aquifolium* (Loes. et Rehd.) C. Y. Cheng，其根皮可用于消肿解毒。本种功能尚不明确，有待进一步研究。

卫矛科　Celastraceae　美登木属　*Maytenus*

变叶美登木 *Maytenus diversifolius* (Maxim.) D. Hou.

| 中 药 名 | 变叶美登木（药用部位：全株）

| 植物形态 | 灌木，一年生、二年生小枝刺状，灰棕色，常被密点状锈褐色短刚毛，老枝光滑。叶纸质，形状大小均多变异，长 1~4.5cm，宽 1~1.8cm，边缘有极浅圆齿。圆锥聚伞花序纤细，1 至数枝丛生于刺枝上，苞片和小苞片长均不足 1mm；花白色或淡黄色，直径 3~5mm；萼片三角卵形；花盘扁圆；雄蕊着生于花盘之外，子房大部生于花盘之内，无花柱。蒴果通常 2 裂，扁倒心形，红色或紫色，种子椭圆状，直径 3~4mm，黑褐色，基部有白色假种皮。

变叶美登木

| 分布区域 |

产于海南三亚、乐东、儋州、文昌。亦分布于中国广东、广西、福建、台湾。越南、泰国、菲律宾、马来西亚、日本也有分布。

| 资　　源 |

生于干燥沙地上或旷野中，少见。

| 采收加工 |

全年均可采，切段晒干。

| 功能主治 |

祛痰散结，软坚，抗癌。用于各种瘿疾。

卫矛科 Celastraceae 美登木属 *Maytenus*

美登木 *Maytenus hookeri* Loes.

| 中 药 名 | 美登木（药用部位：叶或全株）

| 植物形态 | 灌木，老枝有明显疏刺。叶薄纸质或纸质，椭圆形，长 8~20cm，宽 3.5~8cm，边缘有浅锯齿，叶柄长 5~12mm。聚伞花序 1~6 个丛生于短枝上，花白绿色，直径 3~5mm；花盘扁圆；雄蕊着生于花盘外侧下面，花柱先端有 2 裂柱头。蒴果扁，倒心状，长 6~12mm；果序梗短，小果梗长 1~1.2cm；种子长卵状，棕色；假种皮浅杯状，白色，干后黄色。

| 分布区域 | 海南万宁有栽培。亦分布于中国云南西南部西双版纳、双江等地。缅甸、印度也有分布。

美登木

| **资　　源** | 栽培量少。

| **采收加工** | 全年皆可采收，切段，晒干或鲜用。

| **功能主治** | 活血化瘀，散结消痞，抗癌。用于癥瘕积聚、癌症初起。 全株：含抗癌成分美登素和美登布林。

翅子藤科 Hippocrateaceae 五层龙属 Salacia

阔叶五层龙
Salacia amplifolia Merr. ex Chun & F. C. How

| 中 药 名 | 阔叶五层龙（药用部位：根）

| 植物形态 | 攀缘或直立灌木，叶厚纸质，椭圆形，长 13~23cm，宽 6~8cm，边缘狭背卷，背面淡黄色，有不显著的乳头状突起。花绿白色或淡黄色，直径 4~5mm；花柄长 8~10mm，纤细，基部具多列覆瓦状排列的小鳞片；萼片阔卵形，边缘纤毛状；花瓣近圆形，直径 2.2mm，花盘杯状，新鲜时褐红色，呈不明显五角形，反折；子房三角形。果实球形，成熟时黄色或红色，直径达 4.5cm，有种子 8~11；果柄粗壮，长 1.5~2cm。

| 分布区域 | 产于海南昌江、保亭、万宁、三亚、乐东。亦分布于中国广东。越南、泰国、缅甸、印度、马来西亚也有分布。

阔叶五层龙

| 资　　源 | 生于海拔 100~250m 的林中，少见。

| 采收加工 | 全年均可采挖，洗净，切片，晒干。

| 功能主治 | 同属植物五层龙有通经活络、祛风除湿的功能，本种或有类似功能，其具体作用有待进一步研究。

翅子藤科 Hippocrateaceae　五层龙属 Salacia

海南五层龙

Salacia hainanensis Chun & F. C. How

| 中 药 名 | 海南五层龙（药用部位：根）

| 植物形态 | 攀缘灌木，一年生枝条密生小瘤状皮孔。革质叶近对生，全缘，长椭圆形，长12~17cm，宽5~7.5cm，先端收缩成1短而阔的钝尖或不明显渐尖，基部渐窄而下延，背面淡黄色，具不显著乳突。花黄绿色，基部具数列小鳞片；花柄长1~1.5cm；萼片横椭圆形，边缘膜质；花瓣长椭圆形，长约4.3mm，花盘肉质，杯状，雄蕊3，花丝扁平。果实球形，直径约4cm，成熟时光滑，鲜红色。种子数颗，长椭圆形，长约2.8cm，宽1.8cm，干时黑褐色。花期5~6月，果期8~10月。

海南五层龙

|分布区域|

产于海南保亭、万宁。亦分布于中国广东。印度、缅甸、泰国、马来西亚也有分布。

|资　源|

生于海拔 400m 的林中，偶见。

|采收加工|

全年均可采挖，洗净，切片，晒干。

|功能主治|

同属植物五层龙有通经活络、祛风除湿的功能，本种或有类似功能，其具体作用有待进一步研究。

| 翅子藤科 | Hippocrateaceae | 五层龙属 | *Salacia*

五层龙 *Salacia prinoides* (Willd.) DC.

| **中 药 名** | 椒拉木（药用部位：根）

| **植物形态** | 攀缘灌木，小枝具棱角。叶革质，椭圆形，长 5~11cm，宽 2~5cm，边缘具浅钝齿。花小，3~6 簇生于叶腋内的瘤状突起体上；花柄长 6~10mm；三角形萼片 5，边缘具纤毛；花瓣 5。阔卵形，长约 3mm，广展或外弯，先端圆形；花盘杯状，高约 1mm；雄蕊 3，花丝短，扁平，着生于花盘边缘，药室叉开，子房藏于花盘内，3 室，胚珠每室 2；花柱极短。浆果球形，直径仅 1cm，成熟时红色，有 1 种子；果柄长约 6.5mm。花期 12 月，果期翌年 1~2 月。

五层龙

| 分布区域 |

产于海南三亚、昌江、万宁、乐东、东方。亦分布于中国广东、广西。南亚、东南亚也有分布。

| 资　　源 |

生于林中，少见。

| 采收加工 |

全年均可采挖，洗净，切片，晒干。

| 功能主治 |

通经活络，祛风除湿。用于风湿性关节炎、腰肌劳损、体虚无力。

茶茱萸科 | Icacinaceae | 粗丝木属 | *Gomphandra*

粗丝木
Gomphandra tetrandra (Wall. et Roxb.) Sleum

| 中 药 名 | 黑骨走马（药用部位：根）

| 植物形态 | 小乔木，嫩枝被淡黄色短柔毛。叶纸质，长 6~15cm，宽 2~6cm，聚伞花序与叶对生，长 2~4cm，密被黄白色短柔毛。雄花黄白色或白绿色，5 数，长约 5mm；花萼浅 5 裂；花冠钟形，长 3~4mm，花瓣裂片近三角形，花丝肉质而宽扁，上部具白色微透明的棒状髯毛，花药黄白色，子房不发育。雌花黄白色，花萼微 5 裂，花冠钟形，长约 0.5mm，花瓣裂片长三角形，雄蕊不发育，花丝扁，上部具白色微透明的短棒状髯毛，子房圆柱状，柱头 5 裂稍下延于子房上。核果椭圆形，长 2~2.5cm，直径 0.7~1.2cm，由青转黄，成熟时白色，浆果状，干后有明显的纵棱，果柄略被短柔毛。花果期全年。

粗丝木

|分布区域|

产于海南白沙、五指山、保亭、三亚、乐东、万宁。亦分布于中国广东、广西、贵州、云南。越南、泰国、老挝、柬埔寨、缅甸、印度、斯里兰卡也有分布。

|资　　源|

生于海拔 500~1200m 的林中，少见。

|采收加工|

全年均可采挖，洗净，切片，晒干。

|功能主治|

味苦，性平。清热利湿，解毒。用于骨髓炎、急性胃肠炎、吐泻。

茶茱萸科　Icacinaceae　琼榄属　*Gonocaryum*

琼 榄
Gonocaryum lobbianum (Miers) Kurz.

| 中 药 名 |

琼榄（药用部位：根）

| 植物形态 |

灌木。叶革质，长椭圆形至阔椭圆形，长 9~20cm，宽 4~10cm。花杂性异株，雄花序 为短穗状花序，雌花和两性花少数，排列成 总状花序。雄花具短梗，萼片 5，裂片镊合 状排列，具缘毛；花冠管状，长约 6mm， 白色，5 裂片呈三角形，雄蕊 5，退化子房 长约 2.5mm，被短柔毛；花盘环状。雌花较 小，萼片 5，镊合状排列；花冠管状，长约 6mm，三角形裂片 5；退化花药长约 0.5mm， 花柱被毛，柱头 3 裂；花盘环状。核果椭圆 形至长椭圆形，长 3~4.5cm，直径 1.8~2.5cm， 由绿色转紫黑色，先端具短喙。花期 1~4 月， 果期 3~10 月。

| 分布区域 |

产于海南三亚、乐东、白沙、五指山、保亭、 陵水、万宁、琼中、儋州。亦分布于中国广 东、云南。越南、泰国、老挝、柬埔寨、缅 甸、马来西亚、印度尼西亚也有分布。

琼榄

│ 资　　源 │

生于林中，十分常见。

│ 采收加工 │

全年皆可采收，洗净，切段，鲜用或晒干。

│ 功能主治 │

清热解毒，散郁结。用于黄疸型肝炎、胸胁闷痛。

琼

茶茱萸科 Icacinaceae   微花藤属 Iodes

小果微花藤
Iodes vitiginea (Hance) Hemsl.

| 中 药 名 | 吹风藤（药用部位：根皮、茎或全株）

| 植物形态 | 木质藤本，小枝压扁，被淡黄色硬伏毛，卷须腋生或生于叶柄的一侧。叶薄纸质，长 6~15cm，宽 3~9cm，叶柄被淡黄色硬伏毛。伞房圆锥花序腋生，密被绒毛。雄花序多花密集；雄花黄绿色，萼片 5，外面被锈色柔毛；花瓣 5 裂片，于中部以下连合，裂片长 1~1.5mm，外面被黄褐色柔毛；雄蕊 5，浅黄色，花丝极短，子房不发育，被淡黄色刺状长柔毛。雌花序较短；雌花绿色，萼片 5，外面密被锈色柔毛；花瓣 5，披针形至阔卵形，长 1~2mm，外面被黄褐色柔毛；无退化雄蕊；子房密被黄色刺状柔毛，柱头浅 3 裂。核果卵形，

小果微花藤

长 1.3~2.2cm，熟时红色，有多角形陷穴，密被黄色绒毛，具宿存增大的花瓣、花萼。花期 12 月至翌年 6 月，果期 5~8 月。

分布区域

产于海南乐东、东方、白沙、保亭、儋州、澄迈、海口。亦分布于中国广东、广西、贵州、云南。越南、老挝、泰国也有分布。

资　　源

生于沟谷林中，常见。

采收加工

夏、秋季采收，洗净，切片，晒干。

功能主治

根皮、茎：味辛，性微温。祛风湿，下乳，活血化瘀。用于风湿痹痛、劳伤、急性结膜炎、乳汁不通。外用于目赤、跌打损伤。全株：外用于痔疮。

茶茱萸科 Icacinaceae 定心藤属 *Mappianthus*

定心藤 *Mappianthus iodoides* Hand.-Mazz.

| 中 药 名 | 甜果藤（药用部位：根、藤茎或全株）

| 植物形态 | 木质藤本，小枝具灰白色皮孔。叶长椭圆形至长圆形，长 8~17cm，宽 3~7cm，背面赭黄色至紫红色，叶柄被黄褐色糙伏毛。雄花序花序梗被黄褐色糙伏毛。雄花：芳香；花萼杯状，微 5 裂，外面密被黄色糙伏毛；花冠黄色，长 4~6mm，卵形裂片 5，外面密被黄色糙伏毛，里面被短绒毛；雄蕊 5。雌花序被黄褐色糙伏毛，小苞片钻形。雌花：花萼浅杯状，裂片 5，外面密被黄褐色糙伏毛；花瓣 5，长圆形，长 3~4mm，外面密被黄褐色糙伏毛，里面被短绒毛；退化雄蕊 5，花丝扁线形，子房密被黄褐色硬伏毛，柱头 5 圆裂。核果椭圆形，

定心藤

长 2~3.7cm，疏被淡黄色硬伏毛，基部具宿存萼片。种子 1。花期 4~8 月，雌花较晚，果期 6~12 月。

| **分布区域** | 产于海南保亭、昌江、琼中、定安。亦分布于中国湖南、福建、广东、广西、贵州、云南南部及东南部至越南老街。

| **资　　源** | 生于海拔 500~1000m 的疏林或灌丛，少见。

| **采收加工** | 冬季采收，挖取根部或割下藤茎，切片，晒干。

| **功能主治** | 味苦，性凉。祛风除湿，调经活血，止痛。用于风湿性关节炎、类风湿关节炎、黄疸、跌打损伤、月经不调、痛经、闭经。外用于外伤出血、毒蛇咬伤。

假柴龙树

Nothapodytes obtusifolia (Merr.) R. A. Howard

| 中 药 名 | 假柴龙树（药用部位：全株）

| 植物形态 | 灌木或乔木，树皮灰色。叶互生，叶片坚纸质或薄革质，长椭圆形，长 9~18cm，宽 3~6.5cm，叶柄长 1.2~2.5cm。聚伞花序顶生，宽 3~6cm，总轴被黄色、紧贴的小柔毛。花萼钟形，微 5 裂，外面被紧贴的短柔毛，花瓣白色，长圆形至披针形，长 6~7.2mm，外面密被黄色、紧贴的短柔毛，里面疏被糙伏毛，先端内折；雄蕊长 5.5~6.4mm，子房被糙伏毛，花盘薄，肉质，具缘毛。核果长圆状倒卵形，直径 6~9mm，稍平扁，先端具短喙，种子长 7.8~9mm。花果期 12 月至翌年 4 月。

假柴龙树

| 分布区域 | 产于海南三亚。海南特有种。

| 资　　源 | 生于低海拔林中,少见。

| 采收加工 | 全年皆可采收,切段,晒干或鲜用。

| 功能主治 | 同属植物马比木 *Nothapodytes pittosporoides* 全株可入药,具有祛风通络、活血止痛的功能,本种或有类似功能;此外,同属植物喜树中所含的喜树碱具有抗肿瘤活性,本种的具体作用值得进一步研究。

铁青树科 Olacaceae 赤苍藤属 *Erythropalum*

赤苍藤 *Erythropalum scandens* Bl.

| **中 药 名** | 腥藤（药用部位：全株）

| **植物形态** | 常绿藤本，具腋生卷须。卵形叶纸质，长 8~20cm，宽 4~15cm，基出脉 3。花排成腋生的二歧聚伞花序，花序长 6~18cm，花萼筒长 0.5~0.8mm，具 4~5 裂片；花冠白色，直径 2~2.5mm；雄蕊 5。核果椭圆状，直径 0.8~1.2cm，全为增大成壶状的花萼筒所包围，成熟时淡红褐色，干后为黄褐色，常不规则开裂为 3~5 裂瓣；果梗长 1.5~3cm；种子蓝紫色。花期 4~5 月，果期 5~7 月。

赤苍藤

| 分布区域 |

产于海南三亚、乐东、白沙、五指山、保亭、万宁、澄迈、文昌。亦分布于中国广东、广西、贵州、云南、西藏。越南、老挝、柬埔寨、泰国、缅甸、菲律宾、马来西亚、文莱、印度尼西亚、印度、孟加拉国、不丹也有分布。

| 资　源 |

生于低海拔山谷林中，十分常见。

| 采收加工 |

春、夏季采收全株，除去杂质，洗净，鲜用或晒干。

| 功能主治 |

味微苦，性平。清热利尿，祛风湿。用于肝炎、泄泻、淋证、水肿、小便淋痛、尿道炎、急性肾炎。

铁青树科 Olacaceae **铁青树属** Olax

铁青树 *Olax wightiana* Wall. ex Wight & Arn.

| **中 药 名** | 铁青树（药用部位：茎皮）

| **植物形态** | 灌木或略呈攀缘状。叶近革质，椭圆形，长 5~10cm，宽 2.5~3.5cm，两面无毛，有光泽，叶柄长 0.5~1cm。花排成穗状花序状的螺旋状聚伞花序，花序腋生，长 1.5~2.5cm，花萼筒小，浅杯状，先端平截；花瓣 5，长条形，白色或淡黄色，长 8~10mm；能育雄蕊 3，短于花瓣，退化雄蕊 5。核果卵球形或近球形，直径 1.5~2cm，成熟时黄色，半埋在增大成浅杯状或碗状的花萼筒内。花期 3~10 月，果期 4~10 月。

铁青树

分布区域

产于海南三亚、乐东、东方、昌江、万宁、琼中、儋州。亦分布于中国台湾。泰国、缅甸、菲律宾、马来西亚、印度尼西亚、印度、斯里兰卡也有分布。

资 源

生于低海拔疏林或密林中，十分常见。

采收加工

全年皆可割取地上茎，剥出外皮，洗净切段，晾干。

功能主治

文献记载铁青树科植物的树皮提取物所制药剂可用于治疗或预防炎症、痛风、发热等，但未具体指出基原物种，本种的具体作用有待进一步研究。

附 注

在 FOC 中，其学名被修订为 *Olax imbricata* Roxb.。

桑寄生科 | Loranthaceae | 五蕊寄生属 | *Dendrophthoe*

五蕊寄生

Dendrophthoe pentandra (L.) Miq.

| **中 药 名** | 五蕊寄生（药用部位：带叶茎枝）

| **植物形态** | 灌木，芽密被灰色短星状毛，成长枝和叶均无毛；小枝灰色，具散生皮孔。叶革质，互生，叶形多样，长 5~13cm，宽 2.5~8.5cm。总状花序，具花 3~10，初密被灰色或白色星状毛，苞片长 1~1.5mm；花初呈青白色，后变红黄色，花托卵球形或坛状，副萼环状，具不规则 5 钝齿；花冠长 1.5~2cm，5 深裂，裂片披针形，反折。果实卵球形，直径 5~6mm，顶部较狭，红色，果皮被疏毛或平滑。花果期12 月至翌年 6 月。

五蕊寄生

| 分布区域 | 产于海南五指山、三亚、乐东、保亭、白沙、陵水、万宁、儋州。亦分布于中国华南其他区域，以及云南。越南、泰国、老挝、缅甸、柬埔寨、菲律宾、马来西亚、印度尼西亚、印度也有分布。

| 资　　源 | 生于平原或山地常绿阔叶林中，偶见。

| 采收加工 | 夏、秋季间采收，扎成束，晾干。

| 功能主治 | 味苦、甘，性平；归肝、肾、脾经。祛风湿，补肝肾，止泻痢。用于风湿痹痛、腰痛、腰膝酸软、腹泻、痢疾。

桑寄生科 | Loranthaceae   离瓣寄生属 | *Helixanthera*

离瓣寄生

Helixanthera parasitica Lour.

| **中 药 名** | 离瓣寄生（药用部位：枝、叶）

| **植物形态** | 灌木，叶对生，卵形至卵状披针形，长 5~12cm，宽 3~4.5cm，干后通常暗黑色。总状花序，长 5~10cm，具花 40~60，苞片卵圆形，长1~1.5mm；花红色或淡黄色，被乳头状毛，花托长 1.5~2mm；副萼环状，花冠具 5 拱起的棱，花瓣 5，长 6~8mm，上半部反折；花药4 室；花柱具 5 棱。果实椭圆状，红色，直径 4mm，被乳头状毛。花期 1~7 月，果期 5~8 月。

离瓣寄生

分布区域

产于海南三亚、乐东、东方、昌江、白沙、五指山、万宁、琼中、儋州、琼海。亦分布于中国华南其他区域,以及福建、贵州、云南、西藏。越南、泰国、老挝、缅甸、柬埔寨、菲律宾、马来西亚、印度尼西亚、印度、尼泊尔也有分布。

资　　源

生于沿海平原或山地常绿阔叶林中,十分常见。

采收加工

全年皆可采收,除去杂质,洗净,晒干。

功能主治

宣肺化痰,祛风除湿,消肿,止痢,补气血。用于肺结核、痢疾、眼角炎。

桑寄生科 Loranthaceae 鞘花属 *Macrosolen*

双花鞘花 *Macrosolen bibracteolatus* (Hance) Danser.

| **中 药 名** | 杉寄生（药用部位：全株）

| **植物形态** | 灌木，全株无毛。叶革质，卵形或披针形，长 8~12cm，宽 2~5cm，叶柄短，长 2mm。伞形花序，具花 2，苞片半圆形，小苞片 2，合生；花托长约 4mm，副萼杯状，花冠红色，长 3.2~3.5cm，冠管喉部具 6 棱，裂片 6，披针形，长约 1.4cm，反折，青色；花柱近基部具关节，柱头头状。果实长椭圆状，直径 7mm，红色，果皮平滑，宿存花柱基喙状，长约 1.5mm。花期 11~12 月，果期 12 月至翌年 4 月。

双花鞘花

| 分布区域 |

产于海南乐东、白沙、五指山、保亭、陵水。
亦分布于中国华南其他区域，以及贵州、云南。
越南、缅甸、马来西亚也有分布。

| 资　　源 |

生于山地常绿阔叶林中，常见。

| 采收加工 |

全年均可采收，扎成束，晾干。

| 功能主治 |

祛风除湿，温经通络。用于风湿痹痛、关节疼痛、
筋骨拘挛、腰膝酸软、咳痰。

桑寄生科 Loranthaceae 鞘花属 *Macrosolen*

鞘 花 *Macrosolen cochinchinensis* (Lour.) Van Tiegh.

| 中 药 名 | 杉寄生（药用部位：茎、叶）

| 植物形态 | 灌木，全株无毛，小枝具皮孔。叶革质，长 5~10cm，宽 2.5~6cm。总状花序，1~3 个腋生，具花 4~8；苞片长 1~2mm，三角形小苞片 2，长 1~1.5mm，基部彼此合生，花托长 2~2.5mm；副萼环状，花冠橙色，长 1~1.5cm，冠管膨胀，具 6 棱，裂片 6，披针形，反折。果实近球形，直径 7mm，橙色，果皮平滑。花期 2~6 月，果期 5~8 月。

| 分布区域 | 产于海南三亚、白沙、保亭、万宁、琼中、儋州、澄迈。亦分布于中国华南其他区域，及湖南、福建、贵州、云南、四川、西藏。越南、泰国、缅甸、柬埔寨、菲律宾、马来西亚、印度尼西亚、印度、尼泊尔、巴布亚新几内亚也有分布。

鞘花

| 资　　源 |

生于平原或山地常绿阔叶林中，常见。

| 采收加工 |

茎、叶：全年均可采收，茎扎成束或切碎，晒干；叶鲜用或晒干。

| 药材性状 |

茎：带叶茎枝圆柱形，分枝多，节部膨大，长20~30cm，粗枝直径1~1.5cm，表面粗糙，无毛，淡褐色或灰褐色，有多数细小、点状、黄褐色或红褐色皮孔和突起的纵条纹，或下陷的裂纹，节部有突起的枝痕和叶痕。质坚脆，易折断，折断面不平坦，皮部薄，棕褐色，与木质部紧密相接，木质部宽阔，几占茎直径的5/6，深黄色，髓射线明显，呈放射状，中央髓部淡黄色或棕褐色。叶：叶常卷曲或破碎，完整叶片披针形至长椭圆形，长5~10cm，黄绿色至茶褐色，两面均光滑无毛，略有光泽，主脉明显，侧脉羽状，亚革质而质脆，叶柄短。气微，味淡、微涩。

| 功能主治 |

茎：味甘、苦，性平。祛风湿，补肝肾，活血止痛，止咳，止痢。用于风湿痹痛、腰膝酸痛、头晕目眩、脱发、跌打损伤、痔疮肿痛、咳嗽、咯血、痢疾。
叶：祛风解表，利水消肿。用于感冒发热、水肿。

桑寄生科 Loranthaceae 鞘花属 *Macrosolen*

三色鞘花 *Macrosolen tricolor* (Lecomte) Danser.

| 中药名 | 三色鞘花（药用部位：全株）

| 植物形态 | 灌木，全株无毛，小枝具皮孔。叶革质，倒卵形至狭倒卵形，长 3.5~5.5cm，宽 1.3~2cm，基部稍下延，基出脉 3~5。伞形花序，1~2 个腋生，具花 2；苞片半圆形，长约 1mm；小苞片 2，合生；花托长 2.5~3mm；副萼环状，花冠长 2.5~3.5cm，冠管红色，喉部具 6 棱，披针形裂片 6，青色，长 6~9mm，反折；花药长 2~3mm。果实球形，紫黑色，长约 7mm，果皮平滑。花果期 8 月至翌年 3 月。

三色鞘花

| 分布区域 |

产于海南三亚、乐东、东方、昌江、五指山、临水、琼中、临高、文昌。亦分布于中国华南其他区域。越南、老挝也有分布。

| 资　　源 |

生于海滨平原或低海拔山地灌木林中，常见。

| 采收加工 |

全年均可采收，扎成束，晾干。

| 功能主治 |

同属植物多有祛风除湿、温经通络等功能，本种或有类似作用，其具体功能有待进一步研究。

桑寄生科 Loranthaceae   梨果寄生属 *Scurrula*

小叶梨果寄生 *Scurrula notothixoides* (Hance) Danser.

| **中 药 名** | 小叶梨果寄生（药用部位：全株）

| **植物形态** | 灌木，嫩枝、叶、花序和花均密被黄褐色星状毛；小枝具皮孔。叶纸质，倒卵形，长 1.5~2.5cm，宽 1~1.5cm，叶柄被毛。伞形花序，1~3个腋生，总花梗长 1~4mm，具花 2，苞片匙形，长 3~5mm；花黄褐色，花托梨形，长 2~3.5mm；副萼环状，全缘；花冠花蕾时管状，长 2.4~3cm，开花时顶部 4 裂，裂片匙形，反折。果实棒状，直径约 3.5mm，先端平截，浅黄色或橙色，具疏毛。花果期 9 月至翌年 3 月。

小叶梨果寄生

分布区域

产于海南三亚、乐东、昌江、白沙、陵水、万宁、儋州、澄迈、琼海。亦分布于中国广东。越南也有分布。

资　源

生于沿海平原或低山常绿阔叶林中，常见。

采收加工

全年均可采收，切片，晒干。

功能主治

同属植物梨果寄生 Scurrula atropurpurea 的全株可用于偏头痛、风湿关节痛等，本种或有类似作用，其功能有待进一步研究。但梨果寄生全株有大毒，本种或有相似毒性，若入药，应慎用。

桑寄生科 Loranthaceae　梨果寄生属 Scurrula

红花寄生 *Scurrula parasitica* L.

| 中 药 名 | 红花寄生（药用部位：全株）

| 植物形态 | 灌木，小枝灰褐色，具皮孔。叶对生，厚纸质，卵形至长卵形，长 5~8cm，宽 2~4cm。总状花序，1~2 个腋生，各部分均被褐色毛，具花 3~5，花红色，密集；花梗长 2~3mm；苞片长约 1mm；花托陀螺状，长 2~2.5mm；副萼环状，花冠长 2~2.5cm，开花时顶部 4 裂，裂片披针形，长 5~8mm，反折。果实梨形，直径约 3mm，下半部骤狭呈长柄状，红黄色，果皮平滑。花果期 10 月至翌年 1 月。

| 分布区域 | 产于海南乐东、昌江、保亭、陵水、琼中、定安。亦分布于中国华南其他区域，以及湖南、江西、福建、台湾、云南、四川、西藏。越南、泰国、缅甸、菲律宾、马来西亚、印度尼西亚、印度、孟加拉国、尼泊尔、不丹也有分布。

红花寄生

| 资　　源 |

生于山地常绿阔叶林中，寄生于黄皮树等其他树上，常见。

| 采收加工 |

全年均可采收，切片，晒干。

| 药材性状 |

带叶茎枝圆柱形，多分枝，长 3~5cm，直径约 1cm，细枝和枝梢直径 2~3mm。表面粗糙，老枝褐色；小枝及枝梢朱红色，幼枝有的有棕褐色星状毛；表面有众多点状和横向皮孔，以及不规则、粗而密的纵纹。质坚脆，易折断，断面不平坦，皮部菲薄，朱褐色，易与木质部分离，木质部宽阔，淡黄色或土黄色，有放射状纹理，髓部深黄色。叶对生，易脱落；叶片多破碎、卷缩；完整者卵形至长卵形，长 5~8cm，黄褐色或茶褐色，花蕾管状，果实梨形。气清香，味微涩而苦。

| 功能主治 |

味辛、苦，性平。息风定惊，祛风除湿，补肾，通经络，益血安胎。用于风湿性关节炎、胃痛、下肢麻木。

桑寄生科 Loranthaceae 钝果寄生属 *Taxillus*

广寄生
Taxillus chinensis (DC.) Danser.

| 中 药 名 | 广寄生（药用部位：枝叶）

| 植物形态 | 灌木，嫩枝、叶密被锈色星状毛，稍后变无毛；小枝灰褐色，具细小皮孔。厚纸质叶对生，卵形至长卵形，长 3~6cm，宽 2.5~4cm。伞形花序，1~2 个腋生，通常具花 2，花序和花被星状毛，苞片鳞片状，花褐色，花托椭圆状，长 2mm；副萼环状；花冠长 2.5~2.7cm，匙形裂片 4，长约 6mm，反折；花药药室具横隔；花盘环状。果实椭圆状，果皮密生小瘤体，具疏毛，成熟果实浅黄色，直径 5~6mm。花果期 4 月至翌年 1 月。

广寄生

| 分布区域 |

产于海南三亚、乐东、五指山、保亭、陵水、万宁、儋州、临高、琼海。亦分布于中国华南其他区域。越南、泰国、老挝、柬埔寨、菲律宾、马来西亚、印度尼西亚也有分布。

| 资　　源 |

生于山地、林缘或路边，常见。

| 采收加工 |

全年均可采收，切片，晒干。

| 功能主治 |

止痛，化痰止咳，补血，清热，安胎，强筋骨，祛风湿。用于阴虚失血、肺结核、腹痛、疮疖、跌打损伤、筋骨酸软无力、风湿痹痛、崩漏经多、妊娠漏血、胎动不安、高血压。

木兰寄生 *Taxillus limprichtii* (Grüning) H. S. Kiu

| 中 药 名 | 木兰寄生（药用部位：全株）

| 植物形态 | 灌木，嫩枝密被黄褐色星状毛，小枝具散生皮孔。革质叶对生，卵状长圆形，长 4~12cm，宽 2.5~6cm，基部常稍下延。伞形花序，1~3 个腋生，具花 4~5，花序和花均被黄褐色星状毛，苞片长约1mm；花红色或橙色，花托长 1.5~2.5mm；副萼环状，花冠管状，长 2.7~3cm，裂片 4，反折。果实椭圆状，果皮具小瘤体，被疏毛，直径 3~4mm，浅黄色或淡红黄色，果皮不平坦，无毛。花期 10 月至翌年 3 月，果期 6~7 月。

木兰寄生

| 分布区域 | 产于海南琼中、白沙。亦分布于中国华南其他区域，及湖南、江西、福建、台湾、贵州、云南、四川。越南、泰国也有分布。

| 资　　源 | 生于山地阔叶林中，寄生于木兰科、壳斗科等植物上，常见。

| 采收加工 | 全年均可采收，扎成束，晾干或鲜用。

| 功能主治 | 清热，补肝肾，祛风除湿。用于风湿痹痛。

桑寄生科 Loranthaceae 钝果寄生属 *Taxillus*

桑寄生
Taxillus sutchuenensis (Lecomte) Danser

| 中 药 名 | 桑寄生（药用部位：枝叶）

| 植物形态 | 灌木，嫩枝、叶密被褐色或红褐色星状毛，无毛，具散生皮孔。卵形叶革质，长 5~8cm，宽 3~4.5cm，下面被绒毛。总状花序，1~3 个生于小枝已落叶腋，具花 3~4，密集呈伞形，花序和花均密被褐色星状毛，苞片长约 1mm；花红色，花托长 2~3mm，副萼环状，具 4 齿，花冠长 2.2~2.8cm，披针形裂片 4，长 6~9mm，反折，药室常具横隔，柱头圆锥状。果实椭圆状，长 6~7mm，直径 3~4mm，两端均圆钝，黄绿色，果皮具颗粒状体，被疏毛。花期 6~8 月。

| 分布区域 | 产于海南东方。亦分布于中国华南其他区域，及湖南、江西、湖北、河南、福建、台湾、浙江、贵州、云南、四川、山西、甘肃、陕西。

桑寄生

| 资　　源 |

生于山地阔叶林中，寄生于桑树、油茶、漆树等植物上，罕见。

| 采收加工 |

冬季至翌年春季采割，除去粗茎，切段干燥，或蒸后干燥。

| 药材性状 |

带叶茎枝圆柱形，有分枝，长 30~40cm。表面粗糙，嫩枝具皮孔和纵向细皱纹，粗枝表面红褐色或灰褐色，有突起的枝痕和叶痕。质坚脆，易折断，断面不平坦，皮部薄，深棕褐色，易与木质部分离。叶易脱落，仅少数残留于茎上，叶片常卷缩、破碎，完整者卵圆形至长卵形，长 5~8cm，宽 3~4.5cm，茶褐色或黄褐色，近革质而脆，易破碎。花、果常脱落；花蕾簪状，稍弯，顶部卵圆形，被绣色绒毛；浆果长圆形，红褐色，密生小瘤体。气微，味淡、微涩。以枝细、质嫩、红褐色、叶多者为佳。

| 功能主治 |

味苦、甘，性平；归肝、肾经。补血止痛，化痰止咳，清热安胎，强筋骨，祛风湿。用于阴虚失血、肺结核、腹痛、疮疥、跌打损伤、筋骨酸软无力、风湿痹痛、崩漏经多、妊娠漏血、胎动不安、高血压。

桑寄生科 Loranthaceae 槲寄生属 Viscum

扁枝槲寄生
Viscum articulatum Burm. f.

| 中 药 名 | 扁枝槲寄生（药用部位：枝叶）

| 植物形态 | 亚灌木，枝和小枝均扁平；枝交叉对生或二歧分枝，节间长1.5~2.5cm，具纵肋3，叶退化呈鳞片状。聚伞花序，1~3个腋生，总苞舟形，长约1.5mm，具花1~3，中央1朵为雌花，侧生的为雄花。雄花：花长0.5~1mm，萼片4；花药贴生于萼片下半部。雌花：花长1~1.5mm，基部具环状苞片；花托卵球形；三角形萼片4，长约0.5mm；柱头垫状。果实球形，直径3~4mm，白色或青白色，果皮平滑。花果期几全年。

扁枝槲寄生

分布区域

产于海南三亚、乐东、东方、白沙、陵水、万宁、屯昌、琼海、琼中。亦分布于中国华南其他区域，及云南。亚洲东南部、南部及澳大利亚也有分布。

资　　源

生于沿海平原或山地南亚热带季雨林中，常见。

采收加工

夏、秋季间采收，扎成束，晾干。

药材性状

茎圆柱形，直径约1cm；小枝扁平，长节片状，节间长1.5~2.5cm，宽2~3mm，纵肋3，边缘薄。果实圆球形，直径3~4mm，黄棕色或暗棕色。

功能主治

味辛、苦，性平；归肺、脾、肾经。祛风，活血，除湿，止咳，祛痰。用于腰膝酸痛、风湿骨痛、劳伤咳嗽、赤白痢疾、崩漏带下、产后血气痛、疮疥。

桑寄生科 Loranthaceae 槲寄生属 *Viscum*

瘤果槲寄生

Viscum ovalifolium DC.

| 中 药 名 | 瘤果槲寄生（药用部位：枝叶或全株）

| 植物形态 | 灌木，茎、枝圆柱状；枝交叉对生或二歧分枝，节间长 1.5~3cm。革质叶对生，长 3~8.5cm，宽 1.5~3.5cm，基出脉 3~5。聚伞花序，簇生于叶腋，总苞舟形，具花 3，中央 1 朵为雌花，侧生的 2 朵为雄花。雄花：花长约 1.5mm，三角形萼片 4。雌花：花长 2.5~3mm，花托长 1.5~2mm；三角形萼片 4，柱头乳头状。果实近球形，直径 4~6mm，基部骤狭呈柄状，果皮具小瘤体，成熟时淡黄色，果皮变平滑。花果期几全年。

| 分布区域 | 产于海南乐东、昌江、白沙、五指山、保亭、万宁、琼中、儋州、琼海、文昌。亦分布于中国华南其他区域，及云南。越南、泰国、老挝、缅甸、柬埔寨、菲律宾、马来西亚、印度尼西亚、印度、不丹也有分布。

瘤果槲寄生

| 资　　源 |

生于果园或沿海红树林及山地亚热带季雨林中，寄生于柚树、黄皮树、柿树、无患子、柞木、板栗或海桑、海莲等多种植物上，十分常见。

| 采收加工 |

全年均可采收，扎成束，晾干。

| 药材性状 |

带叶茎枝圆柱形，二至三叉状分枝，长20~30cm，直径3~4mm，节部稍膨大，节间长1.5~3cm，表面黑褐色或棕褐色，光滑无毛。质硬脆，折断面不平坦，皮部褐色，木质部黄白色，髓部棕褐色。叶对生，多破碎或卷曲，完整叶卵形、倒卵形或长椭圆形，长3~8cm，表面黑褐色或棕褐色，无毛，有细皱纹，革质，叶柄短。果实近球形，直径4~6mm，果皮具小瘤体。气微，味淡。

| 功能主治 |

枝叶：祛风止咳，清热解毒。用于风湿脚肿、咳嗽、麻疹、烂眼。全株：用于风湿痹痛、小儿疳积、痢疾、跌打损伤、咳嗽、麻疹、产后风疹。

桑寄生科 Loranthaceae 槲寄生属 *Viscum*

枫香槲寄生
Viscum liquidambaricolum Hayata

| 中 药 名 | 枫香槲寄生（药用部位：全株）

| 植物形态 | 灌木，枝和小枝均扁平；枝交叉对生或二歧分枝，节间长 2~4cm，干后边缘肥厚，纵肋 5~7，叶退化呈鳞片状。聚伞花序，1~3 个腋生，总苞舟形，具花 1~3。雄花：花长约 1mm，萼片 4；花药贴生于萼片下半部。雌花：花长 2~2.5mm，花托长卵球形，长 1.5~2mm，三角形萼片 4，长 0.5mm；柱头乳头状。果实椭圆状，直径 4~5mm，成熟时橙红色或黄色，果皮平滑。花果期 4~12 月。

| 分布区域 | 产于海南昌江、五指山、陵水、万宁、琼中。亦分布于中国华南其

枫香槲寄生

他区域，及湖南、江西、湖北、浙江、福建、台湾、贵州、云南、四川、西藏、陕西、甘肃。越南、泰国、尼泊尔、不丹、马来西亚、印度尼西亚也有分布。

| 资　　源 |

生于海拔 200~750m 的山地阔叶林或常绿阔叶林中，寄生于枫香树、油桐、柿树或壳斗科等多种植物上，常见。

| 采收加工 |

夏、秋季间采收，扎成束，晾干。

| 药材性状 |

本品嫩枝交叉对生或二歧状分枝，扁平，呈长节片状，较肥厚，节部明显，节间长 2~4cm，宽 4~6mm，表面黄绿色或黄褐色，光滑无毛，具光泽，有明显的纵肋 5~7，节部可见鳞片状叶芽和花芽。质较脆，易折断，断面不平坦，纤维性，黄绿色，髓部不明显。有时可见果实。气微，味淡。

| 功能主治 |

味辛、苦，性平；归肺、脾、肾经。祛风除湿。用于胃脘痛、神经痛、咳嗽、小儿惊风、高血压、风湿性关节炎、尿路感染、腰肌劳损。外用于牛皮癣。

檀香科 Santalaceae 寄生藤属 Dendrotrophe

寄生藤
Dendrotrophe frutescens (Champ. ex Benth) Danser

| 中 药 名 | 寄生藤（药用部位：全株）

| 植物形态 | 木质藤本，枝三棱形，扭曲。叶倒卵形至阔椭圆形，长 3~7cm，宽 2~4.5cm，基部收狭而下延成叶柄，基出脉 3，叶柄扁平。花通常单性，雌雄异株。雄花：球形，长约 2mm，5~6 朵集成聚伞状花序；小苞片近离生，花梗长约 1.5mm；花被 5 裂，裂片三角形，在雄蕊背后有疏毛一撮，花药室圆形；花盘 5 裂。雌花或两性花：通常单生，雌花短圆柱状，花柱短小，柱头锥尖形；两性花卵形。核果卵状，带红色，长 1~1.2cm，先端有内拱形宿存花被，成熟时棕黄色至红褐色。花期 1~3 月，果期 6~8 月。

寄生藤

| 分布区域 |

产于海南白沙、保亭、东方、昌江。亦分布于中国华南其他区域，及福建、云南。越南、泰国、缅甸、菲律宾、马来西亚、印度尼西亚也有分布。

| 资　　源 |

生于山地林中，少见。

| 采收加工 |

全年均可采收，多鲜用。

| 功能主治 |

味微甘、苦、涩，性平；归肺、肝经。疏风解热，活血祛瘀，消肿止痛。用于流行性感冒。外敷用于跌打损伤、刀伤。

| 附　　注 |

在 FOC 中，其学名已被修订为 *Dendrotrophe varians* (Blume) Miq.。

■ 檀香科 ■ Santalaceae ■ 硬核属 ■ *Scleropyrum*

硬 核
Scleropyrum wallichianum Arn.

| 中 药 名 | 硬核（药用部位：叶）

| 植物形态 | 常绿乔木，高 4~10m，枝粗壮，圆柱状，灰绿带黄色，光滑，有时具细裂，枝刺长达 8cm。叶长圆形或椭圆形，长 9~17cm，宽 5~7cm，嫩时亮红色，干后稍起皱，先端圆钝或急尖，基部近圆形，上面深绿色，多少有光泽，背面浅绿色，中脉在上面凹陷，在背面隆起，侧脉 3~4 对，明显，下面两对特别长，三级脉开展并彼此相连呈网状，叶柄粗短，长 6~10mm，基部有节，节明显或肿大。花序长 2~2.5cm，单生，成对着生或少数簇生，被黄色绒毛；苞片狭披针形，长约 2mm，宽 0.7mm，外被长柔毛，早落；花长约 3.8mm，

硬核

直径 5.5mm，淡黄色至红黄色，花被裂片 5，卵圆形，长约 2mm，宽约 1.5mm，先端近锐尖，外被短柔毛，近基部被毛较密，在雄蕊后面有疏毛一撮；雄蕊 5，花丝短，长约 1.5mm；花盘中部凹陷，直径约 1.8mm；花柱长 0.8~1mm，柱头 3~4 浅裂，中部凹入。核果长 3~3.5cm，直径 2.3~2.5cm，无毛，成熟时橙黄色或橙红色，有光泽，先端的宿存花被呈乳突状，直径 22.5mm，基部渐狭而伸长，上部较粗，下部较细（长 1~1.5cm，粗 3~5mm），呈果柄状。花期 4~5 月，果期 8~9 月。

| 分布区域 | 产于海南三亚、乐东、东方、昌江、万宁、五指山。亦分布于中国广西、云南。越南、缅甸、老挝、柬埔寨、马来西亚、斯里兰卡、印度也有分布。

| 资　　源 | 生于山谷疏林中，少见。

| 采收加工 | 全年可采收，晒干或鲜用。

| 功能主治 | 本种为黎族药。鲜叶煮水喝，用于胃痛、腹痛、红眼病；鲜叶捣烂敷，可拔毒，用于火枪打伤。

檀香科 Santalaceae 檀香属 Santalum

檀 香 *Santalum album* L.

| 中 药 名 | 檀香（药用部位：心材、挥发油、心材树脂）

| 植物形态 | 常绿小乔木，枝具条纹，有多数皮孔和半圆形的叶痕；小枝节间稍肿大。膜质叶椭圆状卵形，长4~8cm，宽2~4cm，基部多少下延，边缘波状，背面有白粉。三歧聚伞式圆锥花序长2.5~4cm；苞片2，早落；花长4~4.5mm，花被管钟状，长约2mm，淡绿色；花被4裂，内部初时绿黄色，后呈深棕红色；外伸雄蕊4；花盘裂片卵圆形，花柱深红色，柱头浅3裂。核果直径约1cm，外果皮肉质多汁，成熟时深紫红色至紫黑色，先端稍平坦，内果皮具纵棱3~4。花期5~6月，果期7~9月。

檀香

| 分布区域 |

海南万宁有栽培。亦分布于中国华南其他区域，以及台湾、云南。原产于太平洋岛屿，印度广泛栽培。

| 资　　源 |

栽培量较少，少见。

| 采收加工 |

心材：采伐锯成段，砍去色淡的边材，心材干燥入药。挥发油：将檀香的心材切细，置大型蒸馏器内，经蒸馏后可得 3%~5% 的檀香油。此油宜密封贮于瓶中，避免日光照射及漏气。

| 药材性状 |

心材：心材圆柱形，有的略弯曲，长50~100cm，直径 10~20cm。表面淡灰黄色，光滑细密，有时可见纵裂纹，有刀削痕。横切面棕色，显油迹；纵向劈开纹理顺直。质坚实，不易折断。气清香，味微苦。燃烧时香气浓烈。以体重质坚、显油迹、香气浓郁而持久、烧之气香者为佳。挥发油：纯檀香油为无色乃至淡黄色略有黏性的油液，有檀香固有的香气。

| 功能主治 |

心材：味辛，性温；归脾、胃、肺经。理气和胃。可用于心腹疼痛、噎膈呕吐、胸膈不舒。挥发油：味苦，性温；归胃、肾经。用于胃脘疼痛、呕吐、淋浊。心材树脂：味苦，性温；归胃、肝经。用于胃气滞痛、肝郁不舒。

鼠李科 Rhamnaceae   勾儿茶属 Berchemia

多花勾儿茶 *Berchemia floribunda* (Wall.) Brongn

| 中 药 名 | 多花勾儿茶（药用部位：根、茎、叶或全株）

| 植物形态 | 藤状灌木。叶纸质，卵形至卵状披针形，长 4~9cm，宽 2~5cm，托叶宿存。花多数，通常簇生，排成顶生宽聚伞圆锥花序，花序长可达 15cm，花梗长 1~2mm；萼三角形，先端尖；花瓣倒卵形，雄蕊与花瓣等长。核果圆柱状椭圆形，长 7~10mm，直径 4~5mm，基部有盘状的宿存花盘；果梗长 2~3mm，无毛。花期 7~10 月，果期翌年 4~7 月。

| 分布区域 | 产于海南三亚、乐东、五指山、万宁、澄迈、屯昌、文昌。亦分布于中国华南其他区域，以及湖南、江西、湖北、河南、福建、台湾、浙江、江苏、贵州、云南、四川、西藏、山西、陕西。越南、泰国、印度、不丹、尼泊尔、日本也有分布。

多花勾儿茶

资　　源	生于山谷与山坡林缘、林下、灌丛中或阴湿近水处，十分常见。
采收加工	春、秋季采收茎、叶，秋后采根，鲜用或晒干。
药材性状	茎：茎圆柱形，黄绿色，略光滑，有黑色小斑。叶：叶互生，多卷曲，展平后呈狭卵状椭圆形，长 4~9cm，宽 2~5cm，先端尖，基本圆或近心形，全缘。气微，味淡、微涩。
功能主治	根：味甘、微涩，性微温。健脾利湿，通经活络。用于脾虚食少、小儿疳积、胃痛、风湿痹痛、黄疸、水肿、淋浊、痛经。外用于骨折、跌打损伤。茎、叶：清热解毒，利尿。用于衄血、黄疸、风湿腰痛、经前腹痛。全株：用于肝硬化腹水、黄疸、小儿胎毒、月经不调。

鼠李科 Rhamnaceae 勾儿茶属 Berchemia

铁包金 *Berchemia lineata* (L.) DC

| 中 药 名 | 铁包金（药用部位：根、嫩茎叶）

| 植物形态 | 藤状灌木，小枝被密短柔毛。纸质叶椭圆形，长 5~20mm，宽 4~12mm，先端具小尖头，托叶披针形，宿存。花白色，长 4~5mm，无毛，通常数个密集成顶生聚伞总状花序，萼片条形，萼筒盘状；花瓣匙形。核果圆柱形，直径约 3mm，成熟时黑色或紫黑色，基部有宿存的花盘和萼筒；果梗长 4.5~5mm，被短柔毛。花期 7~10 月，果期 11 月。

| 分布区域 | 产于海南保亭、东方。亦分布于中国华南其他区域，以及福建、台湾。越南、印度、日本也有分布。

铁包金

|资　　源|

生于低海拔的山地、山坡灌丛瘠土，常见。

|药材性状|

根呈圆柱形的短段或片状，大小长短不一。皮部较厚、坚实，表面棕褐色，有明显的网状裂隙及纵皱纹；木质部橙黄色或暗黄棕色，质坚，纹理致密。气无，味淡。

|功能主治|

根：味苦、微涩，性平；归肝、肺经。固肾益气，化瘀止血，镇咳止痛。用于风毒流注、肺痨、消渴、胃痛、子痫、遗精、风湿关节痛、腰膝酸痛、跌打损伤、瘰疬、瘾疹、痈疽肿毒、风火牙痛。嫩茎叶：用于疔疮、睾丸脓肿、痔疮、烫伤。

鼠李科 Rhamnaceae 勾儿茶属 Berchemia

光枝勾儿茶
Berchemia polyphylla Wall. ex Laws var. *leioclada* Hand.-Mazz.

| 中 药 名 | 铁包金（药用部位：全株）

| 植物形态 | 藤状灌木，小枝黄褐色，被短柔毛。叶纸质，卵状椭圆形，长 1.5~4.5cm，宽 0.8~2cm，先端常有小尖头，侧脉每边 7~9，叶柄被短柔毛；托叶披针状钻形，基部合生。花浅绿色或白色，无毛，通常 2~10 簇生，排成具短总梗的聚伞总状花序，花序顶生，长达 7cm，花序轴被疏或密短柔毛，花梗长 2~5mm；花芽锥状，萼片卵状三角形；花瓣近圆形。核果圆柱形，直径 3~3.5mm，成熟时红色，后变黑色，基部有宿存的花盘和萼筒；果梗长 3~6mm。花期 5~9 月，果期 7~11 月。

| 分布区域 | 产于海南保亭、万宁、文昌、琼海、海口、昌江、陵水。亦分布于中国华南其他区域，及湖南、湖北、福建、贵州、云南、四川、陕西。

光枝勾儿茶

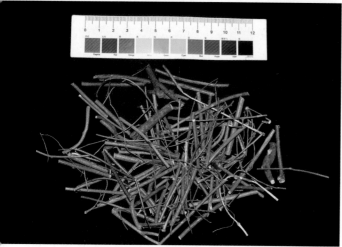

| 资　　源 |

生于山坡、沟边灌丛或林缘，常见。

| 采收加工 |

夏末秋初孕蕾前割取嫩茎叶，除去杂质，切碎，鲜用或晒干；秋后采根，鲜用或切片晒干。

| 药材性状 |

茎呈圆柱形，直径可达 1.5cm。表面棕褐色至暗紫色，外被蜡质；质坚硬，难折断，断面不整齐，皮部薄，木质部浅黄色，髓明显。叶互生，有短柄，叶片卵圆形，长 2~4cm，宽 1~2cm，先端渐尖或钝圆，顶处有芒尖，全缘；上表面灰绿色，下表面黄绿色，羽状侧脉 7~9 对；叶近革质。气微，味微苦涩。

| 功能主治 |

味苦、微涩，性平；归肝、肺经。止咳，祛痰，平喘，安神，调经。用于咳嗽、癫狂。

鼠李科　Rhamnaceae　蛇藤属　*Colubrina*

蛇　藤 *Colubrina asiatica* (L.) Brongn.

| 中 药 名 | 蛇藤（药用部位：根、叶）

| 植物形态 | 藤状灌木。卵形叶互生，近膜质，长 4~8cm，宽 2~5cm，先端微凹，边缘具粗圆齿，侧脉 2~3 对，叶柄被疏柔毛。花黄色，5 数，腋生聚伞花序，总花梗长约 3mm，花梗长 2~3mm；花萼 5 裂，萼片卵状三角形，花瓣倒卵圆形，具爪，与雄蕊等长；子房藏于花盘内，3 室，花柱 3 浅裂；花盘近圆形。蒴果状核果，圆球形，直径 7~9mm，基部为愈合的萼筒所包围，成熟时室背开裂，内有 3 个分核，每核具 1 种子；果梗长 4~6mm；种子灰褐色。花期 6~9 月，果期 9~12 月。

| 分布区域 | 产于海南三亚、万宁、海口、乐东、南沙群岛。亦分布于中国华南其他区域，及台湾。广布于亚洲热带地区和太平洋诸岛。

蛇藤

| 资　　源 |

生于海边疏林中，常见。

| 采收加工 |

全年皆可采收，除去杂质，洗净，晒干。

| 功能主治 |

清热消肿。

鼠李科 Rhamnaceae 咀签属 *Gouania*

毛咀签 *Gouania javanica* Miq.

| **中 药 名** | 烧伤藤（药用部位：茎、叶）

| **植物形态** | 攀缘灌木；小枝、叶柄、花序轴、花梗和花萼外面被棕色密短柔毛。卵形叶互生，纸质，长4~11cm，宽2~6cm，下面被毛，叶柄长0.8~1.7cm，被密或疏柔毛。花杂性同株，5数，花单生，花序长可达30cm，花序下部常有卷须；萼片卵状三角形；花瓣倒卵圆形，基部具短爪，与雄蕊等长；花盘五角形，包围着子房，每角延伸成1个舌状附属物；子房下位，3室，花柱3浅裂。蒴果直径9~10mm，具3翅，两端凹陷，先端有宿存的花萼，成熟时黄色，3个具圆形翅的分核沿中轴开裂，分核长期悬挂于上端；种子3，倒卵形，红褐色，有光泽，长约3mm，背面突起。花期7~9月，果期11月至翌年3月。

毛咀签

分布区域	产于海南三亚、乐东、昌江、五指山、保亭、万宁。亦分布于中国华南其他区域，及福建、贵州、云南。越南、泰国、老挝、柬埔寨、菲律宾也有分布。
资　源	生于低海拔疏林溪旁，常见。
采收加工	春、夏季采收，鲜用或切段晒干。
功能主治	味微苦、涩，性凉。清热解毒，收敛止血。用于烫火伤、外伤出血、湿疹、痈疮肿毒、疮疖红肿。

鼠李科 Rhamnaceae 枳椇属 Hovenia

枳 椇
Hovenia acerba Lindl.

| **中 药 名** | 枳椇（药用部位：种子、叶、树皮、树干中流出的液汁、根）

| **植物形态** | 高大乔木，小枝有明显、白色的皮孔。叶互生，厚纸质至纸质，宽卵形或心形，长 8~17cm，宽 6~12cm，边缘常具整齐、浅而钝的细锯齿，叶柄长 2~5cm。二歧式聚伞圆锥花序，被棕色短柔毛；花两性，直径 5~6.5mm；萼片具网状脉，花瓣椭圆状匙形，长 2~2.2mm，具短爪；花盘被柔毛。浆果状核果近球形，直径 5~6.5mm，成熟时黄褐色或棕褐色；果序轴明显膨大；种子暗褐色或黑紫色，直径 3.2~4.5mm。花期 5~7 月，果期 8~10 月。

| **分布区域** | 海南有栽培。亦分布于中国黄河以南各地。缅甸、印度、尼泊尔、不丹也有分布。

枳椇

| 资　　源 | 栽培，少见。

| 采收加工 | 种子：10~11 月果实成熟时连肉质花序轴一并摘下，晒干，取出种子。叶：夏末采收叶。树皮：春季剥取树皮。根：秋后采收根，洗净，切片，晒干。

| 药材性状 | 种子扁平圆形，背面稍隆起，暗褐色或黑紫色，直径 3.2~4.5mm，基部凹陷处有点状淡色种脐，种皮坚硬，胚乳白色，子叶淡黄色，肥厚，均富油质。气微，味微涩。

| 功能主治 | 种子：味甘，性平；归胃经。解酒毒，止渴除烦，止呕，利大小便。用于醉酒、烦渴、呕吐、二便不利。叶：味甘，性凉。清热解毒，除烦止渴。用于风热感冒、醉酒烦渴、呕吐、大便秘结。树皮：味甘，性温。活血，舒筋，消食，疗痔。用于筋脉拘挛、食积、痔疮。树干中流出的液汁：味甘，性平。辟秽除臭。用于狐臭。根：味甘、涩，性温。祛风活络，止血，解酒。用于风湿痹痛、劳伤咳嗽、咯血、小儿惊风、醉酒。

鼠李科 Rhamnaceae 马甲子属 *Paliurus*

马甲子
Paliurus ramosissimus (Lour.) Poir.

| 中 药 名 |

铁篱笆（药用部位：根、刺、花、叶、果实）

| 植物形态 |

灌木，小枝被短柔毛。纸质叶互生，卵状椭圆形，长 3~5.5cm，宽 2.2~5cm，基部稍偏斜，边缘具细锯齿，上面沿脉被棕褐色短柔毛，基生三出脉；叶柄被毛，基部有 2 紫红色斜向直立的针刺，长 0.4~1.7cm。腋生聚伞花序，被黄色绒毛；萼片长 2mm，花瓣匙形，短于萼片，雄蕊与花瓣等长，花盘圆形，边缘 5 或 10 齿裂；子房 3 室，花柱 3 深裂。核果杯状，被黄褐色或棕褐色绒毛，周围具木栓质、3 浅裂的窄翅，直径 1~1.7cm，长7~8mm；果梗被棕褐色绒毛；种子紫红色或红褐色，扁圆形。花期 5~8 月，果期 9~10 月。

| 分布区域 |

产于海南昌江、东方、乐东等地。亦分布于中国江苏、浙江、安徽、江西、湖南、湖北、福建、台湾、广东、广西、云南、贵州、四川。朝鲜、日本和越南也有分布。

| 资 源 |

生于低海拔山坡、山谷灌丛中，少见。

马甲子

采收加工

根、刺、花及叶：全年均可采。果实：成熟后采收。鲜用或晒干。

功能主治

根：味苦，性平。祛风湿，散瘀活血，消肿止痛，除寒，解毒。用于风湿痹痛、劳伤痹痛、感冒发热、喉痛、胃痛、肠风下血、跌打损伤、目赤肿痛、痈疽溃脓、无名肿毒、狂犬咬伤。刺、花及叶：味苦，性平。消热解毒。用于疔疮痈肿、无名肿毒、下肢溃疡、目赤肿痛。果实：味苦、甘，性温。化瘀止血，活血止痛。用于瘀血所致的吐血、衄血、便血、痛经、经闭、心腹疼痛、痔疮肿痛。

鼠李科 Rhamnaceae　鼠李属 Rhamnus

海南鼠李
Rhamnus hainanensis Merr. et Chun

| 中 药 名 |

海南鼠李（药用部位：根、果实）

| 植物形态 |

藤状灌木，小枝具多数瘤状皮孔。叶纸质，大小异形，交替互生，小叶卵形，大叶椭圆形，长 5~11cm，宽 2.5~4.5cm，边缘具锯齿，两面干时呈绿黄色，下面沿脉被金黄色短柔毛，叶柄长 7~15mm。花杂性，5 数，萼片长圆状披针形，早落；花瓣宽椭圆形，近截形；雄蕊约与花瓣等长，子房球形，花柱 3。核果倒卵状球形，直径约 5mm，基部有宿存的萼筒，成熟时深红色或紫红色，具 3 分核；果梗长 5~7mm；种子 2~3，背面有长为种子 1/2 的短沟。花期 8~11 月，果期 11 月至翌年 3 月。

| 分布区域 |

产于海南乐东、白沙、五指山、保亭、定安、琼中。

| 资　　源 |

生于山谷密林中，常见。

海南鼠李

| **采收加工** | 根：全年可采。果实：成熟时采收。鲜用或晒干。

| **功能主治** | 消气，顺气，活血，祛痰。

鼠李科 Rhamnaceae 鼠李属 *Rhamnus*

长柄鼠李
Rhamnus longipes Merr. et Chun.

| 中 药 名 |

长柄鼠李（药用部位：根皮或全株）

| 植物形态 |

小乔木，无刺。叶近革质，椭圆形，长6~11cm，宽 2~4cm，边缘具疏细钝齿，托叶线状披针形，早落。花两性，排成腋生聚伞花序，萼片三角形，花瓣倒心形，长约 1.5mm，雄蕊长于花瓣。核果球形，直径 7~8mm，成熟时红紫色或黑色，果梗长6~8mm，被疏柔毛；种子 2，长约 4mm，背面无沟。花期 6~8 月。

| 分布区域 |

产于海南乐东、昌江、五指山、陵水、万宁。亦分布于中国华南其他区域，以及云南。

| 资　　源 |

生于山地密林中，常见。

| 采收加工 |

全年可采，根部挖取后洗净，剥取根皮，切段，鲜用或晒干。

长柄鼠李

| 功能主治 |　清热泻下，消瘰疬。

鼠李科 Rhamnaceae 鼠李属 Rhamnus

尼泊尔鼠李 *Rhamnus napalensis* (Wall.) Laws.

| 中 药 名 | 大风药（药用部位：根、茎、叶）

| 植物形态 | 直立或藤状灌木，小枝具多数明显的皮孔。叶厚纸质或近革质，大小异形，交替互生，小叶长 2~5cm，大叶长 6~17cm，边缘具齿，叶柄长 1.3~2cm。花序长可达 12cm，花序轴被短柔毛；花单性，雌雄异株，5 数；萼片长三角形，外面被微毛；花瓣匙形，先端钝或微凹，基部具爪，与雄蕊等长或稍短；雌花的花瓣早落，有 5 退化雄蕊；子房球形。核果倒卵状球形，直径 5~6mm，萼筒宿存，具 3 分核；种子 3，背面具与种子等长、上窄下宽的纵沟。花期 5~9 月，果期 8~11 月。

尼泊尔鼠李

| 分布区域 | 产于海南昌江、保亭、定安、三亚、东方、陵水。亦分布于中国长江以南各地。缅甸、马来西亚、印度、不丹、尼泊尔也有分布。

| 资　　源 | 生于林中或灌丛，少见。

| 采收加工 | 茎：春、夏季采收茎，切段。根：秋、冬季采收根，切片。叶：春、夏季采收叶，鲜用或晒干。

| 功能主治 | 根、茎：味涩、微甘，性平。祛风除湿，利水消胀。用于风湿关节痛、慢性肝炎、肝硬化腹水。叶：味苦，性寒。清热解毒，祛风除湿。用于毒蛇咬伤、水火烫伤、跌打损伤、风湿性关节炎、类风湿关节炎、湿疹。

鼠李科 Rhamnaceae 雀梅藤属 Sageretia

亮叶雀梅藤 *Sageretia lucida* Merr.

| 中 药 名 | 亮叶雀梅藤（药用部位：叶、果实）

| 植物形态 | 藤状灌木。薄革质叶互生，卵状矩圆形，长 6~12cm，宽 2.5~4cm，基部常不对称，边缘具圆齿状浅锯齿，下面仅脉腋具髯毛。花绿色，无毛，通常排成腋生短穗状花序，花序轴无毛，长 2~3cm，常具褐色、卵状三角形小苞片；萼片三角状卵形，长 1.3~1.5mm，先端尖，内面中肋突起，花瓣兜状，短于萼片；雄蕊与花瓣等长。核果较大，椭圆状卵形，直径 5~7mm，先端钝或有小突尖，成熟时红色。花期 4~7 月，果期 9~12 月。

亮叶雀梅藤

| 分布区域 | 产于海南白沙、五指山、万宁、琼中。亦分布于中国华南其他区域，及江西、福建、浙江、云南。越南、印度尼西亚、斯里兰卡、印度、尼泊尔也有分布。

| 资　　源 | 生于海拔 300~800m 的山谷疏林中，常见。

| 采收加工 | 叶：全年皆可采收。果实：成熟时采摘。洗净，鲜用或晒干。

| 功能主治 | 叶：用于泄泻。果实：健胃。

鼠李科 Rhamnaceae　雀梅藤属 Sageretia

雀梅藤
Sageretia thea (Osbeck) Johnst.

中 药 名

雀梅藤（药用部位：根、叶）

植物形态

藤状或直立灌木，小枝具刺，褐色，被短柔毛。叶纸质，近对生或互生，通常椭圆形，长 1~4.5cm，宽 0.7~2.5cm，边缘具细锯齿，叶柄长 2~7mm。花黄色，有芳香，花序轴长 2~5cm，被绒毛或密短柔毛；花萼外面被疏柔毛；萼片三角形，花瓣匙形，先端 2 浅裂，短于萼片；花柱柱头 3 浅裂。核果近圆球形，直径约 5mm，成熟时黑色或紫黑色，具 1~3 分核，味酸；种子扁平，两端微凹。花期 7~11 月，果期翌年 3~5 月。

分布区域

产于海南昌江、澄迈、海口、保亭、东方。亦分布于中国华南其他区域、华中、华东，以及云南、四川。越南、印度、朝鲜及日本也有分布。

雀梅藤

| 资　　源 | 生于丘陵、山地林下或灌丛中，常见。

| 采收加工 | 根：秋后采收。叶：春季采收。洗净，鲜用或晒干。

| 功能主治 | 根：味甘、淡，性平。降气化痰，祛风利湿。用于咳嗽、哮喘、胃痛、鹤膝风、水肿。叶：味酸，性凉。清热解毒。用于疮疡肿毒、烫火伤、疥疮、漆疮。

鼠李科 Rhamnaceae 翼核果属 Ventilago

海南翼核果
Ventilago inaequilateralis Merr. et Chun

| 中 药 名 | 海南翼核果（药用部位：全株）

| 植物形态 | 藤状灌木；小枝灰褐色。叶革质，矩圆形，长 6~17cm，宽 2~5cm，叶柄短，长 1~5mm，狭披针形，托叶 2，早落。花单生，数个簇生，花序长 3~7cm，被短柔毛，花黄色，5 数；花萼被疏短柔毛，花瓣倒卵圆形，略长于雄蕊，先端凹缺，基部有爪；花盘厚，肉质，近五边形；子房藏于花盘内，花柱 2 半裂。核果长 3.5~4.5cm，翅宽 7~9mm，基部 1/3~1/2 为萼筒所包围，1 室具 1 种子，种子无胚乳。花期 2~5 月，果期 3~6 月。

| 分布区域 | 产于海南三亚、乐东、东方、昌江、白沙、保亭、琼中、儋州。亦分布于中国广西、贵州、云南。

海南翼核果

| 资　　源 | 生于中海拔沿溪林中，常见。 |

| 采收加工 | 全年皆可采收，洗净，鲜用或晒干。 |

| 功能主治 | 用于毒蛇咬伤。 |

鼠李科 Rhamnaceae 翼核果属 Ventilago

翼核果
Ventilago leiocarpa Benth.

| 中 药 名 |　血风藤（药用部位：根、茎）

| 植物形态 |　藤状灌木；小枝有条纹。叶薄革质，卵状矩圆形，长 4~8cm，宽 1.5~3.2cm，边缘近全缘，叶柄上面被疏短柔毛。花小，两性，5 数，生于叶腋，花梗长 1~2mm；萼片三角形；花瓣倒卵形，先端微凹，雄蕊略短于花瓣；花盘厚，五边形；子房球形，全部藏于花盘内，2 室，花柱 2 浅裂。核果直径 4~5mm，无毛，翅宽 7~9mm，先端有小尖头，基部 1/4~1/3 为宿存的萼筒包围，具 1 种子。花期 3~5 月，果期 4~7 月。

| 分布区域 |　产于海南三亚、乐东、东方、白沙、保亭、万宁、琼中、儋州、澄迈、屯昌、琼海、昌江。亦分布于中国华南其他区域，及湖南、福建、台湾、贵州、云南。越南、泰国、缅甸、印度也有分布。

翼核果

| 资　　源 | 生于疏林下或灌丛中，常见。 |

| 采收加工 | 根：冬季采挖。茎：春、秋季采收。洗净，晒干。 |

| 药材性状 | 根：本品的根呈圆柱形，稍弯曲，分枝极少，直径2~7cm，长20~60cm，表面粗糙，有的具纵棱，暗红紫色。栓皮松脆，可层层剥离。断面木质部黄褐色至棕褐色，密布细小的黑色针孔状小点，有的中央有细小的髓。茎：藤茎外表灰褐色，有纵条纹，少分枝。断面木质部黄褐色至灰棕色，髓部明显。气微，味淡。 |

| 功能主治 | 味甘，性温。补气益血，祛风活络。用于气血亏损、风湿痹痛、跌打损伤、腰肌劳损、贫血。 |

鼠李科 Rhamnaceae 枣属 Ziziphus

滇刺枣
Ziziphus mauritiana Lam.

| 中 药 名 | 滇刺枣（药用部位：树皮、种仁）

| 植物形态 | 常绿乔木或灌木，幼枝被黄灰色密绒毛，老枝紫红色，有 2 托叶刺，1 个斜上，另 1 个钩状下弯。叶纸质，卵形，长 2.5~6cm，宽 1.5~4.5cm，稍偏斜，不等侧，边缘具细锯齿，下面被黄色或灰白色绒毛，基生三出脉，叶柄被灰黄色密绒毛。花绿黄色，两性，5 数，萼片卵状三角形，外面被毛；花瓣矩圆状匙形，基部具爪；雄蕊与花瓣近等长，花盘厚，肉质，10 裂，中央凹陷，子房球形，2 室，花柱 2 浅裂。核果矩圆形，直径约 1cm，橙色或红色，成熟时变黑色，基部有宿存的萼筒；果梗长 5~8mm，被短柔毛，具 1 或 2 种子；中果皮薄，木栓质，内果皮厚，硬革质；种子宽而扁，长 6~7mm，宽 5~6mm，红褐色，有光泽。花期 8~11 月，果期 9~12 月。

滇刺枣

| **分布区域** | 产于海南东方、昌江。亦分布于中国华南其他区域，及云南、四川，福建、台湾有栽培。越南、泰国、缅甸、马来西亚、印度尼西亚、印度、不丹、尼泊尔、斯里兰卡、阿富汗、澳大利亚及非洲也有分布。 |

| **资　　源** | 生于山坡、丘陵、河边湿润林中或灌丛中，偶见。 |

| **采收加工** | 树皮：秋季采收树皮，除去外皮。种仁：秋季采收成熟果实，除去果肉及核壳，收集种子，晒干。 |

| **功能主治** | 树皮：味涩、微苦，性凉。消炎，生肌。用于烫火伤。种仁：用于不育症。 |

| 鼠李科 | Rhamnaceae | 枣属 | *Ziziphus* |

枣
Ziziphus jujuba Mill.

| **中 药 名** | 枣（药用部位：种子、根皮、叶、棘刺、花、果实、树皮、根）

| **植物形态** | 落叶小乔木，树皮褐色，长枝呈"之"字形曲折，具 2 托叶刺，长刺粗直，短刺下弯。卵形叶纸质，长 3~7cm，宽 1.5~4cm，先端具小尖头，边缘具圆齿状锯齿，基生三出脉，托叶刺纤细，后期常脱落。花黄绿色，两性，5 数，萼片卵状三角形；花瓣倒卵圆形，基部有爪，与雄蕊等长；花盘厚，肉质，5 裂；子房下部藏于花盘内，与花盘合生，2 室，花柱 2 半裂。核果矩圆形，直径 1.5~2cm，成熟时红色，后变红紫色，中果皮肉质、厚，具 1 或 2 种子，果梗长 2~5mm；种子扁椭圆形，长约 1cm，宽 8mm。花期 5~7 月，果期 8~9 月。

枣

| **分布区域** | 产于海南万宁、海口。亦分布于中国各地，野生或栽培。原产于中国，现亚洲、欧洲、非洲、美洲均有栽培。 |

| **资　　源** | 生长于山坡疏林、河边或田边，少见。 |

| **采收加工** | 叶：叶春、夏季采收，鲜用或晒干。果实：秋季果实成熟时采收，一般随采随晒。选干燥的地块搭架铺上席箔，将枣分级摊在席箔上晾晒，当枣的含水量下降到15%以下时可并箔，然后每隔几日揭开通风；当枣的含水量下降到10%时，即可贮藏。大枣果皮薄，含水分多，采用阴干的方法制干。加工枣肉食品时，收集枣核。树皮：树皮全年皆可采收，春季最佳，用月牙形镰刀从枣树主干将老皮刮下，晒干。根：根秋后采挖，鲜用或切片晒干。 |

| **药材性状** | 果实椭圆形，长2~3.5cm，直径1.5~2cm。表面暗红色，略带光泽，有不规则皱纹，基部凹陷，有短果柄。外果皮薄，中果皮棕黄色或淡褐色，肉质，柔软，富糖性而油润。果核纺锤形，两端锐尖，质坚硬。气微香，味甜。 |

| **功能主治** | 种子：味苦，性平。养肝，宁心，安神，敛汗。用于虚烦不眠、惊悸怔忡、烦渴、虚汗。根皮：用于便血、烫火伤、高血压、遗精、白带。叶：味甘，性温。用于胫臁疮。棘刺：消肿，溃脓，止痛。用于痈肿有脓、心腹痛、尿血、喉痹。花：用于金疮内漏、明目。果实：味甘，性温；归心、脾、胃经。补脾胃，益气血，安心神，调营卫，和药性。用于脾胃虚弱、气血不足、食少便溏、倦怠乏力、心悸失眠、妇人脏躁、营卫不和。树皮：味苦、涩，性温。涩肠止泻，镇咳止血。用于泄泻、咳嗽、崩漏、外伤出血、烫火伤。根：味甘，性温。调经止血，祛风止痛，补脾止泻。用于月经不调、不孕、崩漏、吐血、胃痛、痹痛、脾虚泄泻、风疹、丹毒。 |

胡颓子科 Elaeagnaceae   胡颓子属 *Elaeagnus*

角花胡颓子

Elaeagnus gonyanthes Benth.

| **中 药 名** | 蔓胡颓子（药用部位：根、叶、果实）

| **植物形态** | 常绿攀缘灌木，通常无刺。叶革质，椭圆形，长 5~9cm，宽 1.2~5cm，下面棕红色，具锈色或灰色鳞片，侧脉 7~10 对，叶柄锈色或褐色。花白色，被银白色和散生褐色鳞片，单生于新枝基部叶腋，每花下有 1 苞片，花后发育成叶片，花梗长 3~6mm；萼筒四角形，基部膨大后在子房上明显骤收缩，裂片卵状三角形，内面具白色星状鳞毛，包围子房的萼管矩圆形，雄蕊 4。果实阔椭圆形，长 15~22mm，幼时被黄褐色鳞片，成熟时黄红色，先端常有干枯的萼筒宿存；果梗长 12~25mm。花期 10~11 月，果期翌年 2~3 月。

角花胡颓子

分布区域

产于海南东方、保亭、陵水、三亚、昌江、琼中、澄迈。亦分布于中国华南其他区域，及湖南、云南。中南半岛也有分布。

资　　源

生于丘陵灌丛、山地混交林或疏林中，少见。

采收加工

果实：春季果实成熟时采摘，鲜用或晒干。根和根皮：根和根皮全年均可采，挖根，洗净，切片晒干。

功能主治

根：味辛、涩，性凉；归肝、胃经。祛风通络，行气止痛，消肿解毒。用于风湿关节痛、河豚中毒、狂犬咬伤、跌打损伤。叶：平喘止咳。用于咳嗽、哮喘。果实：味酸，性平。收敛止泻。用于泄泻。

葡萄科　Vitaceae　蛇葡萄属　Ampelopsis

广东蛇葡萄

Ampelopsis cantoniensis (Hook. et Arn.) Planch.

| 中 药 名 | 无莿根（药用部位：全株或根）

| 植物形态 | 木质藤本，卷须二叉分枝，相隔 2 节间断与叶对生。叶为二回羽状复叶，基部一对小叶常为 3 小叶，通常长 3~11cm，宽 1.5~6cm，上面深绿色，下面浅黄褐绿色；侧脉 4~7 对。花序为伞房状多歧聚伞花序；花序梗长 2~4cm，花轴被短柔毛；花梗长 1~3mm；花蕾高 2~3mm；萼碟形，边缘呈波状；花瓣 5，卵椭圆形，高 1.7~2.7mm；雄蕊 5，花盘边缘浅裂；子房下部与花盘合生。果实近球形，直径 0.6~0.8cm，有种子 2~4；种子倒卵圆形，基部喙尖锐，种脐在种子背面中部呈椭圆形，背部中棱脊突出，表面有肋纹突起，腹部中棱脊突出，两侧洼穴外观不明显，周围有肋纹突出。花期 4~7 月，果期 8~11 月。

广东蛇葡萄

| 分布区域 |

产于海南乐东、东方、昌江、白沙、五指山、陵水、万宁、琼中、儋州。亦分布于中国华南其他区域，以及湖南、台湾、浙江、安徽、湖北、贵州、云南、西藏。越南、泰国、马来西亚、日本也有分布。

| 资　　源 |

生于山谷林中或山坡灌丛中，十分常见。

| 采收加工 |

全株：在夏、秋季采收，洗净，除去杂质，切碎，晒干。根：秋后挖取根部，洗净，切片，晒干。

| 功能主治 |

味辛、苦，性凉；归心、脾经。清热解毒，消炎解暑。用于暑热感冒、皮肤湿疹、丹毒、疖肿、脓疱疮、骨髓炎、急性淋巴结炎、急性乳腺炎、食物中毒。

葡萄科　Vitaceae　蛇葡萄属　*Ampelopsis*

光叶蛇葡萄
Ampelopsis heterophylla (Thunb.) Sieb. et Zucc. var. *hancei* Planch.

| 中药名 | 野葡萄根（药用部位：根茎）

| 植物形态 | 木质藤本，卷须二至三叉分枝，相隔2节间断与叶对生。叶为单叶，心形，3~5中裂，长3.5~14cm，宽3~11cm，基部心形，边缘有急尖锯齿，基出脉5，叶柄长1~7cm；小枝、叶柄和叶片几无毛。花萼碟形，边缘有波状浅齿，卵椭圆形花瓣5；雄蕊5，花盘边缘浅裂。果实近球形，直径0.5~0.8cm，有种子2~4；种子长椭圆形，基部有短喙，种脐在种子背面下部向上渐狭呈卵椭圆形，两侧洼穴呈狭椭圆形，从基部向上斜展达种子先端。花期4~6月，果期8~10月。

| 分布区域 | 产于海南三亚、乐东、白沙、五指山、保亭、陵水、万宁、琼中、儋州、澄迈、定安、海口。亦分布于中国华南其他区域，以及湖南、江西、

光叶蛇葡萄

台湾、福建、河南、山东、江苏、贵州、云南、四川。菲律宾、日本也有分布。

| 资　　源 | 生于山谷林中或山坡灌丛中，常见。

| 采收加工 | 全年皆可采挖，除去杂质，洗净，晒干。

| 功能主治 | 利尿消肿，止血，消炎解毒。用于眼疾、耳疾、刀伤、无名肿毒、慢性肾炎。

葡萄科 Vitaceae　乌蔹莓属 *Cayratia*

膝曲乌蔹莓
Cayratia geniculata (Bl.) Gagnep.

| 中 药 名 |　膝曲乌蔹莓（药用部位：茎）

| 植物形态 |　本质藤本。小枝被短柔毛。卷须二叉分枝，相隔2节间断与叶对生。叶为3小叶，中央小叶菱状椭圆形，长10~18cm，宽5~9cm，先端尾尖，侧生小叶阔卵形，长9~17cm，宽4~9cm，先端尾尖，基部不对称，斜圆形，边缘有疏离细锯齿；叶柄长9~18cm，被短柔毛；托叶早落。花序腋生，复二歧聚伞花序；花序梗长3~14cm，被短柔毛；花梗长1~3mm，被短柔毛；花蕾卵圆形；萼杯状，边缘呈波状浅裂，外面被乳突状毛；花瓣4，卵圆形，高1.5~2mm，外面被乳突状毛；雄蕊4，花盘发达，波状4浅裂；子房下部与花盘合生。果实近球形，直径

膝曲乌蔹莓

0.8~1cm，有种子 2~4；种子半球形，基部有短喙，种脐在种子背面下部略比种脊宽，向上渐狭，种脊微突出，边缘有突起肋纹。花期 1~5 月，果期 5~11 月。

分布区域

产于海南三亚、乐东、东方、五指山、保亭、万宁、琼中、儋州、琼海。亦分布于中国华南其他区域，以及云南、西藏。越南、老挝、菲律宾、印度尼西亚、马来西亚也有分布。

资　　源

生于低海拔山谷林中，常见。

采收加工

茎全年可采收，除去枝叶，切段晒干。

功能主治

平喘。用于哮喘。

| 葡萄科 | Vitaceae | 乌蔹莓属 | *Cayratia*

角花乌蔹莓

Cayratia corniculata (Benth.) Gagnep.

| **中 药 名** | 九牛薯（药用部位：块根或全株）

| **植物形态** | 草质藤本，卷须二叉分枝，相隔 2 节间断与叶对生。叶为鸟足状 5 小叶，中央小叶长 3.5~9cm，宽 1.5~3cm，边缘每侧有 5~7 锯齿，侧生小叶较小，叶柄长 2~4.5cm，托叶早落。花序为复二歧聚伞花序，腋生；花序梗、花梗均无毛，花蕾卵圆形，萼碟形，花瓣 4，三角状卵圆形，高 1.5~2.5mm，疏被乳突状毛；雄蕊 4，花盘发达，4 浅裂。果实近球形，直径 0.8~1cm，有种子 2~4；种子倒卵状椭圆形，先端微凹，基部有短喙，两侧洼穴呈沟状，从基部向上斜展，达种子上部的 1/3 处。花期 4~5 月，果期 7~9 月。

角花乌蔹莓

| 分布区域 | 产于海南乐东、昌江、白沙、五指山、保亭、万宁、琼中、儋州。亦分布于中国广东、福建、台湾。越南、菲律宾、马来西亚也有分布。

| 资　　源 | 生于海拔200~600m的山谷溪边疏林或山坡灌丛中，常见。

| 采收加工 | 全年皆可采收，除去杂质，洗净，晒干。

| 功能主治 | 块根：味甘，性平。润肺止咳，化痰，止血。用于肺痨、咳嗽、血崩。全株：清热解毒。外用于疮疡肿毒。

葡萄科　Vitaceae　乌蔹莓属　*Cayratia*

乌蔹莓 *Cayratia japonica* (Thunb.) Gagnep.

| 中 药 名 | 乌蔹莓（药用部位：全株或根）

| 植物形态 | 草质藤本，小枝圆柱形，卷须二至三叉分枝，相隔2节间断与叶对生。叶为鸟足状5小叶，小叶长1~7cm，宽0.5~3.5cm；叶柄长1.5~10cm，托叶早落。花序腋生，复二歧聚伞花序；花序梗长1~13cm；花梗长1~2mm；花蕾卵圆形；萼碟形；花瓣4，三角状卵圆形，高1~1.5mm，外面被乳突状毛；雄蕊4，花盘4浅裂；子房下部与花盘合生。果实近球形，直径约1cm，有种子2~4；种子三角状倒卵形，基部有短喙，种脐在种子背面近中部呈带状椭圆形，上部种脊突出，表面有突出肋纹，腹部中棱脊突出，两侧洼穴呈半月形，从近基部向上达种子近先端。花期3~8月，果期8~11月。

乌蔹莓

分布区域

产于海南乐东、东方、白沙、保亭、万宁、儋州、昌江。亦分布于中国华南其他区域，以及湖南、福建、台湾、安徽、浙江、湖北、河南、山东、江苏、贵州、云南、四川、陕西。越南、泰国、老挝、缅甸、菲律宾、马来西亚、印度尼西亚、印度、不丹、澳大利亚、日本、朝鲜也有分布。

资　　源

生于海拔 300m 以上的山谷林中或山坡灌丛，常见。

采收加工

夏、秋季割取藤茎或挖出根部，除去杂质，洗净，切段，晒干或鲜用。

功能主治

味苦、酸，性寒；归心、肝、胃经。清热解毒，祛风利湿，消肿，活血化瘀，接筋续骨，退黄。用于风湿热痹、咽喉肿痛、目翳、目黄、身黄、咯血、尿黄、尿血、痢疾、偏头痛、痔疮。外用于痈疽疮疖、丹毒、流行性腮腺炎、跌打损伤、挫伤、骨折金创、湿疹、瘀肿疼痛、毒蛇咬伤。

葡萄科　Vitaceae　乌蔹莓属　*Cayratia*

节毛乌蔹莓 *Cayratia ciliifera* (Merr.) Chun

| 中 药 名 | 节毛乌蔹莓（药用部位：全株）

| 植物形态 | 木质藤本，小枝圆柱形，被节状长柔毛，毛长 2~3.5mm。卷须常为三分枝，相隔 2 节间断与叶对生。叶为鸟足状 5 小叶，小叶倒卵状长椭圆形，长 3.5~7cm，宽 1.2~2.5cm，边缘有锯齿，下面伏生节状长柔毛；叶柄长 1.5~4.5cm，小叶无柄，被节状长柔毛；托叶膜质，褐色。花序腋生，复二歧聚伞花序；花序梗、花梗疏生节状长柔毛；花蕾椭圆形，高 1.5~2mm；萼碟形，疏被短柔毛；花瓣 4，卵形，高 1~1.5mm，先端有细长小角状突起，被疏柔毛；雄蕊 4 浅裂；子房下部与花盘合生。果实近球形，直径 0.6~0.8cm，有种子 2~4；种

节毛乌蔹莓

子倒卵圆形，种脊呈沟状，表面有网状棱纹突起，腹部中棱脊突出，两侧洼穴分化不明显。花期 6~9 月，果期 7~12 月。

| 分布区域 | 产于海南东方、昌江、白沙、儋州。越南也有分布。

| 资　　源 | 生于低海拔山谷林中，常见。

| 采收加工 | 全年可采，鲜用。

| 功能主治 | 用于烫火伤。

葡萄科 Vitaceae 白粉藤属 *Cissus*

苦郎藤
Cissus assamica (M. A. Lawson) Craib.

| 中 药 名 | 毛叶白粉藤（药用部位：根、茎叶或全株）

| 植物形态 | 木质藤本，卷须二叉分枝，相隔 2 节间断与叶对生。叶阔心形，长 5~7cm，宽 4~14cm，先端短尾尖，边缘每侧有 20~44 尖锐锯齿，基出脉 5；托叶草质。花序与叶对生，二级分枝集生成伞形；花梗长约 2.5mm，伏生稀疏"丁"字毛；萼碟形；花瓣 4，三角状卵形，高 1.5~2mm；雄蕊 4，花盘 4 裂；子房下部与花盘合生，花柱钻形。果实倒卵圆形，成熟时紫黑色，长 0.7~1cm，宽 0.6~0.7cm，有种子 1；种子椭圆形，表面有突出尖锐棱纹，腹部中棱脊突出，两侧洼穴呈沟状，向上达种子上部的 1/3 处。花期 5~6 月，果期 7~10 月。

| 分布区域 | 产于海南海口、东方、乐东、三亚、保亭、陵水、琼中。亦分布于

苦郎藤

中国华南其他区域，以及湖南、江西、福建、台湾、贵州、云南、四川、西藏。越南、泰国、柬埔寨、印度、不丹、尼泊尔也有分布。

| **资　　源** | 生于海拔 200m 以上的山谷溪边林中、林缘，偶见。

| **采收加工** | 根秋季采挖，藤茎全年可采，洗净泥土，切片或切段，鲜用或晒干。

| **药材性状** | 本品藤茎呈椭圆形或扁圆形，直径 0.3~1.5cm。表面黑褐色或灰褐色，有棱状条纹，并伴有多数红褐色点状突起的皮孔。节明显，节间长 5~10cm。断面不平坦，皮部窄，木质部呈黄褐色，射线辐射状，导管的孔眼明显，木质部易纵向片状分离，中心髓部红褐色。气微，味淡，口尝有滑腻感。

| **功能主治** | 根：味辛，性平。清热解毒，拔脓消肿，散瘀止痛，强壮补血。用于跌打损伤、扭伤、风湿性关节炎、骨髓炎、喉痛、骨折、疖痈疔疮、肿毒、毒蛇咬伤。茎叶、全株：味淡，微涩，性平；归肝、肾经。拔毒消肿。用于痰火瘰疬、肾炎、痢疾、毒蛇咬伤。

葡萄科 | Vitaceae | 白粉藤属 | *Cissus*

翅茎白粉藤
Cissus hexangularis Thorel ex Planch.

| 中 药 名 | 六方藤（药用部位：藤茎）

| 植物形态 | 木质藤本。小枝具 6 翅棱，翅棱间有纵棱纹，常皱褶，节部干时收缩，易脆断，无毛。卷须不分枝，相隔 2 节间断与叶对生。叶卵状三角形，长 6~10cm，宽 4~8cm，先端骤尾尖，边缘有 5~8 细牙齿，基出脉常 3，叶柄长 1.5~5cm，托叶早落。花序为复二歧聚伞花序，花梗长 0.3~1mm，被乳头状腺毛；花蕾锥形，高 4~8mm，先端圆钝；萼碟形；花瓣 4，三角状长圆形，高 2.5~6mm；雄蕊 4；花盘 4 浅裂；子房下部与花盘合生，花柱钻形。果实近球形，直径 0.8~1cm，有种子 1；种子近倒卵圆形，棱脊突出，腹部中棱脊微突出，两侧洼穴极短。花期 9~11 月，果期 12 月至翌年 2 月。

翅茎白粉藤

分布区域

产于海南三亚、乐东、东方、昌江、白沙、陵水、琼中、澄迈、屯昌。亦分布于中国华南其他区域，以及福建。越南、泰国、柬埔寨也有分布。

资　源

生于低海拔林中，常见。

采收加工

秋季采收藤茎，应在离地面20cm处割取，去掉叶片，切段，鲜用或晒干。

功能主治

味辛、微苦，性凉；归肝、肾经。祛风除湿，舒筋通络，散瘀活血。用于风湿关节痛、肩背酸痛、腰肌劳损、跌打损伤。

葡萄科 Vitaceae 白粉藤属 *Cissus*

粉果藤
Cissus luzoniensis (Merr.) C. L. Li

| 中 药 名 | 粉果藤（药用部位：藤茎）

| 植物形态 | 草质藤本；小枝横切面微呈四棱形，通常被白粉。卷须二叉分枝，常其中一个分枝发育不良，较短，相隔2节间断与叶对生。叶为戟形，长5~11cm，宽2~4cm，边缘每侧有5~10锯齿，基出脉3~5，褐色托叶膜质，近肾形。花序集生成伞形，花序梗、花梗均无毛；花蕾卵圆形，萼杯形，花瓣4，三角状长圆形，高0.8~1.8mm，外面无毛；雄蕊4，花盘4浅裂。果实倒卵圆形，直径约1cm，有种子1；种子倒卵状椭圆形，表面有稀疏突出棱纹，种脊部分突出，两侧下部有呈弧形、沟状不明显的洼穴。花期5~7月，果期7~8月。

粉果藤

| 分布区域 | 产于海南三亚、乐东、东方、昌江、儋州。亦分布于中国云南。菲律宾也有分布。 |

| 资　　源 | 生于密林中，少见。 |

| 采收加工 | 秋季采收藤茎，去掉叶片，切段，鲜用或晒干。 |

| 功能主治 | 同属植物多有祛风除湿、舒筋通络的功能，本种或有类似功能，其具体作用有待进一步研究。 |

葡萄科 | Vitaceae | 白粉藤属 | *Cissus*

白粉藤 *Cissus repens* Lam.

| 中 药 名 |　独脚乌桕（药用部位：块根或全株）

| 植物形态 |　草质藤本，小枝常被白粉，无毛。卷须二叉分枝，相隔 2 节间断与叶对生。叶心状卵圆形，长 5~13cm，宽 4~9cm，先端急尖，边缘每侧有 9~12 细锐锯齿，叶柄长 2.5~7cm，无毛；托叶褐色，膜质，肾形。花序顶生，二级分枝 4~5 集生成伞形；花梗长 2~4mm；萼杯形；花瓣 4，卵状三角形；雄蕊 4，花盘微 4 裂；子房下部与花盘合生，花柱近钻形。果实倒卵圆形，长 0.8~1.2cm，宽 0.4~0.8cm，有种子 1；种子倒卵圆形，表面有稀疏突出棱纹，种脐在种子背面下面 1/4 处，种脊突出，腹部中棱脊突出，向上达种子上部的 1/3 处，两侧洼穴呈沟状，达种子上部。花期 7~10 月，果期 11 月至翌年 5 月。

白粉藤

分布区域

产于海南乐东、白沙、保亭、陵水、五指山、昌江、万宁、琼中。亦分布于中国华南其他区域，以及台湾、贵州、云南。越南、泰国、老挝、缅甸、柬埔寨、菲律宾、马来西亚、印度、尼泊尔、不丹、澳大利亚也有分布。

资　　源

生于山边旷地或沿河两岸疏林中，常见。

采收加工

秋、冬季挖取块根，洗净，切片，晒干。

功能主治

块根：味苦、微辛，性凉；归心、肾经。清热解毒，消肿止痛，强壮，补血。用于咽喉痛、疔疮、皮肤病、伤口长期溃疡不愈、蛇咬伤。全株：清热止痛，拔毒消肿。用于风湿痹痛、痰火瘰疬、肾炎水肿、痢疾、痈疮肿毒。外用于蛇伤。

葡萄科 | Vitaceae | 火筒树属 | *Leea*

火筒树 *Leea indica* (Burm. f.) Merr.

| **中 药 名** | 红吹风（药用部位：根、叶、茎髓、果实）

| **植物形态** | 直立灌木。小叶为二至三回羽状复叶，小叶椭圆形，长 6~32cm，宽 2.5~8cm，边缘有锯齿；叶柄长 13~23cm；托叶阔倒卵圆形，长 2.5~4.5cm，与叶柄合生。花序与叶对生，复二歧聚伞花序，总花梗长 1~2mm，被褐色柔毛；小总苞片椭圆披针形，苞片花后脱落；花梗长 1~2mm，被褐色短柔毛；花蕾扁圆形，萼筒坛状，萼片三角形；花冠裂片椭圆形，高 1.8~2.5mm，无毛；花冠管长 0.5~1mm，裂片长 0.1~0.2mm；雄蕊 5，子房近球形。果实扁球形，高 0.8~1mm；有种子 4~6。花期 4~7 月，果期 8~12 月。

| **分布区域** | 产于海南三亚、乐东、昌江、白沙、保亭、陵水、万宁、儋州、澄迈、

火筒树

琼海、屯昌、东方。亦分布于中国华南其他区域，以及贵州、云南。越南、泰国、老挝、缅甸、柬埔寨、菲律宾、马来西亚、印度尼西亚、印度、不丹、尼泊尔、斯里兰卡、太平洋诸岛至澳大利亚也有分布。

| 资 源 | 生于低海拔至中海拔的疏林中，常见。

| 采收加工 | 根：秋、冬季采挖，洗净，切片，晒干。叶：全年或夏、秋季采收，鲜用或晒干。

| 功能主治 | 根、叶：味辛，性凉。清热解毒。外用于疮疡肿毒。茎髓、果实：用于枪弹头入肉。

葡萄科　Vitaceae　火筒树属　*Leea*

窄叶火筒树
Leea longifolia Merr.

| 中 药 名 | 窄叶火筒树（药用部位：根、叶）

| 植物形态 | 直立灌木。叶为二至三回羽状复叶，小叶条状披针形，长 4.5~24cm，宽 0.8~3cm，边缘有波状锯齿；小叶基出脉 3，叶柄长 18~25cm，顶生小叶柄长 0.4~5cm，侧生小叶柄长 0.4~1cm，无毛，托叶早落。花序疏散，顶生；总花梗和花梗被短柔毛。果实扁圆形，直径 0.6~0.8cm，有种子 4~6。果期 10 月至翌年 2 月。

| 分布区域 | 产于海南三亚、乐东、东方、昌江。

| 资　源 | 生于山坡灌丛，少见。

窄叶火筒树

| **采收加工** | 根：秋、冬季采挖，洗净，切片，晒干。叶：全年或夏、秋季采收，鲜用或晒干。

| **功能主治** | 暂无资料表明本种植物可药用，但同属植物火筒树有清热解毒的功能，本种功能有待进一步研究。

葡萄科 Vitaceae 崖爬藤属 *Tetrastigma*

三叶崖爬藤
Tetrastigma hemsleyanum Diels et Gilg

| 中 药 名 | 蛇附子（药用部位：块根）

| 植物形态 | 草质藤本，卷须不分枝，相隔 2 节间断与叶对生。叶为 3 小叶，小叶披针形，长 3~10cm，宽 1.5~3cm，先端渐尖，边缘每侧有 4~6 个锯齿；叶柄长 2~7.5cm。花序腋生，长 1~5cm，下部有节，节上有苞片，二级分枝通常 4，集生成伞形，花二歧状着生在分枝末端；花序梗长 1.2~2.5cm，被短柔毛；花梗长 1~2.5mm，通常被灰色短柔毛；花蕾卵圆形，高 1.5~2mm；萼碟形，萼齿卵状三角形；花瓣 4，卵圆形，高 1.3~1.8mm，先端有小角；雄蕊 4，花药黄色；花盘 4 浅裂；子房陷在花盘中呈短圆锥状，花柱柱头 4 裂。果实近球形，直径约 0.6cm，

三叶崖爬藤

有种子 1；种子倒卵状椭圆形，种脐在种子背面中部向上呈椭圆形，腹面两侧洼穴呈沟状，从下部近 1/4 处向上斜展，达种子先端。花期 4~6 月，果期 8~11 月。

分布区域

产于海南白沙、万宁。亦分布于中国华南其他区域，以及湖南、江西、福建、台湾、浙江、湖北、江苏、贵州、云南、四川、重庆。印度也有分布。

资　　源

生于山坡灌丛、山谷或溪边林下岩石缝中，常见。

采收加工

冬季采挖根部，除去泥土，洗净，切片，鲜用或晒干。

药材性状

块根呈纺锤形、卵圆形、葫芦形或椭圆形，一般长 1.5~6cm，直径 0.7~2.5cm。表面棕褐色，多数较光滑，或有皱纹和少数皮孔状的小瘤状隆起，有时还有凹陷，其内残留棕褐色细根。质硬而脆，断面平坦而粗糙，类白色，粉性，可见棕色形成层环。气无，味甘。

功能主治

味苦、辛，性凉；归肺、心、肝、肾经。清热解毒，活血祛风。用于高热惊厥、肺炎、哮喘、肝炎、风湿、月经不调、咽痛、瘰疬、痈疔疮疖、跌打损伤。

葡萄科 Vitaceae 崖爬藤属 Tetrastigma

厚叶崖爬藤
Tetrastigma pachyphyllum (Hemsl.) Chun

| 中 药 名 | 厚叶崖爬藤（药用部位：茎、叶）

| 植物形态 | 木质藤本，茎扁平，多瘤状突起。小枝常疏生瘤状突起，无毛。卷须不分枝，相隔 2 节间断与叶对生。叶为鸟足状 5 小叶，小叶倒卵形，长 4~10cm，宽 2~4cm，边缘每侧有 4~5 疏锯齿。花序为复二歧聚伞花序，腋生，长 9.5~10cm，下部有节，节上有苞片；花序梗、花梗被短柔毛，花梗有瘤状突起；花蕾长椭圆形，高约 2mm；萼碟形，萼齿外面被乳突状毛；花瓣 4，卵椭圆形，高约 1.8mm，先端有短而钝的小角，外面被乳突状毛；雄蕊 4，在雌花内退化呈鳞片状；花盘在雌花中不明显；子房长圆锥形，花柱柱头 4 裂。果实球形，

厚叶崖爬藤

直径 1~1.8cm，有种子 1~2；种子椭圆形，种脐从基部达种子先端，腹面中棱脊突出，两侧洼穴呈沟状，从中部向上斜展，达种子先端。花期 4~7 月，果期 5~10 月。

分布区域

产于海南三亚、东方、昌江、白沙、五指山、保亭、陵水、万宁、儋州、澄迈、海口。亦分布于中国广东。越南、老挝也有分布。

资　　源

生于低海拔林中或山坡灌丛，十分常见。

采收加工

全年可采，晒干或鲜用。

功能主治

茎：消肿，驱风。叶：外用于跌打损伤。

葡萄科 Vitaceae　崖爬藤属 Tetrastigma

海南崖爬藤
Tetrastigma papillatum (Hance) C. Y. Wu

| 中 药 名 | 海南崖爬藤（药用部位：全株）

| 植物形态 | 木质藤本，卷须不分枝，相隔 2 节间断与叶对生。叶为 3 小叶，小叶长椭圆形，长 6~13cm，宽 3~6cm，先端短尾尖，边缘每侧有 5~11 个锯齿。花序长 2.5~9.5cm，腋生，下部有节，节上有苞片，二级分枝 4，集生成伞状，三级以后分枝成二歧状；花序梗、花梗被短柔毛；花蕾卵圆形，高 1.5~2mm；萼浅碟形，边缘呈波状，外面被乳突状毛；花瓣 4，卵圆形，高 1.3~1.8mm，先端有小角，被乳突状毛；雄蕊 4，花药黄色，在雌花内雄蕊败育，花药呈龟头状；花盘 4 浅裂；子房下部与花盘合生，花柱柱头 4 裂。果实球形，直径约 0.8cm，有种子 2；种子卵圆形，表面光滑，种脐在背面中部呈狭带形，背棱脊在上部突出，腹部平，中棱脊突出，两侧洼穴分化不明显。花期 3 月，果期 8 月。

海南崖爬藤

| **分布区域** | 产于海南三亚、乐东、东方、白沙、澄迈、海口。亦分布于中国华南其他区域。

| **资　　源** | 生于山谷林中，常见。

| **采收加工** | 全年可采，鲜用或晒干。

| **功能主治** | 用于骨折、疔疮。

葡萄科　Vitaceae　崖爬藤属　*Tetrastigma*

扁担藤 *Tetrastigma planicaule* (Hook. f.) Gagnep.

| **中 药 名** |　扁藤（药用部位：藤茎、根、叶）

| **植物形态** |　木质大藤本，茎扁压，深褐色。卷须不分枝，相隔 2 节间断与叶对生。叶为掌状 5 小叶，小叶长圆披针形，长 9~16cm，宽 3~6cm，先端渐尖，边缘每侧有 5~9 不明显锯齿；中央小叶柄比侧生小叶柄长 2~4 倍。花序腋生，长 15~17cm，下部有节，节上有褐色苞片，二级和三级分枝均为 4 个，集生成伞形；花蕾卵圆形，高 2.5~3mm；萼浅碟形，齿外面被乳突状毛；花瓣 4，卵状三角形，高 2~2.5mm，先端呈风帽状，外面顶部疏被乳突状毛；雄蕊 4，花丝丝状，花药黄色，在雌花内雄蕊败育，花药呈龟头形；花盘 4 浅裂，在雌花内呈环状，子房基部被扁平乳突状毛，花柱不明显，柱头 4 裂，裂片外折。果实近球形，直径 2~3cm，多肉质，有种子 1~2；种子长椭圆形，种脐在背面中

扁担藤

部呈带形，达种子先端，腹部中棱脊扁平，两侧洼穴呈沟状，从基部向上接近中部时斜向外伸展，达种子先端。花期4~6月，果期8~12月。

分布区域

产于海南乐东、昌江、白沙、五指山、保亭、陵水、万宁、琼中、定安。亦分布于中国华南其他区域，以及福建、贵州、云南、西藏。越南、老挝、印度、斯里兰卡也有分布。

资 源

生于山谷林中或山坡石缝中，十分常见。

采收加工

藤茎及根：于秋、冬季采挖，洗净，切片，鲜用或晒干。叶：夏、秋季采摘，多鲜用。

功能主治

藤茎及根：味酸、涩，性平；归肝经。祛风燥湿。用于风湿性腰腿痛、半身不遂、肌肉风湿痛。叶：味辛、酸，性平；归心、肝经。生肌敛疮。用于下肢溃疡、外伤。

葡萄科 Vitaceae 崖爬藤属 Tetrastigma

毛脉崖爬藤 *Tetrastigma pubinerve* Merr. et Chun

| 中 药 名 | 毛脉崖爬藤（药用部位：叶或全株）

| 植物形态 | 木质藤本，小枝干时有横皱纹。卷须不分枝，相隔 2 节间断与叶对生。叶为鸟足状 5 小叶，中央小叶先端急尖，边缘每侧有 6~8 锯齿，侧生小叶边缘每侧有 4~7 锯齿。花序腋生，下部有节，节上有苞片，二级分枝 4，集生成伞形，三级分枝呈二歧状；花序梗、花梗被短柔毛；花蕾倒卵圆形，高 2.5~3.5mm，先端近截形；萼浅碟形，萼齿外被乳突状毛；花瓣 4，椭圆形，高 2~3mm，先端有小角，外面被乳突状毛；雄蕊 4，花药黄色，花盘在雌花中呈环状；子房锥形，花柱柱头 4 裂。果实近球形，直径 1~1.2cm，有种子 2；种子倒卵圆形，种脐呈狭带形，在种子基部向上几达种子先端，腹面中棱脊不明显，两侧洼穴呈沟状，从中部向上斜展，达种子先端。花期 6 月，果期 8~10 月。

毛脉崖爬藤

| 分布区域 | 产于海南三亚、保亭、万宁、琼中。亦分布于中国华南其他区域。越南、柬埔寨也有分布。 |

| 资　　源 | 生于溪边林中，偶见。 |

| 采收加工 | 全年可采，晒干或鲜用。 |

| 功能主治 | 叶：用于刀伤。全株：用于跌打损伤。 |

葡萄科 Vitaceae ｜ 葡萄属 ｜ Vitis

葛藟葡萄 *Vitis flexuosa* Thunb.

| 中 药 名 |　葛藟（药用部位：藤汁、果实）

| 植物形态 |　木质藤本，嫩枝疏被蛛丝状绒毛。卷须二叉分枝，每隔 2 节间断与叶对生。叶卵形，长 2.5~12cm，宽 2.3~10cm，先端急尖，边缘每侧有 5~12 锯齿；托叶早落。圆锥花序与叶对生，花序梗长 2~5cm，花梗长 1.1~2.5mm，花蕾倒卵圆形，高 2~3mm；萼浅碟形，边缘呈波状浅裂，无毛；花瓣 5，呈帽状黏合脱落；雄蕊 5，花丝丝状，花药黄色，在雌花内败育；花盘 5 裂；雌蕊 1，在雄花中退化。果实球形，直径 0.8~1cm；种子倒卵状椭圆形，种脐在种子背面中部呈狭长圆形，种脊微突出，表面光滑，腹面中棱脊微突起，两侧洼穴宽沟状，向上达种子的 1/4 处。花期 3~5 月，果期 7~11 月。

葛藟葡萄

分布区域	产于海南白沙、五指山。亦分布于中国华南其他区域，以及湖南、江西、福建、台湾、安徽、浙江、河南、山东、江苏、贵州、云南、四川、甘肃、陕西。越南、泰国、老挝、菲律宾、印度、日本也有分布。
资　　源	生于海拔 100m 以上的山坡或山地路旁，偶见。
采收加工	藤汁：夏、秋季砍断茎藤，取汁，鲜用。果实：夏、秋季果实成熟时采收，鲜用或晒干。
功能主治	藤汁：味甘，性平；归肺、胃经。补五脏，续筋骨，益气，止渴。果实：味甘，性平；归肺、胃经。润肺止咳，清热凉血，消食。用于咳嗽、吐血、食积。

葡萄科 ▎Vitaceae ▎葡萄属 ▎*Vitis*

绵毛葡萄
Vitis retordii Roman. du Caill. ex Planch.

| 中 药 名 | 绵毛葡萄（药用部位：根）

| 植物形态 | 木质藤本，小枝被褐色长绒毛。卷须二叉分枝，每隔 2 节间断与叶对生。叶卵圆形，长 6~15cm，宽 4~11cm，边缘每侧有 19~43 尖锐锯齿，上面密生短柔毛，下面为褐色绵毛状长绒毛所覆盖；叶柄长1.5~9cm，密被蛛丝状褐色绒毛；托叶膜质，褐色。花杂性异株，圆锥花序与叶对生，花序梗常被褐色绒毛；花蕾高 1.2~1.5mm，萼碟形，高 1.5mm；花瓣 5，呈帽状黏合脱落；雄蕊 5，在雌花内雄蕊显著短而败育；花盘发达，5 裂；雌蕊 1。果实球形，直径约 0.8cm；种子倒卵状椭圆形，种脐在种子背面中部呈卵椭圆形，每侧有 3~4 横肋纹，腹面中棱脊突起，两侧洼穴狭窄呈条形，向上达种子的 1/3 处，每侧有 2~3 横肋纹。花期 5 月，果期 6~7 月。

绵毛葡萄

| **分布区域** | 产于海南乐东、琼中。亦分布于中国华南其他区域，以及贵州。越南、老挝也有分布。

| **资　　源** | 生于山坡、沟谷疏林或灌丛中，少见。

| **采收加工** | 秋、冬季挖根，洗净，切片，晒干。

| **功能主治** | 用于风湿关节痛、跌打损伤。

葡萄科 Vitaceae 葡萄属 Vitis

葡萄 *Vitis vinifera* L.

| 中 药 名 | 葡萄（药用部位：果实、根、叶）

| 植物形态 | 木质藤本。卷须二叉分枝，每隔 2 节间断与叶对生。叶卵圆形，显著 3~5 浅裂或中裂，长 7~18cm，宽 6~16cm，边缘有 22~27 锯齿；托叶早落。圆锥花序多花，与叶对生；花梗长 1.5~2.5mm，无毛；花蕾倒卵圆形，萼浅碟形，边缘呈波状；花瓣 5，呈帽状黏合脱落；雄蕊 5，花药黄色，在雌花内雄蕊显著短而败育；花盘发达，5 浅裂；雌蕊 1，在雄花中完全退化，柱头扩大。果实球形，直径 1.5~2cm；种子倒卵状椭圆形，种脐在种子背面中部呈椭圆形，种脊微突出，腹面中棱脊突起，两侧洼穴宽沟状，向上达种子的 1/4 处。花期 4~5 月，果期 8~9 月。

葡萄

分布区域	海南各地有栽培。原产于亚洲西部。
资　源	栽培，常见。
采收加工	果实、叶：夏、秋季采收。根：秋季挖取根部，洗净，切片，鲜用或风干。
功能主治	果实：味甘、酸，性平；归肺、脾、肾经。补气血，强筋骨，利小便。用于气血虚弱、肺虚咳嗽、心悸盗汗、淋证、水肿。根：味甘，性平；归肺、肾、膀胱经。用于风湿痹痛、肿胀、小便不利。藤叶：味甘，性平；归肺、肾、膀胱经。用于水肿、小便不利、目赤、痈肿。
附　注	种子提取物在美国可用于降低低密度脂蛋白胆固醇。

葡萄科 Vitaceae 葡萄属 Vitis

小果葡萄 *Vitis balanseana* Planch.

| 中 药 名 | 小果葡萄（药用部位：根皮、茎叶）

| 植物形态 | 木质藤本。卷须二叉分枝，每隔2节间断与叶对生。叶心状卵圆形，长4~14cm，宽3.5~9.5cm，边缘每侧有细牙齿16~22，微呈波状；托叶褐色。圆锥花序与叶对生，长4~13cm，花蕾倒卵圆形，高1~1.4mm；萼碟形，花瓣5，呈帽状黏合脱落；雄蕊5，在雄花内花丝细丝状，在雌花内雄蕊比雌蕊短，败育；花盘发达，5裂，高0.3~0.4mm；雌蕊1。果实球形，成熟时紫黑色，直径0.5~0.8cm；种子倒卵状长圆形，种脐呈椭圆形，腹面中棱脊突出，两侧洼穴呈沟状下凹，向上达种子的1/3处。花期2~8月，果期6~11月。

小果葡萄

| **分布区域** | 产于海南三亚、乐东、白沙、万宁、琼中、儋州、澄迈、海口。亦分布于中国华南其他区域。越南也有分布。 |

| **资　　源** | 生于海拔 250~800m 的沟谷阳处，攀缘于树上，十分常见。 |

| **采收加工** | 秋、冬季挖取根部，洗净，剥取根皮，切片，鲜用或晒干。 |

| **功能主治** | 根皮：舒筋活血，清热解毒，生肌利湿。用于骨折、风湿瘫痪、劳伤、无名肿毒、赤痢。茎叶：解毒，止痛，消肿。 |

芸香科 Rutaceae 山油柑属 *Acronychia*

山油柑

Acronychia pedunculata (L.) Miq.

| 中 药 名 | 山油柑（药用部位：果实、心材、根）

| 植物形态 | 树高 5~15m。树皮灰白色至灰黄色，平滑，不开裂，内皮淡黄色，剥开时有柑橘叶香气，当年生枝通常中空。叶有时呈略不整齐对生，单小叶。叶片椭圆形至长圆形，或倒卵形至倒卵状椭圆形，长7~18cm，宽 3.5~7cm，或有较小的，全缘；叶柄长 1~2cm，基部略增大呈叶枕状。花两性，黄白色，直径 1.2~1.6cm；花瓣狭长椭圆形，花开放初期，花瓣的两侧边缘及先端略向内卷，盛花时则向背面反卷且略下垂，内面被毛，子房被疏或密毛，极少无毛。果序下垂，果实淡黄色，半透明，近圆球形而略有棱角，直径 1~1.5cm，顶部平坦，中央微凹陷，有 4 浅沟纹，富含水分，味清甜，有 4 小核，每个小核有 1 种子；种子倒卵形，长 4~5mm，厚 2~3mm，种皮褐黑色、骨质，

山油柑

胚乳小。花期 4~8 月，果期 8~12 月。

| 分布区域 | 产于海南三亚、乐东、昌江、白沙、五指山、保亭、万宁、儋州、澄迈、定安、屯昌、琼海、文昌。亦分布于中国华南其他区域，以及福建、台湾、云南。越南、泰国、老挝、缅甸、柬埔寨、菲律宾、马来西亚、印度尼西亚、印度、不丹、斯里兰卡、巴布亚新几内亚也有分布。

| 资　　源 |

生于低海拔至中海拔疏林中，十分常见。

| 采收加工 |

果实秋、冬季采收，用开水烫透，晒干。

| 功能主治 |

果实：味甘，性平；归脾经。助消化，平喘。
用于风湿关节痛、感冒咳嗽。心材、根：行气
活血，健脾止咳。用于感冒咳嗽、胃痛、疝气痛、
食欲不振、消化不良、腹痛、刀伤出血、跌打
肿痛。

芸香科 Rutaceae 酒饼簕属 Atalantia

酒饼簕
Atalantia buxifolia (Poir.) Oliv.

| 中 药 名 | 东风橘（药用部位：根）

| 植物形态 | 灌木，下部枝条披垂，刺多，先端红褐色。叶硬革质，有柑橘叶香气，卵形，长2~6cm，宽1~5cm，先端凹入，油点多；叶柄长1~7mm，粗壮。花多朵簇生，萼片及花瓣均5；花瓣白色，长3~4mm，有油点；雄蕊10，花丝白色，分离；花柱约与子房等长，绿色。果实圆球形，直径8~12mm，果皮平滑，有稍突起的油点，熟透时蓝黑色，果萼宿存，有少数无柄的汁胞，汁胞扁圆、多棱、半透明、紧贴室壁，合黏胶质液，有种子2或1；种皮薄膜质，子叶厚、肉质、绿色、多油点，通常单胚。花期5~12月，果期9~12月，常在同一植株上花、果并茂。

酒饼簕

分布区域

产于海南三亚、乐东、东方、琼中、白沙、琼海、文昌、海口、昌江。亦分布于中国华南其他区域，以及福建、台湾、云南。越南、菲律宾、马来西亚也有分布。

资　源

生于低海拔疏林中，十分常见。

采收加工

全年均可采，根洗净、切片、晒干，叶阴干。

功能主治

味辛、苦，微温。祛瘀止痛，顺气化痰，接骨。用于外感风寒、咳嗽、胃痛、胃溃疡、风湿关节痛、跌打损伤、骨折、疟疾、时行感冒。

芸香科 Rutaceae 酒饼簕属 *Atalantia*

广东酒饼簕 *Atalantia kwangtungensis* Merr.

| **中 药 名** | 广东酒饼簕（药用部位：根、叶）

| **植物形态** | 灌木。单叶，叶片椭圆形，长 11~21cm，宽 3~6cm，边缘波浪状，对光透视时油点明显。花生于长不过 5mm 的总花梗上，腋生；萼片及花瓣均 4；花瓣长 3~5mm，白色；雄蕊 8，两两合生成 4 束，或有时个数在中部以下合生；花柱约与子房等长，柱头稍微增大。果实幼嫩时长卵形，成熟时阔卵形或橄榄状，很少圆球形，鲜红色，长 1.3~1.8cm，横径 0.7~1cm（圆球形的其直径达 1.5cm），果皮厚约 0.5mm，平滑，油点大，有种子 1~3；种子长卵形，长 1~1.5cm，种皮薄膜质，单胚。花期 6~7 月，果期 11 月至翌年 1 月。

广东酒饼簕

| **分布区域** | 产于海南三亚、乐东、保亭、陵水、琼中、定安、万宁。亦分布于中国华南其他区域。

| **资　　源** | 生于林中，少见。

| **采收加工** | 全年均可采，挖根，洗净，切片，晒干备用。

| **功能主治** | 味辛、微苦，性温。祛风解表，化痰止咳，行气止痛。用于疟疾、感冒头痛、咳嗽、风湿痹痛、胃脘寒痛、牙痛。

芸香科 Rutaceae 柑橘属 *Citrus*

酸 橙
Citrus aurantium L.

| 中 药 名 | 枳壳（药用部位：未成熟果实），枳实（药用部位：幼果）

| 植物形态 | 小乔木，枝叶茂密，刺多。叶色浓绿，质颇厚，翼叶倒卵形，基部狭尖，长 1~3cm，宽 0.6~1.5cm。总状花序有花少数，有单性花倾向，即雄蕊发育，雌蕊退化；花蕾椭圆形；花萼 5 或 4 浅裂；花大小不等；雄蕊 20~25，通常基部合生成多束。果实圆球形，果皮厚，难剥离，橙黄至朱红色，油胞大小不均匀，瓤囊 10~13，果肉味酸；种子多且大，常有肋状棱，子叶乳白色，单或多胚。花期 4~5 月，果期 9~12 月。

| 分布区域 | 海南有栽培记录。中国秦岭以南各地亦有栽培或逸为野生。原产于亚洲东南部热带、亚热带地区。

酸橙

| 资　源 |

栽培量一般。

| 采收加工 |

种子繁殖在栽后 8~10 年开花结果，嫁接苗栽后4~5 年结果。于 5~6 月间采摘幼果或待其自然脱落后拾其幼果，大者横切成两半，晾干。

| 功能主治 |

未成熟果实：味苦、辛，性微寒。归脾、胃、大肠经。理气宽中，行滞消胀。用于胸胁气滞、胃脘痛、食积不化、痰饮内停、脱肛、阴挺。幼果：破气消积，化痰散痞。用于积滞内停、脾滞胀痛、泻痢后重、大便不通、痰滞气阻、胸痹、胃脘胀痛、脱肛、阴挺。

芸香科 Rutaceae 柑橘属 Citrus

柠 檬 *Citrus limon* (L.) Burm. f.

柠檬

| 中 药 名 |

柠檬（药用部位：根、果实）

| 植物形态 |

小乔木，枝少刺。嫩叶及花芽暗紫红色，翼叶宽或狭，叶片厚纸质，卵形，长8~14cm，宽4~6cm，边缘有明显钝裂齿。单花腋生或少花簇生；花萼杯状，4~5浅齿裂；花瓣长1.5~2cm，外面淡紫红色，内面白色；常有单性花，即雄蕊发育，雌蕊退化；雄蕊20~25或更多；子房近筒状。果实椭圆形，两端狭，顶部通常较狭长并有乳头状突尖，果皮厚，通常粗糙，柠檬黄色，难剥离，富含柠檬香气的油点，瓢囊8~11，汁胞淡黄色，果汁酸至甚酸，种子小，卵形；种皮平滑，子叶乳白色，通常单胚。花期4~5月，果期9~11月。

| 分布区域 |

产于海南乐东、白沙、保亭、万宁、澄迈、定安、琼海、南沙群岛。中国南部各地亦有栽培。世界热带、亚热带地区也有栽培。

| 资 源 |

栽培，常见。

｜采收加工｜

一年四季开花，春、夏、秋季均能结果，以春果为主。春花果 11 月成熟；夏花果 12 月至翌年 1 月成熟；秋花果翌年 5~6 月成熟。待果实呈黄绿色时，分批采摘，再用乙烯进行催熟处理，使果皮变黄，鲜用或切片晒干。

｜功能主治｜

根：味酸、甘，性凉；归胃、肺经。行气止痛，解毒疗伤，止咳平喘。用于胃痛、疝气痛、咳嗽、跌打损伤、筋骨疼痛、狂犬咬伤。果实：化痰止咳，生津健胃，祛暑，安胎。用于咳嗽、顿咳、百日咳、食欲不振、维生素 C 缺乏症、中暑烦渴。

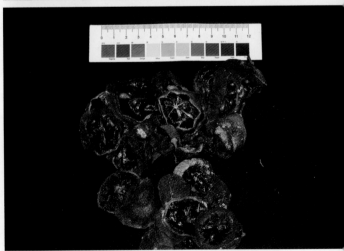

芸香科 Rutaceae 柑橘属 Citrus

枸 橼
Citrus medica L.

| 中 药 名 | 香橼（药用部位：果实、叶、根）

| 植物形态 | 灌木或小乔木，新生嫩枝、芽及花蕾均暗紫红色，茎枝多刺，刺长达 4cm。单叶，叶片椭圆形，长 6~12cm，宽 3~6cm。总状花序有花达 12，有时兼有腋生单花；花两性，花瓣 5，长 1.5~2cm；雄蕊 30~50；子房圆筒状。果实椭圆形，重可达 2000g，果皮淡黄色，粗糙，难剥离，内皮白色，棉质，瓤囊 10~15，果肉无色，近于透明，味酸，有香气；种子小，平滑，子叶乳白色。花期 4~5 月，果期 10~11 月。

| 分布区域 | 产于海南乐东、保亭、琼中。中国华南其他区域，以及贵州、云南、四川、西藏亦有栽培或有时逸为野生。原产于缅甸、印度。

枸橼

| 资　　源 |

栽培，常见。

| 采收加工 |

定植后 4~5 年结果，9~10 月果实变黄成熟时采摘，用糠壳堆 1 个星期，待皮变金黄色后，切成 1cm 厚，摊开暴晒；遇雨天可烘干。

| 药材性状 |

果实为圆形或长圆形片，直径 3~10cm，厚 2~5mm。横切面边缘略呈波状，外果皮黄绿色或浅橙黄色，散有凹入的油点；中果皮厚 1.5~3.5cm，黄白色，较粗糙，有不规则的网状突起。囊 10~15 瓣，有时可见棕红色皱缩的汁胞残留；种子 1~2。中轴明显，宽至 1.2cm。质柔韧。气清香，味微甜而苦、辛。

| 功能主治 |

果实：疏肝理气，宽中化痰，止呕逆。用于胸闷胀满、胃痛、痰多咳嗽、食欲不振、肝郁气滞、消化不良、恶心呕吐。叶：用于伤寒咳嗽、腹胀。根：理气消胀。用于胃腹胀痛、风痰咳嗽、小儿疝气。

芸香科 Rutaceae 柑橘属 Citrus

佛手

Citrus medica L. var. *sarcodactylis* Swingle

| 中药名 | 佛手柑（药用部位：果实、花、根）

| 植物形态 | 各器官形态与香橼难以区别。但子房在花住脱落后即行分裂，在果实的发育过程中成为手指状肉条，果皮甚厚，通常无种子。花果期与香橼同。

| 分布区域 | 产于海南儋州。中国华南其他区域，以及福建、浙江、云南、四川等地有栽培。

| 资　源 | 栽培量较少。

| 采收加工 | 栽培 4~5 年开花结果，分批采收，多于晚秋果皮由绿变浅黄绿色时，用剪刀剪下，选晴天，将果实顺切成 4~7mm 的薄片，晒干或烘干。

佛手

| 药材性状 |

果实卵形或长圆形，先端裂瓣如拳或指状，常
皱缩或卷曲。外表面橙黄色、黄绿色或棕绿色，
密布凹陷的窝点，有时可见细皱纹。内表面类
白色，散有黄色点状或纵横交错的维管束。质
硬而脆，受潮后柔软。气芳香，果皮外部味辛、
微辣，内部味甘而后苦。以皮黄肉白、香气浓
郁者为佳。

| 功能主治 |

果实：味苦、辛，性温；归肝、胃、脾、肺经。
疏肝理气，和胃止痛，祛痰，解渴。用于肝气郁结、
胃气痛、胸闷咳嗽、痰多、嗳气少食、消化不良、
呕吐、噎膈、瘰疬。花：理气，散瘀。用于肝
胃气痛、月经不调。根：顺气止痛。用于男子
下消、四肢酸软。

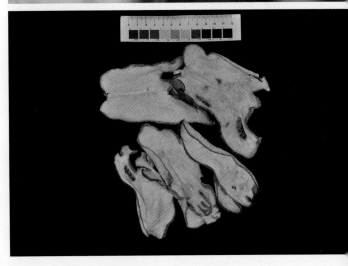

芸香科 Rutaceae 柑橘属 Citrus

柑 橘
Citrus reticulata Blanco

| 中 药 名 | 柑橘（药用部位：果皮及其外层）

| 植物形态 | 小乔木，刺较少。单身复叶，翼叶通常狭窄，叶片披针形、椭圆形，大小变异较大。花单生；花萼不规则 3~5 浅裂；花瓣长通常在 1.5cm 以内；雄蕊 20~25。果形种种，果皮甚薄而光滑，易剥离，橘络甚多或较少，呈网状，易分离，通常柔嫩，中心柱大而常空，稀充实，瓢囊 7~14，囊壁薄，汁胞通常纺锤形，短而膨大；种子通常卵形，子叶深绿，合点紫色。花期 4~5 月，果期 10~12 月。

| 分布区域 | 产于海南三亚、乐东、文昌、西沙群岛等地，栽培。中国秦岭以南各地亦有栽培。原产于东南亚，现世界各地广泛栽培。

柑橘

| **资　　源** | 栽培，常见。

| **采收加工** | 待果实长到一定程度后采收，晒干备用。或果实成熟时采收，剥取果皮及其外层，取出种子，晒干。

| **功能主治** | 成熟的果皮：理气健脾，燥湿化痰。用于胸脘胀满、食少吐泻、咳嗽痰多。幼果：疏肝理气，消积化滞。用于胸胁胀痛、疝气、乳核、乳痈、食积腹痛。成熟果皮的外层：散寒燥湿，利气消痰。用于风寒咳嗽、喉痒痰多、食积伤酒、呕恶痞闷。种子：理气散结，止痛。用于小肠疝气。

芸香科 Rutaceae 柑橘属 Citrus

柚
Citrus maxima (Burm.) Merr.

| 中 药 名 | 柚（药用部位：外层果皮、根、叶、种子）

| 植物形态 | 乔木。嫩枝、叶背、花梗、花萼及子房均被柔毛，嫩叶通常暗紫红色，嫩枝扁且有棱。叶质颇厚，阔卵形，连翼叶长 9~16cm，宽 4~8cm。总状花序，花蕾淡紫红色；花萼不规则 3~5 浅裂；花瓣长 1.5~2cm；雄蕊 25~35，有时部分雄蕊不育。果实圆球形，横径通常 10cm 以上，淡黄或黄绿色，果皮甚厚，海绵质，油胞大，突起，瓤囊 10~15；种子多达 200 余粒，有明显纵肋棱，子叶乳白色，单胚。花期 4~5 月，果期 9~12 月。

柚

| 分布区域 | 产于海南三亚、乐东、五指山、万宁、儋州、南沙群岛。长江以南各地亦常见栽培或逸为野生。原产于亚洲东南部。

| 资　　源 | 栽培，常见。

| 采收加工 | 10~11 月果实成熟时采收，鲜用。

| 功能主治 | 外层果皮：味甘、酸，性寒。宽中理气，化痰消食，止咳平喘。用于气郁胸闷、脘腹冷痛、食积、泻痢、咳喘、疝气。根：用于肺痨。叶：解毒消肿。用于头风、乳痈、乳蛾。种子：用于疝气痛、子痈。

芸香科 Rutaceae 黄皮属 Clausena

假黄皮 *Clausena excavata* Burm. f.

| 中 药 名 | 假黄皮（药用部位：全株或叶）

| 植物形态 | 灌木，小枝及叶轴均密被向上弯的短柔毛，散生微突起的油点。小叶 21~27，斜卵形，长 2~9cm，宽 1~3cm，边缘波浪状；小叶柄长 2~5mm。花序顶生；花蕾圆球形；苞片对生，细小；花瓣白或淡黄白色，长 2~3mm；雄蕊 8，长短相间，花丝中部曲膝状，花药在药隔上方有 1 油点；子房上角四周各有 1 油点，密被灰白色长柔毛。果实椭圆形，长 12~18mm，宽 8~15mm，成熟时由暗黄色转为淡红至朱红色，有种子 1~2。花期 4~5 月及 7~8 月，盛果期 8~10 月。

假黄皮

分布区域

产于海南乐东、昌江、白沙、五指山、保亭、万宁、澄迈、东方、陵水。亦分布于中国华南其他区域，以及福建、台湾、云南。越南、泰国、老挝、柬埔寨、缅甸、马来西亚、印度尼西亚、印度、孟加拉国、不丹、尼泊尔也有分布。

资　源

生于低海拔山坡灌丛或疏林中，常见。

采收加工

全年皆可采收，鲜用或晒干。

功能主治

全株：接骨，散瘀，祛风湿。用于胃脘冷痛、关节痛。叶：疏风解表，散寒截疟。用于风寒感冒、腹痛、疟疾、扭伤、毒蛇咬伤。

芸香科 Rutaceae 黄皮属 Clausena

黄 皮

Clausena lansium (Lour.) Skeels

黄皮

中药名

黄皮（药用部位：根、树皮、叶、果实、果皮、种子）

植物形态

小乔木，小枝、叶轴、花序轴，尤以未张开的小叶背脉上散生甚多明显突起的细油点且密被短直毛。叶有小叶 5~11，小叶卵形，常一侧偏斜，长 6~14cm，宽 3~6cm，边缘波浪状，小叶柄长 4~8mm。圆锥花序顶生；花蕾圆球形，有 5 稍突起的纵脊棱；花萼裂片阔卵形，长约 1mm，外面被短柔毛，花瓣长圆形，长约 5mm，两面被短毛或内面无毛；雄蕊 10，长短相间，子房密被直长毛，花盘细小，子房柄短。果实圆形，长 1.5~3cm，宽 1~2cm，淡黄至暗黄色，被细毛，果肉乳白色，半透明，有种子 1~4；子叶深绿色。花期 4~5 月，果期 7~8 月。

分布区域

产于海南三亚、乐东、白沙、万宁、琼中、儋州、澄迈、文昌。亦分布于中国华南其他区域，以及福建、台湾、贵州、云南、四川。越南也有分布。

| 资　　源 |

栽培，常见。

| 采收加工 |

春、夏季采收，鲜用或晒干。

| 功能主治 |

根：味苦、辛，性温。消肿止痛，利小便。用于黄疸、疟疾、预防时行感冒。树皮：清风，祛疳积，散热积，通小便。叶：疏风解表，除痰行气。用于温病身热、咳嗽哮喘、气胀腹痛、黄肿、疟疾、小便淋痛、热毒疥癞。果实：消食，理气，化痰。用于食欲不振、胸膈满痛、痰饮咳喘。果皮及种子：消肿。

芸香科 Rutaceae 黄皮属 Clausena

光滑黄皮 *Clausena lenis* Drake

| 中 药 名 | 小麻木（药用部位：叶）

| 植物形态 | 灌木，小枝的髓部颇大，海绵质。小叶 9~15，小叶斜卵形，位于中部或有时中部稍上的最大，叶缘有明显的裂齿，薄纸质，油点干后通常暗褐色至褐黑色。花序顶生；花蕾卵形，萼裂片及花瓣均5，萼裂片卵形，长约 1mm；花瓣白色，基部淡红或暗黄色，长4~5mm；雄蕊 10，花线甚短，花柱比子房长达 2 倍。果实圆球形，稀阔卵形，直径约 1cm，成熟时蓝黑色，有种子 1~3。花期 4~6 月，果期 9~10 月。

光滑黄皮

| 分布区域 | 产于海南三亚、乐东、保亭。亦分布于中国华南其他区域,以及云南。越南、泰国、老挝也有分布。 |

| 资　　源 | 生于海拔 500~900m 的山地林中,偶见。 |

| 采收加工 | 全年均可采收,鲜用或晒干。 |

| 功能主治 | 味辛,性凉。解表散热,顺气化痰。用于感冒、流行性感冒、支气管炎。 |

芸香科 Rutaceae 吴茱萸属 Evodia

楝叶吴萸
Evodia glabrifolia (Champ. ex Benth.) Huang

| **中 药 名** | 獭子树果（药用部位：全株或根、叶）

| **植物形态** | 乔木，树皮灰白色，不开裂，密生皮孔。叶有小叶 7~11，小叶斜卵状披针形，通常长 6~10cm，宽 2.5~4cm，两侧明显不对称，油点不明显，小叶柄长 1~1.5cm。花序顶生，花甚多；萼片及花瓣均 5，花瓣白色，长约 3mm；雄花的退化雌蕊短棒状，顶部 4~5 浅裂，花丝中部以下被长柔毛；雌花的退化雄蕊鳞片状或仅具痕迹。分果瓣淡紫红色，干后暗灰带紫色，油点疏少但较明显，外果皮的两侧面被短伏毛，内果皮肉质、白色，干后暗蜡黄色、壳质，每个分果瓣直径约 5mm，有成熟种子 1；种子长约 4mm，宽约 3.5mm，褐黑色。花期 7~9 月，果期 10~12 月。

楝叶吴萸

| 分布区域 |

产于海南五指山、保亭、三亚、乐东、东方、陵水、万宁、琼中、儋州。亦分布于中国华南其他区域、华中、华东，以及贵州、云南、四川、陕西。日本、越南、泰国、缅甸、菲律宾、印度尼西亚、马来西亚、印度也有分布。

| 资　　源 |

生于海拔 500m 以下的山谷或路旁，少见。

| 采收加工 |

9~10 月采收未成熟的果实，晒干。

| 功能主治 |

全株：味辛，性温。温中散寒，理气止痛，暖胃。用于胃痛、吐清水、头痛、心腹气痛。根、叶：清热化痰，止咳。用于肺结核、疮痈疖肿。

| 资　　源 |

在 FOC 中，其学名被修订为 *Tetradium glabrifolium* (Champ. ex Benth.) Hartley。

芸香科 Rutaceae 吴茱萸属 Evodia

三桠苦
Evodia lepta (Spreng.) Merr.

| 中 药 名 | 三叉虎（药用部位：根、根皮、叶）

| 植物形态 | 乔木，树皮纵向浅裂，小枝的髓部大。3 小叶，小叶长椭圆形，长
6~20cm，宽 2~8cm，全缘，油点多；小叶柄甚短。花序腋生，长
4~12cm，花甚多；萼片及花瓣均 4；萼片细小，长约 0.5mm；花瓣
淡黄或白色，长 1.5~2mm，常有透明油点，干后油点变暗褐至褐黑
色；雄花的退化雌蕊细垫状突起，密被白色短毛；雌花的不育雄蕊
有花药而无花粉。分果瓣淡黄或茶褐色，散生肉眼可见的透明油点，
每个分果瓣有 1 种子；种子长 3~4mm，厚 2~3mm，蓝黑色，有光泽。
花期 4~6 月，果期 7~10 月。

| 分布区域 | 产于海南乐东、昌江、白沙、五指山、保亭、陵水、儋州、澄迈、琼海。

三桠苦

亦分布于中国华南其他区域，以及福建、台湾、云南。越南、泰国、老挝、缅甸也有分布。

| 资　　源 |

生于中海拔以下的疏林中，十分常见。

| 采收加工 |

夏、秋季采收，鲜用或切断晒干。

| 功能主治 |

根、根皮：味苦，性寒。清热解毒，祛风除湿。用于肺热咳嗽、肺痈、风湿关节痛、创伤感染发热。叶：清热解毒，祛风除湿。用于咽喉痛、疟疾、黄疸、风湿骨痛、湿疹、疮疡。

芸香科 Rutaceae 吴茱萸属 Evodia

吴茱萸 *Evodia rutaecarpa* (Juss.) Benth.

| 中 药 名 | 吴茱萸（药用部位：未成熟果实、叶、根或根皮）

| 植物形态 | 小乔木，嫩枝暗紫红色，与嫩芽同被灰黄或红锈色绒毛。叶有小叶5~11，小叶薄至厚纸质，卵形，长6~18cm，宽3~7cm，小叶两面及叶轴被长柔毛，毛密如毡状，油点大且多。花序顶生；雄花序的花彼此疏离，雌花序的花密集或疏离；萼片及花瓣均5，镊合排列；雄花花瓣长3~4mm，腹面被疏长毛，退化雌蕊4~5深裂，下部及花丝均被白色长柔毛，雄蕊伸出花瓣之上；雌花花瓣长4~5mm，腹面被毛，退化雄蕊鳞片状，子房及花柱下部被疏长毛。果序宽12cm，果实密集或疏离，暗紫红色，有大油点，每个分果瓣有1种子；种子近圆球形，长4~5mm，褐黑色，有光泽。花期4~6月，果期8~11月。

吴茱萸

| **分布区域** | 产于海南万宁。亦分布于中国长江以南各地，栽培或野生。日本也有分布。

| **资　　源** | 生于山地疏林或灌丛中，多见于向阳坡地，偶见。

| **采收加工** | 待果实呈茶绿色而心皮未分离时采收，在露水未干前采摘整串果穗，切勿摘断果枝，晒干，用手揉搓，使果柄脱落，扬净。如遇雨天，用微火烘干。

| **药材性状** | 果实类球形或略呈五角状扁球形，直径 2~5mm。表面暗绿黄色至褐色，粗糙，有多数点状突起或凹下的油点。先端有五角星状的裂隙，基部有花萼及果柄，被有黄色茸毛。质硬而脆。气芳香浓郁，味辛辣而苦。以饱满、色绿、香气浓郁者为佳。

| **功能主治** | 未成熟果实：味辛、苦，性热；有小毒；归肝、胃、脾、大肠、肾经。散寒止痛，降逆止呃，助阳止泻。用于厥阴头痛、寒疝腹痛、寒湿脚气、经行腹痛、脘腹胀痛、呕吐吞酸、五更泄泻、口疮、高血压。外用于口疮。叶：用于霍乱、下气、心腹冷气、内外肾痛。根或根皮：行气温中，杀虫。用于脘腹冷痛、泄泻、下痢、风寒、头痛、腰痛等。

| **资　　源** | 在 FOC 中，其学名被修订为 *Tetradium ruticarpum* (A. Juss.) Hartley。

芸香科 Rutaceae 山小橘属 Glycosmis

山橘树

Glycosmis cochinchinensis (Lour.) Pierre ex Engl.

| 中 药 名 | 山橘树（药用部位：根、叶、果实）

| 植物形态 | 小乔木或灌木，嫩芽及花梗被褐锈色微柔毛。叶为单叶，纸质或近革质，形状及大小差异甚大；长4~26cm，宽2~8cm。花序腋生，通常多花密集成簇，花序轴初时被褐锈色微柔毛，花梗甚短；萼裂片卵形；花瓣白色，长约3mm，外面很少被毛；雄蕊10，药隔先端有突起的油点，子房呈阔卵形，子房柄明显。果径8~14mm，淡红色，果皮有半透明油点。花果期几全年。

| 分布区域 | 产于海南三亚、乐东、东方、昌江、保亭、陵水、万宁、琼中、儋州、澄迈、屯昌、文昌、海口、琼海。亦分布于中国华南其他区域，以及云南。越南、泰国、老挝、柬埔寨也有分布。

山橘树

| 资　　　源 | 生于疏林中，常见。

| 采收加工 | 根、叶全年可采，果实成熟时采收，鲜用或晒干备用。

| 功能主治 | 止咳行气。用于食积腹痛、跌打损伤、感冒咳嗽。

芸香科 Rutaceae 山小橘属 *Glycosmis*

光叶山小橘
Glycosmis craibii Tanaka var. *glabra* (Craib) Tanaka.

光叶山小橘

| 中 药 名 |

光叶山小橘（药用部位：叶）

| 植物形态 |

小乔木，叶有小叶 3~5，小叶柄长 2~6mm，小叶硬纸质，长椭圆形，长 5~17cm，宽 2~7cm，略有光泽，叶缘浅波浪状起伏。花序很少达 4cm，花梗甚短，花萼裂片卵形，花瓣甚早脱落，长约 3mm；雄蕊 10，药隔背面及先端各有 1 油点；子房在花蕾时为圆柱状或狭卵形，花开放后迅速膨大为阔卵形，散生干后微突起或不突起的油点。果实未成熟时椭圆形，成熟时近圆球形，直径 10~14mm，橙红色，有种子 1~2。花果期几全年。

| 分布区域 |

产于海南三亚、乐东、昌江、保亭、五指山、琼中、陵水、万宁。泰国也有分布。

| 资　　源 |

生于山地林中，常见。

| 采收加工 |

叶全年均可采，洗净，鲜用。

| 功能主治 |

同属植物的叶多有清热解毒、止咳行气、散瘀消肿的作用，本种可能有类似功能。

芸香科 Rutaceae 山小橘属 Glycosmis

海南山小橘 *Glycosmis montana* Pierre

| 中 药 名 | 海南山小橘（药用部位：叶）

| 植物形态 | 小乔木或灌木，新梢、嫩芽、花梗及萼裂片均被红锈色微柔毛。叶具单小叶，叶柄常长 15~30mm，小叶硬纸质或薄革质，倒卵状长圆形，长 5~15cm，宽 1.5~6.5cm。圆锥花序，长 1~3cm，花蕾圆球形，花白色，花萼裂片阔卵形，长不及 1mm；花瓣长约 3mm，甚早脱落；雄蕊 10，药隔顶部有 1 油点；子房阔卵形，子房柄明显升起。果实圆球形，直径约 8mm，粉红色，果皮有半透明油点。花期 10 月至翌年 3 月，果期 7~9 月。

| 分布区域 | 产于海南三亚、东方、昌江、保亭。亦分布于中国广东、云南。越南也有分布。

海南山小橘

| 资　　源 |

生于海拔 200~500m 的山地密林中，常见。

| 采收加工 |

叶全年均可采，洗净，鲜用。

| 功能主治 |

同属植物的叶多有清热解毒、止咳行气、散瘀消肿的作用，本种可能有类似功能。

芸香科 Rutaceae 山小橘属 Glycosmis

山小橘
Glycosmis pentaphylla (Retz.) Correa

| 中 药 名 | 山小橘（药用部位：叶）

| 植物形态 | 小乔木，叶有小叶 5，小叶柄长 2~10mm；小叶长圆形，长 10~25cm，宽 3~7cm，硬纸质，叶缘有裂齿，花序轴、小叶柄及花萼裂片初时被褐锈色微柔毛。圆锥花序腋生及顶生，多花，花蕾圆球形；萼裂片阔卵形，花瓣早落，长 3~4mm，白或淡黄色，油点多，花蕾期在背面被锈色微柔毛；雄蕊 10，药隔背面中部及顶部均有 1 油点；子房圆球形，子房的油点干后明显突起。果实近圆球形，直径 8~10mm，果皮多油点，淡红色。花期 7~10 月，果期翌年 1~3 月。

| 分布区域 | 产于海南东方、陵水、万宁、定安、琼海、海口、保亭、昌江。亦分布于中国华南其他区域，以及福建、台湾、贵州、云南。日本、

山小橘

越南、缅甸也有分布。

| 资　　源 |

生于低海拔坡地灌丛或疏林中，常见。

| 采收加工 |

叶全年均可采，洗净，鲜用。

| 药材性状 |

叶片多皱缩，完整者展平后呈长椭圆形，长10~25cm，宽3~7cm，上面灰绿色，下面浅黄绿色。叶脉稍隆起，两面有透明腺点；叶柄短。气微香，味苦、辛。

| 功能主治 |

味苦，性平；归肺、胃、肝经。清热解毒，祛痰，止咳行气，散瘀消肿，消积杀虫。用于发热黄疸、痈疽疮毒、肠寄生虫病（如蛔虫病、钩虫病、蛲虫病）。

| 附　　注 |

本种为孟加拉国民族传统药，用于发热、肝脏疾病、产后疼痛、创伤。

芸香科 Rutaceae 三叶藤橘属 Luvunga

三叶藤橘
Luvunga scandens (Roxb.) Buch.-Ham. ex Wight & Arn.

| **中 药 名** | 三叶藤橘（药用部位：全株或枝叶）

| **植物形态** | 木质藤本，茎干下部的刺劲直且长，上部的短而弯钩。初生叶及茎干下部的叶为单叶，叶片带状，长达 30cm，宽 4~5cm，茎干上部的叶通常为 3 小叶，小叶长椭圆形，长 6~20cm，宽 3~9cm，密生肉眼可见的透明油点。有花通常不超过 10 朵的总状花序；花序轴及花梗均甚短；花蕾椭圆形；花萼长 4~5mm，4 浅裂；花瓣 4，长 8~10mm；雄蕊有时少于 8，子房 4 或 3 室。浆果圆球形，直径 3~5cm，果梗长 4~6mm，果皮厚，外皮黄色，平滑；种子 1~4，阔卵形，长 2~3cm。花期 3~4 月，果期 10~12 月。

三叶藤橘

|分布区域|

产于海南三亚、保亭、陵水、琼中。亦分布于
中国广东、云南。越南、泰国、老挝、缅甸、
马来西亚、印度也有分布。

|资　　源|

生于山谷林中，偶见。

|采收加工|

全年皆可采收，洗净，切段，鲜用或晒干。

|功能主治|

全株：活血化瘀，杀虫止痒。用于胸部刺痛、
心悸不宁、皮肤湿痒、湿疮、湿疹、疥癣。枝叶：
用于风湿痹痛、跌打损伤。

芸香科 Rutaceae ┃ 蜜茱萸属 Melicope

蜜茱萸

Melicope patulinervia (Merr. et Chun) Huang

蜜茱萸

| 中 药 名 |

蜜茱萸（药用部位：树皮）

| 植物形态 |

灌木，各部无毛。叶对生，单小叶，无翼叶，叶片纸质，长圆形，长 5~15cm，宽 2~6cm，油点细小，叶柄两端略增粗呈枕状。聚伞花序长在 3cm 以内，花轴甚短；花青白色，直径约 3mm，苞片小，脱落；萼片阔卵形，边缘被缘毛；花瓣长卵形，长约 1.5mm，略呈肉质；雄蕊略不等长，子房圆球形。果序长不超过 3cm。果梗长 3~5mm；成熟分果瓣通常 1~2，分果瓣开裂至基部，果皮有网纹，种子散出后分果瓣仍宿存于分枝上；种子椭圆形，中部粗厚，长 4~5mm，厚 3~3.5mm，蓝黑色，有光泽。花期 3~4 月，果期 9~10 月。

| 分布区域 |

产于海南五指山、陵水。海南特有种。

| 资　　源 |

生于山地疏林，偶见。

| **采收加工** | 全年皆可采收，鲜用或晒干，对其内所含有效成分进行提取分离。

| **功能主治** | 树皮内含有的黄酮类化合物有药理作用。

芸香科 Rutaceae 小芸木属 *Micromelum*

大 管 *Micromelum falcatum* (Lour.) Tanaka.

| **中 药 名** | 大管（药用部位：根、根皮、叶）

| **植物形态** | 灌木；小枝、叶柄及花序轴均被长直毛，小叶背面被毛较密。羽状复叶，有小叶 5~11，小叶片互生，小叶柄长 3~7mm，小叶片镰刀状披针形，长 4~9cm，宽 2~4cm，基部两侧甚不对称，叶缘锯齿状。花序顶生，花白色，花蕾圆形；花萼浅杯状，萼裂片阔三角形，花瓣长圆形，长约 4mm，外面被直毛，盛花时反卷；雄蕊 10，长短相间，子房密被长直毛，花盘细小。浆果椭圆形，长 8~10mm，成熟过程中由绿色转橙黄，最后朱红色，果皮散生透明油点，有种子 1 或 2。花蕾期 10~12 月，盛花期 1~4 月，果期 6~8 月。

大管

┃ 分布区域 ┃

产于海南三亚、乐东、昌江、五指山、保亭、陵水、万宁、琼中、儋州、临高、澄迈、定安、文昌、海口、琼海。亦分布于中国华南其他区域，以及云南。越南、老挝、柬埔寨、泰国也有分布。

┃ 资　　源 ┃

生于山地，十分常见。

┃ 采收加工 ┃

根、叶全年可采，鲜用或晒干备用。

┃ 功能主治 ┃

根、根皮：活血散瘀，行气止痛，祛风除湿。用于胸痹、跌打损伤、闪挫扭伤、骨折、毒蛇咬伤、风湿痹痛、喉痛。叶：外用于感冒。

芸香科 Rutaceae　九里香属 Murraya

翼叶九里香
Murraya alata Drake

| **中 药 名** | 翼叶九里香（药用部位：根、叶、花）

| **植物形态** | 灌木，枝黄灰或灰白色。叶轴有宽 0.5~3mm 的叶翼，叶有小叶 5~9，小叶倒卵形，长 1~3cm，宽 6~15mm，小叶柄甚短。聚伞花序腋生，花 3 数；花萼裂片长 1.5~2mm；花瓣 5，白色，长 10~15mm，宽 3~5mm，有纵脉多条；雄蕊 10，花柱比子房长约 2 倍，子房 2 室。果实卵形，先端有偏向一侧的短凸尖体，直径约 1cm，朱红色，有种子 2~4；种皮有甚短的棉质毛。花期 5~7 月，果期 10~12 月。

| **分布区域** | 产于海南三亚、东方、临高等海南中部以南各地。亦分布于中国华南其他区域。越南也有分布。

翼叶九里香

|资　　源|

生于干燥的沙地灌丛中，偶见。

|采收加工|

每年采收枝叶 1~2 次，晒干。

|功能主治|

同属植物九里香有行气散瘀、祛风除湿等作用，本种植物或有类似作用，其功能有待进一步研究。

芸香科 Rutaceae 九里香属 Murraya

九里香 *Murraya exotica* L.

| 中 药 名 | 九里香（药用部位：根、叶、花）

| 植物形态 | 小乔木，羽状复叶有小叶 3~7，小叶倒卵形或倒卵状椭圆形，两侧常不对称，长 1~6cm，宽 0.5~3cm，小叶柄甚短。花序通常顶生，花多朵聚成伞状，花白色，芳香；萼片卵形，长约 1.5mm；花瓣 5，长椭圆形，长 10~15mm，盛花时反折；雄蕊 10，长短不等，花丝白色，花药背部有细油点 2；柱头黄色。果实橙黄至朱红色，阔卵形，长 8~12mm，横径 6~10mm，果肉有黏胶质液，种子有短的棉质毛。花期 4~8 月，果期 9~12 月。

| 分布区域 | 产于海南乐东、万宁，海南各地有栽培。亦分布于中国华南其他区域，以及福建、台湾、贵州。世界热带与亚热带地区广泛栽培。

九里香

| 资　源 |

栽培，常见。

| 采收加工 |

生长旺盛期结合摘心、整形修剪采叶，成林植株每年采收枝叶 1~2 次，晒干。

| 药材性状 |

嫩枝呈圆柱形，直径 1~4mm，表面深绿色。质韧，不易折断，断面不平坦。羽状复叶有小叶 3~7，小叶片多卷缩、破碎，完整者展平后呈卵形、椭圆形或近菱形，长 1~6cm，宽 0.5~3cm，最宽处在中部以下，深绿色，上表面有透明腺点，质脆。有的带有顶生或腋生的聚伞花序，花冠直径约 4cm。气香，味苦、辛，有麻舌感。

| 功能主治 |

味辛、微苦，性温；有小毒；归心、肝、肺经。行气散瘀，祛风除湿，消肿止痛。用于跌打损伤、肿痛、风湿病、胃痛、局部麻醉、毒蛇咬伤。

芸香科 Rutaceae 九里香属 Murraya

小叶九里香
Murraya microphylla (Merr. & Chun) Swingle.

| 中 药 名 | 小叶九里香（药用部位：茎、叶）

| 植物形态 | 本种与调料九里香很近似，只是小叶较小，生于叶轴基部的常为阔卵形至长圆形，长和宽均为 3~6mm，其余最长的不超过 25mm，宽不过 10mm，先端钝或圆，有时稍凹缺，基部狭而钝，两侧稍不对称，边缘有明显的钝裂齿，两面无毛，很少在中脉近基部有在放大镜下可见的稀短细毛，小叶柄极短；花序一般有花 10~30；花、果的形态和大小也与调料九里香相同。花期一年两次，一次在 4~5 月，另一次在 7~10 月，果期 9~12 月。

| 分布区域 | 产于海南三亚、乐东、东方、昌江、保亭、万宁。亦分布于中国广东。

小叶九里香

| 资　源 |

生于沿海村旁，常见。

| 采收加工 |

生长旺盛期结合摘心、整形修剪采叶，成林植株每年采收枝叶 1~2 次，晒干。

| 功能主治 |

味辛、微苦，性温；有小毒。行气活血，散瘀止痛，消肿解毒。

芸香科 Rutaceae 九里香属 Murraya

千里香 *Murraya paniculata* (L.) Jack.

| 中 药 名 | 千里香（药用部位：枝叶、根、花）

| 植物形态 | 小乔木，当年生枝绿色，其横切面呈钝三角形，底边近圆弧形。成长叶有小叶 3~5，卵形，长 3~9cm，宽 1.5~4cm，小叶柄长不足 1cm。花序腋生及顶生，通常有花 10 朵以内，萼片卵形，边缘有疏毛，宿存；花瓣倒披针形，长达 2cm，盛花时稍反折，散生淡黄色半透明油点；雄蕊 10，长短相间，药隔中央及先端极少有油点；花柱绿色，子房 2 室。果实橙黄至朱红色，狭长椭圆形，长 1~2cm，宽 5~14mm，有甚多干后突起但中央窝点状下陷的油点，种子 1~2；种皮有棉质毛。花期 4~9 月，也有秋、冬季开花者，果期 9~12 月。

千里香

| 分布区域 |

产于海南三亚、东方、乐东、保亭、儋州、琼中、昌江、琼海、南海群岛、西沙群岛。亦分布于中国华南其他区域，以及湖南、福建、台湾、贵州、云南。东南亚、南亚，以及澳大利亚、西南太平洋岛屿也有分布。

| 资　　源 |

生于丘陵或山地疏林中，石灰岩地区常见。

| 采收加工 |

枝叶、根、花：每年采收枝叶 1~2 次，根全年可采，花期采收花，洗净，晒干或鲜用。

| 功能主治 |

枝叶、根：行气止痛，活血散瘀，祛风除湿，软坚散结。用于脘腹气痛、风湿痹痛、腰痛、跌打损伤、子痈疮肿、皮肿瘙痒、淋巴结结核、胃痛、牙痛、破伤风、乙型脑炎、蛇虫咬伤、局部麻醉。花：用于胃痛。

| 附　　注 |

墨西哥玛雅人将花用于气喘病、支气管炎。

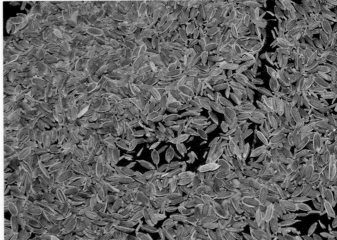

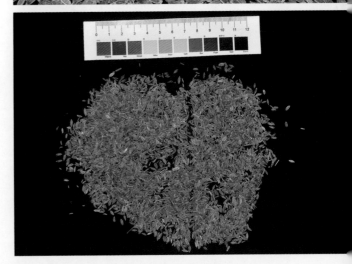

芸香科 Rutaceae 芸香属 Ruta

芸香
Ruta graveolens L.

| 中 药 名 | 臭草（药用部位：全草）

| 植物形态 | 草本，各部有浓烈的特殊气味。叶为二至三回羽状复叶，长6~12cm，末回小羽裂片短匙形，长5~30mm，宽2~5mm，灰绿色或带蓝绿色。花金黄色，花径约2cm；萼片4；花瓣4；雄蕊8，花柱短，子房通常4室，每室有胚珠多颗。果实长6~10mm，由先端开裂至中部，果皮有突起的油点；种子甚多，肾形，长约1.5mm，褐黑色。花期3~6月及冬季末期，果期7~9月。

| 分布区域 | 海南海口有栽培。中国各地亦有栽培。原产于地中海沿岸。

| 资　　源 | 栽培，少见。

芸香

| **采收加工** | 7~8 月生长盛期收割，阴干或鲜用。

| **药材性状** | 全草多分枝，叶为二至三回羽状复叶或深裂，长 6~12cm，末回小叶或裂片倒卵状矩圆形，长 0.6~2cm。茎叶表面粉白色或发绿色，可见细腺点，揉之有强烈的刺激气味，味微苦。以枝叶嫩、叶多、色灰绿者为佳。

| **功能主治** | 味辛、微苦，性寒；归肺、肾、肝、心经。祛风清热，活血散瘀，消肿解毒。用于感冒发热、小儿高热惊风、痛经、闭经、跌打损伤、热毒疮疡、小儿湿疹、蛇虫咬伤。

芸香科 Rutaceae 茵芋属 Skimmia

茵 芋
Skimmia reevesiana Fort.

| 中 药 名 | 茵芋（药用部位：茎、叶）

| 植物形态 | 灌木，小枝常中空。叶有柑橘叶的香气，革质，集生于枝上部，叶片椭圆形或披针形，长 5~12cm，宽 1.5~4cm，有细毛；叶柄长 5~10mm。花序轴及花梗均被短细毛，花芳香，淡黄白色，顶生圆锥花序；萼片及花瓣均 5，萼片半圆形，边缘被短毛；花瓣黄白色，长 3~5mm，雄蕊与花瓣同数，雄花的退化雄蕊棒状，雄花的退化雌蕊扁球形，顶部短尖。果实圆形或椭圆形，长 8~15mm，红色，有种子 2~4；种子扁卵形，长 5~9mm，有极细小的窝点。花期 3~5 月，果期 9~11 月。

| 分布区域 | 产于海南东方、昌江、五指山、保亭。亦分布于中国华南其他区域，

茵芋

以及湖南、江西、湖北、河南、福建、台湾、安徽、浙江、贵州、云南、四川。越南、缅甸、菲律宾也有分布。

| **资　　源** | 生于高海拔山地林下，少见。

| **采收加工** | 茎、叶全年皆可采收，洗净，鲜用或晒干。

| **功能主治** | 味辛、苦，性温；有毒；归肝、肾经。祛风胜湿。用于风湿痹痛、四肢挛急、两足软弱。

芸香科 Rutaceae 飞龙掌血属 Toddalia

飞龙掌血 *Toddalia asiatica* (L.) Lam.

| **中 药 名** | 飞龙掌血（药用部位：根、根皮）

| **植物形态** | 老茎干有较厚的木栓层及黄灰色、纵向细裂且突起的皮孔，茎枝及叶轴有甚多向下弯钩的锐刺。小叶无柄，对光透视可见密生的透明油点，揉之有类似柑橘叶的香气，卵形，长 5~9cm，宽 2~4cm，叶缘有细裂齿。花梗甚短，基部有极小的鳞片状苞片，花淡黄白色；萼片长不及 1mm，边缘被短毛；花瓣长 2~3.5mm；雄花序为伞房状圆锥花序；雌花序呈聚伞圆锥花序。果实橙红或朱红色，直径 8~10mm，有 4~8 纵向浅沟纹；种子长 5~6mm，种皮褐黑色，有极细小的窝点。花期几全年，果期多在秋、冬季。

飞龙掌血

| 分布区域 | 产于海南三亚、乐东、昌江、保亭、陵水、琼中、儋州、定安、文昌。亦分布于中国秦岭以南各地。

| 资　　源 | 生于山坡灌丛或疏林中，常见。

| 采收加工 | 全年均可采收，挖根，洗净，鲜用或切段晒干。

| 药材性状 | 根呈圆柱形，略弯曲，长约30cm，直径0.5~4.0cm，有的根头部直径可达8cm。表面灰棕色至深黄棕色，粗糙，有细纵纹及稍突起的白色类圆形或长椭圆形皮孔。栓皮易脱落，露出棕褐色或浅红棕色的皮部。质坚硬，不易折断，断面皮部与木质部界线明显，木质部淡黄色，年轮显著。气微，味辛、苦，有辛凉感。根皮呈不规则长块状，厚5~10mm，质坚硬，不易折断，横断面及纵切面均显颗粒状，黄棕色或棕褐色，内表面淡褐色，有纵向纹理。

| 功能主治 | 味辛、微苦，性温；有小毒。祛风，止痛，散瘀，止血。用于风湿痹痛、胃痛、跌打损伤、吐血、衄血、刀伤出血、闭经、痛经。

芸香科 Rutaceae 花椒属 Zanthoxylum

簕欓花椒
Zanthoxylum avicennae (Lam.) DC.

| 中 药 名 | 鹰不泊根（药用部位：根）

| 植物形态 | 落叶乔木，树干有鸡爪状刺，基部形似鼓钉，并有环纹，幼龄树的枝及叶密生刺，各部无毛。叶有小叶 11~21，小叶通常对生，斜卵形，长 2.5~7cm，宽 1~3cm，两侧甚不对称，鲜叶的油点肉眼可见，叶质边缘常呈狭翼状。花序顶生，花序轴及花梗有时紫红色；雄花梗长 1~3mm；萼片及花瓣均 5；萼片宽卵形，绿色；花瓣黄白色，雌花的花瓣比雄花的稍长，长约 2.5mm；雄花雄蕊 5；退化雌蕊 2 浅裂；雌花有心皮 2，很少 3；退化雄蕊极小。果梗长 3~6mm，分果瓣淡紫红色，单个分果瓣直径 4~5mm，油点大且多，微突起；种子直径 3.5~4.5mm。花期 6~8 月，果期 10~12 月。

簕欓花椒

分布区域	产于海南三亚、乐东、东方、昌江、白沙、五指山、万宁、琼中、儋州、澄迈、定安、文昌。亦分布于中国华南其他区域，以及福建、云南。越南、泰国、菲律宾、马来西亚、印度也有分布。
资　　源	生于低海拔平地、坡地或谷地，常见。
采收加工	全年均可采收，挖根，洗净，切片晒干。
功能主治	味辛、苦，性微温；归肝、脾、胃经。祛风化湿，消肿通络。用于咽喉疼痛、黄肿、疟疾、风湿骨痛、跌打挫伤。

芸香科 Rutaceae 花椒属 Zanthoxylum

胡椒木
Zanthoxylum beecheyanum K. Koch.

| **中 药 名** | 胡椒木（药用部位：全株）

| **植物形态** | 灌木，奇数羽状复叶，叶基有短刺 2，叶轴有狭翼。小叶对生，倒卵形，长 0.7~1cm，革质，叶面浓绿富光泽，全叶密生腺体。雌雄异株，雄花黄色，雌花橙红色，子房 3~4。果实椭圆形，红褐色。

| **分布区域** | 海南海口、万宁等地有栽培。中国长江以南各地亦常见栽培。

| **资　　源** | 栽培，常见。

| **采收加工** | 全年皆可采收，除去杂质，洗净，鲜用或晒干。

胡椒木

| **功能主治** | 本种全株有浓烈的刺激性气味，说明含有丰富的挥发油类芳香成分，其作用值得进一步研究。

芸香科 Rutaceae 花椒属 Zanthoxylum

硯壳花椒 *Zanthoxylum dissitum* Hemsl.

| **中 药 名** | 大叶花椒（药用部位：果实、种子）

| **植物形态** | 攀缘藤本；老茎的皮灰白色，枝干上的刺多劲直，叶轴及小叶中脉上的刺向下弯钩，刺褐红色。叶有小叶 5~9，小叶互生，形状多样，长达 20cm，宽 1~8cm，两侧对称，油点甚小，小叶柄长 3~10mm。花序腋生，萼片及花瓣均 4，油点不明显；萼片紫绿色，长不及 1mm；花瓣淡黄绿色，宽卵形，长 4~5mm；雄花的花梗长 1~3mm；雄蕊 4，花丝长 5~6mm；退化雌蕊先端 4 浅裂；雌花无退化雄蕊。果实密集于果序上，果梗短；果实棕色，外果皮平滑，边缘较薄，干后显出弧形环圈，长 10~15mm，残存花柱位于一侧，长不超过 0.33mm；种子直径 8~10mm。

硯壳花椒

| **分布区域** | 产于海南乐东。亦分布于中国华南其他区域，以及湖南、湖北、河南、贵州、云南、甘肃、陕西。 |

| **资　　源** | 生于疏林及灌丛中，偶见。 |

| **采收加工** | 8~9 月果实成熟时采摘，晒干。 |

| **药材性状** | 果实外形似蚬，直径 8~9mm。果皮表面红色或黄褐色，极皱缩，愈向四周愈扁薄，边缘有一弧形凸环，先端尖，呈弯喙状。果皮质韧，内含种子，种子形如黑豆，直径 8~10mm。气浓厚，味麻而苦。 |

| **功能主治** | 味辛，性温；有小毒；归肝经。祛风活络，散瘀止痛，解毒消肿。用于月经过多、疝气、破伤风、风湿关节痛、胃痛、龋齿痛、霍乱、跌打损伤、毒蛇咬伤。 |

芸香科 Rutaceae 花椒属 Zanthoxylum

拟砚壳花椒 *Zanthoxylum laetum* Drake.

| 中 药 名 | 拟砚壳花椒（药用部位：根）

| 植物形态 | 攀缘藤本，茎枝有钩刺，全株仅嫩叶叶轴、小叶柄及中脉有甚短的微柔毛，小叶有散生的透明油点。叶有小叶 5~13；小叶互生，全缘，卵形，长 8~15cm，宽 4~7cm，两侧对称，小叶柄长 2~6mm。花序腋生，花梗约与花瓣等长；萼片与花瓣均 4；萼片淡紫绿色，长不及 1mm；花瓣黄绿色，阔卵形，长约 4mm；雄花花丝线状，淡黄绿色，长 6~8mm；退化雌蕊圆柱状，4 深裂；雌花退化雄蕊短线状。果梗长 2~5mm；果实彼此疏离，红褐色，边缘常呈紫红色，单个直径 7~9mm，先端有喙尖；种子近圆球形，直径 6~7mm，褐黑色，有光泽。花期 3~5 月，果期 9~12 月。

拟砚壳花椒

| 分布区域 | 产于海南乐东、白沙、保亭、陵水、万宁、琼中。亦分布于中国华南其他区域，以及云南。越南也有分布。

| 资　　源 | 生于海拔 800m 以下的山地疏林中，偶见。

| 采收加工 | 全年皆可采收，洗净，切段，晒干。

| 功能主治 | 用于跌打损伤、扭挫伤、风湿痹痛、牙痛、疝气、月经过多。

芸香科 Rutaceae 花椒属 Zanthoxylum

两面针
Zanthoxylum nitidum (Roxb.) DC.

| 中 药 名 | 入地金牛（药用部位：根、枝叶）

| 植物形态 | 灌木或木质藤本。老茎有翼状蜿蜒而上的木栓层，茎枝及叶轴均有弯钩锐刺，粗大茎干上部的皮刺基部呈长椭圆形枕状突起。叶有小叶 5~11，小叶对生，成长叶硬革质，阔卵形，长 3~12cm，宽 1.5~6cm，先端有明显凹口，凹口处有油点，边缘有疏浅裂齿，齿缝处有油点。花序腋生。花 4 数，萼片上部紫绿色，花瓣淡黄绿色，卵状椭圆形，长约 3mm；雄蕊长 5~6mm，退化雌蕊半球形，垫状，顶部 4 浅裂；雌花的花瓣较宽，无退化雄蕊或为极细小的鳞片状体；子房圆球形。果梗长 2~5mm，果皮红褐色，单个分果瓣直径 5.5~7mm，先端有短芒尖；种子圆珠状，横径 5~6mm。花期 3~5 月，果期 9~11 月。

两面针

| 分布区域 |

产于海南东方、保亭、昌江、儋州。亦分布于中国华南其他区域，以及湖南、福建、台湾、贵州、云南。日本、越南、泰国、缅甸、菲律宾、马来西亚、印度尼西亚、印度、尼泊尔、澳大利亚、巴布亚新几内亚、西南太平洋岛屿也有分布。

| 资　　源 |

生于海拔800m以下的山地疏林或灌丛中，常见。

| 采收加工 |

全年均可采收，洗净，切片，晒干或鲜用。

| 功能主治 |

味辛、苦，性微温；有小毒。祛风除湿，通络，消肿止痛。用于风湿骨痛、喉痹、瘰疬、胃痛、牙痛、腰肌劳损、跌打损伤、烫伤、毒蛇咬伤。

芸香科 Rutaceae 花椒属 Zanthoxylum

毛叶两面针
Zanthoxylum nitidum (Roxb.) DC. var. *tomentosum* Huang

| 中 药 名 | 毛叶两面针（药用部位：根、枝叶）

| 植物形态 | 小枝、叶轴有颇多的短钩刺，小叶背面中脉也有短刺；小叶革质，全缘或近顶部有浅裂齿，叶缘常背卷；叶片长椭圆形，稀卵形，长为宽的 3~4 倍，宽 3~5cm，稀 6~8cm，基部近于圆形，顶部长渐尖；小叶柄长 1~3mm；叶轴、小叶柄、花序轴及小叶背面均被略粗糙的短毛，叶脉上的毛较长。分果瓣直径约 5mm，红褐色，油点明显。果期 5 月。

| 分布区域 | 产于海南三亚、乐东。亦分布于中国华南其他区域。

| 资　　源 | 生于山地疏林或灌丛中，少见。

毛叶两面针

| **采收加工** | 全年均可采收，洗净，切片，晒干或鲜用。 |

| **功能主治** | 祛风通络，消肿止痛。用于风湿骨痛、喉痹、瘰疬、胃痛、牙痛、腰肌劳损、跌打损伤、烫伤、毒蛇咬伤。 |

苦木科 Simaroubaceae 鸦胆子属 Brucea

鸦胆子 *Brucea javanica* (L.) Merr.

| 中 药 名 | 鸦胆子（药用部位：果实、种子）

| 植物形态 | 灌木或小乔木；嫩枝、叶柄和花序均被黄色柔毛。叶长 20~40cm，有小叶 3~15；小叶卵形，长 5~10cm，宽 2.5~5cm，两面均被柔毛。花组成圆锥花序，雄花序长 15~25cm，雌花序长约为雄花序的一半；花细小，暗紫色，直径 1.5~2mm；雄花的花梗细弱，萼片被微柔毛，长 0.5~1mm；花瓣有稀疏的微柔毛，长 1~2mm，雌花的萼片、花瓣与雄花同，雄蕊退化或仅有痕迹。核果 1~4，分离，长卵形，长 6~8mm，直径 4~6mm，成熟时灰黑色，干后有不规则多角形网纹，外壳硬骨质而脆，种仁黄白色，卵形，有薄膜，含油丰富，味极苦。花期夏季，果期 8~10 月。

鸦胆子

| 分布区域 | 产于海南三亚、乐东、东方、昌江、白沙、五指山、万宁、琼中、儋州、澄迈、琼海、海口。亦分布于中国华南其他区域，以及福建、台湾、贵州、云南。缅甸、菲律宾、马来西亚、新加坡、印度尼西亚、印度、斯里兰卡、澳大利亚也有分布。 |

| 资　源 | 生于山麓灌丛或疏林中，常见。 |

| 采收加工 | 秋、冬季果实成熟，待果皮变黑色时，分批采收，扬净，晒干。 |

药材性状

核果长卵形，略扁，长6~8mm，直径4~6mm，表面黑色，有隆起网状皱纹，先端有鸟嘴状短尖的花柱残基，有凹点状果柄痕，果肉易剥落；果核坚硬，破开后内面灰棕色、平滑，内含1种子。种子卵形，长4~7mm，直径3~5mm，表面乳白色或黄白色，有稍隆起的网纹，先端短尖呈鸟嘴状，其下有长圆形种脐，近基部有棕色圆形合点，种脐与合点间有稍隆起的种脊；种皮薄，胚乳和胚富油性。气微特异，味极苦。以粒大、饱满、种仁白色、油性足者为佳。

功能主治

味苦，性寒；有小毒；归大肠、肝经。清热解毒，截疟，收敛，止痢，杀虫，腐蚀赘疣。用于痢疾、疟疾、赘疣、鸡眼、毒蛇咬伤。

| 苦木科 | Simaroubaceae | 牛筋果属 | *Harrisonia*

牛筋果 *Harrisonia perforata* (Blanco) Merr.

| **中 药 名** | 牛筋果（药用部位：根茎、叶）

| **植物形态** | 攀缘灌木，枝条上叶柄基部有一对锐利的钩刺。叶长 8~14cm，有小叶 5~13，叶轴在小叶间有狭翅；小叶纸质，菱状卵形，长 2~4.5cm，宽 1.5~2cm。花数至 10 余朵组成顶生的总状花序，被毛；萼片卵状三角形，被短柔毛，花瓣白色，披针形，长 5~6mm；雄蕊稍长于花瓣，花丝基部的鳞片被白色柔毛；花盘杯状；子房 4~5 室，4~5 浅裂。果实肉质，球形，直径 1~1.5cm，无毛，成熟时淡紫红色。花期 4~5 月，果期 5~8 月。

牛筋果

|分布区域|

产于海南三亚、乐东、东方、昌江、白沙、万宁、儋州、澄迈、海口。亦分布于中国广东、福建。越南、泰国、缅甸、柬埔寨、老挝、菲律宾、马来西亚、印度尼西亚、印度也有分布。

|资　源|

生于低海拔灌木林或疏林中，十分常见。

|采收加工|

全年均可采，洗净切片，鲜用或晒干。

|功能主治|

根茎：清热解毒。用于疟疾、疮疖。叶：味苦，性寒；归肺、肝经。清热解毒，退翳。用于眼疾、肝热、目赤肿痛、畏光、多眵多泪、目生翳膜、外感风热、咳嗽、咳痰、咽喉肿痛。

| 苦木科 | Simaroubaceae | 苦树属 | *Picrasma*

苦 树

Picrasma quassioides (D. Don) Benn.

| **中 药 名** | 苦木（药用部位：树皮、根皮、茎木、根、叶）

| **植物形态** | 落叶乔木，树皮紫褐色，有灰色斑纹，全株有苦味。叶互生，奇数
羽状复叶，长 15~30cm；小叶 9~15，卵状披针形，边缘具不整齐的
粗锯齿，托叶披针形，早落。雌雄异株，组成腋生复聚伞花序，花
序轴密被黄褐色微柔毛；萼片通常 5，卵形，外面被黄褐色微柔毛，
覆瓦状排列；花瓣与萼片同数，卵形；雄花中雄蕊长为花瓣的 2 倍，
与萼片对生，雌花中雄蕊短于花瓣；花盘 4~5 裂；心皮 2~5，分离。
核果成熟后蓝绿色，长 6~8mm，宽 5~7mm，种皮薄，萼宿存。花
期 4~5 月，果期 6~9 月。

苦树

| 分布区域 | 产于海南东方、昌江、保亭。亦分布于中国黄河以南各地。印度、不丹、尼泊尔、斯里兰卡、朝鲜、日本也有分布。

| 资　　源 | 生于海拔 900~1400m 的林中，偶见。

| 采收加工 | 全年均可采，除去茎皮，洗净，切片，晒干。

| 药材性状 | 茎类圆形，粗达 30cm，或切片厚 1cm。表面灰绿色或淡棕色，散布不规则的灰白色斑纹。树心处的块片呈深黄色。横切片年轮明显，射线放射状排列。质坚硬，折断面纤维状。气微，味苦。

| 功能主治 | 树皮、根皮、茎木：味苦，性寒；有小毒。泻湿热，解毒，杀虫，治疥。用于细菌性痢疾、吐泻、胃肠炎、胆道感染、急性化脓性感染、烧伤、蛔虫、疥癣、湿疹。根和叶：抗菌消炎，祛湿解毒。用于感冒、急性扁桃体炎、咽喉炎、肠炎、细菌性痢疾、湿疹、疮疖、毒蛇咬伤。

橄榄科 Burseraceae 橄榄属 Canarium

橄　榄 *Canarium album* (Lour.) Raeusch.

| 中 药 名 |

橄榄（药用部位：果实、根）

| 植物形态 |

乔木，髓部周围有柱状维管束。托叶仅
芽时存在，着生于近叶柄基部的枝干上。
小叶 3~6 对，纸质至革质，披针形，长
6~14cm，宽 2~5.5cm，背面有极细小的疣状
突起。花序腋生，雄花序为聚伞圆锥花序，
长 15~30cm，多花；雌花序为总状花序，长
3~6cm，具花 12 以下。雄花长 5.5~8mm，雌
花长约 7mm；雄蕊 6，无毛，花丝 1/2 以上
合生，在雌花中几全长合生；花盘在雄花中
球形至圆柱形，在雌花中环状。雌蕊密被短
柔毛；在雄花中细小或缺。果序长 1.5~15cm，
具 1~6 果实。果萼扁平，果实卵圆形至纺锤
形，横切面近圆形，长 2.5~3.5cm，成熟时
黄绿色；外果皮厚，果核渐尖，在钝的肋角
和核盖之间有浅沟槽；核盖厚 1.5~2mm。种
子 1~2，不育室稍退化。花期 4~5 月，果实
10~12 月成熟。

| 分布区域 |

产于海南三亚、乐东、昌江、五指山、保亭、
万宁、陵水、儋州、澄迈、文昌。亦分布于

橄榄

中国华南其他区域，以及福建、台湾、贵州、云南、四川。越南也有分布。

| 资　　源 |

生于疏林中，常见，亦有栽培。

| 采收加工 |

培育 6~7 年结果，8~9 月待果实外皮呈绿色带微黄时采摘，洗净，鲜用或用微火烘干。

| 药材性状 |

果实卵圆形至纺锤形，两端钝尖，长 2.5~3.5cm，直径 1~1.5cm。表面棕黄色或黑褐色，有不规则深皱纹。果肉厚，灰棕色或棕褐色。果核梭形，暗红棕色，表面具 3 纵棱，其间各有 2 弧形弯曲的沟；质坚硬，破开后其内多分 3 室，各有 1 种子。外种皮黄色，常紧贴于内果皮上，内种皮红棕色，膜质。气无，果肉味涩，久嚼微甜。以个大、坚实、肉厚、味先涩后甜者为佳。

| 功能主治 |

味甘、酸、涩，性平；归肺、胃、脾、肝经。清热解毒，利咽生津，清肺。用于咽喉痛、咳嗽、烦渴、酒和鱼蟹中毒、肠炎腹泻。根：清咽，解毒，利关节。用于咽喉痛、脚气、筋骨痛。

橄榄科 Burseraceae　橄榄属 Canarium

乌榄
Canarium pimela Leenh.

| 中 药 名 | 乌榄（药用部位：根、叶、果实、种仁、根皮）

| 植物形态 | 乔木，髓部周围及中央有柱状维管束。无托叶。小叶 4~6 对，纸质至革质，宽椭圆形，长 6~17cm，宽 2~7.5cm。花序腋生，为疏散的聚伞圆锥花序，雄花序多花，雌花序少花。雄花长约 7mm，雌花长约 6mm。雄蕊 6，在雄花中近 1/2、在雌花中 1/2 以上合生。花盘杯状、流苏状，边缘及内侧有刚毛，雄花中的肉质，中央有一凹穴；雌花中的薄，边缘有 6 波状浅齿。雌蕊在雄花中不存在。果序长 8~35cm，有果实 1~4；果实具长柄，果萼近扁平，直径 8~10mm，果实成熟时紫黑色，狭卵圆形，长 3~4cm，直径 1.7~2cm，横切面圆形至不明显的三角形；外果皮较薄，果核横切面近圆形，核盖厚约 3mm。种子 1~2；不育室适度退化。花期 4~5 月，果期 5~11 月。

乌榄

| 分布区域 | 产于海南白沙、陵水。亦分布于中国华南其他区域，以及云南。越南、老挝、柬埔寨也有分布。

| 资　　源 | 生于中海拔林中。

| 采收加工 | 8~9 月果实成熟时采收。

| 药材性状 | 核果呈狭卵圆形，长 3~4cm，直径 1.7~2cm。表面棕褐色。果核长纺锤状腰鼓形，长 2.2~2.6cm，直径 9~10.4mm。两端锐尖，表面浅褐色，凹凸不平，具 3 明显的纵棱纹，细棱间又各具不甚明显的粗棱。先端具 3 个眼点，每一眼点两侧各具一弧形细纵沟，直达种子中下部，2 细沟向相反方向弯曲。以粒大、均匀、饱满者为佳。

| 功能主治 | 根：味酸、涩，性平；归脾、肺经。舒筋活络，止血，化痰，利水，消痛肿。用于内伤吐血、咳嗽、手足麻木、胃痛、烫伤、风湿痛、腰腿痛。叶：止血。用于崩漏、斑毒。果实：润肺化痰，利水消肿，下气，补血，杀诸鱼毒。用于内伤出血、咳嗽。种仁：润肺，下气，补血，解诸鱼毒。根皮：用于内伤吐血。树皮：用于烫火伤。

棟科 Meliaceae 米仔兰属 *Aglaia*

米仔兰 *Aglaia odorata* Lour.

| 中 药 名 | 米仔兰（药用部位：枝叶、花）

| 植物形态 | 灌木或小乔木，幼枝顶部被星状锈色的鳞片。叶长 5~12cm，叶轴和叶柄具狭翅，有小叶 3~5；小叶对生，厚纸质，长 2~7cm，宽 1~3.5cm，下部的远较先端的为小。圆锥花序腋生，长 5~10cm；花芳香，直径约 2mm；花萼 5 裂，裂片圆形；花瓣 5，黄色，长圆形，长 1.5~2mm；雄蕊管略短于花瓣，倒卵形，花药 5，内藏；子房卵形，密被黄色粗毛。果实为浆果，卵形，长 10~12mm，初时被散生的星状鳞片，后脱落；种子有肉质假种皮。花期 5~12 月，果期 7 月至翌年 3 月。

米仔兰

|分布区域|

产于海南三亚、乐东、昌江、万宁、琼中、儋州、澄迈、屯昌。亦分布于中国华南其他区域。越南、泰国、老挝、柬埔寨也有分布。

|资　源|

生于低海拔疏林中，常见。

|采收加工|

枝叶、花：全年均可采枝叶，花期采收花，洗净，鲜用或晒干。

|药材性状|

细枝灰白色至绿色，直径 2~5mm，外表有浅沟织，并有突起的枝痕、叶痕及多数细小的疣状突起。干燥的小叶片长椭圆形，长 2~7cm，先端钝，基部楔形而下延，无柄；上面有浅显的网脉，下面羽脉明显，叶缘稍反卷。薄革质，稍柔韧。

|功能主治|

枝叶：味辛，性微温；归肺、胃、肝经。活血化瘀，消肿止痛。用于跌打损伤、骨折、痈疮。
花：行气解郁。用于气郁、胸闷、食滞、腹胀。

楝科 Meliaceae 米仔兰属 Aglaia

山 椤
Aglaia roxburghiana (Wight & Arn.) Miq.

| **中 药 名** | 山椤（药用部位：枝叶）

| **植物形态** | 乔木，幼枝被锈色、鳞片状星状毛。叶互生，小叶 5~9，对生，薄纸质，椭圆形至长椭圆形，长 8~12cm，宽 2.5~4.5cm，小叶柄长 5~8mm。圆锥花序腋生，被锈色或淡黄色鳞片状星状毛，花梗与花萼同被锈色鳞片状星状毛；花萼长约 0.6mm，5 裂，花瓣 5，长圆形，长 1~1.5mm；雄蕊管近球形，稍短于花瓣，花药 5，内藏；子房密被鳞片状星状毛。浆果近球形，直径 1.5~2.5cm，密被黄褐色短绒毛，花期 6~10 月，果期 7 月至翌年 4 月。

| **分布区域** | 产于海南乐东、昌江、白沙、五指山、陵水、万宁、琼中、南沙群岛。亦分布于中国华南其他区域，以及台湾、贵州、云南。越南、泰国、

山椤

老挝、柬埔寨、菲律宾、马来西亚、印度尼西亚、印度、斯里兰卡、巴布亚新几内亚、澳大利亚、太平洋岛屿也有分布。

| 资　　源 | 生于山谷或山坡林中，常见。 |

| 采收加工 | 全年均可采，洗净，鲜用或晒干。 |

| 功能主治 | 同属植物米仔兰的枝叶可用于活血化瘀、消肿止痛，本种或有类似功能，其功能有待进一步研究。 |

| 附　　注 | 在 FOC 中，其学名被修订为 *Aglaia elaeagnoidea* (A. Jussieu) Bentham。 |

棟科 Meliaceae 米仔兰属 *Aglaia*

小叶米仔兰
Aglaia odorata Lour. var. *microphyllina* C. DC. Monogr.

| **中 药 名** | 小叶米仔兰（药用部位：根、叶、根皮、树皮、果实、种仁）

| **植物形态** | 本变种与米仔兰（原变种）的主要区别在于：叶通常具小叶 5~7，间有 9，狭长椭圆形或狭倒披针状长椭圆形，长在 4cm 以下，宽 8~15mm。

| **分布区域** | 产于海南东方、昌江、白沙、万宁、儋州。亦分布于中国南部各地。

| **资　　源** | 生于低海拔林中，少见。

| **采收加工** | 根、叶、树皮：全年可采收，洗净，晒干。果实、种仁：果实成熟时采摘，剥取果仁，备用。

小叶米仔兰

功能主治

根：舒筋活络，止血，化痰，利水，消痈肿。用于内伤吐血、咳嗽、手足麻木、胃痛、烫伤、风湿痛、腰腿痛。叶：止血。用于崩漏、斑毒。果实：润肺化痰，利水消肿，下气，补血，杀诸鱼毒。用于内伤出血、咳嗽。种仁：润肺，下气，补血，解诸鱼毒。根皮：用于内伤吐血。树皮：用于烫火伤。

附 注

在 FOC 中，其被提升为独立的种，学名被修订为 *Aglaia odorata* Lour.。

棟科 Meliaceae 崖摩属 *Amoora*

望谟崖摩 *Amoora ouangliensis* (Levl.) C. Y. Wu

| 中 药 名 |

望谟崖摩（药用部位：树皮）

| 植物形态 |

乔木，小枝被苍白色鳞片。叶长约 50cm，
叶柄和叶轴无毛，有小叶 6~8，椭圆形至长
椭圆状披针形，长 10~18cm，宽 5~7cm，
基部一侧明显下延，稍偏斜，叶面仅于中
脉上有鳞片，背面普遍被鳞片，侧脉每边
12~15，小叶柄长 5~8mm，被鳞片。花未见。
果序长 6~10cm，被鳞片；果实椭圆形，长
约 2.5cm，先端急尖，基部渐狭呈短柄状，
被鳞片，多皱纹，下部承以展开的宿萼，萼
齿 4，圆形，稍反卷，被鳞片；果皮木质，
干时坚硬，果柄长约 1.3cm，种子 1~3，围
以完全的肉质假种皮。果期 5 月和 8~10 月。

| 分布区域 |

产于海南乐东、昌江、保亭、琼中、儋州、
定安、海口。亦分布于中国华南其他区域，
以及贵州、云南。越南也有分布。

| 资　　源 |

生于石灰岩山地沟谷密林或疏林中，少见。

望谟崖摩

| 采收加工 | 秋季剥取树皮，洗净，鲜用或晒干。

| 功能主治 | 目前并无资料表明本种有药用价值，但是有学者在本种植物的树皮中提取分离出多种化合物，其作用值得进一步研究。

| 附　　注 | 在 FOC 中，其学名被修订为 *Aglaia lawii* (Wight) C. J. Saldanha。

棟科 Meliaceae 崖摩属 Amoora

铁 椤

Amoora tsangii (Merr.) X. M. Chen.

| 中 药 名 | 铁椤（药用部位：树皮）

| 植物形态 | 乔木，小枝淡褐色，密被淡黄色鳞片。叶互生，长 18~30cm，叶柄和叶轴密被淡黄色鳞片；小叶 5~9，互生，纸质，长椭圆形，长 8~12cm，宽 2.5~4.5cm，基部偏斜，小叶柄密被淡黄色小鳞片。花杂性异珠，雄花的圆锥花序顶生或近顶生，长 12~15cm，总花梗、花梗和花萼均密被淡黄色小鳞片，两性花的花序较短，总花梗、分枝和花梗与花萼均被淡黄色鳞片；花萼近杯状，5 裂，花瓣 3，倒卵形，长 2~3mm，覆瓦状排列；雄蕊管近陀螺状，长约 2mm，花药 6，内藏；子房 4 室，密被黄色鳞片。蒴果球形或梨形，直径 2.5~3cm，基部收缩成一粗厚、长 8~16mm 的柄，密被亮黄色鳞片。花期 6~12 月，果期 7 月至翌年 2 月。

铁椤

| **分布区域** | 产于海南三亚、乐东、东方、昌江、五指山、保亭、陵水、万宁、琼中、儋州。

| **资　　源** | 生于低海拔至中海拔林中，常见。

| **采收加工** | 全年皆可采收，洗净，晒干。

| **功能主治** | 用于除虱。

| **附　　注** | 在 FOC 中，其学名被修订为 *Aglaia lawii* (Wight) C. J. Saldanha et Ramamorthy。

棟科 Meliaceae 山棟属 *Aphanamixis*

大叶山棟 *Aphanamixis grandifolia* Bl.

| 中 药 名 | 大叶山棟（药用部位：根皮、叶）

| 植物形态 | 乔木，叶通常为奇数羽状复叶，长 20~60cm，有小叶 11~21；小叶对生，革质，长椭圆形，长 17~26cm，宽 6~10cm，基部偏斜。花序腋上生，多少被微柔毛，雄花组成圆锥花序式，雌花和两性花组成穗状花序；花球形，直径 6~7mm；萼片圆形；花瓣 3，圆形，直径 6~7mm；雄蕊管球形，花药 6，内藏；花盘缺；子房被毛，无花柱，柱头具 3 棱。蒴果球状梨形，直径 2.5~2.8cm，无毛；种子黑褐色，扁圆形，长 1.3~1.5cm，宽 1~1.2cm。花期 6~8 月，果期 10 月至翌年 4 月。

| 分布区域 | 产于海南三亚、乐东、东方、昌江、白沙、五指山、保亭、万宁、陵水、

大叶山棟

琼中、儋州、临高、澄迈、屯昌。亦分布于中国华南其他区域，以及云南。印度、马来西亚及越南也有分布。

| **资　　源** | 生于低海拔林中，十分常见。

| **采收加工** | 全年皆可采收，洗净，晒干。

| **功能主治** | 祛风消肿。用于风湿病。

| **附　　注** | 在 FOC 中，本种已被归并到山楝 *Aphanamixis polystachya* (Wall.) R. Parker 中。

棟科 Meliaceae 山棟属 *Aphanamixis*

山 棟
Aphanamixis Polystachya (Wall.) R. N. Parker.

| 中 药 名 | 山棟（药用部位：根皮、树皮、叶）

| 植物形态 | 乔木，叶为奇数羽状复叶，长 30~50cm，有小叶 9~11；小叶对生，在强光下可见很小的透明斑点，长椭圆形，长 18~20cm，宽约 5cm，小叶柄长 6~12mm。花序腋上生，短于叶，雄花组成穗状花序复排列成广展的圆锥花序，雌花组成穗状花序；花球形，无花梗，下有小苞片 3；萼 4~5，圆形；花瓣 3，圆形，直径约 3mm，凹陷；雄蕊管球形，花药 5~6，子房被粗毛，3 室。蒴果近卵形，长 2~2.5cm，直径约 3cm，熟后橙黄色，开裂为 3 果瓣；种子有假种皮。花期 5~9 月，果期 10 月至翌年 4 月。

| 分布区域 | 产于海南三亚、乐东、东方、昌江、白沙、五指山、保亭、万宁、陵水、

山棟

琼中、儋州、临高、澄迈、屯昌。亦分布于中国华南其他区域，以及云南。印度、马来西亚及越南也有分布。

| 资　　　源 | 生于低海拔林中，十分常见。

| 采收加工 | 全年皆可采收，洗净，晒干。

| 功能主治 | 根皮及叶：祛风消肿。树皮：收敛。

棟科 Meliaceae 麻楝属 *Chukrasia*

麻 楝 *Chukrasia tabularis* A. Juss.

| **中 药 名** | 麻楝（药用部位：树皮、根）

| **植物形态** | 乔木,幼枝具苍白色的皮孔。叶常为偶数羽状复叶,长 30~50cm,无毛,小叶 10~16；叶柄长 4.5~7cm；小叶互生, 纸质, 卵形至长圆状披针形, 长 7~12cm, 宽 3~5cm。圆锥花序顶生, 具短的总花梗；苞片线形, 早落；花长 1.2~1.5cm, 有香味；花梗短, 具节；萼浅杯状, 高约 2mm, 裂齿外面被极短的微柔毛；花瓣黄色或略带紫色, 长圆形, 长 1.2~1.5cm, 外面中部以上被稀疏的短柔毛；雄蕊管圆筒形, 花药 10, 着生于管的近顶部；子房具柄, 略被紧贴的短硬毛, 花柱被毛, 柱头头状。蒴果灰黄色或褐色, 近球形, 长 4.5cm, 宽 3.5~4cm, 先端有小凸尖, 表面粗糙而有淡褐色的小疣点；种子扁平, 椭圆形, 直径 5mm, 有膜质的翅, 连翅长 1.2~2cm。花期 4~5 月, 果期 7 月至翌年 1 月。

麻楝

| **分布区域** | 产于海南乐东、东方、昌江、白沙、保亭。亦分布于中国华南其他区域，以及福建、浙江、贵州、云南、西藏。越南、泰国、老挝、马来西亚、印度尼西亚、印度、尼泊尔、斯里兰卡也有分布。 |

| **资　　源** | 生于低海拔林中，少见。 |

| **采收加工** | 全年均可采树皮，挖取根部，剥取根皮，洗净，鲜用或晒干。 |

| **功能主治** | 树皮：味苦，性寒。退热，祛风止痒。用于感冒发热、皮肤瘙痒。根：清热润肺，止咳。用于肺热咳嗽、热病伤阴。 |

棟科 Meliaceae 非洲棟属 *Khaya*

非洲棟
Khaya senegalensis (Desr.) A. Juss.

| 中 药 名 |

非洲棟（药用部位：树皮、花）

| 植物形态 |

乔木，树皮呈鳞片状开裂。叶互生，叶轴
和叶柄圆柱形，长 15~60cm；小叶 6~16，
近对生或互生，先端 2 对小叶对生，长
7~17cm，宽 3~6cm，小叶柄长 5~10mm。
圆锥花序顶生或腋上生；萼片 4，分离；花
瓣 4，分离，椭圆形，长 3mm，无毛；雄
蕊管坛状；子房卵形，无毛，通常 4 室。
蒴果球形，成熟时自先端室轴开裂，果壳厚；
种子宽，横生，椭圆形至近圆形，边缘具
膜质翅。

| 分布区域 |

海南各地均有栽培。中国华南其他区域，
以及福建、台湾有栽培。原产于非洲。

| 资　　源 |

栽培，十分常见。

非洲棟

| **采收加工** | 树皮、花：树皮全年均可采，花期收集花，洗净，鲜用或晒干。

| **功能主治** | 树皮：解热，止血。花：用于胃病。

棟科　Meliaceae　棟属　*Melia*

棟
Melia azedarach L.

| 中 药 名 | 苦楝皮（药用部位：树皮、根皮、叶、果实）

| 植物形态 | 落叶乔木，树皮灰褐色，纵裂，小枝有叶痕。叶为二至三回奇数羽状复叶，长 20~40cm；小叶对生，卵形，长 3~7cm，宽 2~3cm，边缘有钝锯齿。圆锥花序约与叶等长，花芳香；花萼 5 深裂，裂片外面被微柔毛；花瓣淡紫色，倒卵状匙形，长约 1cm，两面均被微柔毛，通常外面较密；雄蕊管紫色，有纵细脉，管口有钻形、2~3 齿裂的狭裂片 10，花药 10，着生于裂片内侧，子房近球形，5~6 室，柱头头状，先端具 5 齿，不伸出雄蕊管。核果球形至椭圆形，长 1~2cm，宽 8~15mm，内果皮木质，4~5 室，每室有种子 1；种子椭圆形。花期 4~5 月，果期 10~12 月。

棟

| 分布区域 |

产于海南三亚、乐东、东方、昌江、白沙、保亭、万宁、儋州、澄迈、陵水、永兴岛。亦分布于中国黄河以南各地。广布于亚洲热带及亚热带地区。

| 资　　源 |

生于低海拔旷野、路旁或疏林中，常见。

| 采收加工 |

全年或春、秋季采收，剥取干皮或根皮，除去泥沙，晒干。

| 药材性状 |

干皮：干皮呈不规则块片状、槽状或半卷筒状，长宽不一，厚 3~7mm。外表面粗糙，灰棕色或灰褐色，有交织的纵皱纹及点状灰棕色皮孔。除去粗皮者淡黄色；内表面类白色或淡黄色。质韧，不易折断，断面纤维性，呈层片状，易剥离成薄片，层层黄白相间，每层薄片均可见极细的网纹。无臭，味苦。根皮：根皮呈不规则片状或卷曲，厚 1~5mm。外表面灰棕色或棕紫色，微有光泽，粗糙，多裂纹。干皮以皮细、可见多数皮孔的幼嫩树皮为佳。根皮以皮厚、去栓皮者为佳。

| 功能主治 |

树皮、根皮、叶：味苦，性寒；有毒；归脾、胃、肝经。清热燥湿，驱虫疗癣，止痒，行气止痛，消肿接骨。用于蛔虫病、蛲虫病、钩虫病、阴道滴虫病、虫积腹痛、头癣、疥癣疮癞瘙痒、风疹、湿疹、荨麻疹、疝气疼痛、跌打损伤肿痛、蛇虫咬伤。果实：疏肝行气，泻火，止痛止血，驱虫杀虫。鲜叶：用于灭钉螺。

楝科 Meliaceae 地黄连属 Munronia

海南地黄连 *Munronia hainanensis* How et T. Chen

| 中药名 | 七叶子（药用部位：枝叶）

| 植物形态 | 直立灌木。奇数羽状复叶，常聚生于茎上部，有 5 小叶，长 8~12cm，叶柄及叶轴被短柔毛；小叶片膜质，椭圆形，长 5~7.5cm，宽 2~3cm，基部偏斜，叶背面沿脉被紧贴短柔毛，顶生小叶具柄。总状花序腋生，总花梗长 5~10mm，被短柔毛；花梗及花萼被短柔毛；萼片线状披针形，长 2~3mm；花冠白色，花冠管长 2.3cm，疏被广展长柔毛，裂片 5，倒披针形，长约 10mm，沿中脉被长柔毛；雄蕊管长约 3cm，裂片线状披针形，与花药互生；花药背面疏被毛，无柄。蒴果扁球形，疏被星状柔毛。花期 5 月。

| 分布区域 | 产于海南白沙、万宁、琼中。亦分布于中国华南其他区域。

海南地黄连

| 资　　源 | 生于山地路旁，偶见。

| 采收加工 | 夏、秋季采收，洗净，鲜用或晒干。

| 功能主治 | 味淡，性平。清热解毒，活血舒筋。用于毒蛇咬伤、风湿骨痛、跌打损伤。

| 附　　注 | 在 FOC 中，其被修订为羽状地黄连 *Munronia pinnata* (Wallich) W. Theobald。

楝科 Meliaceae 地黄连属 Munronia

崖州地黄连
Munronia simplicifolia Merr.

| 中 药 名 | 崖州地黄连（药用部位：全株或根）

| 植物形态 | 直立亚灌木，嫩枝被紧贴的粗毛。叶为单叶，膜质或纸质，椭圆状卵形，长 3~6cm，宽 1.5~2.5cm，叶柄长 8~15mm。花序长 3~5cm，有花 2~3；萼片长椭圆形，分离，长 3.5~4mm，被稀疏的粗毛；花冠白色，花冠管纤细，长 1.5~2cm，外被皱曲的疏长毛，裂片广展，长 14mm，雄蕊管细长，突出，先端有裂片 10，裂片狭披针形，花药先端略被睫毛；子房卵形，上部极疏被睫毛，花柱下部被皱曲睫毛。花期 9~12 月。

| 分布区域 | 产于海南三亚、万宁。亦分布于中国广东、湖南、湖北、贵州、云南、四川。越南也有分布。

崖州地黄连

| 资　　源 | 生于林下蔽荫岩边和石缝中，偶见。

| 采收加工 | 全年皆可采收，除去杂质，洗净，鲜用或晒干。

| 功能主治 | 全株：清热解毒，燥湿，止血，活血止痛。用于跌打损伤、劳伤、胃炎、胃痛、咳嗽、疮痈、无名肿毒。根：用于跌打损伤。

| 附　　注 | 在 FOC 中，其学名被修订为单叶地黄连 *Munronia unifoliolata* Oliver。

仙都果 *Sandoricum koetjape* (Burm. f.) Merr.

| 中 药 名 | 仙都果（药用部位：根、树皮）

| 植物形态 | 落叶乔木，树皮灰褐色，幼枝密生褐色绒毛。叶互生，三出复叶，具长柄，小叶卵状椭圆形，厚膜质，老叶变红脱落。圆锥花序腋生，花瓣 5，黄白色。浆果球形或扁球形，有毛，果实成熟时淡棕色或金黄色，果肉白色。春、夏季开花。

| 分布区域 | 海南有栽培。中国云南西双版纳亦有栽培。原产于东南亚、印度。

| 资　　源 | 栽培，少见。

| 采收加工 | 全年皆可采收，洗净，鲜用或晒干。

仙都果

| 功能主治 | 同属植物印度山道楝 *Sandoricum indicum* 的根及树皮可以止泻、止痢、祛风，本种或有类似功能。

棟科 Meliaceae 桃花心木属 Swietenia

桃花心木 *Swietenia mahagoni* (L.) Jacq.

桃花心木

| 中 药 名 |

桃花心木（药用部位：种子）

| 植物形态 |

常绿大乔木，基部扩大成板根；树皮淡红色，鳞片状。叶长 35cm，有小叶 4~6 对，叶柄基部略膨大；小叶片革质，斜披针形至斜卵状披针形，长 10~16cm，宽 4~6cm。圆锥花序腋生，长 6~15cm，具柄；花具短柄，长约 3mm；萼浅杯状，5 裂，裂片圆形；花瓣白色，长 3~4mm，广展；雄蕊管无毛，裂齿短尖；子房圆锥状卵形，比花盘长，每室有胚珠 12，花柱无毛，较子房为长，柱头盘状，五出，放射状。蒴果大，卵状，木质，直径约 8cm，熟时 5 瓣裂；种子多数，长 18mm，连翅长 7cm。花期 5~6 月，果期 10~11 月。

| 分布区域 |

海南乐东有栽培。中国华南其他区域，以及福建、台湾、云南有栽培。原产于南美洲，现热带地区均有栽培。

| 资 源 |

栽培，少见。

| 采收加工 |

果实成熟时采收，剥取种子，鲜用或晒干。

| 功能主治 |

用作通便剂、解热剂、强壮剂、收敛剂。

棟科 Meliaceae 鹧鸪花属 Trichilia

鹧鸪花
Trichilia connaroides (Wight et Arn.) Bentv.

| 中 药 名 | 鹧鸪花（药用部位：根）

| 植物形态 | 乔木，叶为奇数羽状复叶，通常长 20~36cm，有小叶 3~4 对，叶轴圆柱形，小叶对生，膜质，披针形，长 8~16cm，宽 3.5~5cm，叶面无毛，背面苍白色，小叶柄长 4~8mm。圆锥花序略短于叶，腋生，被微柔毛，具很长的总花梗；花小，长 3~4mm；花萼 5 裂，裂齿圆形，花瓣 5，白色或淡黄色；雄蕊管 10 裂至中部以下，裂片内面被硬毛，花药 10，着生于裂片先端的齿裂间；子房近球形，柱头先端2 裂。蒴果椭圆形，有柄，长 2.5~3cm，宽 1~2.5cm，无毛；种子 1，具假种皮，干后黑色。花期 4~6 月，果期 5~6 月和 11~12 月。

| 分布区域 | 海南万宁有栽培。亦分布于中国广西和云南。中南半岛，以及印度和印度尼西亚也有分布。

鹧鸪花

| 资　　源 | 生于山地林中，少见。 |

| 采收加工 | 根全年可采，洗净，切段，晒干或鲜用。 |

| 功能主治 | 清热解毒，祛风湿，利咽喉。用于风湿性关节炎、风湿腰腿痛、咽喉炎、扁桃体炎、心胃气痛。 |

| 附　　注 | 在 FOC 中，鹧鸪花属学名被修订为 *Heynea*，本种学名亦被修订为 *Heynea trijuga* Roxb.。 |

棟科 Meliaceae 鹧鸪花属 Trichilia

小果鹧鸪花
Trichilia connaroides (Wight et Arn.) Bentv. var. *microcarpa* (Pierre) Bentv.

| **中 药 名** | 小果鹧鸪花（药用部位：根）

| **植物形态** | 本变种与鹧鸪花的主要区别在于小叶片长 7~9cm，宽 3~4cm，侧脉 7~9 对；蒴果较小，长 1.5cm，宽 1~1.2cm。

| **分布区域** | 产于海南乐东、东方、昌江、白沙、五指山、万宁、儋州、澄迈。亦分布于中国华南其他区域，以及贵州、云南。越南、泰国、老挝、菲律宾、印度尼西亚、不丹、尼泊尔也有分布。

| **资 源** | 生于低海拔至中海拔林中，常见。

小果鹧鸪花

| 采收加工 | 根全年可采，洗净，切段，晒干或鲜用。

| 功能主治 | 同"鹧鸪花"。

| 附　　注 | 在 FOC 中，其学名被修订为鹧鸪花 *Heynea trijuga* Roxb.。

棟科 Meliaceae 鹧鸪花属 Trichilia

茸果鹧鸪花
Trichilia sinensis Bentv.

| **中 药 名** | 白骨走马（药用部位：根、叶、果实）

| **植物形态** | 灌木，幼枝被黄色柔毛，后变无毛。叶为奇数羽状复叶，长13~30cm，叶柄与叶轴均被开展的黄色柔毛；小叶7~9，膜质，披针形，长7~15cm，宽2~5cm，稍偏斜，叶背面被黄色长柔毛，小叶柄密被黄色长柔毛。圆锥花序腋生，被黄色柔毛；花长4~5mm；花梗长2~4mm，中部以下具节，和花萼同被黄色柔毛；花萼杯状，长1~1.5mm，5齿裂，裂齿卵状三角形；花瓣5，白色，长圆形，长3.5~4mm，雄蕊管略短于花瓣，10深裂，裂片复2裂，管侧面无毛，内面近口部有髯毛；子房被柔毛，柱头圆锥形，2裂。蒴果近球形，直径8~12mm，被黄色柔毛和有极密的横线条；种子通常1，有时2，近球形，黑紫色或黑色，有光泽。花期4~9月，果期8~12月。

茸果鹧鸪花

| 分布区域 |

产于海南三亚、保亭、万宁、琼海、昌江、陵水、琼中。亦分布于中国广西、贵州、云南。越南也有分布。

| 资　源 |

生于低海拔林中，少见。

| 采收加工 |

根：全年均可采挖。叶：春、夏季采收。果实：秋、冬季果实将成熟时采收，洗净，切片，鲜用或晒干。

| 功能主治 |

味苦，性平；有小毒；归肝、胃经。杀虫止痒，燥湿，止血。用于蛔虫病、腹痛、臁疮、慢性骨髓炎、疮疥肿毒、湿疹、外伤出血。

| 附　注 |

在 FOC 中，其学名被修订为 *Heynea velutina* F. C. How et T. C. Chen。

楝科 Meliaceae 杜楝属 Turraea

杜 楝
Turraea pubescens Hellen

| 中 药 名 |　杜楝（药用部位：全株）

| 植物形态 |　灌木，叶片椭圆形，长 5~10cm， 宽 2~4.5cm， 叶柄通常长 5~10mm，被黄色柔毛。总状花序腋生，总花梗有花 4~5，被绒毛；小苞片披针形，被短绒毛；花萼短，钟状，外面被绒毛，先端 5 齿裂，裂齿三角形；花瓣 5，白色，线状匙形，长 3~4.5cm，宽 5~6cm，花药 10，着生于雄蕊管的裂齿之下，雄蕊管长而狭窄，4~5 裂，通常复 2 深裂，花盘高约 1mm，包围子房的基部，子房 5 室，伸出于雄蕊管外，柱头瓶状。蒴果球形，直径 1~1.5cm，有种子 5；种子长椭圆形，通常弯曲如新月状，长 7mm。花期 4~7 月，果期 8~11 月。

杜楝

| 分布区域 |

产于海南三亚、东方、昌江、五指山、陵水、万宁、琼中、临高。亦分布于中国各地。越南、泰国、老挝、菲律宾、印度尼西亚、印度、巴布亚新几内亚、澳大利亚也有分布。

| 资　　源 |

生于低海拔或近海边林中，常见。

| 采收加工 |

全年可采收，洗净，鲜用或晒干。

| 功能主治 |

解毒，收敛，止泻。用于痢疾、泄泻、咽喉痛、内外伤出血。

无患子科 Sapindaceae 异木患属 Allophylus

异木患
Allophylus viridis Radlk.

| 中 药 名 | 异木患（药用部位：根、茎、叶）

| 植物形态 | 灌木，小枝灰白色，被微柔毛。三出复叶，叶柄长 2~4.5cm，被柔毛；叶纸质，长 5~15cm，宽 2.5~4.5cm，侧生的较小，边缘有小锯齿，小叶柄长 5~8mm。花序总状，主轴不分枝，密花，被柔毛，总花梗长 1~1.5cm；花较小，宽 1~1.5mm；苞片钻形，比花梗短；萼片无毛；花瓣阔楔形，长约 1.5mm，鳞片深 2 裂，被须毛；花盘、花丝基部和子房均被柔毛。果实近球形，直径 6~7mm，红色。花期 8~9 月，果期 11 月。

| 分布区域 | 产于海南三亚、东方、昌江、白沙、五指山、保亭、万宁、琼中、儋州、澄迈、定安、文昌。亦分布于中国广东。越南也有分布。

异木患

| 资　　源 | 生于低海拔林中，常见。 |

| 采收加工 | 夏、秋季采收，洗净，晒干。 |

| 功能主治 | 味甘，性温；归肾经。通利关节，散瘀活血。用于风湿痹痛、跌打损伤。 |

无患子科 Sapindaceae 细子龙属 Amesiodendron

细子龙 *Amesiodendron chinense* (Merr.) Hu

| 中 药 名 | 细子龙（药用部位：全株）

| 植物形态 | 乔木，小枝有浅沟纹，暗红褐色，被短柔毛。叶连柄长 15~30cm，小叶通常 4~6 对，薄革质，两侧稍不对称，长 6~12cm，宽 1.5~3cm，边缘皱波状，有深割的锯齿。花序丛生于小枝的先端，密被短绒毛；花单性，萼裂片长约 1mm；花瓣白色，卵形，长约 2mm，鳞片全缘，先端反折，背面和边缘密被皱曲长毛；雄蕊 8，花丝长 3~4mm，密被长柔毛，花药被疏柔毛；子房和花柱被绒毛。蒴果的发育果爿近球状，直径 2~2.5cm，黑色或茶褐色，外面有瘤状突起和密集的淡褐色皮孔；种子宽约 2cm。花期 5 月，果期 8~9 月。

细子龙

| **分布区域** | 产于海南乐东、东方、五指山、陵水、万宁、琼中、琼海、白沙。亦分布于中国广西。越南、泰国、缅甸、老挝、马来西亚、印度尼西亚也有分布。 |

| **资　　源** | 生于中海拔至低海拔丛林中，常见。 |

| **采收加工** | 全年皆可采收，洗净切段，鲜用或晒干。 |

| **功能主治** | 本种为《南药园植物名录》所收载，具体药用功能并未说明，有待进一步研究。 |

无患子科 Sapindaceae 滨木患属 Arytera

滨木患 *Arytera littoralis* Bl.

| **中 药 名** | 滨木患（药用部位：种子）

| **植物形态** | 常绿小乔木，小枝皮孔多而密，黄白色。叶连柄长 15~35cm；小叶2 近对生。薄革质，长圆状披针形至披针状卵形，长 8~18cm，宽 2.5~7.5cm，侧脉 7~10 对，小叶柄长不及 1cm。花序常紧密多花，比叶短，很少长于叶，被锈色短绒毛；花芳香，花梗长 1~2mm；萼裂片长约 1mm，被柔毛；花瓣 5，与萼近等长，鳞片被长柔毛；花盘浅裂；雄蕊通常 8，花丝长短不齐，长 3~4mm；子房被紧贴柔毛。蒴果的发育果爿椭圆形，长 1~1.5cm，宽 7~9mm，红色或橙黄色；种子枣红色，假种皮透明。花期夏初，果期秋季。

滨木患

| 分布区域 |

产于海南三亚、乐东、昌江、白沙、五指山、保亭、
陵水、万宁、澄迈、琼中、儋州、屯昌、琼海、
文昌。亦分布于中国华南其他区域，以及云南。
印度、亚洲东南部、所罗门群岛也有分布。

| 资　　源 |

生于低海拔或中海拔林中，十分常见。

| 采收加工 |

果实成熟时采收，剥取种子，晒干或鲜用。

| 功能主治 |

用于疥癣。

无患子科 Sapindaceae 倒地铃属 Cardiospermum

倒地铃 *Cardiospermum halicacabum* L.

倒地铃

| 中 药 名 |

三角泡（药用部位：全草或根、果实）

| 植物形态 |

草质攀缘藤本，茎、枝绿色，有 5 棱和同数的直槽，棱上被皱曲柔毛。二回三出复叶，轮廓为三角形；叶柄长 3~4cm；小叶近无柄，薄纸质，长 3~8cm，宽 1.5~2.5cm，边缘有疏锯齿，背面中脉和侧脉上被疏柔毛。圆锥花序少花，总花梗直，长 4~8cm，卷须螺旋状；萼片 4，被缘毛，内面 2 片比外面 2 片约长 1 倍；花瓣乳白色，倒卵形；雄蕊与花瓣近等长或稍长，花丝被疏而长的柔毛；子房倒卵形或有时近球形，被短柔毛。蒴果梨形、陀螺状倒三角形，高 1.5~3cm，宽 2~4cm，褐色，被短柔毛；种子黑色，有光泽，直径约 5mm，种脐心形，鲜时绿色，干时白色。花期夏、秋季，果期秋季至初冬。

| 分布区域 |

产于海南三亚、乐东、东方、昌江、白沙、五指山、保亭、陵水、万宁、儋州、澄迈、屯昌、琼海、文昌、海口、西沙群岛。亦分布于中国华东、华南及西南。广布于世界热带及亚热带地区。

| **资　　源** | 生于低海拔旷野、村边，十分常见。 |

| **采收加工** | 全草：夏、秋季采收全草，清除杂质，晒干。果实：秋、冬季采果实，晒干。 |

药材性状

干燥全草，茎粗 2~4mm，黄绿色，有深纵沟槽，分枝纤细，多少被毛，质脆，易折断，断面粗糙。叶多脱落破碎而仅存叶柄，二回三出复叶，小叶卵形或卵状披针形，暗绿色。花淡黄色，干枯，与未成熟的三角形蒴果附于花序柄先端，下方有卷须。以全草叶多、身干者为佳。蒴果具 3 翅，膜质，气微，味稍苦。蒴果膜质，膨胀成倒卵形，有 3 棱，先端截头状，常被柔毛。种子球形，直径约 5mm，表面灰黑色，基部种子区较大，为淡灰黄色，近光滑，无光泽；具一斜向 "U" 形细肋。种脐区近心形，长 3.4~4.6cm。

功能主治

全草：味苦、辛，性寒。清热利水，凉血解毒，消肿止痛。用于黄疸、淋病、疔疮、湿疹、脓疱疮、疥疮、蛇咬伤、大小便不通、跌打损伤。根：止吐，缓泻。果实：祛风解痉，解毒。用于小儿脐风、湿疹、皮炎、疮痈。

无患子科 Sapindaceae 龙眼属 Dimocarpus

龙眼 *Dimocarpus longan* Lour.

| 中 药 名 |

龙眼肉（药用部位：根、叶、假种皮、种子）

| 植物形态 |

常绿乔木，具板根；小枝散生苍白色皮孔。叶连柄长 15~30cm；小叶 4~5 对，薄革质，长圆状椭圆形至长圆状披针形，长6~15cm，宽 2.5~5cm，基部极不对称。花序大型，密被星状毛；花梗短；萼片近革质，三角状卵形，两面均被褐黄色绒毛和成束的星状毛；花瓣乳白色，披针形，仅外面被微柔毛；花丝被短硬毛。果实近球形，直径1.2~2.5cm，通常黄褐色，外面稍粗糙；种子茶褐色，全部被肉质的假种皮包裹。花期春、夏季间，果期夏季。

| 分布区域 |

产于海南三亚、乐东、东方、昌江、白沙、五指山、陵水、万宁、儋州、澄迈、文昌，南沙群岛亦有栽培。亦分布于中国华南其他区域，以及云南。越南、泰国、老挝、缅甸、柬埔寨、菲律宾、马来西亚、印度尼西亚、印度、斯里兰卡、巴布亚新几内亚也有分布。

龙眼

| 资　源 |

生于山地林中，栽培，十分常见。

| 采收加工 |

果实应在充分成熟后采收。在晴天倒于晒席上，晒至半干后再用焙灶焙干，到七八成干时剥取假种皮，继续晒干或烘干，干燥适度为宜。或将果实放于开水中煮 10 分钟，捞出摊放，使水分散失，再火烤一昼夜，剥取假种皮，晒干。

| 药材性状 |

假种皮为不规则块片，常黏结成团，长 1~1.5cm，宽 1~3.85cm，厚约 1mm。黄棕色至棕色，半透明。外表面皱缩不平；内表面光亮，有细纵皱纹。质柔润，有黏性。气微香，味甚甜。以片大而厚、色黄棕、半透明、甜味浓者为佳。

| 功能主治 |

根：利湿通络。用于乳糜尿、白带、风湿关节痛。叶：清热解毒，解表利湿。用于预防流行性感冒、流行性脑脊髓膜炎、感冒、肠炎。外用于阴囊湿疹。假种皮：味甘，性温；归心、肾、肝、脾经。补心脾，养血安神。用于病后体虚、神经衰弱、健忘、心悸、失眠。种子：止痛止血。用于胃痛。

无患子科 ▍Sapindaceae ▍车桑子属 ▍*Dodonaea*

车桑子 *Dodonaea viscosa* (L.) Jacq.

| 中 药 名 | 车桑子（药用部位：花、果实、根、叶或全株）

| 植物形态 | 灌木，小枝扁，有狭翅，覆有胶状黏液。单叶，纸质，形状和大小变异很大，长 5~12cm，宽 0.5~4cm，两面有黏液，无毛。花序比叶短，密花，主轴和分枝均有棱角；花梗纤细，萼片 4，披针形或长椭圆形，长约 3mm，先端钝；雄蕊 7 或 8，花药长 2.5mm，内曲，有腺点；子房椭圆形，外面有胶状黏液，花柱长约 6mm，先端 2 或 3 深裂。蒴果倒心形或扁球形，具 2 或 3 翅，高 1.5~2.2cm，种皮膜质或纸质，有脉纹；种子每室 1 或 2，透镜状，黑色。花期秋末，果期冬末春初。

车桑子

| 分布区域 | 产于海南三亚、乐东、东方、昌江、白沙、五指山、保亭、万宁、儋州、澄迈。亦分布于中国华南其他区域，以及福建、台湾、云南、四川。广布于热带及亚热带地区。

| 资　　源 | 生于旱坡、旷野或沿海沙地，常见。

| 采收加工 | 全年均可采收，鲜用或晒干备用。

| 功能主治 | 根：消肿解毒。用于牙痛、风毒流注。叶：味微苦、辛，性平。清热解毒，祛瘀消肿，消炎镇咳，祛风湿。用于癃闭、肩部漫肿、咽喉炎、疮痈疔疖、会阴部肿毒、烫火伤。全株：外用于疮毒、湿疹、瘾疹、皮疹。花、果实：用于顿咳。

无患子科 Sapindaceae 赤才属 *Erioglossum*

赤 才
Erioglossum rubiginosum (Roxb.) Bl.

| **中 药 名** | 赤才（药用部位：根、叶）

| **植物形态** | 常绿灌木，树皮暗褐色，不规则纵裂；嫩枝、花序和叶轴均密被锈色绒毛。叶连柄长 15~50cm；小叶 2~8 对，革质，向上渐大，椭圆状卵形至长椭圆形，长 3~20cm，背面密被绒毛，小叶柄长常不及5mm。花序通常为复总状，只有一回分枝，上部密花，下部疏花；苞片钻形；花芳香，直径约 5mm；萼片近圆形，长 2~2.5mm；花瓣倒卵形，长约 5mm；花丝被长柔毛。果实的发育果爿长 12~14mm，宽 5~7mm，红色。花期春季，果期夏季。

赤才

| 分布区域 |

产于海南三亚、乐东、东方、昌江、白沙、保亭、万宁、儋州、陵水、琼中、海口。亦分布于中国华南其他区域，云南有栽培。越南、泰国、老挝、柬埔寨、缅甸、菲律宾、马来西亚、印度尼西亚、印度、巴布亚新几内亚、澳大利亚也有分布。

| 资　　源 |

生于低海拔或海边疏林中，常见。

| 采收加工 |

全年可采收，鲜用或晒干。

| 功能主治 |

根：民间用作强壮剂。叶：解热。

| 附　　注 |

在 FOC 中，其学名被修订为 *Lepisanthes rubiginosa* (Roxb.) Leenh.。

无患子科 Sapindaceae 荔枝属 Litchi

荔 枝 *Litchi chinensis* Sonn.

| 中 药 名 | 荔枝（药用部位：果实、种子、根、叶）

| 植物形态 | 常绿乔木，高通常不超过 10m，有时可达 15m 或更高，树皮灰黑色；小枝圆柱状，褐红色，密生白色皮孔。叶连柄长 10~25cm 或过之；小叶 2 或 3 对，较少 4 对，薄革质或革质，披针形或卵状披针形，有时长椭圆状披针形，长 6~15cm，宽 2~4cm，先端骤尖或尾状短渐尖，全缘，腹面深绿色，有光泽，背面粉绿色，两面无毛；侧脉常纤细，在腹面不很明显，在背面明显或稍突起；小叶柄长 7~8mm。花序顶生，阔大，多分枝；花梗纤细，长 2~4mm，有时粗而短；花萼被金黄色短绒毛；雄蕊 6~7，有时 8，花丝长约 4mm；子房密覆小瘤体和硬毛。果实卵圆形至近球形，长 2~3.5cm，成熟时通常为暗红色至鲜红色；种子全部被肉质假种皮包裹。花期春季，果期夏季。

荔枝

| 分布区域 |

产于海南三亚、乐东、东方、昌江、保亭、陵水、万宁、琼中、澄迈。亦分布于中国华南其他区域，以及福建、云南。越南、泰国、老挝、缅甸、菲律宾、马来西亚、巴布亚新几内亚也有分布，热带、亚热带地区广泛栽培。

| 资　　源 |

海南各地均有栽培，常见。

| 采收加工 |

6~7 月果实成熟时采摘，鲜用或晒干备用。

| 功能主治 |

果实：味甘、酸，性温；归脾、肝经。生津止渴，补脾养血，理气止痛。用于烦渴、便血、血崩、脾虚泄泻、病后体虚、胃痛、呃逆；外用于瘰疬溃烂、疔疮肿毒、外伤出血。种子：用于胃气冷痛、疝痛、子痛、妇人腹中血气刺痛。根：用于胃寒胀痛、疝气、遗精、喉痹。叶：外用于脚癣烂脚、耳后溃疡。

无患子科 Sapindaceae　柄果木属 Mischocarpus

褐叶柄果木

Mischocarpus pentapetalus (Roxb.) Radlk.

| **中 药 名** |　褐叶柄果木（药用部位：根）

| **植物形态** |　常绿乔木，小枝有沟槽，干时褐红色。叶连柄长 20~45cm，叶轴有直纹，叶柄基部肿胀；小叶 3~5 对，纸质或薄革质，长圆形，长 10~25cm，宽 2.5~7.5cm，小叶柄长 0.8~1cm。花序常多分枝，与叶近等长或更长，主轴和分枝多少被毛；花梗长 2~5mm；萼裂片三角状卵形，长约 1.5mm，两面被柔毛；花瓣 1~5，披针形或退化为鳞片状；花盘被短硬毛；花丝长短不齐，长 2~3mm，被柔毛。蒴果梨状或棒状，长 1.2~2.5cm，着生种子部分直径 7~10mm，通常 1 室，有种子 1。花期春季，果期夏季。

褐叶柄果木

|分布区域|

产于海南三亚、白沙、乐东、东方、昌江、五指山、陵水、万宁、澄迈。亦分布于中国华南其他区域，以及云南。亚洲东南部也有分布。

|资　源|

生于林中，常见。

|采收加工|

全年可采收，鲜用或晒干。

|功能主治|

止咳。用于感冒咳嗽。

无患子科 Sapindaceae **柄果木属** Mischocarpus

柄果木 *Mischocarpus sundaicus* Bl.

| **中 药 名** | 柄果木（药用部位：根）

| **植物形态** | 常绿小乔木，高 3~10m；小枝暗红色，无毛。叶连柄长 10~20cm，叶轴与小枝同色；小叶常 2 对，有时 1 对，革质，卵形或长圆状卵形，长 5~13cm，宽 2~5cm，先端短渐尖，基部圆形或有时阔楔尖，干时腹面平滑，有光泽，背面可见纤细、雅致的网脉纹；小叶柄长约 10mm。花序复总状，近基部分枝，有时总状，不分枝，密被短柔毛；花梗长 1~2mm；花萼被柔毛；无花瓣；花丝和花盘均无毛。蒴果梨状，全长 8~9mm，柄状部分长 2~2.5mm，通常 1 室，有种子 1。花期 10~11 月，果期翌年春、夏季间。

| **分布区域** | 产于海南三亚、万宁、屯昌。亦分布于中国广西。亚洲东南部也有分布。

柄果木

| 资　　源 |

生于滨海地区林中，常见。

| 采收加工 |

全年可采收，鲜用或晒干。

| 功能主治 |

同属植物褐叶柄果木有止咳之效，可用于感冒咳嗽，本种与其相近，或有类似功能，其作用有待进一步研究。

无患子科　Sapindaceae　韶子属　Nephelium

红毛丹 *Nephelium lappaceum* L.

| 中 药 名 | 红毛丹（药用部位：果皮、果实、树皮、根）

| 植物形态 | 常绿乔木，小枝圆柱形，有皱纹，仅嫩部被锈色微柔毛。叶连柄长 15~45cm；椭圆形小叶 2 或 3 对，薄革质，长 6~18cm，宽 4~7.5cm，干时褐红色，网状小脉略呈蜂巢状，干时两面可见；小叶柄长约 5mm。花序常多分枝，与叶近等长或更长，被锈色短绒毛；花梗短；花萼革质，长约 2mm，裂片卵形，被绒毛；无花瓣；雄蕊长约 3mm。果实阔椭圆形，红黄色，连刺长约 5cm，宽约 4.5cm，刺长约 1cm。花期夏初，果期秋初。

| 分布区域 | 海南白沙、保亭、万宁等地有栽培。中国广东、台湾亦有栽培。原产于泰国、菲律宾、马来西亚、印度尼西亚，亚洲热带地区有栽培。

红毛丹

| 资　　源 | 本种作为水果栽培，常见。

| 采收加工 | 树皮及根：全年可采收。果皮、果实：果实在成熟时采摘，剥取果皮，鲜用或晒干。

| 功能主治 | 果皮：收敛。用于痢疾。果实：用于暴痢、心腹冷痛。树皮：用于舌部疾患。根：用于发热。

| 无患子科 | Sapindaceae | 韶子属 | *Nephelium* |

海南韶子
Nephelium topengii (Merr.) H. S. Lo.

| **中 药 名** | 海南韶子（药用部位：果实）

| **植物形态** | 常绿乔木，小枝干时红褐色，常被微柔毛。长圆形小叶 2~4 对，薄革质，长 6~18cm，宽 2.5~7.5cm，背面粉绿色，被柔毛；侧脉 10~15 对，直而近平行；小叶柄长 5~8mm。花序和花与上种（红毛丹）相似。果实椭圆形，红黄色，连刺长约 3cm，宽不超过 2cm，刺长 3.5~5mm。

| **分布区域** | 产于海南乐东、昌江、白沙、五指山、保亭、陵水、万宁、琼中、儋州、澄迈。海南特有种。

海南韶子

| 资　　源 | 生于低海拔至中海拔山地雨林中，常见。

| 采收加工 | 果实成熟时采摘，鲜用或晒干。

| 功能主治 | 消炎杀菌。用于口腔炎、痢疾、消化道溃疡、心腹冷痛。

| 无患子科 | Sapindaceae | 无患子属 | *Sapindus*

无患子
Sapindus mukorossi Gaertn.

| **中 药 名** | 无患子（药用部位：种子、叶、树皮、根、种仁、果肉）

| **植物形态** | 落叶大乔木，树皮灰褐色；嫩枝绿色，无毛。叶连柄长 25~45cm，叶轴稍扁，上面两侧有直槽；小叶 5~8 对，通常近对生，叶片薄纸质，长椭圆状披针形，长 7~15cm，宽 2~5cm，基部稍不对称；小叶柄长约 5mm。花序顶生，圆锥形；花小，辐射对称，花梗常很短；萼片卵形，外面基部被疏柔毛；花瓣 5，披针形，有长爪，长约 2.5mm，鳞片 2，小耳状；花盘碟状；雄蕊 8，伸出，花丝长约 3.5mm，中部以下密被长柔毛；子房无毛。果实的发育分果片近球形，直径 2~2.5cm，橙黄色，干时变黑。花期春季，果期夏、秋季。

无患子

| 分布区域 |

产于海南乐东、东方、五指山、保亭、陵水、万宁、琼中、澄迈、海口、昌江。亦分布于中国华东、华南、西南，各地常见栽培。越南、泰国、缅甸、印度尼西亚、印度、朝鲜、日本也有分布。

| 资　源 |

生于低海拔疏林中，常见。

| 采收加工 |

秋季采摘成熟果实，除去果肉和果皮，取种子晒干。

| 功能主治 |

种子：清热，祛痰，消积，杀虫。用于咽喉肿痛、咳喘、食滞、白带、疳积、疥癣、肿毒。叶：味苦、辛，性寒；有小毒；归心、肺经。用于毒蛇咬伤、百日咳。树皮：用于白喉、疥癣、疳疮。根：用于外感发热、咳嗽、吐血、白浊、白带。种仁：用于疳积、腹中气胀、口臭。果肉：用于胃痛、疝痛、风湿痛、虫积、食滞、无名肿毒。

| 附　注 |

在FOC中，其学名被修订为 *Sapindus saponaria* L.。

| 伯乐树科 | Bretschneideraceae | 伯乐树属 | Bretschneidera

伯乐树
Bretschneidera sinensis Hemsley.

| **中 药 名** | 山桃树皮（药用部位：树皮）

| **植物形态** | 乔木，小枝有较明显的皮孔。羽状复叶，通常长 25~45cm；小叶 7~15，形状多变，多少偏斜，长 6~26cm，宽 3~9cm，全缘，叶背粉绿色或灰白色，有短柔毛；小叶柄长 2~10mm。花序长 20~36cm；总花梗、花梗、花萼外面有棕色短绒毛；花淡红色，直径约 4cm；花萼先端具短的 5 齿，花瓣阔匙形或倒卵状楔形，长 1.8~2cm，宽 1~1.5cm，内面有红色纵条纹；花丝基部有小柔毛；子房有光亮、白色的柔毛，花柱有柔毛。果实椭圆球形，直径 2~3.5cm，被极短的棕褐色毛和常混生疏白色小柔毛，果瓣厚 1.2~5mm；果柄长 2.5~3.5cm；种子椭圆球形，平滑，成熟时直径约 1.3cm。花期 3~9 月，果期 5 月至翌年 4 月。

伯乐树

| 分布区域 |

产于海南白沙。亦分布于中国长江以南各地。泰国与越南北部也有分布。

| 资　　源 |

生于低海拔至中海拔的山地林中，十分罕见。

| 采收加工 |

春、夏季植株生长旺盛时采收，按 40~60cm 长度环割树皮和枝皮，洗净，晒干。

| 功能主治 |

味甘、辛，性平。祛风活血。用于筋骨痛。

██ 槭树科 ██ Aceraceae ██ 槭属 ██ *Acer*

十蕊槭 *Acer decandrum* Merr.

| 中 药 名 |

十蕊槭（药用部位：果实）

| 植物形态 |

落叶乔木，树皮灰褐色或深褐色。小枝粗壮，无毛。冬芽淡褐色，近于卵圆形；芽鳞的边缘有睫毛。叶革质，卵状椭圆形，长8~15cm，宽4~7cm；叶柄长5~7cm，无毛，淡紫色。花淡紫褐色，单性，雌雄异株，叶长大之后花始从腋芽开出；萼片5，卵形；花瓣5，比萼片短；雄蕊8~12，无毛，花盘环状，微被短柔毛，位于雄蕊的内侧；子房无毛，花柱短，在雄花中雌蕊不发育。翅果嫩时为绿色，成熟时为棕褐色或淡褐黄色，脉纹显著；小坚果扁，长1.5cm，宽7mm；翅镰刀形，接近先端部分最宽，翅与小坚果共长6~7cm，宽2cm，果梗长2~3cm，细瘦无毛。花期6月，果期10月。

| 分布区域 |

产于海南乐东、五指山、保亭、陵水、万宁、澄迈、昌江。亦分布于中国华南其他区域，以及云南、西藏。越南、老挝、泰国、柬埔寨、印度、菲律宾、马来西亚、印度尼西亚也有分布。

十蕊槭

|资　　源|

生于密林中或山谷雨林中，常见。

|采收加工|

果实成熟时采收，鲜用或晒干。

|功能主治|

同属植物罗浮槭有清热解毒、利咽开音之效，用于咽喉炎、扁桃体炎、声音嘶哑、肝炎等。本种或有类似作用，其具体功能值得进一步研究。

|附　　注|

在 FOC 中，其被修订为十蕊枫 *Acer laurinum* Hassk.。

槭树科 Aceraceae 槭属 Acer

罗浮槭
Acer fabri Hance.

| 中 药 名 | 蝴蝶果（药用部位：果实）

| 植物形态 | 常绿乔木，树皮灰褐色。革质叶，披针形，长 7~11cm，宽 2~3cm，全缘；主脉在上面显著，叶柄长 1~1.5cm。花杂性，雄花与两性花同株，常成紫色的伞房花序；萼片 5，紫色，微被短柔毛，长 3mm；花瓣 5，白色，倒卵形，略短于萼片；雄蕊 8，柱头平展。翅果嫩时紫色，成熟时黄褐色或淡褐色；小坚果突起，直径约 5mm；翅与小坚果长 3~3.4cm，宽 8~10mm，张开成钝角；果梗长 1~1.5cm，细瘦。花期 3~4 月，果期 9 月。

| 分布区域 | 产于海南乐东、昌江、白沙、万宁、琼中。亦分布于中国华南其他区域，以及湖南、江西、湖北、贵州、四川、云南。越南也有分布。

罗浮槭

| 资　　源 | 生于海拔600~800m的密林中，常见。 |

| 采收加工 | 果实夏季采收，鲜用或晒干。 |

| 药材性状 | 为单粒种子的果实，果皮一端向外延伸成翅状，平展，类匙形，黄褐色或淡棕色；小坚果突起，卵形，直径约5mm。破碎后气微，味微苦涩。 |

| 功能主治 | 味甘、苦，性凉。清热解毒，利咽开音。用于咽喉炎、扁桃体炎、声音嘶哑、肝炎、肺结核、胸膜炎。 |

清风藤科 | Sabiaceae | 泡花树属 | *Meliosma*

狭叶泡花树 *Meliosma angustifolia* Merr.

| 中 药 名 | 狭叶泡花树（药用部位：根皮）

| 植物形态 | 乔木，幼枝、叶柄、小叶柄和花序被淡褐色展开柔毛，疏生点状皮孔。叶为奇数羽状复叶，连柄长 20~30cm，有小叶 13~23；狭椭圆形小叶革质，长 5~12cm，宽 1.5~3cm，叶面无毛而有光泽，沿叶脉常有稀疏平伏毛。圆锥花序约与叶等长；花芳香，密集，花蕾直径约 2mm；萼片 5，卵形，边缘膜质，具缘毛；外面 3 花瓣近圆形，直径约 2mm，内面 2 花瓣稍短于雄蕊的花丝，2 裂；发育雄蕊长约 1.8mm，药隔圆盾状，边缘透明而白色；雌蕊长约 2mm，子房密被黄色柔毛。核果倒卵形，长 4~6mm，有细毛，核具突起网纹，中肋隆起，从腹孔一边延至另一边。花期 3~5 月，果期 8~9 月。

狭叶泡花树

| 分布区域 | 产于海南三亚、乐东、东方、昌江、白沙、五指山、保亭、陵水、万宁、琼中、儋州、澄迈、文昌、临高。亦分布于中国华南其他区域，以及云南。越南也有分布。 |

| 资　　源 | 生于山谷林中，常见。 |

| 采收加工 | 全年皆可采收根，剥取根皮，晒干。 |

| 功能主治 | 清热解毒，行气利水，镇痛。用于痈疮、无名肿毒、毒蛇咬伤、腹胀气滞、水肿、腹水。 |

清风藤科 Sabiaceae　泡花树属 Meliosma

樟叶泡花树
Meliosma squamulata Hance.

| 中 药 名 | 樟叶泡花树（药用部位：根皮）

| 植物形态 | 小乔木，幼枝及芽被褐色短柔毛。单叶，叶片薄革质，椭圆形，长
5~12cm，宽 1.5~5cm，基部稍下延，全缘，叶背粉绿色，密被黄褐色、
极微小的鱼鳞片；侧脉每边 3~5。圆锥花序长 7~20cm，总轴、分枝、
花梗、苞片均密被褐色柔毛；花白色，直径约 3mm；萼片 5，有缘
毛；内面 2 片花瓣 2 裂至中部以下，裂片狭尖，广叉开；雌蕊长约
2mm。核果球形，直径 4~6mm；核近球形，顶基扁，稍偏斜，具明
显突起的不规则细网纹，从腹孔一边延至另一边，腹孔具 8~10 射出
棱。花期夏季，果期 9~10 月。

樟叶泡花树

| 分布区域 | 产于海南昌江、白沙、陵水、万宁。亦分布于中国华南其他区域，以及江西、福建、台湾、浙江、贵州、云南。琉球群岛也有分布。

| 资　　源 | 生于山地，少见。

| 采收加工 | 全年皆可采收，洗净，切片，鲜用或晒干。

| 功能主治 | 同属植物泡花树（*Meliosma cuneifolia*）的根皮多可入药，有清热解毒、利水等功能，外用还可治毒蛇咬伤。本种或有类似作用，其具体功能有待进一步研究。

清风藤科 Sabiaceae 清风藤属 Sabia

灰背清风藤 *Sabia discolor* Dunn.

| 中 药 名 |　广藤根（药用部位：根、茎）

| 植物形态 |　常绿攀缘木质藤本，嫩枝具纵条纹，老枝具白蜡层，芽鳞阔卵形。叶纸质，卵形，长 4~7cm，宽 2~4cm，两面均无毛，叶背苍白色，叶柄长 7~1.5cm。聚伞花序呈伞状，有花 4~5，长 2~3cm，萼片 5，三角状卵形，具缘毛；卵形花瓣 5，长 2~3mm，有脉纹；雄蕊 5，长 2~2.5mm，花药外向开裂；花盘杯状；子房无毛。分果爿红色，倒卵状圆形，长约 5mm；核中肋显著突起，呈翅状，两侧面有不规则的块状凹穴，腹部突出。花期 3~4 月，果期 5~8 月。

| 分布区域 |　产于海南白沙。亦分布于中国浙江、福建、江西、广东、广西等地。

灰背清风藤

资　　源	生于海拔 1000m 以下的山地灌木林间，少见。
采收加工	秋、冬季采挖根，夏、秋季采收藤茎，洗净，鲜用或晒干。
功能主治	味甘、苦，性平。祛风除湿，止痛。用于风湿痹痛、胃痛、跌打损伤、肝炎。
附　　注	本种为郑希龙等人发现的海南新记录种。

清风藤科 Sabiaceae 清风藤属 Sabia

毛萼清风藤
Sabia limoniacea Wall. var. *ardisioides* (Hook. et Arn.) L. Chen

| 中 药 名 | 毛萼清风藤（药用部位：根、茎、叶）

| 植物形态 | 常绿攀缘木质藤本，老枝具白蜡层。革质叶椭圆形，长 7~15cm，宽 4~6cm，侧脉每边 6~7，叶柄长 1.5~2.5cm。聚伞花序有花 2~4，组成圆锥花序，长 7~15cm；花淡绿色、黄绿色或淡红色；卵形萼片 5，有缘毛；花瓣 5，倒卵形，长 1.5~2mm，有 5~7 脉纹；雄蕊 5，花丝扁平，花药内向开裂；花盘杯状，有 5 浅裂；子房无毛。分果片近圆形或近肾形，长 1~1.7cm，红色；核中肋不明显，两边各有 4~5 行蜂窝状凹穴，两侧面平凹，腹部稍尖。花期 8~11 月，果期翌年 1~5 月。

| 分布区域 | 产于海南三亚、乐东、昌江、五指山、保亭、陵水、万宁、琼中。

毛萼清风藤

亦分布于中国华南其他区域，以及福建、云南、四川。泰国、缅甸、孟加拉国、印度、马来西亚、印度尼西亚也有分布。

| **资　　源** | 生于山地，攀缘于树上或岩石上，常见。

| **采收加工** | 全年皆可采收，洗净，鲜用或晒干。

| **功能主治** | 用于风湿痹痛、跌打损伤、骨折；煎浴可防产后风和瘀血。

清风藤科 Sabiaceae　清风藤属 Sabia

长脉清风藤 *Sabia nervosa* Chun ex Y. F. Wu.

| 中 药 名 | 长脉清风藤（药用部位：根）

| 植物形态 | 常绿攀缘木质藤本，嫩枝具纵条纹，老枝具白蜡层；芽鳞三角形，被微柔毛。叶薄革质，狭长圆状椭圆形，长 6~10cm，宽 2~3.8cm，先端长尾状渐尖，叶柄长 8~10mm。聚伞花序通常有花 3；萼片 5，三角状卵形，有缘毛；花瓣 5，浅绿色，卵形，长 5~6mm，具 9 脉纹；雄蕊 5，长 3~3.5mm，花丝扁平，花药内向开裂，花盘浅杯状；子房无毛。分果爿熟时蓝色，倒卵形，长 6~7mm；核有中肋，中肋两边各具 1~3 行蜂窝状凹穴，两侧面平，腹部狭长。花期 5 月，果期 8~9 月。

| 分布区域 | 产于海南白沙。亦分布于中国广西、广东。

长脉清风藤

| 资　　源 | 生于溪边、山谷、山坡林间，少见。 |

| 采收加工 | 秋、冬季采收，洗净，鲜用或晒干。 |

| 功能主治 | 同属植物的根部多有入药，具祛风除湿止痛等功能，本种或有类似功能，其作用有待进一步研究。 |

| 附　　注 | 本种为郑希龙等人发现的海南新记录种。 |

清风藤科 Sabiaceae 清风藤属 Sabia

尖叶清风藤 *Sabia swinhoei* Hemsl. ex Forb. et Hemsl.

| 中 药 名 | 尖叶清风藤（药用部位：根、茎、叶）

| 植物形态 | 常绿攀缘木质藤本，小枝被长而垂直的柔毛。纸质叶椭圆形，长 5~12cm，宽 2~5cm，先端渐尖，侧脉每边 4~6，叶柄长 3~5mm，被 柔毛。聚伞花序有花 2~7，被疏长柔毛，长 1.5~2.5cm；卵形萼片 5， 外面有不明显的红色腺点，有缘毛；花瓣 5，浅绿色，卵状披针形， 长 3.5~4.5mm；雄蕊 5，花丝稍扁，花药内向开裂；花盘浅杯状；子 房无毛。分果爿深蓝色，近圆形，基部偏斜，长 8~9mm；核的中肋 不明显，两侧面有不规则的条块状凹穴，腹部突出。花期 3~4 月， 果期 7~9 月。

尖叶清风藤

| **分布区域** | 产于海南各地。亦分布于中国华南其他区域，以及湖南、江西、福建、台湾、浙江、江苏、湖北、贵州、云南、四川。越南也有分布。

| **资　　源** | 生于海拔 400~1800m 的山谷林中，少见。

| **采收加工** | 全年皆可采收，洗净，鲜用或晒干。

| **功能主治** | 祛风止痛。用于风湿痹痛、跌打损伤。

省沽油科 ▇ Staphyleaceae ▇ 野鸦椿属 ▇ *Euscaphis*

野鸦椿
Euscaphis japonica (Thunb.) Kanitz.

| 中 药 名 | 野鸦椿子（药用部位：果实、种子、根）

| 植物形态 | 落叶小乔木；小枝及芽红紫色，枝叶揉碎后发出恶臭气味。叶对生，奇数羽状复叶，长 12~32cm，叶轴淡绿色；小叶 5~9，厚纸质，长卵形，长 4~6cm，宽 2~3cm，边缘具疏短锯齿，齿尖有腺体；小叶柄长 1~2mm，小托叶线形。圆锥花序顶生，花梗长达 21cm；花多，黄白色，直径 4~5mm；萼片与花瓣均 5，椭圆形，萼片宿存；花盘盘状，心皮 3，分离。蓇葖果长 1~2cm，每一花发育为 1~3 个蓇葖果；果皮软革质，紫红色，有纵脉纹；种子近圆形，直径约 5mm，假种皮肉质，黑色，有光泽。花期 5~6 月，果期 8~9 月。

野鸦椿

| 分布区域 | 产于海南昌江、万宁、澄迈、屯昌、琼海、东方。中国除西北外,各地亦均有分布。越南、日本、朝鲜也有分布。

| 资　　源 | 生于山谷林下或林缘,常见。

| 采收加工 | 秋季采收成熟果实或种子,晒干。

| 药材性状 | 果实为蓇葖果,常 1~3 着生于同一果柄的先端,单个呈倒卵形、类圆形,稍扁,微弯曲,先端较宽大,下端较窄小,长 7~20mm,宽 5~8mm。果皮外表面呈红棕色,有突起的分叉脉纹,内表面淡棕红色或棕黄色,具光泽。内有种子 1~2,扁球形,直径约 5mm,厚约 3mm,黑色,具光泽,一端边缘可见凹下的种脐;种皮外层质脆,内层坚硬,种仁白色,油质。气微,果皮味微涩,种子味淡而油腻。

| 功能主治 | 根:味辛、苦,性温;归肝、胃、肾经。解表,清热,利湿。用于感冒、头痛、风湿腰痛、胃痛、肠炎、痢疾。果实、种子:祛风散寒,行气止痛。用于头痛、眩晕、感冒、瘾疹、漆疮、疝气、胃痛、月经不调。

省沽油科　Staphyleaceae　山香圆属　*Turpinia*

锐尖山香圆 *Turpinia arguta* (Lindl.) Seem.

| 中 药 名 |

山香圆（药用部位：根、叶）

| 植物形态 |

落叶灌木，幼枝具灰褐色斑点。单叶，对生，厚纸质，椭圆形，长 7~22cm，宽 2~6cm，先端具尖尾，边缘具疏锯齿，齿尖具硬腺体；叶柄长 1.2~1.8cm，托叶生于叶柄内侧。顶生圆锥花序较叶短，长 5~8cm；花长 8~10mm，白色，花梗中部具 2 苞片；萼片 5，三角形，绿色，边缘具睫毛；花瓣白色，花丝长约 6mm，疏被短柔毛；子房及花柱均被柔毛。果实近球形，幼时绿色，转红色，干后黑色，直径约 10mm，表面粗糙，先端具小尖头，花盘宿存；有种子 2~3。

| 分布区域 |

海南各地均有分布。亦分布于中国福建、江西、湖南、广东、广西、贵州、四川等地。

| 资　　源 |

少见。

锐尖山香圆

| 采收加工 |

根：冬季挖取根部，洗去泥土，切片，晒干。叶：夏、秋季采叶，晒干。

| 功能主治 |

味苦，性寒。活血散瘀，消肿。用于跌打损伤、骨折、疔疮肿毒。

省沽油科 Staphyleaceae ｜ 山香圆属 ｜ *Turpinia*

山香圆
Turpinia montana (Blume)Kurz.

| 中 药 名 | 山香圆（药用部位：根、叶）

| 植物形态 | 乔木，枝和小枝圆柱形，灰白绿色。叶对生，羽状复叶，叶轴长约15cm，纸质叶5，对生，长圆形，长5~6cm，宽2~4cm，先端尖尾长5~7mm，边缘具疏圆齿。圆锥花序顶生，花轴长达17cm，花较多，直径约3mm，花萼5，宽椭圆形，花瓣5，椭圆形至圆形，具绒毛或无毛，长约2mm，花丝无毛。果实球形，紫红色，直径4~7mm，外果皮薄，厚约0.2mm，2~3室，每室种子1。

| 分布区域 | 产于海南三亚、乐东、白沙、五指山、保亭、陵水、万宁、琼中、定安、昌江。亦分布于中国华南其他区域和西南。中南半岛，以及印度

山香圆

尼西亚也有分布。

| 资　　源 | 生于山地林中，常见。

| 采收加工 | 全年皆可采收，洗净，鲜用或晒干。

| 功能主治 | 同属植物锐尖山香圆的根、叶可活血散瘀、消肿，本种或可替代入药，其功能有待进一步研究。

省沽油科 Staphyleaceae 　 山香圆属 Turpinia

亮叶山香圆
Turpinia simplicifolia Merr.

| 中 药 名 | 亮叶山香圆（药用部位：全株）

| 植物形态 | 小乔木，分枝及着叶处膨大。单叶，对生，薄革质，长圆形，长 9~18cm，宽 3.5~7cm，先端骤急尖，边缘具细圆齿状锯齿；叶柄长 1.5~5cm，先端稍膨大并具关节。圆锥花序或聚伞花序，长 7~12cm，花萼白色，花小，盛开时直径约 3mm；萼片卵形，长 1~1.5mm，具缘毛；花瓣白色或淡黄色，椭圆形，长约 2mm；雄蕊 5，较花瓣稍短，花丝扁平，花盘突起，5 裂，子房 3 室。浆果浅绿色，近球形，直径 5~10mm，表面粗糙，先端具 3 凹纹；种子近圆形，为不规则的凹状，直径 3~5mm，淡黄色。花期 3~6 月，果期 7~9 月。

亮叶山香圆

| **分布区域** | 产于海南三亚、保亭、琼中。亦分布于中国华南其他区域。菲律宾、马来西亚、印度尼西亚也有分布。 |

| **资　　源** | 生于密林中，少见。 |

| **采收加工** | 全年可采，鲜用或晒干。 |

| **功能主治** | 同属植物锐尖山香圆可用于跌打损伤，本种或有类似功能，其具体功能有待进一步研究。 |

漆树科 Anacardiaceae　腰果属 Anacardium

腰 果 *Anacardium occidentale* L.

| 中 药 名 | 都咸子（药用部位：树胶脂、树皮、果实、花）

| 植物形态 | 灌木或小乔木，小枝黄褐色。叶革质，倒卵形，长 8~14cm，宽 6~8.5cm，叶柄长 1~1.5cm。圆锥花序宽大，长 10~20cm，多花密集，密被锈色微柔毛；苞片卵状披针形，长 5~10mm，背面被锈色微柔毛；花黄色，杂性；花萼外面密被锈色微柔毛，裂片卵状披针形，长约 4mm，花瓣线状披针形，长 7~9mm，外面被锈色微柔毛，开花时外卷；雄蕊 7~10，通常仅 1 发育，长 8~9mm，在两性花中长 5~6mm，不育雄蕊较短，花丝基部多少合生，子房倒卵圆形，花柱钻形。核果肾形，两侧压扁，长 2~2.5cm，宽约 1.5cm，果基部为肉质假果所托，假果长 3~7cm，成熟时紫红色；种子肾形，长 1.5~2cm，宽约 1cm。

腰果

|分布区域|

海南三亚、乐东、东方、陵水、万宁、海口、屯昌等地有栽培。中国华南其他区域以及西南、东南有少量栽培。原产于巴西。

|资　　源|

栽培，常见。

|采收加工|

夏、秋季果实成熟时采收，除去假果，留取核果，晒干，炒熟备用。

|功能主治|

树皮：味甘，性平；有毒。截疟，杀虫。用于疟疾。
果壳：用于癣疾，如铜钱癣、牛皮癣、脚气病。
果实：用于咳逆、心烦口渴。树胶脂：外用于麻风、多年溃疡、鸡眼。花：利尿。

漆树科 Anacardiaceae 南酸枣属 Choerospondias

南酸枣

Choerospondias axillaris (Roxb.) B. L. Burtt et A. W. Hill

| 中 药 名 | 五眼果（药用部位：果实、果核、树皮）

| 植物形态 | 落叶乔木，树皮片状剥落，小枝具皮孔。奇数羽状复叶，长 25~40cm，有小叶 3~6 对，叶轴无毛；小叶膜质，卵形，长 4~12cm，宽 2~4.5cm；小叶柄纤细，长 2~5mm。雄花序长 4~10cm，苞片小；花萼裂片三角状卵形，长约 1mm，边缘具紫红色腺状睫毛，里面被白色微柔毛；花瓣长圆形，长 2.5~3mm，具褐色脉纹，开花时外卷；雄蕊 10，花盘无毛；雄花无不育雌蕊；雌花单生于上部叶腋，子房卵圆形，5 室。核果椭圆形或倒卵状椭圆形，成熟时黄色，长 2.5~3cm，直径约 2cm；果核长 2~2.5cm，先端具 5 小孔。

南酸枣

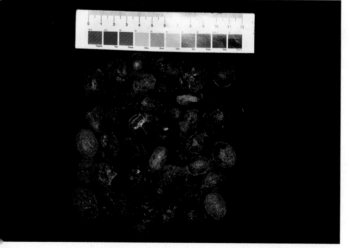

| 分布区域 |

产于海南三亚、东方、昌江、白沙、五指山、保亭、琼中、儋州、澄迈。亦分布于中国华南其他区域、华中，以及福建、浙江、贵州、云南、西藏。中南半岛，以及印度、日本也有分布。

| 资　　源 |

生于山地疏林中，常见。

| 采收加工 |

树皮：全年可采，晒干或熬膏。果实：成熟时采收，鲜用或晒干。

| 功能主治 |

果实：味酸、涩，性凉；归脾、胃经。行气活血，养心安神。用于气滞血瘀、心前区作痛、心跳气短、心神不安。鲜果实、果核：消食滞，清热毒，解酒，收敛，杀虫。用于食滞腹痛。果核：用于烫火伤、风毒初起或痒痛。树皮：解毒收敛，止痛止血。用于烫火伤、外伤出血、牛皮癣。

漆树科　Anacardiaceae　人面子属　Dracontomelon

人面子
Dracontomelon duperreanum Pierre.

| 中 药 名 | 人面子（药用部位：果实、叶、根皮）

| 植物形态 | 常绿大乔木；幼枝具条纹，被灰色绒毛。奇数羽状复叶，长30~45cm，有小叶5~7对，叶轴和叶柄具条纹；小叶互生，近革质，长圆形，叶背脉腋具灰白色髯毛。花白色，花梗长2~3mm，被微柔毛；萼片阔卵形，长3.5~4mm，两面被灰黄色微柔毛；花瓣披针形，长约6mm，宽约1.7mm，无毛，开花时外卷，具3~5暗褐色纵脉；花盘无毛，边缘浅波状，子房无毛。核果扁球形，长约2cm，直径约2.5cm，成熟时黄色；果核压扁，直径1.7~1.9cm，上面盾状凹入，5室，通常1~2室不育；种子3~4。

| 分布区域 | 产于海南乐东、海口。中国华南其他区域亦有野生或栽培。越南也有分布。

人面子

| 资　　源 | 生于海拔 120~350m 的林中，少见。 |

| 采收加工 | 果实：秋季采收，晒干或盐渍。叶：全年可采。根皮：在夏、秋季采收，洗净，晒干。 |

| 功能主治 | 果实：味甘、酸，性凉；归脾、胃、肝经。健脾消食，生津止渴。用于消化不良、食欲不振、热病口渴、疮痒。叶：煎水，外洗烂疮、褥疮。根皮：消散乳痈。 |

漆树科 Anacardiaceae   厚皮树属 *Lannea*

厚皮树
Lannea coromandelica (Houtt.) Merr.

| 中 药 名 |　厚皮树（药用部位：树皮）

| 植物形态 |　落叶乔木，树皮厚，灰白色，小枝密被锈色星状毛。奇数羽状复叶，常集生小枝先端，长 10~33cm，有小叶 3~4 对，叶轴和叶柄疏被锈色星状毛；小叶膜质，卵形，长 5.5~9cm，宽 2.5~4cm，基部略偏斜，小叶柄短，被锈色星状毛。花黄色或带紫色，排列成顶生总状花序，雄花序长 15~30cm，雌花序较短，簇生小枝先端，被锈色星状毛；小苞片边缘具细睫毛；花萼无毛，裂片长约 1mm，边缘具细睫毛；花瓣卵状长圆形，长约 2.7mm，宽约 1.5mm，先端和边缘外卷；雄蕊与花瓣等长或略超过，在雌花中极短，不育；花盘无毛，子房 4 室，通常仅 1 室发育。核果卵形，略压扁，成熟时紫红色，长 8~10mm，宽约 0.5mm。

厚皮树

| 分布区域 |

产于海南三亚、乐东、昌江、白沙、保亭、陵水、万宁、儋州、澄迈、琼中。亦分布于中国华南其他区域，以及云南。中南半岛，以及印度也有分布。

| 资　　源 |

常生于较干燥的山坡疏林中，十分常见。

| 采收加工 |

全年皆可采收，洗净，晒干。

| 功能主治 |

解毒。用于河鲀中毒、木薯中毒、菠萝中毒。

| 附　　注 |

尼泊尔用其治疗口疮。印度用其洗剂治疗创伤、痛风、溃疡及各种肿痛。

漆树科 Anacardiaceae　杧果属 Mangifera

杧 果 *Mangifera indica* L.

| 中 药 名 | 杧果（药用部位：叶、果实、树皮）

| 植物形态 | 常绿大乔木，叶薄革质，常集生枝顶，叶形和大小变化较大，长12~30cm，宽3.5~6.5cm，边缘皱波状。圆锥花序长20~35cm，被灰黄色微柔毛；花杂性，黄色或淡黄色；花梗长1.5~3mm，具节；萼片卵状披针形，外面被微柔毛，边缘具细睫毛；花瓣长圆形，长3.5~4mm，宽约1.5mm，里面具3~5棕褐色突起的脉纹；花盘膨大，肉质，5浅裂；雄蕊仅1发育，不育雄蕊3~4，子房斜卵形。核果大，肾形，压扁，长5~10cm，宽3~4.5cm，成熟时黄色；中果皮肉质，肥厚，鲜黄色，味甜；果核坚硬。

杧果

| 分布区域 |

海南三亚、保亭、儋州、澄迈、乐东、万宁，以及西沙群岛有栽培。中国华南其他区域，以及福建、台湾、云南等地常有栽培。原产于中南半岛，以及印度、印度尼西亚。

| 资　　源 |

栽培量大，十分常见。

| 采收加工 |

夏季采摘果实，鲜用或晒干。

| 功能主治 |

叶：味甘、酸，性微寒；归胃、脾、膀胱、肾经。止痒，行气疏滞，去疹积。用于慢性支气管炎。外用于皮炎、湿疹、瘙痒。果实：清热导滞，健胃止呕，润肺止咳，解渴。用于咳嗽、食欲不振、消化不良、水肿、疝气、睾丸炎、维生素 C 缺乏症。树皮：用于伤暑、身热。

| 附　　注 |

马来西亚用其煎剂加少量食盐漱口，治疗牙龈脓肿。

■漆树科■ Anacardiaceae ■黄连木属■ *Pistacia*

黄连木 *Pistacia chinensis* Bunge.

| 中 药 名 | 黄楝树（药用部位：叶芽、叶、树皮）

| 植物形态 | 落叶乔木，树皮呈鳞片状剥落。奇数羽状复叶互生，有小叶 5~6 对，叶轴具条纹，被微柔毛；小叶对生或近对生，纸质，披针形，长 5~10cm，宽 1.5~2.5cm。花单性异株，先花后叶；圆锥花序腋生，雄花序排列紧密，长 6~7cm，雌花序排列疏松，长 15~20cm，均被微柔毛；雄花花被片 2~4，披针形，大小不等，长 1~1.5mm，边缘具睫毛，雄蕊 3~5，雌蕊缺；雌花花被片 7~9，大小不等，长 0.7~1.5mm，披针形，外面被柔毛，边缘具睫毛，无不育雄蕊，子房球形，花柱极短，柱头 3 裂，肉质，红色。核果倒卵状球形，略压扁，直径约 5mm，成熟时紫红色，干后具纵向细条纹，先端细尖。

黄连木

| 分布区域 |

产于海南乐东、保亭、儋州、陵水。亦分布于中国长江以南各地，以及西北、华北。

| 资　　源 |

生于疏林中或石灰岩山地，少见。

| 采收加工 |

叶芽：春季采收，鲜用。叶：夏、秋季采收，鲜用或晒干。树皮：全年可采，洗净，切片，晒干。

| 功能主治 |

叶芽：清热解毒，止渴。用于暑热口渴、痧证、霍乱、痢疾、感冒、咽喉痛、口舌糜烂、湿疮、漆疮初起、疮疖肿毒。树皮、叶：味苦、涩，性寒。清热解毒。用于痢疾、皮肤瘙痒、疮痒。

漆树科 Anacardiaceae 　盐肤木属 Rhus

盐肤木 *Rhus chinensis* Mill.

| 中 药 名 | 盐肤子（药用部位：根、根皮、果实、叶），五倍子（药用部位：树上五倍子蚜虫虫瘿）

| 植物形态 | 落叶小乔木，被锈色柔毛，具圆形小皮孔。奇数羽状复叶，有小叶 3~6 对，叶轴具宽的叶状翅，叶轴和叶柄密被锈色柔毛；小叶多形，叶背粉绿色，被白粉及锈色柔毛。圆锥花序宽大，雄花序长 30~40cm，雌花序较短，密被锈色柔毛；花白色，被微柔毛。雄花：花萼外面被微柔毛，长约 1mm，边缘具细睫毛；花瓣倒卵状长圆形，长约 2mm，开花时外卷；雄蕊伸出，子房不育。雌花：花萼裂片较短，长约 0.6mm，外面被微柔毛，边缘具细睫毛；花瓣椭圆状卵形，长约 1.6mm，边缘具细睫毛，里面下部被柔毛；雄蕊极短；花盘无毛；子房卵形，密被白色微柔毛，花柱 3。核果球形，略压扁，直径 4~5mm，被具节柔毛和腺毛，成熟时红色。花期 8~9 月，果期 10 月。

盐肤木

| 分布区域 | 产于海南白沙、儋州、澄迈。中国除东北，以及内蒙古和新疆外，其余各地均有分布。中南半岛，以及印度、马来西亚、印度尼西亚、日本、朝鲜也有分布。 |

| 资　　源 | 生于向阳山坡、沟谷、溪边的灌丛中，常见。 |

| 采收加工 | 10 月采收成熟果实，鲜用或晒干。 |

| 功能主治 | 果实：味酸、咸，性凉。用于喉痹、痰火咳嗽、酒毒黄疸、瘴疟、毒痢、体虚多汗、盗汗、白屑风、顽癣、痈毒溃烂。根或根皮：用于感冒发热、崩漏、咯血、泄泻、黄疸、水肿、便血、痔疮出血、风湿痹痛、跌打损伤。叶：用于痰咳、便血、血痢、盗汗、牛皮癣、湿疹、疮疡、蛇或蜈蚣咬伤。树上五倍子蚜虫虫瘿：味酸、涩，性平。敛肺止泻，敛汗止血。用于肺虚久咳、久痢久泻、咯血、衄血、便血、痔疮出血、肾虚、遗精、遗尿、盗汗、自汗。外用于脱肛、阴挺、湿疮、鹅口疮、宫颈糜烂、疮疖肿毒、外伤出血。 |

漆树科 Anacardiaceae　盐肤木属 *Rhus*

滨盐肤木
Rhus chinensis Mill. var. *roxburghii* (DC.) Rehd.

| 中 药 名 |　盐酸树（药用部位：根、叶、树皮、果实）

| 植物形态 |　落叶小乔木，被锈色柔毛，具圆形小皮孔。奇数羽状复叶，有小叶 3~6 对，叶轴具宽的叶状翅，叶轴和叶柄密被锈色柔毛；小叶多形，长 6~12cm，宽 3~7cm，边缘具齿，叶背粉绿色，被白粉及锈色柔毛。圆锥花序宽大，雄花序长 30~40cm，雌花序较短，密被锈色柔毛；花白色，花梗长约 1mm，被微柔毛。雄花：花萼外面被微柔毛，裂片长卵形，长约 1mm，边缘具细睫毛；花瓣倒卵状长圆形，开花时外卷；子房不育。雌花：花萼裂片外面被微柔毛，边缘具细睫毛；花瓣椭圆状卵形，长约 1.6mm，边缘具细睫毛，里面下部被柔毛；雄蕊极短；子房卵形，密被白色微柔毛，花柱 3。核果球形，略压扁，直径 4~5mm，被具节柔毛和腺毛，成熟时红色，果核径 3~4mm。花期 8~9 月，果期 10 月。

滨盐肤木

分布区域	产于海南琼海、万宁。亦分布于中国华南其他区域，以及湖南、江西、台湾、贵州、云南、四川。
资　　源	生于海拔 200~1800m 的山坡、沟谷的疏林和灌丛中，少见。
采收加工	根：全年均可采根。叶：春、夏季采叶，鲜用或晒干。
功能主治	叶：味酸、咸，性凉。清热解毒，散瘀止血。外用于跌打损伤、毒蛇咬伤、漆疮。根：用于感冒发热、支气管炎、咳嗽、咯血、泄泻、肠炎、痢疾、痔疮出血、毒蛇咬伤。树皮：用于痢疾、胃溃疡、骨鲠咽喉、子宫脱垂、脱肛。外用于中耳炎。果实：用于咳嗽、盗汗。

| 漆树科 | Anacardiaceae | 槟榔青属 | *Spondias* |

岭南酸枣 *Spondias lakonensis* Pierre

| 中 药 名 | 岭南酸枣（药用部位：干燥成熟果实）

| 植物形态 | 落叶乔木，叶互生，奇数羽状复叶，长 25~35cm，有小叶 5~11 对；小叶长圆形，长 6~10cm，宽 1.5~3cm，基部明显偏斜。圆锥花序腋生，长 15~25cm，被灰褐色微柔毛；苞片钻形，被微柔毛；花白色，密集于花枝先端；花萼被微柔毛，近中部 5 齿裂，裂片三角形；花瓣长圆形，长约 2.5mm，宽约 1mm，具 3 脉；雄蕊 8~10，花盘无毛，边缘波状；心皮 4，合生，子房 4 室。核果倒卵状，长 8~10mm，宽 6~7mm，成熟时带红色；中果皮肉质，果核木质，近正方形，4 个侧面略凹，先端具 4 角和 9 凹点；子房室与薄壁组织腔互生，每室具 1 种子；种子长圆形，种皮膜质。

岭南酸枣

| 分布区域 |

产于海南三亚、乐东、昌江、白沙、万宁、儋州、澄迈。亦分布于中国华南其他区域，以及福建。越南、老挝、泰国也有分布。

| 资　　源 |

生于向阳山坡疏林中，常见。

| 采收加工 |

秋季果实成熟时采收，除去杂质，干燥。

| 功能主治 |

味甘、酸、微涩，性平；归脾、肝经。消炎解毒，止痛止血。用于烫火伤，通常外用。

漆树科 Anacardiaceae　槟榔青属 *Spondias*

槟榔青
Spondias pinnata (L. f.) Kurz

| 中 药 名 | 槟榔青（药用部位：茎皮）

| 植物形态 | 落叶乔木；小枝黄褐色，具小皮孔。叶互生，奇数羽状复叶，长 30~40cm，有小叶 2~5 对；小叶对生，薄纸质，卵状长圆形，长 7~12cm，宽 4~5cm，基部多少偏斜；小叶柄长 3~5mm。圆锥花序顶生，长 25~35cm；花白色，基部具苞片和小苞片；花萼裂片阔三角形，花瓣卵状长圆形，长约 2.5mm，宽约 1.5mm，内卷；雄蕊 10，花盘大，10 裂。核果椭圆形，成熟时黄褐色，长 3.5~5cm，直径 2.5~3.5cm；中果皮肉质；内果皮外层为密集纵向排列的纤维质和少量软组织，无刺状突起，里层木质坚硬，有 5 个薄壁组织消失后的大空腔，与子房室互生，每室具 1 种子，通常仅 2~3 种子成熟。花期 3~4 月，果期 5~9 月。

槟榔青

分布区域

产于海南三亚、乐东、东方、昌江、白沙、保亭、陵水。亦分布于中国广西、云南。中南半岛，以及不丹、尼泊尔、印度、菲律宾、新加坡、印度尼西亚等地也广泛种植或逸为野生。

资　　源

常生于海拔 60~200m 的干燥坡地，常见。

采收加工

全年皆可采收，洗净，鲜用或晒干。

功能主治

用于心悸、气促、子痫、睾丸炎。

漆树科 Anacardiaceae　漆属 Toxicodendron

野　漆　*Toxicodendron succedaneum* (L.) O. Kuntze.

| 中 药 名 |　野漆树（药用部位：根、根皮）

| 植物形态 |　落叶乔木或小乔木，顶芽大，紫褐色，外面近无毛。奇数羽状复叶互生，常集生小枝先端，长 25~35cm，有小叶 4~7 对；小叶对生或近对生，坚纸质至薄革质，长圆状椭圆形，长 5~16cm，宽 2~5.5cm，基部多少偏斜，叶背常具白粉。圆锥花序长 7~15cm，花黄绿色，花梗长约 2mm；花萼裂片阔卵形，花瓣长圆形，长约 2mm，开花时外卷；雄蕊伸出，花盘 5 裂；子房球形，直径约 0.8mm，花柱柱头 3 裂，褐色。核果大，偏斜，直径 7~10mm，压扁，先端偏离中心；外果皮薄，淡黄色；中果皮厚，蜡质，白色；果核坚硬，压扁。

野漆

|分布区域|

产于海南三亚、乐东、昌江、白沙、五指山、保亭、陵水、万宁、琼中、儋州、澄迈、屯昌、琼海、文昌。亦分布于中国华北至长江以南各地。中南半岛，以及印度、朝鲜、日本也有分布。

|资　　源|

生于林中，十分常见。

|采收加工|

春季采收嫩叶，鲜用或晒干备用。

|功能主治|

味苦、涩，性平；有毒。清热解毒，止血，平喘，散瘀消肿。用于尿血、血崩、带下病、疮癣、哮喘、急慢性肝炎、胃痛、跌打损伤。外用于骨折、创伤出血。

牛栓藤科 Connaraceae 牛栓藤属 Connarus

牛栓藤

Connarus paniculatus Roxb.

| 中 药 名 |　牛栓藤（药用部位：茎、叶）

| 植物形态 |　藤本。奇数羽状复叶，小叶 3~7，叶轴长 4~20cm；小叶革质，长圆形，长 6~20cm，宽 3~7.5cm。圆锥花序顶生或腋生，长 10~40cm，总轴被锈色短绒毛，苞片鳞片状；萼片 5，披针形至卵形，长约 3mm，外面被锈色短绒毛；花瓣 5，乳黄色，长圆形，长 5~7mm，外面被短柔毛，内面被疏柔毛；雄蕊 10，全发育，长短不等；心皮 1，密生短柔毛。果实长椭圆形，稍胀大，长约 3.5cm，宽约 2cm，先端有短喙，基部渐狭成一短柄；果皮木质，有纵条纹，鲜红色，内面稍被柔毛。种子长圆形，长 1~1.7cm，宽 0.5~1.1cm，黑紫色，光亮，基部为 2 浅裂假种皮所包裹。

牛栓藤

| **分布区域** | 产于海南三亚、乐东、东方、保亭、陵水。越南、柬埔寨、老挝、泰国、马来西亚、印度也有分布。 |

| **资　　源** | 生于海拔 200~500m 的山坡林中，常见。 |

| **采收加工** | 全年皆可采收，洗净，晒干。 |

| **功能主治** | 茎、叶可用于感冒。 |

牛栓藤科 Connaraceae 单叶豆属 *Ellipanthus*

单叶豆 *Ellipanthus glabrifolius* Merr.

| **中 药 名** | 单叶豆（药用部位：树皮）

| **植物形态** | 灌木或乔木，单叶互生，叶薄革质，长圆形，长 7~14cm，宽 2.5~4.5cm，叶柄长 1~2cm，两端稍膨大。圆锥花序或聚伞花序，花序长 1.5~5cm，被淡黄色短绒毛；花两性，萼片 5，卵状披针形，长 2mm，外被短绒毛；花瓣 5，白色，长圆状披针形，长 6~7mm，两面被短绒毛；雄蕊 10，5 发育，5 极退化，花药淡棕色，花丝被长柔毛；心皮 1，扁卵形，被长柔毛，1 室。蓇葖果卵形，长 12~20mm，有喙，密被锈色绒毛；种子 1，长 1.5mm，深褐色，基部为 2 裂的假种皮所包围。花期 10 月至翌年 3 月，果期 7 月。

单叶豆

| **分布区域** | 产于海南三亚、乐东、东方、昌江、五指山、万宁、琼中、儋州。海南特有种。

| **资　　源** | 生于低海拔至中海拔林中，常见。

| **采收加工** | 全年皆可采收。

| **功能主治** | 暂未有资料表明其有药用价值，但是其树皮含有鞣质，其功能可进一步研究。

牛栓藤科 Connaraceae 红叶藤属 *Rourea*

小叶红叶藤 *Rourea microphylla* (Hook. & Arn.) Planch.

| 中 药 名 | 荔枝藤（药用部位：根、茎、叶）

| 植物形态 | 攀缘灌木，枝褐色。奇数羽状复叶，小叶通常 7~17，叶片坚纸质至近革质，卵形，长 1.5~4cm，宽 0.5~2cm。圆锥花序，通常长 2.5~5cm，总花梗和花梗均纤细，苞片及小苞片不显著；花芳香，直径 4~5mm；萼片卵圆形，长 2.5mm，宽 2mm，先端急尖，内外两面均无毛，边缘被短缘毛；花瓣椭圆形，长 5mm，宽 1.5mm；雄蕊 10，花药纵裂，雌蕊离生，子房长圆形。蓇葖果椭圆形，长 1.2~1.5cm，宽 0.5cm，成熟时红色，有纵条纹，沿腹缝线开裂，基部有宿存萼片。种子椭圆形，长约 1cm，橙黄色，为膜质假种皮所包裹。花期 3~9 月，果期 5 月至翌年 3 月。

小叶红叶藤

| 分布区域 |

产于海南三亚、五指山、保亭、陵水、万宁、琼海。亦分布于中国华南其他区域，以及福建、云南。越南、斯里兰卡、印度、印度尼西亚也有分布。

| 资　　源 |

生于海拔 100~600m 的山坡或疏林中，常见。

| 采收加工 |

全年均可采。茎：切段或片，晒干。叶：鲜用或晒干。

| 药材性状 |

茎：近圆柱形，长短不一，直径 1~4cm，表面淡灰棕色，老茎具深或浅纵沟，往往附灰白色地衣，质坚硬；横断面木质部淡棕色，有众多小孔，皮部深棕红色；老茎呈 2~3 层淡棕色与深红棕色相间排列、断续的同心环。气微，味淡。叶：多皱缩或破碎，完整叶叶片卵形至卵状长圆形，近革质。气微，味淡。

| 功能主治 |

味苦、涩，性凉；归心经。止血止痛，活血通经。用于闭经、跌打损伤、各种出血、小儿热疮。

牛栓藤科 Connaraceae 红叶藤属 *Rourea*

红叶藤 *Rourea minor* (Gaertn.) Leenh.

| 中 药 名 | 红叶藤（药用部位：根、叶）

| 植物形态 | 藤本或攀缘灌木。奇数羽状复叶，小叶 3~7，通常 3，纸质，近圆形。圆锥花序腋生，成簇，总花梗长 3~9cm；花芳香，直径 1cm；萼片卵形，长 2~3mm；花瓣白色或黄色，长椭圆形，长 4~6mm，有纵脉纹，无毛；雄蕊长 2~6mm；心皮离生。果实弯月形或椭圆形而稍弯曲，长 1.5~2.5cm，宽 0.7~1.5cm，沿腹缝线开裂；深绿色，干时黑色，有纵条纹，具宿存萼。种子椭圆形，长 1.5cm，红色，全部包以膜质假种皮。花期 4~10 月，果期 5 月至翌年 3 月。

红叶藤

| **分布区域** | 产于海南三亚、东方、陵水、万宁、儋州、澄迈、琼海、文昌。亦分布于中国广东。越南、老挝、柬埔寨、斯里兰卡、印度、澳大利亚也有分布。 |

| **资　　源** | 生于丘陵、灌丛、竹林或密林中，常见。 |

| **采收加工** | 全年皆可采收，鲜用或晒干。 |

| **功能主治** | 根：活血通经，止血止痛。用于闭经。叶：外用于跌打损伤、肿痛、外伤出血。 |

黄 杞 *Engelhardia roxburghiana* Wall.

中 药 名

黄杞皮（药用部位：树皮、叶）

植物形态

半常绿乔木；全体无毛，被有橙黄色盾状着生的圆形腺体。偶数羽状复叶，长12~25cm；小叶 3~5 对，叶片革质，长6~14cm，宽 2~5cm，基部歪斜。雌花序 1 个及雄花序数个长而俯垂，常形成一顶生的圆锥状花序束，先端为雌花序，下方为雄花序。雄花无柄，花被片 4，兜状，雄蕊 10~12，几乎无花丝；雌花有长约 1mm 的花柄，苞片 3 裂，花被片 4，子房近球形，无花柱。果序长达 15~25cm，果实坚果状，球形，直径约 4mm；外果皮膜质，内果皮骨质，3 裂的苞片托于果实基部。5~6 月开花，8~9 月果实成熟。

分布区域

产于海南昌江、三亚、乐东、东方、保亭、万宁、陵水、儋州、澄迈。亦分布于中国广东、广西、湖南、台湾、贵州、云南、四川。印度、缅甸、泰国、越南也有分布。

黄杞

| 资　　源 | 生于丘陵或山地阳坡次生林或疏林中，十分常见。 |

| 采收加工 | 夏、秋季剥取树皮，洗净，鲜用或晒干。 |

| 药材性状 | 树皮呈单卷筒状或双卷筒状，长短不一，厚 3~4mm。外表面灰棕色或灰褐色，粗糙，皮孔椭圆形；内表面紫褐色，平滑，有纵浅纹。质坚硬而脆，易折断，断面不平整，略呈层片状。气微，味微苦、涩。 |

| 功能主治 | 树皮：味微苦、辛，性平。理气化湿，导滞。用于脾胃湿滞、湿热泄泻。叶：清热，止痛。用于疝气腹痛、感冒发热。 |

胡桃科 Juglandaceae　黄杞属 *Engelhardtia*

云南黄杞
Engelhardia spicata Lesch. ex Blwne

| 中 药 名 |

云南黄杞（药用部位：树皮）

| 植物形态 |

大乔木，小枝被有腺体，皮孔显著。叶为羽
状复叶，长 25~35cm；小叶 4~7 对，薄革质，
长椭圆形至长椭圆状披针形，长 7~15cm，
宽 2~5cm，上面散生腺体。雄性柔荑花序通
常集合成圆锥状花序束，自叶痕腋内无叶的
侧枝上生出。雄花较密集，苞片 3 裂，有柔毛，
花被片 4，花药具毛，药隔具 1 凸头伸出于
花药先端。雌性柔荑花序单独生于侧枝先端
或生于雄性圆锥状花序束的先端。果序长可
达 30~45cm，俯垂；果实球状，直径 3.5mm
左右，上部被刚毛，苞片及小苞片基部被有
刚毛；苞片的裂片倒披针状矩圆形。11 月
开花，1~2 月果实成熟。

| 分布区域 |

产于海南昌江、万宁。亦分布于中国广西、
云南。泰国、越南、菲律宾、印度尼西亚、
印度也有分布。

| 资　　源 |

生于山坡杂木林中，少见。

云南黄杞

| 采收加工 |

夏、秋季剥取树皮，洗净，鲜用或晒干。

| 功能主治 |

理气化湿，导滞。用于脾胃湿滞、湿热泄泻。

两叶黄杞
Engelhardtia unijuga (Chun) Chun ex P. Y. Chen

| **中 药 名** | 黄杞（药用部位：树皮、叶）

| **植物形态** | 半常绿乔木，全体被有橙黄色盾状着生的圆形腺体。偶数羽状复叶，革质叶长椭圆形，长 6~14cm，宽 2~5cm，全缘，基部歪斜。雌雄同株或稀异株。雌花序 1 个及雄花序数个长而俯垂，常形成一顶生的圆锥状花序束，先端为雌花序，下方为雄花序。雄花花被片 4，兜状，雄蕊 10~12，几乎无花丝。雌花有长约 1mm 的花柄，苞片 3 裂，花被片 4，柱头 4 裂。果序长达 15~25cm；果实坚果状，球形，直径约 4mm；外果皮膜质，内果皮骨质，3 裂的苞片托于果实基部。5~6 月开花，8~9 月果实成熟。

| **分布区域** | 产于海南昌江、三亚、乐东、东方、保亭、陵水、万宁、儋州、澄迈。

两叶黄杞

亦分布于中国广东、广西、湖南、台湾、贵州、云南、四川。印度、缅甸、泰国、越南也有分布。

| 资　　源 | 生于丘陵或山地阳坡次生林或疏林中，十分常见。

| 采收加工 | 叶：全年可采。树皮：秋季采收，洗净，晒干。

| 功能主治 | 树皮：理气化湿，导滞。用于脾胃湿滞、湿热泄泻。叶：有毒。清热，止痛。用于疝气腹痛、感冒发热。

| 附　　注 | ①FOC 把少叶黄杞 *Engelhardia fenzelii* Merr. 和两叶黄杞归并为黄杞，《海南植物物种多样性编目》将 3 种分别描述，笔者认为三者间存在一定差异，故此处将两叶黄杞单独保留。②叶有毒，应在专业人员指导下使用，其制成溶剂能防治农作物病虫害。

山茱萸科　Cornaceae　桃叶珊瑚属　*Aucuba*

桃叶珊瑚

Aucuba chinensis Benth.

| 中 药 名 | 天脚板（药用部位：果实、根、叶）

| 植物形态 | 常绿小乔木，皮孔白色；叶痕显著。冬芽球状，鳞片 4 对，交互对生，外轮较短，内二轮外侧先端被柔毛。革质叶椭圆形，长 10~20cm，宽 3.5~8cm，常具 5~8 对锯齿，叶柄长 2~4cm。圆锥花序顶生，花序梗被柔毛，雄花序长 5cm 以上；雄花绿色、紫红色，花萼先端 4 齿裂；花瓣 4，长 3~4mm，先端具短尖头；雄蕊 4，长约 3mm，着生于花盘外侧，花盘肉质，微 4 棱；披针形苞片 1，外侧被疏柔毛。雌花序较雄花序短，花萼及花瓣近于雄花；花盘肉质，微 4 裂；花下具 2 披针形小苞片，边缘具睫毛；花下具关节，被柔毛。果实成熟时鲜红色，圆柱状，直径 8~10mm，萼片、花柱及柱头均宿存于核果上端。花期 1~2 月；果熟期达翌年 2 月。

桃叶珊瑚

| 分布区域 |

产于海南白沙、保亭。亦分布于中国华南其他区域，以及福建、台湾。越南也有分布。

| 资　　源 |

生于海拔 1000m 以下的山地林中，偶见。

| 采收加工 |

根、叶：全年可采。果实：成熟时采摘，洗净，鲜用或晒干。

| 功能主治 |

果实：味苦，性凉。用于痢疾、白带、腰痛。
根：味苦、辛，性温。祛风除湿，活血化瘀。用于骨折、跌打损伤、风湿痹痛、烫火伤、痔疮。
叶：清热解毒，止痢。

八角枫科 Alangiaceae 八角枫属 Alangium

八角枫
Alangium chinense (Lour.) Harms

| 中 药 名 |　八角枫（药用部位：根、须根）

| 植物形态 |　落叶乔木或灌木，小枝略呈"之"字形；冬芽锥形，鳞片细小。叶纸质，近圆形，基部两侧常不对称，长 13~19cm，宽 9~15cm；基出脉 3~5，呈掌状；叶柄长 2.5~3.5cm，紫绿色或淡黄色。聚伞花序腋生，长 3~4cm，被稀疏微柔毛，有 7~30 花；小苞片线形或披针形，常早落；总花梗长 1~1.5cm，常分节；花冠圆筒形，花萼长 2~3mm，先端分裂为 5~8 齿状萼片；花瓣 6~8，线形，长 1~1.5cm，宽 1mm，基部黏合，上部开花后反卷，外面有微柔毛，初为白色，后变黄色；雄蕊和花瓣同数而近等长，花盘近球形；子房 2 室。核果卵圆形，长 5~7mm，直径 5~8mm；幼时绿色，成熟后黑色；先端有宿存的萼齿和花盘；种子 1。花期 5~7 月和 9~10 月，果期 7~11 月。

八角枫

| 分布区域 |

产于海南乐东、五指山、保亭、万宁、三亚、昌江、儋州、澄迈。亦分布于中国各地。东南亚、非洲各国也有分布。

| 资　　源 |

生于山地林中，常见。

| 采收加工 |

全年可采，挖取支根或须根，洗净，晒干。

| 功能主治 |

味辛、苦，性微温；归肝、肾、心经；有小毒。祛风除湿，舒筋活络，祛瘀止痛。用于风湿痹痛、四肢麻木、跌打损伤、风寒感冒、骨折、劳伤、咳嗽、月经不调、闭经、胸腹胀满。

八角枫科 Alangiaceae　八角枫属 Alangium

毛八角枫 *Alangium kurzii* Craib

| 中 药 名 | 毛八角枫（药用部位：根、叶、花、种子）

| 植物形态 | 落叶小乔木，当年生枝紫绿色，有淡黄色绒毛和短柔毛，多年生枝深褐色，具稀疏的淡白色圆形皮孔。叶互生，纸质，近圆形或阔卵形，两侧不对称，长12~14cm，宽7~9cm，下面有黄褐色丝状微绒毛；叶柄长2.5~4cm，有黄褐色微绒毛。聚伞花序，有5~7花，花萼漏斗状，常裂成锐尖形小萼齿6~8；花瓣6~8，线形，长2~2.5cm，基部黏合，上部开花时反卷，外面有淡黄色短柔毛，初白色，后变淡黄色；雄蕊6~8，花盘近球形，有微柔毛；子房2室，柱头近球形，4裂。核果椭圆形，长1.2~1.5cm，直径8mm，幼时紫褐色，成熟后黑色，先端有宿存的萼齿。花期5~6月，果期9月。

毛八角枫

分布区域

产于海南三亚、乐东、东方、五指山、万宁、琼中、儋州、屯昌、定安。亦分布于中国华南其他区域，以及湖南、江西、浙江、江苏、安徽、贵州。缅甸、越南、泰国、马来西亚、印度尼西亚、菲律宾也有分布。

资　源

生于疏林或林缘，常见。

采收加工

根、叶：夏、秋季间采收，洗净，鲜用或晒干。花、种子：分别于花期、果期采收。

功能主治

根、叶：味辛，性温；有毒。舒筋活血，行瘀止痛。用于跌打损伤。花：清热解毒。用于咽喉肿痛。种子：拔毒消炎。用于疔毒。

八角枫科 Alangiaceae　八角枫属 *Alangium*

土坛树
Alangium salviifolium (L. f.) Wanger.

| **中 药 名** | 割舌罗（药用部位：根、根皮、叶）

| **植物形态** | 落叶乔木或灌木，小枝有显著的圆形皮孔，冬芽锥状，生于叶腋。叶厚纸质或近革质，倒卵状椭圆形，长 7~13cm，宽 3~6cm；叶柄长 5~15mm。聚伞花序 3~8，生于叶腋，常花、叶同时开放，有淡黄色疏柔毛；总花梗长 5~8mm，花梗长 7~10mm，小苞片 3，狭窄卵形；花白色至黄色，有浓香味；花萼裂片阔三角形，长达 2mm，两面均有柔毛；雄蕊 20~30，花盘肉质；子房 1 室，花柱倒圆锥状，柱头微 4~5 裂。核果卵圆形，长 1.5cm，宽 0.9~1.2cm，幼时绿色，成熟时由红色至黑色，先端有宿存的萼齿。花期 2~4 月，果期 4~7 月。

土坛树

|分布区域|

产于海南三亚、乐东、东方、昌江、白沙、五指山、保亭、万宁、琼中、儋州、澄迈。亦分布于中国华南其他区域。南亚、东南亚、非洲东南部也有分布。

|资　　源|

生于疏林中，十分常见。

|采收加工|

一般栽培 8~10 年后，冬季挖根，洗去泥土，切片，晒干。秋季采叶，晒干。

|功能主治|

催吐，解毒。用于风湿痹痛、跌打损伤，也作催吐剂和解毒剂。

蓝果树科 Nyssaceae 喜树属 Camptotheca

喜 树
Camptotheca acuminata Decne.

| 中 药 名 |

喜树（药用部位：树枝、树皮、叶、果实）

| 植物形态 |

落叶乔木，树皮纵裂成浅沟状；锥状冬芽腋生，有 4 对卵形的鳞片，外面有短柔毛。纸质叶互生，长 12~28cm，宽 6~12cm，叶柄长 1.5~3cm。头状花序近球形，直径 1.5~2cm。花杂性，同株；苞片 3，三角状卵形，内外两面均有短柔毛；花萼杯状，5 浅裂，裂片齿状，边缘睫毛状；花瓣 5，淡绿色，矩圆形，长 2mm，外面密被短柔毛，早落；花盘显著，微裂；雄蕊 10，外轮 5 较长，花药4 室；花柱先端通常分 2 枝。翅果矩圆形，长 2~2.5cm，先端具宿存的花盘，两侧具窄翅，着生成近球形的头状果序。花期 5~7 月，果期 9 月。

| 分布区域 |

产于海南万宁、儋州。亦分布于中国华南其他区域、华中、华东、西南。

| 资　源 |

常生于海拔 1000m 以下的林边或溪边，偶见。

喜树

| **采收加工** | 树皮：秋季采收，洗净切段。树枝、叶：全年可采。果实：秋季成熟时采收，洗净，晒干或鲜用。 |

| **药材性状** | 果实为矩圆形，长约2.5cm，先端有柱头残基，可见着生在花盘上的椭圆形点痕，两边有翅。表面棕色至棕黑色，微有光泽，具纵皱纹，质韧，不易拉断，断面纤维性，内有种子1，干缩成细条状。气微，味苦。 |

| **功能主治** | 抗癌，清热，杀虫。用于胃癌、结肠癌、直肠癌、膀胱癌、慢性髓细胞性白血病、急性淋巴细胞白血病。外用于牛皮癣。叶：用于痈疮疔肿初起。 |

| **附　　注** | 本种所在的喜树属为中国特有。 |

五加科 Araliaceae 五加属 Acanthopanax

白 簕 *Acanthopanax trifoliatus* (L.) Merr.

| 中 药 名 | 三加皮（药用部位：根、叶或全株）

| 植物形态 | 灌木，老枝灰白色，新枝黄棕色，疏生下向刺。有 3 小叶，叶柄长 2~6cm；小叶片纸质，长 4~10cm，宽 3~6.5cm，边缘有齿。伞形花序 3~10 组成顶生复伞形花序，直径 1.5~3.5cm，有花多数；花黄绿色；花萼长约 1.5mm，边缘有 5 三角形小齿；花瓣 5，三角状卵形，长约 2mm，开花时反曲；雄蕊 5，子房 2 室。果实扁球形，直径约 5mm，黑色。花期 8~11 月，果期 9~12 月。

| 分布区域 | 产于海南海口。亦分布于中国华南其他区域、西南、华东、华中。越南、菲律宾、日本也有分布。

白簕

| 资　　源 |

生于海拔 100m 以下的林边灌丛中，偶见。

| 采收加工 |

9~10 月间挖取，鲜用，或趁新鲜时剥取根皮，晒干。

| 功能主治 |

味苦、辛，性凉。清热解毒，祛风利湿，舒筋活血。用于感冒高热、咳痰带血、风湿性关节炎、黄疸、白带、尿路结石、跌打损伤、疖肿疮疡。

| 附　　注 |

在 FOC 中，其学名被修订为 *Eleutherococcus trifoliatus* (Linnaeus) S. Y. Hu。

五加科 Araliaceae 楤木属 *Aralia*

虎刺楤木 *Aralia armata* (Wall.) Seem.

| 中 药 名 | 鹰不扑（药用部位：根、根皮、茎皮）

| 植物形态 | 多刺灌木，刺短。叶为三回羽状复叶，长60~100cm，叶柄长25~50cm，托叶和叶柄基部合生，叶轴和羽片轴疏生细刺；羽片有小叶5~9，基部有小叶1对；小叶片纸质，长圆状卵形，长4~11cm，宽2~5cm，两面脉上疏生小刺，边缘有锯齿。圆锥花序大，长达50cm，疏生钩曲短刺；伞形花序直径2~4cm，有花多数；总花梗有刺和短柔毛，花梗有细刺和粗毛；苞片卵状披针形，小苞片线形，外面均密生长毛；花萼无毛，边缘有5三角形小齿；花瓣5，卵状三角形，长约2mm；雄蕊5，子房5室，花柱5，离生。果实球形，直径4mm，有5棱。花期8~10月，果期9~11月。

虎刺楤木

| 分布区域 |

产于海南乐东、保亭、昌江、万宁。亦分布于中国华南其他区域，以及江西、贵州、云南。越南、缅甸、马来西亚、印度也有分布。

| 资　　源 |

生于林中和林缘，常见。

| 采收加工 |

春、夏季采收枝叶；秋后采收根或根皮，鲜用或切段晒干。

| 药材性状 |

根呈圆柱形，常分枝，弯曲，长 30~45cm，直径 0.5~2cm，表面土黄色，栓皮易脱落，脱落处呈暗褐色或灰褐色，有纵皱纹，具横向突起的皮孔和圆形的侧根痕。质硬，易折断，粉性，断面皮部暗灰色，木质部灰黄色或灰白色，有众多小孔。气微，味微苦、辛。

| 功能主治 |

味苦、辛，性平。活血化瘀，祛风利湿，利尿消肿，止痛。用于跌打损伤、风湿骨痛、腰腿痛、肝炎、前列腺炎、胃痛、泄泻、痢疾、淋巴结肿大、肾炎水肿、糖尿病、白带、乳痈、疮疥、无名肿毒。

五加科 Araliaceae ▍榀木属▍ *Aralia*

黄毛榀木 *Aralia decaisneana* Hance.

| 中 药 名 | 鸟不企（药用部位：根、根皮、叶）

| 植物形态 | 灌木；新枝密生黄棕色绒毛，有刺，刺短而直，基部稍膨大。叶为二回羽状复叶，长达 1.2m；叶柄疏生细刺和黄棕色绒毛；托叶和叶柄基部合生，外面密生锈色绒毛；叶轴和羽片轴密生黄棕色绒毛；羽片有小叶 7~13，基部有小叶 1 对；小叶片革质，上面密生黄棕色绒毛，下面毛更密，边缘有细尖锯齿。圆锥花序大；分枝长达 60cm，密生黄棕色绒毛，疏生细刺；伞形花序，有花 30~50；苞片线形，长 0.8~1.5cm，外面密生绒毛；花梗密生细毛；小苞片宿存；花淡绿白色；花萼无毛，边缘有 5 小齿；花瓣卵状三角形，长约 2mm；雄蕊 5，花药白色；子房 5 室。果实球形，黑色，有 5 棱，直径约 4mm。花期 10 月至翌年 1 月，果期 12 月至翌年 2 月。

黄毛榀木

| 分布区域 |

产于海南三亚、乐东、东方、昌江、白沙、保亭、陵水、琼中。亦分布于中国南部各地。

| 资　　源 |

生于山谷疏林中，少见。

| 采收加工 |

根及根皮：秋后采收。叶：全年可采。洗净，鲜用或切片晒干。

| 功能主治 |

根、根皮：味苦、辛，性平。祛风除湿，散瘀消肿。用于风湿腰痛、肝炎、肾炎水肿。叶：用于眩晕。

五加科 Araliaceae 树参属 *Dendropanax*

保亭树参
Dendropanax oligodontus Merr. et Chun

| 中 药 名 | 保亭树参（药用部位：根）

| 植物形态 | 灌木。叶片纸质，叶形变异很大，长 9~17cm，宽 3~6cm，有半透明红棕色腺点，分裂叶片倒三角形，掌状 2~3 深裂，边缘在中部以上疏生细齿 4~5，基脉三出；叶柄长 1~4cm，无毛。伞形花序顶生，直径约 2cm，有花 10~30；花萼边缘有 5 小齿；花瓣 5，三角形，长 1.5~2mm；雄蕊 5，花丝甚短；子房 4 室，花柱合生呈柱状。果实球形，平滑，直径 5~6mm，花柱宿存。种子近球形，棕黑色。花期 8~9 月，果期 12 月。

保亭树参

| **分布区域** | 产于海南五指山、保亭。亦分布于中国华南其他区域。 |

| **资　　源** | 生于海拔1000m左右的山地林中，偶见。 |

| **采收加工** | 全年可采收，洗净，切段，鲜用或晒干。 |

| **功能主治** | 同属植物树参（Dendropanax dentiger）的根可祛风除湿、舒筋活络，本种或有类似作用，其功能有待进一步研究。 |

五加科 Araliaceae　幌伞枫属 Heteropanax

幌伞枫
Heteropanax fragrans (Roxb.) Seem.

| 中 药 名 |

大蛇药（药用部位：根、根皮）

| 植物形态 |

常绿乔木，枝无刺。三至五回羽状复叶，直
径达 50~100cm；叶柄长 15~30cm，托叶和
叶柄基部合生；小叶片在羽片轴上对生，纸
质。圆锥花序顶生，长 30~40cm；伞形花序
头状，有花多数；总花梗长 1~1.5cm；苞片
卵形，宿存；花梗长 1~2mm；花淡黄白色，
芳香；花萼有绒毛，长约 2mm，边缘有 5 三
角形小齿；花瓣 5，卵形，长约 2mm，外面
疏生绒毛；雄蕊 5；子房 2 室，离生。果实
卵球形，略侧扁，长 7mm，厚 3~5mm，黑色，
宿存花柱长约 2mm，果梗长约 8mm。花期
10~12 月，果期翌年 2~3 月。

| 分布区域 |

产于海南三亚、乐东、东方、昌江、陵水。
亦分布于中国华南其他区域，以及福建、云
南。越南、泰国、缅甸、印度、不丹、尼泊
尔、孟加拉国、印度尼西亚也有分布。

| 资　　源 |

生于海拔 300m 以下的山谷中或平地林中，少见。

幌伞枫

| **采收加工** | 秋、冬季挖取根部或剥取树皮，洗净，切片，鲜用或晒干。 |
| **功能主治** | 味苦，性凉。清热解毒，活血消肿，止痛。用于感冒、中暑头痛、痈疖肿毒、骨折、烫火伤、扭挫伤、蛇咬伤。 |

五加科 Araliaceae 南洋参属 Polyscias

圆叶南洋参
Polyscias balfouriana Bailey.

| 中 药 名 | 圆叶南洋参（药用部位：叶、根）

| 植物形态 | 常绿灌木，茎枝表面有明显的皮孔。叶为一回羽状复叶，纸质到近革质；小叶阔圆肾形，长 5~20cm，宽 5~20cm，叶缘有粗钝锯齿或不规则浅裂，稍带白色，具膜质的翅膀；叶柄长 30~35cm。花序顶生、直立，组成一个伞形花序，两性花常生于先端，雄花一般生于花序两侧；花梗 1.5~7mm。果实不常见，近球形至扁球形，直径 4~6mm。

| 分布区域 | 海南海口、万宁有栽培。原产于新喀里多尼亚，现世界各地广泛栽培，用以观赏。

圆叶南洋参

| 资　　源 | 栽培，少见。

| 采收加工 | 全年可采收，洗净，切段，鲜用或晒干。

| 功能主治 | 同属植物羽叶南洋参（*Polyscias fruticosa*）的叶、根可用于利尿，本种或有类似作用，其功能有待进一步研究。

| 附　　注 | 越南将本种作强壮剂入药。在 FOC 中，其学名被修订为 *Polyscias scutellaria* (Burm. f.) Fosberg。

五加科 Araliaceae　鹅掌柴属 Schefflera

鹅掌藤 *Schefflera arboricola* Hayata.

| **中 药 名** | 七叶莲（药用部位：根、茎叶）

| **植物形态** | 藤状灌木，小枝无毛。叶有小叶 7~9，托叶和叶柄基部合生成鞘状；小叶片革质，倒卵状长圆形，长 6~10cm，宽 1.5~3.5cm，边缘全缘。圆锥花序顶生，长 20cm 以下；伞形花序，有花 3~10；苞片阔卵形，长 0.5~1.5cm，外面密生星状绒毛，早落；总花梗、花梗均疏生星状绒毛；花白色，长约 3mm；花萼长约 1mm，边缘全缘；花瓣 5~6，有 3 脉；雄蕊和花瓣同数而等长；子房 5~6 室；无花柱。果实卵形，有 5 棱，连花盘长 4~5mm，直径 4mm；花盘五角形，长为果实的 1/3~1/4。花期 7 月，果期 8 月。

鹅掌藤

| 分布区域 |

产于海南乐东、东方、昌江、保亭、三亚、万宁、澄迈。亦分布于中国台湾。

| 资　　源 |

常见于低海拔的潮湿林中，十分常见。

| 采收加工 |

全年均可采收，洗净，鲜用或切片晒干。

| 功能主治 |

味辛、微苦，性温。祛风除湿，活血止痛。用于风湿痹痛、胃痛、跌打骨折、外伤出血、腰腿痛、瘫痪。

五加科 Araliaceae 鹅掌柴属 Schefflera

海南鹅掌柴 Schefflera hainanensis Merr. & Chun

| 中 药 名 | 海南鹅掌柴（药用部位：有待研究）

| 植物形态 | 乔木，小枝被很快脱落的黄棕色星状绒毛；髓白色。小叶 14~16，纸质，卵形，长 4~12cm，宽 2~6cm。圆锥花序顶生，长约 30cm，主轴和分枝幼时密生星状短柔毛；花小，总状排列在分枝上；苞片密生星状短柔毛；萼片倒圆锥形，密生星状短柔毛，边缘有 5 小齿；花瓣 5，长约 2mm，无毛；雄蕊 5，花丝比花瓣稍长；子房 5 室；花柱合生成柱状。果实近球形，有不明显 5 棱，直径 3~4mm；花柱宿存。花期 9 月，果期 10 月。

| 分布区域 | 产于海南三亚、乐东、东方、保亭、万宁、澄迈。亦分布于中国广西、福建、台湾、浙江、云南、西藏。越南、印度、日本也有分布。

海南鹅掌柴

| 资　　源 | 常生于海拔 500m 以下的山区林中，少见。

| 功能主治 | 同属植物鹅掌柴有发汗解表、祛风除湿、止痛止血等多种功能，本种或有类似
作用，其功能有待进一步研究。

五加科 Araliaceae 鹅掌柴属 Schefflera

鹅掌柴 *Schefflera octophylla* (Lour.) Harms.

| **中 药 名** | 鸭脚木皮（药用部位：根皮、树皮、根、叶）

| **植物形态** | 乔木或灌木。叶有小叶 6~9，叶柄长 15~30cm；小叶片纸质至革质，椭圆形，长 9~17cm，宽 3~5cm；小叶柄长 1.5~5cm，疏生星状短柔毛至无毛。圆锥花序顶生，长 20~30cm，有总状排列的伞形花序几个至十几个；伞形花序有花 10~15；总花梗、花梗有星状短柔毛；小苞片宿存；花白色；花萼长约 2.5mm，花瓣 5~6，开花时反曲，无毛；雄蕊 5~6；子房 5~7 室，花盘平坦。果实球形，黑色，直径约 5mm，有不明显的棱；宿存花柱很粗短，长 1mm。花期 11~12 月，果期 12 月。

| **分布区域** | 产于海南三亚、乐东、东方、保亭、万宁、澄迈。亦分布于中国华

鹅掌柴

南其他区域，以及福建、台湾、浙江、云南、西藏。越南、泰国、印度、日本也有分布。

| 资　　　源 | 常生于海拔 500m 以下的山区林中，常见。

| 采收加工 | 根皮、树皮、根：全年可采。根皮、树皮洗净，蒸透，切片，晒干；根洗净，切片，晒干。叶：夏、秋季采收，多为鲜用。

| 药材性状 | 树皮呈卷筒状或不规则板块状，长 30~50cm，厚 2~8mm。外表面灰白色或暗灰色，粗糙，常有地衣斑，具类圆形或横向长圆形皮孔。内表面灰黄色或灰棕色，具细纵纹。质脆，易折断，断面不平坦，纤维性。气微香，味苦、涩。以皮薄、均匀、卷筒状者为佳。

| 功能主治 | 根皮及树皮：味辛、苦，性凉。发汗解表，祛风除湿，舒筋活络。用于感冒发热、咽喉疼痛、风湿关节痛、跌打损伤、骨折。叶：止痛，接骨，止血，消肿。用于风湿骨痛、跌打肿痛、骨折、刀伤、烧伤。根：用于热病痧气、妇女痧麻夹经、跌打损伤肿痛。

伞形科 Umbelliferae 积雪草属 *Centella*

积雪草
Centella asiatica (L.) Urban.

| 中 药 名 | 积雪草（药用部位：全草）

| 植物形态 | 多年生草本，茎匍匐，节上生根。叶片膜质至草质，长 1~2.8cm，宽 1.5~5cm，边缘有钝锯齿；基部叶鞘透明，膜质。伞形花序梗 2~4，聚生于叶腋；苞片通常 2，膜质，长 3~4mm；每一伞形花序有花 3~4，聚集呈头状；花瓣卵形，紫红色或乳白色，膜质，长 1.2~1.5mm，宽 1.1~1.2mm。果实两侧扁压，圆球形，长 2.1~3mm，宽 2.2~3.6mm，每侧有纵棱数条，棱间有明显的小横脉，网状，表面有毛或平滑。花果期 4~10 月。

积雪草

分布区域

产于海南三亚、乐东、昌江、白沙、陵水、万宁、儋州、澄迈、文昌。亦分布于中国华南其他区域、华东、华中、西南，以及陕西。世界热带和亚热带地区也有分布。

资　源

喜生于低湿的田野草地上，十分常见。

采收加工

夏季采收全草，晒干或鲜用。

药材性状

干燥全草多皱缩成团，根圆柱形，长3~4.5cm，直径1~1.5mm，淡黄色或灰黄色，有纹皱纹。茎细长、弯曲，淡黄色，在节处有明显的细根残迹或残留的细根。叶多皱缩破碎，灰绿色，完整的叶圆形或肾形，直径2~6cm；叶柄长1.5~7cm，常扭曲，基部具膜质叶鞘。气特异，味淡、微辛。

功能主治

味苦、辛，性寒；归肺、脾、肾、膀胱经。清热解毒，活血祛瘀，利尿消肿，凉血生津。用于湿热黄疸、肝炎、外感风寒、上呼吸道感染、流行性感冒、肺炎、胸膜炎、中暑、痢疾、腹泻、砂淋、血淋、痈肿疮毒、跌打损伤、蜈蚣咬伤、木刺入肉、野菌中毒、木薯中毒、农药中毒、断肠草中毒。

伞形科 Umbelliferae　蛇床属 Cnidium

蛇 床

Cnidium monnieri (L.) Cuss.

|中 药 名|

蛇床子（药用部位：果实）

|植物形态|

一年生草本，根圆锥状，较细长。茎中空，表面具深条棱，粗糙。下部叶具短柄，叶鞘短宽，边缘膜质，上部叶柄全部鞘状；叶片轮廓卵形至三角状卵形，长 3~8cm，宽 2~5cm，2~3 回三出式羽状全裂。复伞形花序直径 2~3cm；总苞片 6~10，线形至线状披针形，长约 5mm，边缘膜质，具细睫毛；伞辐 8~20；小总苞片多数，线形，长 3~5mm，边缘具细睫毛；小伞形花序具花 15~20；花瓣白色，先端具内折小舌片；花柱长 1~1.5mm，向下反曲。分生果长圆状，长 1.5~3mm，宽 1~2mm，横剖面近五角形，主棱 5，均扩大成翅；每棱槽内油管 1，合生面油管 2；胚乳腹面平直。花期 4~7 月，果期 6~10 月。

|分布区域|

产于海南文昌。亦分布于中国各地。越南、朝鲜、俄罗斯也有分布。

蛇床

| 资　　源 |

生于低海拔的旷野、路旁湿处，偶见。

| 采收加工 |

夏、秋两季果实成熟时采收，摘下果实晒干；或割取地上部分晒干，打落果实，筛净或簸去杂质。

| 药材性状 |

干燥果实椭圆形，由 2 分果合成，长约 2mm，直径约 1mm，灰黄色，先端有 2 向外弯曲的宿存花柱基；分果背面略隆起，有突起的脊线 5，接台面平坦，有 2 棕色略突起的纵线，其中有一浅色的线状物。果皮松脆。种子细小，灰棕色，有油性。气香，味辛凉而有麻舌感。以颗粒饱满、灰黄色、气味浓厚者为佳。

| 功能主治 |

味辛、苦，性温；归脾、肾经。温肾壮阳，燥湿，祛风杀虫，止痒。用于阳痿、胞宫虚冷、不孕、寒湿带下、滴虫性阴道炎、湿痹腰痛。外用于阴部湿疹、妇女阴痒、阴囊湿痒、疥癣疮、皮肤瘙痒。

伞形科 Umbelliferae 芫荽属 Coriandrum

芫 荽
Coriandrum sativum L.

| 中 药 名 | 胡荽（药用部位：全草或果实）

| 植物形态 | 有强烈气味的草本，根纺锤形。根生叶有柄，柄长 2~8cm；叶片一至二回羽状全裂，长 1~2cm，宽 1~1.5cm，上部的茎生叶三至多回羽状分裂，末回裂片狭线形，长 5~10mm，宽 0.5~1mm。伞形花序顶生，花序梗长 2~8cm；伞辐 3~7，小总苞片 2~5，线形，全缘；小伞形花序有孕花 3~9，花白色；萼齿大小不等；花瓣倒卵形，长 1~1.2mm，先端有内凹的小舌片，辐射瓣长 2~3.5mm；花丝长 1~2mm，花药卵形，长约 0.7mm。果实圆球形，背面棱明显，油管不明显。花果期 4~11 月。

| 分布区域 | 海南各地均有栽培。中国各地亦有栽培。原产于地中海沿岸。

芫荽

| 资　　　源 | 栽培量大，十分常见。

| 采收加工 | 春季采收，洗净，晒干。

| 药材性状 | 多卷缩成团，茎、叶枯绿色，干燥茎直径约 1mm，叶多脱落或破碎，完整的叶 1~2 回羽状分裂。根呈须状或长圆锥形，表面类白色。具浓烈的特殊香气，味淡、微涩。

| 功能主治 | 味辛，性温；归肺、脾、肝经。发汗透疹，散寒理气，健胃消食。用于麻疹不透、痧疹、胃寒痛、食欲不振、食积、腹胀、牙痛、头痛、眩晕、脱肛、感冒无汗、鱼肉中毒、毒蛇咬伤，增强性功能、增加精子和卵子数量。

伞形科 Umbelliferae 刺芹属 *Eryngium*

刺 芹
Eryngium foetidum L.

| 中 药 名 |　野芫荽（药用部位：全草）

| 植物形态 |　草本，主根纺锤形。茎无毛，有数条槽纹，上部有3~5歧聚伞式的分枝。基生叶披针形，革质，长5~25cm，宽1.2~4cm，基部渐窄，有膜质叶鞘，边缘有骨质尖锐锯齿；茎生叶着生在每一叉状分枝的基部，对生，无柄，边缘有深锯齿，齿尖刺状。头状花序生于茎的分叉处及上部枝条的短枝上，长0.5~1.2cm，宽3~5mm；总苞片4~7，叶状披针形，边缘有1~3刺状锯齿；小总苞片长1.5~1.8mm，边缘透明膜质；萼齿卵状披针形，长0.5~1mm，先端尖锐；花瓣与萼齿近等长，先端内折。果实卵圆形或球形，长1.1~1.3mm，宽1.2~1.3mm，表面有瘤状突起，果棱不明显。花果期4~12月。

刺芹

| 分布区域 |

产于海南三亚、白沙、五指山、保亭、万宁、澄迈、琼海。亦分布于中国华南其他区域,以及贵州、云南。亚洲、非洲、美洲地区也有分布。

| 资　　源 |

生于空旷地上或林中,十分常见。

| 采收加工 |

全年均可采收,晒干。

| 功能主治 |

味辛、苦,性平。疏风清热,行气消肿,健胃止痛。用于感冒、胸脘痛、泄泻、消化不良。外用于蛇咬伤、跌打肿痛。

伞形科 Umbelliferae 茴香属 *Foeniculum*

茴 香 *Foeniculum vulgare* Mill.

| 中 药 名 | 小茴香（药用部位：果实、根、茎叶或全草）

| 植物形态 | 草本，茎灰绿色或苍白色，多分枝。较下部的茎生叶柄长 5~15cm，中部或上部的叶柄部分或全部成鞘状，叶鞘边缘膜质；叶片轮廓为阔三角形，长 4~30cm，宽 5~40cm，四至五回羽状全裂，末回裂片线形，长 1~6cm，宽约 1mm。复伞形花序顶生与侧生，花序梗长 2~25cm；伞辐 6~29，不等长；小伞形花序有花 14~39；无萼齿；花瓣黄色，长约 1mm，先端有内折的小舌片。果实长圆形，长 4~6mm，宽 1.5~2.2mm，主棱 5，尖锐；每棱槽内有油管 1，合生面油管 2。花期 5~6 月，果期 7~9 月。

| 分布区域 | 产于海南乐东、白沙、保亭、万宁、海口。中国部分地区亦有栽培。原产于欧洲。

茴香

| 资　　源 |

栽培，少见。

| 采收加工 |

8~10 月果实呈黄绿色，并有淡黑色纵线时，选晴天时割取地上部分，脱粒，扬净；亦可采摘成熟果实，晒干。

| 药材性状 |

双悬果细圆柱形，两端略尖，有时略弯曲，长4~6mm，宽 1.5~2.2mm；表面黄绿色至棕色，光滑无毛，先端有圆锥形黄棕色的花柱基，有时基部有小果柄。分果长椭圆形，背面隆起，有 5 条纵直棱线，接合面平坦，中内色较深，有纵沟纹。横切面近五角形，背面的四边约等长。气特异而芳香，味微甜而辛。

| 功能主治 |

果实：味辛，性温；归肝、肾、膀胱、胃经。散寒止痛，理气和胃。用于寒疝腹痛、睾丸偏坠、痛经、脘腹胀痛、食少吐泻、水疝。根：温肾和中，行气止痛。用于寒疝腹痛、风湿关节痛、胃寒腹痛。茎叶：祛风，顺气止痛。用于疹气、痈肿、疝气。全草：用于小儿麻疹发热、疹出不透、呕逆少食、慢性附件炎、气滞腹胀、腰部冷痛。

伞形科 Umbelliferae 珊瑚菜属 Glehnia

珊瑚菜
Glehnia littoralis F. Schmidt ex Miq.

| **中 药 名** | 北沙参（药用部位：根）

| **植物形态** | 多年生草本，全株被白色柔毛。根细长，圆柱形，长 20~70cm，表面黄白色。叶多数基生，厚质，叶柄长 5~15cm；叶片轮廓呈圆卵形至长圆状卵形，三出式分裂，末回裂片倒卵形至卵圆形，长 1~6cm，宽 0.8~3.5cm，边缘有缺刻状锯齿，齿边缘为白色软骨质；茎生叶与基生叶相似。复伞形花序顶生，密生浓密的长柔毛，伞辐 8~16；小总苞数片，线状披针形，边缘及背部密被柔毛；小伞形花序有花 15~20，花白色；萼齿 5，卵状披针形，长 0.5~1mm，被柔毛；花瓣白色；花柱基短圆锥形。果实近圆球形，长 6~13mm，宽 6~10mm，密被长柔毛及绒毛，果棱有木栓质翅；分生果的横剖面半圆形。花果期 6~8 月。

珊瑚菜

| 分布区域 |

产于海南万宁、文昌。亦分布于中国各地。朝鲜、日本、俄罗斯也有分布。

| 资　　源 |

生于海岸沙地上，偶见。

| 采收加工 |

全年皆可采收，晒干或鲜用。

| 功能主治 |

养阴清肺，益胃生津。用于肺热燥咳、劳咳痰血、热病津伤、口渴。

伞形科 Umbelliferae 天胡荽属 Hydrocotyle

红马蹄草 *Hydrocotyle nepalensis* Hook.

| 中 药 名 | 红马蹄草（药用部位：全草）

| 植物形态 | 多年生草本，茎匍匐，节上生根。叶片膜质，长 2~5cm，宽 3.5~9cm，边缘通常 5~7 浅裂，裂片有钝锯齿，疏生短硬毛；叶柄长 4~27cm，上部密被柔毛；托叶膜质。伞形花序数个簇生于茎端叶腋，小伞形花序有花 20~60，花柄极短，长 0.5~1.5mm，花柄基部有膜质的小总苞片；无萼齿；花瓣卵形，白色，有时有紫红色斑点。果实长 1~1.2mm，宽 1.5~1.8mm，基部心形，两侧扁压，光滑或有紫色斑点，成熟后常呈黄褐色或紫黑色，中棱和背棱显著。花果期 5~11 月。

| 分布区域 | 产于海南东方、昌江、白沙、保亭。亦分布于中国长江以南各地。亚洲热带地区也有分布。

红马蹄草

| 资　　源 | 生于海拔 600~1300m 的山谷湿润草地上，常见。

| 采收加工 | 夏、秋季采收，洗净，鲜用或晒干。

| 药材性状 | 叶多皱缩成团，展开后长 2~5cm；茎纤细柔软而弯曲，有分枝，被疏毛，节上生根。单叶互生，叶柄基部有叶鞘，被毛；叶多皱缩，完整叶呈圆肾形，5~9 掌状浅裂，裂片先端钝，基部心形，边缘有缺齿，具掌状叶脉，两面被紫色短硬毛。质脆。气微，味淡。

| 功能主治 | 味苦，性寒。活血止血，化瘀，清热，清肺止咳。用于感冒、肺热咳嗽、咯血、吐血、跌打损伤。外用于痔疮及外伤出血。

伞形科　Umbelliferae　变豆菜属　*Sanicula*

薄片变豆菜
Sanicula lamelligera Hance

| **中 药 名** | 薄片变豆菜（药用部位：全草）

| **植物形态** | 多年生矮小草本，根茎短，有结节。基生叶圆心形或近五角形，长
2~6cm，宽 3~9cm，掌状 3 裂，有短柄，背面淡绿色或紫红色；叶
柄长 4~18cm，基部有膜质鞘。花序通常二至四回二歧分枝，总苞片
细小，线状披针形；伞辐 3~7，长 2~10mm；小总苞片 4~5，线形；
雄花 4~5，萼齿线形或呈刺毛状，花瓣白色、粉红色或淡蓝紫色，
倒卵形，先端内凹；两性花 1，无柄；萼齿和花瓣的形状同雄花，
花柱向外反曲。果实长卵形，长 2.5mm，宽 2mm，成熟后表面有短
而直的皮刺；分生果的横剖面呈圆形；油管 5。花果期 4~11 月。

薄片变豆菜

| 分布区域 |

产于海南白沙。亦分布于中国华南其他区域，以及台湾、浙江、安徽、湖北、贵州、四川。日本也有分布。

| 资　　源 |

生于山谷水旁，常见。

| 采收加工 |

全年均可采收，洗净，切段，鲜用或晒干。

| 功能主治 |

散风,清肺,化痰止咳,行血通经。用于风寒感冒、咳嗽、百日咳、哮喘、月经不调、闭经、腰痛。

伞形科　Umbelliferae　天胡荽属　*Hydrocotyle*

天胡荽
Hydrocotyle sibthorpioides Lam.

| 中 药 名 |　天胡荽（药用部位：全草）

| 植物形态 |　多年生草本，有气味。茎细长而匍匐，平铺地上成片，节上生根。叶片膜质至草质，圆形或肾圆形，长 0.5~1.5cm，宽 0.8~2.5cm，边缘有钝齿；叶柄长 0.7~9cm，托叶薄膜质。伞形花序与叶对生，单生于节上；花序梗纤细，长 0.5~3.5cm；小总苞片卵形至卵状披针形，长 1~1.5mm，膜质，有黄色透明腺点；小伞形花序有花 5~18，花瓣卵形，长约 1.2mm，绿白色，有腺点。果实略呈心形，长 1~1.4mm，宽 1.2~2mm，两侧扁压，中棱在果实成熟时极为隆起；幼时表面草黄色，成熟时有紫色斑点。花果期 4~9 月。

天胡荽

| 分布区域 |

产于海南乐东、昌江、白沙、五指山、万宁、琼中、儋州、澄迈。亦分布于中国华南其他区域、西南、华东、华中，以及陕西。东南亚地区，以及印度、日本、朝鲜也有分布。

| 资　　源 |

生于海拔1000m以下的山区溪边湿地，十分常见。

| 采收加工 |

夏、秋季间采收全草，洗净，晒干。

| 药材性状 |

多皱缩成团，根细，表面淡黄色或灰黄色。茎极纤细、弯曲，黄绿色，节处有根痕及残留细根。叶多皱缩破碎，完整叶圆形或近肾形，5~7浅裂，少不分裂，边缘有钝齿；托叶膜质；叶柄长约0.5cm，扭曲状。伞形花序小。双悬果略呈心形，两侧扁压。气香。

| 功能主治 |

味辛、微苦；性凉。清热利尿，解毒消肿，祛痰止咳。用于黄疸型病毒性肝炎、肝硬化腹水、胆石症、痢疾、尿路感染、尿路结石、淋证、目翳、伤风感冒、咳嗽、百日咳、咽喉炎、扁桃体炎、痈疽疔疮、跌打瘀肿。外用于湿疹、带状疱疹、衄血。

伞形科 Umbelliferae 天胡荽属 Hydrocotyle

破铜钱
Hydrocotyle sibthorpioides Lam. var. *batrachium* (Hance) Hand.-Mazz. ex Shan.

| **中 药 名** | 破铜钱（药用部位：全草）

| **植物形态** | 多年生草本，有气味。茎细长而匍匐，平铺地上成片，节上生根。叶片膜质至草质，圆形或肾圆形，叶片较天胡荽小，3~5 深裂几达基部，裂片均呈楔形；叶柄长 0.7~9cm，托叶略呈半圆形。伞形花序与叶对生，单生于节上；小总苞片膜质，有黄色透明腺点，卵形花瓣长约 1.2mm，绿白色，有腺点。果实略呈心形，长 1~1.4mm，宽 1.2~2mm，两侧扁压，中棱在果实成熟时极为隆起；幼时表面草黄色，成熟时有紫色斑点。花果期 4~9 月。

破铜钱

分布区域	产于海南儋州、定安、保亭、三亚。亦分布于中国安徽、浙江、江西、湖南、湖北、台湾、福建、广东、广西、四川等地。菲律宾、越南也有分布。
资　源	生于湿润的路旁、草地、河沟边、湖滩、溪谷及山地，少见。
采收加工	夏、秋季采收，洗净，鲜用或晒干。
功能主治	味辛、微苦，性凉。清热利湿，祛痰止咳，利尿通淋。用于黄疸、两胁胀满、口苦、头晕目眩、呕逆、胆结石、小便淋痛、感冒咳嗽、咳痰、乳蛾、目翳。

伞形科 Umbelliferae 水芹属 *Oenanthe*

水 芹
Oenanthe javanica (Bl.) DC.

| **中 药 名** | 水芹（药用部位：全草或根）

| **植物形态** | 多年生草本，基生叶有柄、叶鞘；叶片轮廓三角形，一至二回羽状分裂，末回裂片卵形至菱状披针形，长 2~5cm，宽 1~2cm，边缘有齿；茎上部叶无柄，较小。复伞形花序顶生，花序梗长 2~16cm；无总苞；伞辐 6~16；小总苞片 2~8，线形，长 2~4mm；小伞形花序有花 20 余朵，花柄长 2~4mm；萼齿线状披针形；花瓣白色，倒卵形，长 1mm，宽 0.7mm，有一长而内折的小舌片。果实近于四角状椭圆形，长 2.5~3mm，宽 2mm，侧棱较背棱和中棱隆起，木栓质，分生果横剖面近于五边状的半圆形；每棱槽内油管 1，合生面油管 2。花期 6~7 月，果期 8~9 月。

水芹

分布区域

产于海南万宁、东方、白沙。亦分布于中国各地。越南、缅甸、马来西亚、印度尼西亚、菲律宾、印度也有分布。

资 源

生于低洼地方或水沟旁，少见。

采收加工

9~10月采割地上部分，洗净，鲜用或晒干。

药材性状

本品多皱缩成团，茎细而弯曲。匍匐茎节处有须状根。叶皱缩，展平后，基生叶三角形或三角状卵形，一至二回羽状分裂，最终裂片卵形至菱状披针形，长2~5cm，宽1~2cm，边缘不整齐锯齿，叶柄长7~15cm。质脆，易碎。气微香，味微辛、苦。

功能主治

味辛、甘，性凉；归肺、肝、膀胱经。清热解毒，利湿，止血，凉血降压。用于感冒发热、暴热烦渴、呕吐腹泻、黄疸、水肿、尿路感染、淋证、崩漏、带下病、瘰疬、流行性腮腺炎、高血压。

伞形科 Umbelliferae　前胡属 Peucedanum

前　胡
Peucedanum praeruptorum Dunn.

| 中 药 名 |　前胡（药用部位：根）

| 植物形态 |　多年生草本，根茎灰褐色，存留多数越年枯鞘纤维；根末端常分叉。茎圆柱形，上部分枝多有短毛，髓部充实。基生叶三出式二至三回分裂，边缘具不整齐的 3~4 锯齿；茎下部叶具短柄，叶片形状与茎生叶相似；茎上部叶无柄，叶鞘稍宽，边缘膜质，叶片三出分裂，中间 1 枚基部下延。复伞形花序多数，伞形花序直径 3.5~9cm；花序梗上端多短毛；总苞片无或 1 至数片，线形；小总苞片 8~12，卵状披针形，大小常有差异，有短糙毛；小伞形花序有花 15~20；花瓣卵形，小舌片内曲，白色。果实卵圆形，背部扁压，长约 4mm，宽 3mm，棕色，有稀疏短毛，侧棱呈翅状，比果体窄，稍厚；棱槽内油管 3~5，合生面油管 6~10。花期 8~9 月，果期 10~11 月。

前胡

| 分布区域 | 产于海南五指山。亦分布于中国广西、贵州、四川、甘肃，以及华东、华中。

| 资　　源 | 生于近山顶的沟谷旁密林中，附生于石壁上，偶见。

| 采收加工 | 栽后 2~3 年，秋、冬季挖取根部，除去地上茎及泥土，晒干。

| 药材性状 | 根近圆柱形、圆锥形或纺锤形，稍扭曲，下部有分枝，长 3~15cm，直径 1~2cm。根头部常有茎痕及纤维状叶鞘残基；表面灰棕色至黑褐色，有不规则纵沟及纵皱纹，并有横向皮孔；上部有密集的环纹。质较柔软，干者质硬，可折断，折断面不整齐，疏松，于放大镜下可有众多细小黄棕色油点散在；皮部厚，淡黄白色，形成层环明显，木质部淡黄色。气芳香，味微苦、辛。

| 功能主治 | 味苦、辛，性微寒；归肺、脾、肝经。散风清热，降气化痰。用于风热咳嗽痰多、痰热喘满、咳痰黄稠、胸胁胀满。其含角型二氢吡喃香豆素类化合物，具有钙离子拮抗活性。

| 附　　注 | 前胡茎叶含有与根相似的化学成分，且含量较根为高，故前胡茎叶可能成为其根的代用品。

伞形科 Umbelliferae 茴芹属 *Pimpinella*

异叶茴芹
Pimpinella diversifolia DC.

| 中 药 名 |

鹅脚板（药用部位：根或全草）

| 植物形态 |

多年生草本，通常为须根，茎被柔毛。叶异形，基生叶有长柄，茎中、下部叶片三出分裂或羽状分裂；茎上部叶较小，叶片羽状分裂或3裂。通常无总苞，稀1~5，披针形；伞辐6~15，长1~4cm；小总苞片1~8，短于花柄；小伞形花序有花6~20，花柄不等长；花瓣倒卵形，白色，先端凹陷，小舌片内折，背面有毛；花柱基圆锥形，花柱长为花柱基的2~3倍。幼果卵形，有毛，成熟的果实卵球形，果棱线形；每棱槽内油管2~3，合生面油管4~6。花果期5~10月。

| 分布区域 |

产于海南白沙、万宁。亦分布于中国大部分地区。越南、巴基斯坦、印度、阿富汗、尼泊尔、日本也有分布。

| 资　　源 |

生于山坡草丛、沟边或林下，偶见。

异叶茴芹

| 采收加工 | 夏、秋季采收，除去杂质，晒干或鲜用。

| 功能主治 | 味辛、苦、微甘，性微温；归肺、胃、肝经。散瘀消肿，解毒，祛风散寒，止痛，解表化积。用于风寒感冒、咽喉肿痛、胃痛、痢疾、黄疸型肝炎、急性胆囊炎、小儿疳积。外用于蜂刺后肿痛、毒蛇咬伤、皮肤瘙痒、跌打损伤。

杜鹃花科 Ericaceae **吊钟花属** *Enkianthus*

齿缘吊钟花

Enkianthus serrulatus (Wils.) Schneid.

| 中 药 名 | 齿缘吊钟花（药用部位：根）

| 植物形态 | 落叶灌木，芽鳞 12~15，宿存。叶密集枝顶，厚纸质，长圆形或长卵形，长 6~8cm，宽 3.2~3.5cm，边缘具细锯齿，背面中脉下部被白色柔毛。伞形花序顶生，每花序上有花 2~6，花下垂；花梗长 1~1.5cm；花萼绿色，萼片 5，三角形；花冠钟形，白绿色，长约 1cm，口部 5 浅裂，裂片反卷；雄蕊 10，花丝白色，下部宽扁并具白色柔毛，花药具 2 反折的芒。蒴果椭圆形，直径 6~8mm，具棱，先端有宿存花柱，每室有种子数枚；种子瘦小，长约 2mm，具 2 膜质翅。花期 4 月，果期 5~7 月。

| 分布区域 | 产于海南五指山。亦分布于中国华南其他区域、华中、西南，以及福建、浙江。

齿缘吊钟花

| 资　　源 | 生于海拔 800m 以上的阳坡灌丛中，少见。 |

| 采收加工 | 全年皆可采收，鲜用或晒干。 |

| 功能主治 | 祛风除湿，活血。 |

杜鹃花科 Ericaceae　珍珠花属 Lyonia

珍珠花
Lyonia ovalifolia (Wall.) Drude.

| 中 药 名 | 珍珠花（药用部位：枝叶、果实）

| 植物形态 | 灌木；枝淡灰褐色，冬芽长卵圆形，淡红色。叶革质，卵形，长 8~10cm，宽 4~5.8cm，叶柄长 4~9mm。总状花序长 5~10cm，着生于叶腋，近基部有 2~3 叶状苞片，小苞片早落；花序轴上微被柔毛；花萼深 5 裂，花冠圆筒状，长约 8mm，外面疏被柔毛，上部浅 5 裂；雄蕊 10，花丝先端有 2 芒状附属物，中下部疏被白色长柔毛。蒴果球形，直径 4~5mm，缝线增厚；种子短线形，无翅。花期 5~6 月，果期 7~9 月。

珍珠花

分布区域

产于海南万宁、乐东。亦分布于中国华南其他区域，以及湖南、福建、台湾、贵州、云南、四川、西藏。马来西亚、泰国、巴基斯坦、尼泊尔、不丹、印度也有分布。

资　　源

生于海拔 300~1600m 的疏林中，偶见。

采收加工

枝叶：春、秋季采收。果实：秋季成熟时采收。鲜用或晒干。

功能主治

枝、叶：敛疮止痒。外用于皮肤疮毒、疥疮发痒、皮肤瘙痒、麻风。果实：活血祛瘀，止痛，补肝益肾，祛风，杀虫，解毒，强筋健骨。外用于跌打损伤、闭合性骨折、癣疮、腰膝酸软。

杜鹃花科 Ericaceae **珍珠花属** *Lyonia*

红脉珍珠花 *Lyonia rubrovenia* (Merr.) Chun.

| **中 药 名** | 红脉珍珠花（药用部位：枝叶、果实）

| **植物形态** | 灌木。叶革质，椭圆形或长圆形，长 4~9cm，宽 1~3cm，先端渐尖或急尖，基部钝形，侧脉 7~9 对，在背面显著，红褐色或淡黄色；红褐色叶柄长 5~7mm。总状花序腋生，长 5~7cm，被微柔毛；小苞片早落；花梗长 4~5mm；花萼 5 裂，裂片披针形；花冠圆筒形，长约 7mm，上部浅 5 裂，外面有柔毛；雄蕊 10，花丝被白色长柔毛，柱头细小。蒴果近球形，直径约 3mm，缝线增厚。花期 4~5 月，果期 6~8 月。

| **分布区域** | 产于海南东方、白沙、五指山、琼中。亦分布于中国华南其他区域。越南也有分布。

红脉珍珠花

| 资　　源 |

生于山顶林中，常见。

| 采收加工 |

枝叶：春、秋季采收。果实：成熟时采收。鲜用或晒干。

| 功能主治 |

同属植物珍珠花可敛疮止痒、活血祛瘀、强筋健骨等，本种或有类似功能，其具体作用有待进一步研究。

| 附　　注 |

在 FOC 中，其学名被修订为 *Lyonia ovalifolia* var. *rubrovenia* (Merrill) Judd。

杜鹃花科 ▍ Ericaceae ▍ 杜鹃属 ▍ *Rhododendron*

海南杜鹃
Rhododendron hainanense Merr.

| 中 药 名 | 海南杜鹃（药用部位：花、根、茎）

| 植物形态 | 小灌木，幼枝淡紫褐色，密被棕褐色扁平糙伏毛。叶近于革质，集生枝顶，线状披针形至狭披针形，长 2~4cm，宽 0.3~1.1cm，边缘浅波状，下面散生淡黄棕色糙伏毛；叶柄被棕褐色糙伏毛。花芽长卵圆形，鳞片卵形，外面沿中脊被亮棕褐色毛。花 1~3 顶生；花萼 5 裂，裂片不等大，外面及边缘被长柔毛；花冠漏斗形，长 3.5~4.5cm，红色，花冠管筒状，5 深裂；雄蕊 10，不等长，花丝中部以下被微柔毛；子房密被淡黄棕色刚毛状糙伏毛，花柱比雄蕊长，无毛。蒴果卵球形，长 8~10mm。花期 10~12 月，为本属开花期最晚的；果期为翌年 5~8 月。

| 分布区域 | 产于海南乐东、五指山、保亭、陵水、万宁、琼中、定安、三亚、琼海。亦分布于中国广西。越南也有分布。

海南杜鹃

| **资　　源** | 生于海拔 300~800m 的山地溪旁，常见。

| **采收加工** | 花朵盛开时采收花，鲜用或晒干。全年可采根，夏季采收茎、叶，洗净，切片，晒干，亦可鲜用。

| **功能主治** | 同属植物杜鹃 (*Rhododendron simsii*) 的根、茎、花均有药用价值，本种或许有类似功能，其具体作用有待进一步研究。

杜鹃花科 Ericaceae 杜鹃属 *Rhododendron*

毛棉杜鹃 *Rhododendron moulmainense* Hook. f.

| 中 药 名 | 毛棉杜鹃（药用部位：叶）

| 植物形态 | 灌木或小乔木。叶厚革质，集生枝端，近于轮生，长圆状披针形，长 5~12cm，宽 2.5~8cm，下面淡黄白色或苍白色；叶柄长 1.5~2.2cm。花芽长圆锥状卵形，鳞片阔卵形。伞形花序生枝顶叶腋，每花序有花 3~5；花萼裂片 5，波状浅裂；花冠淡紫色、粉红色或淡红白色，狭漏斗形，长 4.5~5.5cm，5 深裂，裂片匙形或长倒卵形，花冠管长 2~2.5cm，向上扩大；雄蕊 10，不等长，花丝扁平，中部以下被银白色糠皮状柔毛；子房长圆筒形，微具纵沟，深褐色。蒴果圆柱状，长 3.5~6cm，花柱宿存。花期 4~5 月，果期 7~12 月。

| 分布区域 | 产于海南三亚、乐东、东方、白沙、五指山。亦分布于中国华南其

毛棉杜鹃

他区域，以及湖南、江西、福建、贵州、云南、四川。中南半岛，以及印度尼西亚也有分布。

| 资　　　源 | 生于山顶或山地林中，常见。

| 采收加工 | 春、秋季采收，鲜用或晒干。

| 功能主治 | 同属植物杜鹃（*Rhododendron simsii*）的叶可清热解毒、止血、化痰止咳，本种或有类似功能，其具体作用有待进一步研究。

杜鹃花科 ■ Ericaceae ■ 杜鹃属 *Rhododendron*

岩谷杜鹃
Rhododendron rupivalleculatum Tam.

| 中 药 名 |　岩谷杜鹃（药用部位：叶）

| 植物形态 |　附生小灌木，茎多分枝，密生小疣状突起。叶革质，3~4 聚生于枝顶，叶片匙状倒卵形，长 1.4~2cm，边缘明显反卷，下面疏生鳞片。单花顶生；花萼短小，被微柔毛，5 裂，裂片通常长圆形，疏生鳞片，边缘疏生稍硬的缘毛；花冠短钟状，长 1~1.2cm，黄色，疏生鳞片，裂片匙状卵形，3 裂片有红色斑点；雄蕊 10，花丝中部被微柔毛；子房密被微柔毛和鳞片，花柱通常呈弯弓状。蒴果长圆形，长 0.9~1.2cm，被微毛，密被腺鳞。花期 7~9 月，果期 11 月至翌年 1 月。

| 分布区域 |　产于海南东方、白沙。亦分布于中国华南其他区域。

岩谷杜鹃

| 资　　源 | 生于山顶灌丛或疏林中，少见。

| 采收加工 | 春、秋季采收，鲜用或晒干。

| 功能主治 | 同属植物杜鹃（*Rhododendron simsii*）的叶可清热解毒、止血、化痰止咳，本种或有类似功能，其具体作用有待进一步研究。

杜鹃花科 Ericaceae 杜鹃属 *Rhododendron*

猴头杜鹃
Rhododendron simiarum Hance.

| **中 药 名** | 猴头杜鹃（药用部位：叶）

| **植物形态** | 常绿灌木，老枝树皮有层状剥落，淡灰色或灰白色。叶厚革质，常5~7密生于枝顶，倒卵状披针形，长5.5~10cm，宽2~4.5cm，基部微下延于叶柄，下面被淡棕色或淡灰色的薄层毛被；叶柄长1.5~2cm。顶生总状伞形花序，有5~9花；总轴被疏柔毛，淡棕色；花萼盘状，5裂；花冠钟状，长3.5~4cm，乳白色至粉红色，喉部有紫红色斑点，5裂，裂片先端有凹缺；雄蕊10~12，不等长，花丝基部有开展的柔毛；子房被淡黄色分枝的绒毛及腺体，花柱基部有时具腺体。蒴果长椭圆形，长1.2~1.8cm，直径8mm，被锈色毛，后变无毛。花期4~5月，果期7~9月。

猴头杜鹃

| 分布区域 |

产于海南乐东、东方、昌江、白沙、五指山、保亭、陵水、定安。亦分布于中国华南其他区域，以及湖南、江西、福建、浙江、安徽、贵州。

| 资　　源 |

生于山顶疏林中，十分常见。

| 采收加工 |

春、秋季采收，鲜用或晒干。

| 功能主治 |

同属植物杜鹃（*Rhododendron simsii*）的叶可清热解毒、止血、化痰止咳，本种或有类似功能，其具体作用有待进一步研究。